LOS ANGELES

Marian Keyes

✤✤✤

Melancia
FÉRIAS!
SUSHI
Casório?!
É Agora... ou Nunca
LOS ANGELES
Um Bestseller pra chamar de meu
Tem Alguém Aí?
Cheio de Charme
A Estrela Mais Brilhante do Céu
CHÁ DE SUMIÇO
Mamãe Walsh
A mulher que roubou a minha vida

LOS ANGELES

MARIAN KEYES

11ª EDIÇÃO

Tradução
RENATO MOTTA

Copyright © Marian Keyes, 2002
Título original: *Angels*

Capa: Carolina Vaz

Editoração: DFL

Texto revisado segundo o novo
Acordo Ortográfico da Língua Portuguesa

2016
Impresso no Brasil
Printed in Brazil

CIP-Brasil. Catalogação na fonte
Sindicato Nacional dos Editores de Livros, RJ.

K55l
11ª ed.
	Keyes, Marian, 1963-
	    Los Angeles / Marian Keyes; tradução Renato Motta. – 11ª ed. – Rio de Janeiro: Bertrand Brasil, 2016.
	    490p.
	
	    Tradução de: Angels
	    ISBN 978-85-286-1293-6
	
	    1. Romance irlandês. I. Motta, Renato. II. Título.

07-3901	CDD – 823 CDU – 821.111-3

Todos os direitos reservados pela:
EDITORA BERTRAND BRASIL LTDA.
Rua Argentina, 171 – 2º andar – São Cristóvão
20921-380 – Rio de Janeiro – RJ
Tel.: (0xx21) 2585-2070 – Fax: (0xx21) 2585-2087

Não é permitida a reprodução total ou parcial desta obra, por quaisquer meios, sem a prévia autorização por escrito da Editora.

Atendimento e venda direta ao leitor:
mdireto@record.com.br ou (0xx21) 2585-2002

AGRADECIMENTOS

Gostaria de agradecer às seguintes pessoas:

À minha editora, Louise Moore, por suas contribuições inteligentes e intuitivas, a Harriet Evans, pelo seu trabalho meticuloso, bem como a todo o pessoal da Penguin Books.

A todos na Poolbeg, com agradecimentos especiais a Paula Campbell, pela história sobre o campeonato de sinuca.

A Jonathan Lloyd, Tara Wynne e Nick Marston, da Curtis Brown.

Aos maravilhosos Ricardo Mestres, Danny Davis e Heij, da Touchstone Pictures, pela minha primeira aventura em Los Angeles.

Aos igualmente maravilhosos Bob Bookman, Sharie Smiley e Jessica Tuchinsky, da CAA, pela minha segunda aventura em Los Angeles.

E também às seguintes pessoas, por terem me fornecido muitas informações, de um jeito tão generoso, bem como por terem me mantido suprida de incentivos e/ou doces: Guy e Julie Baker, Jenny Boland, Ailish Connelly, Siobhan Coogan, Emily Godson, Gai Griffin, dr. Declan Keane, do Holles St Hospital, Caitríona Keyes, Mamãe Keyes, Rita-Anne Keyes, Julian Plunkett-Dillon, Deirdre Prendergast, Eileen Prendergast, Suzanne Power, Morag Prunty, Jason Russell, Anne-Marie Scanlon, Emma Stafford, Louise Voss, Amy Welch e Varina Whitener. Obrigada a todos vocês.

Finalmente, agradeço ao meu querido Tony, a quem este livro é dedicado.

Para Tony

PRÓLOGO

"Em breve estaremos pousando no Aeroporto Internacional de Los Angeles. Por favor, certifiquem-se de que o encosto de suas poltronas está na posição vertical, de que você não está nem um quilinho acima do peso e de que seus dentes estão brancos como a neve."

Epilogue

CAPÍTULO 1

Eu sempre levei uma vida razoavelmente irrepreensível. Até o dia em que larguei o meu marido e fugi para Hollywood, eu nunca tinha feito nada de errado. Pelo menos, nada de que muita gente ficasse sabendo. Foi por isso que quando, sem mais nem por que, tudo começou a se desintegrar em minha vida como papel molhado, não consegui afastar a desagradável suspeita de que aquilo já era para ter acontecido há muito tempo. Toda aquela vida certinha não era nem um pouco natural.

É claro que eu não acordei de manhã um belo dia e saí do país, deixando meu pobre marido, sonolento e com cara de bobo, se perguntando o que significava aquele envelope em cima do travesseiro. Estou fazendo a coisa toda parecer muito mais dramática do que realmente foi, o que é estranho, porque eu nunca tive propensão para o drama. Nem propensão para usar palavras como "propensão", por falar nisso. Mas, desde o lance com os coelhos, e talvez antes mesmo disso, as coisas com Garv já andavam meio desconfortáveis e esquisitas.

Foi quando passamos por dois episódios que as pessoas costumam chamar de "reveses". Só que, em vez de tornar o nosso casamento mais forte — como sempre parecia acontecer com outras almas afortunadas que sofriam reveses e os superavam para depois contar tudo nas revistas femininas favoritas de minha mãe —, o nosso tipo particular de revés fez exatamente o que a palavra insinua. Nos fez andar de ré. Eles se enfiaram entre mim e Garv e nos afastaram um do outro. Embora não comentássemos nada a respeito, eu sabia que Garv me culpava.

Até aí, tudo bem, porque eu me culpava também.

Marian Keyes

* * *

O nome dele na verdade é Paul Garvan, mas, quando eu o conheci, nós dois ainda éramos adolescentes e ninguém chamava ninguém pelo primeiro nome. "Cabeção", "Mosquito", "Baleia" e "Mongão" eram os nomes pelos quais alguns dos nossos amigos eram conhecidos. Ele era Garv, foi assim que eu o conheci, e só o chamo de Paul quando estou extremamente revoltada por algum motivo.

Do mesmo modo, meu nome é Margaret, mas ele me chama de Maggie, a não ser quando eu pego o carro dele emprestado e arranho a lateral em uma das pilastras do edifício-garagem (coisa que acontece com mais frequência do que vocês poderiam supor).

Eu estava com vinte e quatro e ele com vinte e cinco quando nos casamos. Ele foi o meu primeiro namorado, como minha pobre mãe nunca se cansa de contar para as pessoas. Ela imagina que isso prova o quanto eu era uma jovem sossegada, uma menina que não ficava pulando de cama em cama por aí. (Fui a única de suas cinco filhas que não fez isso; podemos culpá-la por exibir a minha suposta virtude?) O que ela se esquece de mencionar quando conta vantagens para as amigas é que Garv pode ter sido o meu primeiro namorado, mas não foi o único.

Enfim...

Já estávamos casados há nove anos e não dá para dizer ao certo quando foi que eu comecei a fantasiar sobre o fim do casamento. Não que eu quisesse isso, acreditem. Mas achava que se eu imaginasse o pior cenário possível, isso seria a garantia de que o fato nunca iria acontecer. Entretanto, em vez disso servir de garantia, acabou materializando a coisa toda. Só para vocês verem...

O fim veio de forma surpreendentemente súbita. Em um minuto o meu casamento estava direitinho nos trilhos — apesar de eu andar fazendo coisas estranhas, como beber as minhas lentes de contato —, e no minuto seguinte estava totalmente descarrilhado, acabado, o que me pegou completamente desprevenida, pois eu sempre achei que haveria o período regulamentar de arremesso de pratos um no outro e trocas de palavrões, antes de a bandeira branca ser hasteada.

LOS ANGELES

Tudo desmoronou sem uma troca de palavras ríspidas sequer, e eu simplesmente não estava preparada para isso.

Deus é testemunha de que eu *devia* estar. Algumas noites antes eu havia acordado de madrugada e fiquei sem sono, pronta para uma boa rodada de preocupações, coisa que muitas vezes acontecia, geralmente provocada por trabalho ou dinheiro. Sabem como é, o de sempre: muito de um e pouco de outro.

Só que recentemente — provavelmente não tão recentemente assim — eu me pegava preocupada comigo em relação a Garv. Será que as coisas iam melhorar? Será que já haviam melhorado, mas eu não enxergava?

Na maioria das noites, não chegava a nenhuma conclusão e tentava voltar a dormir, mesmo preocupada. Daquela vez, porém, fui acometida por uma súbita e indesejada visão de Raios X. Consegui ver através da cômoda rotina diária, da cumplicidade das palavras especiais que usávamos um com o outro, do passado que dividíamos e meu olhar chegou até o coração de Garv e ao meu também, e percebi tudo o que acontecera nos últimos tempos. Toda a fantasia se desfez e eu tive um pensamento horrível, porém muito claro: *estamos com um problemão nas mãos*.

Isso me deixou literalmente gelada. Todos os cabelinhos do meu braço se eriçaram e uma sensação congelante se acomodou entre as minhas costelas. Aterrorizada, tentei me animar pensando na montanha de trabalho que estava à minha espera no escritório na manhã seguinte, mas não adiantou nada. Então lembrei que meus pais estavam ficando idosos e que a filha que ia ter de acabar cuidando deles era eu. Tentei ficar pensando nisso para afastar a cabeça do casamento, mas não adiantou nada.

Depois de algum tempo, tornei a pegar no sono, cocei o braço até fazer ferida, rangi os dentes com vontade, acordei com a sensação familiar de estar com a boca cheia de cascalho e fui em frente.

Eu devia ter percebido que quando pensei "*estamos com um problemão nas mãos*", na verdade já estávamos há algum tempo, e de verdade. Na noite em questão, tínhamos combinado de sair para jantar com Elaine e Liam, amigos de Garv. Quem sabe, se a nova tevê de plasma de Liam não tivesse despencado da parede e caído em cima do seu pé, quebrando-lhe o dedão, e nós tivéssemos ido jantar fora, em vez de eu ir direto para casa depois do trabalho, talvez Garv e eu nunca tivéssemos nos separado?

A ironia é que eu estava *rezando* para que Elaine e Liam cancelassem o jantar. A chance era boa — nas últimas três vezes em que havíamos combinado de sair, o encontro não aconteceu. Da primeira vez, Garv desmarcou porque estávamos esperando pela nova mesa da cozinha, que haviam ficado de entregar naquele dia (não, é claro que não entregaram). Na vez seguinte, Elaine — que é uma bambambã na área de fundos de pensão — teve que ir até Sligo para deixar um monte de gente sem emprego ("O Jaguar novo chegou bem a tempo da minha viagem!"). Da última vez, eu arranjei uma desculpa esfarrapada que Garv aceitou na mesma hora. Agora, era a vez de Elaine e Liam cancelarem.

Não que eu não gostasse deles. Bem, na verdade não gostava mesmo. Como eu disse, ela é uma bambambã em fundos de pensão, e ele é corretor da bolsa. Os dois têm boa aparência, ganham toneladas de dinheiro e são grosseiros com garçons. O tipo de gente que está sempre trocando de carro e saindo de férias.

A maioria dos amigos de Garv era ótima, mas Liam era uma exceção evidente: o problema era que Garv era o tipo de pessoa que anda por aí tentando achar o lado bom das pessoas — da maioria delas, pelo menos. Essa é uma grande qualidade, em teoria, e eu não faço nenhuma objeção ao fato de ele tentar achar coisas boas nas pessoas que eu gosto, mas era um saco quando ele insistia em fazer a mesma coisa com gente que eu não conseguia engolir. Ele e Liam eram amigos desde o colégio, nos dias em que Liam era um cara muito legal, e, embora Garv tivesse tentado com vontade, por minha causa, não conseguira acabar com a afeição residual que sentia por Liam.

Mas até Garv concordava que Elaine era uma coisa aterrorizantemente assustadora. Ela-falava-depressa-demais. Metralhava-uma-pergunta-atrás-da-outra-sem-parar. Como-vão-as-coisas-no-trabalho? Quando-é-que-você-vai-ser-promovida? Seu glamour dinâmico me reduzia a uma inadequação gaguejante, e quando eu conseguia

articular uma resposta, ela já perdera o interesse no assunto e seguia adiante.

Mas mesmo se eu gostasse de Liam e Elaine, continuaria sem ter vontade de sair naquela noite em especial, porque exibir uma cara grande, redonda e feliz é muito mais difícil quando se tem plateia. Além do mais, havia um monte de envelopes pardos que estavam esperando em casa para serem examinados (além de duas novelas na tevê loucas para atender às minhas necessidades de distração e um sofá que mal podia esperar para me ver sentada nele). O tempo era uma entidade preciosa demais para eu gastar uma noite inteira dele me divertindo.

Além de tudo, eu estava *tão* cansada... Meu trabalho — como o da maioria das pessoas — era muito exigente. Acho que a pista está no nome: "trabalho". Se não fosse assim, essa atividade teria o nome de "relaxar ao sol em uma espreguiçadeira" ou "massagem terapêutica profunda". Eu trabalhava em uma firma de advocacia que tratava de um monte de contratos com os Estados Unidos. Especificamente na área de entretenimento. (Depois que nos casamos, Garv, por conta de sua competência fabulosa, fora convidado para trabalhar por cinco anos no escritório da empresa em Chicago. Eu havia trabalhado para uma das grandes firmas de advocacia de lá, e quando voltamos para a Irlanda, há três anos, eu me considerava com bom jogo de cintura nos assuntos relacionados a leis americanas na área de entretenimento. O problema é que embora eu tivesse feito vários cursos com aulas noturnas e tivesse conseguido algumas qualificações em Chicago, não era uma advogada formada. O que significa que tinha de aturar uma montoeira de trabalho e a maior parte das reclamações, mas só ganhava uma fração insignificante da grana. Eu era uma espécie de intérprete jurídica, imagino; uma cláusula que queria dizer uma coisa na Irlanda podia significar outra coisa completamente diferente nos Estados Unidos, então eu traduzia contratos americanos para o jargão jurídico irlandês e fazia minutas de contrato que — pelo menos eu torcia por isso — funcionassem nas duas jurisdições.)

Vivia assombrada por um medo vago, mas constante. Às vezes tinha pesadelos, onde eu deixara uma cláusula vital de fora e a minha firma acabava com um processo de quatro trilhões de dólares nas costas, valor que era deduzido do meu salário à taxa de sete libras e meia por semana, o que me obrigava a trabalhar lá por toda a eternidade para conseguir pagar tudo. Algumas vezes, nesses sonhos, todos os meus dentes caíam, para aumentar a desgraça. Outras vezes, eu me via no escritório e, quando olhava para baixo, percebia que estava completamente nua e precisava me levantar para ir até a máquina de xerox.

Como eu dizia, no dia em que tudo estourou eu estava muito atarefada. Andava tão atolada que meu novo horário reservado para a academia tinha ido para o espaço. Descobrira recentemente que roer as unhas era o único exercício que eu andava fazendo, e então bolei um plano genial — em vez de ligar para Sandra, minha assistente, para mandá-la vir buscar as cópias dos contratos, eu ia caminhar por mais de vinte metros até a sala dela, a fim de entregar a papelada pessoalmente. Só que naquele dia não havia tido tempo nem para isso. Se um acordo com um estúdio de cinema não fosse assinado naquela semana, o ator que se comprometera com o projeto ia cair fora.

Por um instante, falando desse jeito, acho que fiz parecer que o meu trabalho era glamoroso. Podem acreditar, era tão glamoroso quanto uma dor de dente. Até mesmo os almoços de negócios dos quais eu eventualmente participava, em restaurantes caros, não eram assim nenhuma maravilha. Eu nunca conseguia relaxar de verdade — as pessoas perguntavam alguma coisa que exigia uma resposta longa e detalhada sempre na hora em que eu tinha acabado de colocar uma garfada na boca, ou então, quando eu ria, era assombrada pelo medo terrível de estar com alguma comida verde grudada nos dentes.

De qualquer modo o roteirista — meu cliente — estava desesperado para ver o contrato pronto, a fim de que conseguisse embolsar alguma grana para alimentar sua família. (E para o seu pai finalmente poder ter orgulho dele, mas já estou fugindo do assunto.) Os advogados americanos apareceram no escritório às três da manhã, pelo fuso horário deles, a fim de tentar fechar o acordo, e um monte de e-mails e telefonemas ficou pipocando para cá e para lá. No fim do dia, terminamos de colocar todos os pingos nos "is", demos o

LOS ANGELES

trabalho por encerrado e, embora eu estivesse me sentindo um trapo, estava também leve e feliz.

Foi quando lembrei que íamos sair com Liam e Elaine, e uma nuvem cobriu o meu sol. Não era assim tão mau, tentei me consolar; pelo menos eu ia conseguir um jantar legal — eles adoravam restaurantes caros metidos a besta. Mas, puxa vida, eu estava exausta! Se pelo menos fosse a *nossa* vez de cancelar!

Então, quando tudo parecia perdido, veio o telefonema.

— Liam quebrou o dedão — informou Garv. — A tevê de plasma nova caiu no pé dele. (Liam e Elaine possuíam todos os bens duráveis conhecidos pelo homem — e eu ressalto a palavra *homem* aqui, não mulher. Se eu tiver um celular e um aparelhinho daqueles que faz cachos nos cabelos, estou feliz. Mas Garv, como é homem, vive sonhando com isso digital e aquilo Bang & Olufsen.) — Portanto, o programa de hoje à noite foi cancelado.

— Ótimo! — exclamei, mas na mesma hora lembrei que eles eram amigos de Garv. — Bem, não achei ótimo ele quebrar o dedão, é claro, mas é que eu tive um dia cheio e...

— Tudo bem — concordou Garv. — Eu também não queria ir. Estava pensando em ligar para eles e dar a desculpa de que a nossa casa tinha pegado fogo, ou algo assim.

— Legal. Bem, a gente se vê em casa.

— O que vamos fazer com o jantar? Quer que eu compre alguma comida pronta pelo caminho?

— Não, você já fez isso ontem. Deixe que eu levo.

Lancei-me em uma orgia louca de desligar tudo que estava em cima da mesa quando alguém disse:

— Vai para casa, Maggie?

Era a minha chefe, Frances, e a palavra *já* podia não ter sido pronunciada, mas eu ouvi a insinuação claramente.

— Vou — confirmei, e para não deixar dúvidas, completei: — Para casa — com a voz educada, mas firme, tentando manter o tom sempre-trêmulo-sob-pressão livre de vestígios de medo.

— Aquele contrato já ficou pronto para a reunião de amanhã?

— Ficou — garanti. Não, é claro que não estava pronto. Ela estava falando de outro contrato, um que eu ainda nem começara a redigir. Não adiantava nada eu choramingar com Frances, dizendo que eu tinha passado o dia todo enrolada no frenesi de costurar um grande acordo. Ela era uma super-realizadora, caminhando a passos largos para se tornar sócia da firma, e transformava o trabalho duro em uma espécie de arte performática. Raramente saía do escritório e, segundo a opinião popular (não que ela *fosse* popular, é claro), dormia debaixo da mesa e se lavava, como uma mendiga, no banheiro da empresa.

— Posso dar uma olhadinha?

— O texto ainda não está no formato final — disse eu, meio sem graça. — E eu preferia esperar até ficar pronto, antes de lhe mostrar.

Ela me lançou um olhar intenso e demasiadamente longo.

— Quero esse contrato na minha mesa amanhã às nove e meia — disse, por fim.

— Certo! — Os bons espíritos produzidos pelo fato de eu ter escapado e estar com a noite livre se soltaram da jaula. Enquanto ela saiu pelo corredor, martelando o piso com os saltos altos, olhei com ar pensativo para o computador que acabara de desligar. Será que não era melhor eu ficar mais umas duas horinhas e resolver aquilo de uma vez? Mas eu não conseguia. Perdera tudo. Perdera o entusiasmo, a ética profissional e sei lá mais o quê. Assim, em vez de trabalhar, resolvi que ia chegar um pouco mais cedo no dia seguinte para completar a tarefa.

Eu não tinha comido quase nada o dia todo. Na hora do almoço, em vez de parar de trabalhar, vasculhei uma das gavetas da escrivaninha em busca de uma barra de chocolate comida pela metade, que eu lembrava vagamente de ter abandonado ali, dias antes. Para minha alegria, eu a encontrei. Tirei os clipes que haviam ficado grudados nela, raspei o resto da sujeira e, devo confessar, ela estava deliciosa.

Assim, quando fui dirigindo para casa, estava com fome, e lembrei que não havia nada para comer em casa. Comida era um grande problema para Garv e para mim. Subsistíamos, como a maioria das pessoas que conhecíamos, à base de pratos prontos para micro-ondas, comida para viagem e jantares fora de casa. Uma vez ou

LOS ANGELES

outra — ou, pelo menos, antes de as coisas começarem a ficar esquisitas entre nós —, quando já havíamos esvaziado o estoque de preocupações comuns, passávamos algum tempo encucados por não estarmos tomando vitaminas em quantidade suficiente. Então, abraçávamos uma nova e mais saudável filosofia de vida e comprávamos um frasco imenso de multivitamínicos, que tomávamos por um ou dois dias e depois deixávamos de lado. Ou então fazíamos uma excursão louca ao supermercado, esticando os braços escorbúticos para arrebanhar imensos brócolis, cenouras com um alaranjado suspeito e maçãs suficientes para alimentar uma família de oito pessoas por uma semana.

— A saúde é a nossa maior riqueza — dizíamos, felizes da vida, pois nos parecia que *comprar* comida crua era eficiente por si só. Depois, quando ficava claro que tudo aquilo precisava ser comido é que começavam os problemas.

Eventos súbitos surgiam, conspirando para frustrar nossos planos culinários: precisávamos trabalhar até mais tarde ou ir ao aniversário de alguém. A semana seguinte era geralmente gasta em uma percepção desconfortável de que toda aquela comida estava bem ali, implorando por nossa atenção. Mal aguentávamos ir até a cozinha. Imagens de couves-flores e uvas pairavam em algum canto de nossa consciência pesada, e jamais nos sentíamos totalmente em paz. Lentamente, dia após dia, conforme a comida ia estragando, nós a jogávamos fora, furtivamente, sem jamais contar um ao outro o que estávamos fazendo. E só quando o último kiwi fosse carregado pelo caminhão de lixo é que a sombra escura se elevava e conseguíamos relaxar novamente.

Uma pizza congelada a qualquer hora era muito menos estressante.

E foi exatamente isso que eu comprei para a refeição daquela noite. Estacionei meio torto, corri até o Spar e joguei duas pizzas e algumas caixas de cereal matinal dentro da cestinha. Foi quando o destino interveio.

Eu consigo passar sem comer chocolate por semanas a fio. OK, dias. Só que se eu provar um pouquinho, quero mais e mais, e a barra de chocolate cheia de sujeira grudada despertara a besta faminta em mim. Por causa disso, ao ver as trufas artesanais em uma das geladeiras do mercado, decidi num impulso deixar que o demônio guloso que havia em mim justificasse aquilo, engrenei um "que se dane" e comprei uma caixa.

Quem sabe o que teria acontecido se eu não tivesse feito aquilo? Será que algo tão inócuo quanto uma caixa de chocolates pode ter alterado todo o curso da minha vida?

Garv já chegara em casa e nos cumprimentamos meio sem jeito. Não esperávamos passar a noite em companhia um do outro; estávamos meio que dependentes de Liam e Elaine para diluir a atmosfera estranha que rolava.

— Donna telefonou. Na verdade, acabou de desligar — avisou ele. — Ela disse que vai ligar para você no trabalho, amanhã.

— O que ela contou de novidades?

Donna tinha uma vida amorosa confusa e meio caótica, e eu, sendo uma das suas melhores amigas, tinha como tarefa lhe fornecer conselhos. Mas ela também costumava consultar Garv, para obter o que chamava de "perspectiva masculina", e ele geralmente era tão útil que ela lhe colocara o apelido de Doutor Amor.

— Robbie quer que ela pare de raspar os pelos debaixo do braço. Ele diz que acha sexy, mas ela está com medo de ficar parecendo um gorila.

— E qual foi o seu conselho?

— Que não há nada de errado em mulheres com cabelo...

— Ah!... sei!...

— ... mas se ela realmente não estava a fim disso, devia dizer a ele que ia deixar de raspar os pelos debaixo do braço se ele começasse a usar calcinhas de mulher. Estilo "se eu pago mico, você também tem que pagar".

— Você é um gênio. De verdade.

— Obrigado.

Garv tirou a gravata, colocou-a sobre as costas da cadeira e passou os dedos pelos cabelos, se livrando dos vestígios da sua *persona* profissional. No trabalho o seu cabelo era arrumado, todo mauricinho: bem curto na nuca e esticado para trás da testa, mas fora do escritório as pontas lhe caíam sobre os olhos.

Existem homens que são tão bonitos e atraentes que vê-los pela primeira vez é como receber uma marretada na cabeça. Garv não é um desses; é mais o tipo de homem que você pode ver toda manhã durante vinte anos, até que um belo dia acorda e pensa: "Puxa, até que ele é legal. Como é que eu não tinha percebido até hoje?"

Sua mais óbvia atração era a altura, mas eu era alta também, então nunca saía por aí dizendo: "Olhem, vejam como ele é comprido!" A vantagem é que eu podia usar sapatos de salto alto ao lado dele, detalhe que me agradava — minha irmã Claire foi casada com um homem que tinha a mesma altura que ela, então era obrigada a usar salto baixo para ele não se sentir um tampinha. E olhem que ela *adora* sapatos. Até que, de repente, ele teve um caso com outra mulher e a largou, portanto eu acho que no fim tudo dá certo.

— Como foi no trabalho, hoje? — perguntou Garv.

— Basicamente horrível. Como foi o seu?

— Péssimo na maior parte do dia. Mas tive dez minutos bons entre quatro e quinze e quatro e vinte e cinco, quando fiquei em pé na escada de incêndio fingindo que ainda era fumante.

Garv é atuário, o que o torna alvo fácil para acusações de ser um sujeito chato — e no primeiro contato as pessoas confundem o jeito calmo dele com chatice. Na minha opinião, porém, é um erro igualar o número de vezes que a pessoa mastiga uma garfada com chatice. Um dos caras mais chatos que eu já conheci foi um escritor idiota que namorou Donna e se chamava John — nada mais criativo, não acham? Saímos para jantar uma noite e ele quase nos colocou para dormir com um monólogo sacal a respeito de outros escritores e o quanto eles são apenas mercenários que ganham mais do que merecem. Em seguida, começou a me interrogar sobre o que eu achava a respeito de uma ou outra coisa, cutucando e explorando tudo com a intimidade de um ginecologista. "Como você se sente? Triste? Triste como? Completamente arrasada? Ah, agora sim!" Então correu para o banheiro dos homens e eu *tive certeza* de que ele anotou tudo o que eu havia dito em um caderninho para usar depois, no livro que estava escrevendo.

— Você não precisa ficar com ciúme por causa da tevê de plasma de Liam — disse eu a Garv, feliz por poder fingir que seu jeito amuado era devido ao fato de que o seu amigo tinha mais aparelhos eletrônicos do que ele. — Afinal, a tevê não o atacou? Tinha mesmo que ser sacrificada.

— Ahn... — Garv deu de ombros, do jeito que sempre fazia quando estava chateado. — Eu não estou chateado. (Embora ele parecesse disposto a discutir os problemas de Donna com ela, vocês podem perceber a sua relutância em conversar a respeito dos seus próprios sentimentos, mesmo quando se tratava de uma simples tevê.) — A questão é: você sabe quanto ela custou? — perguntou ele, falando depressa.

É claro que eu sabia. Toda vez que eu ia à cidade com Garv, tínhamos que passar no departamento de eletrônicos da Brown Thomas para ficar parados diante da tal tevê, admirando-a no alto de seu glorioso preço de doze mil libras. Embora Garv ganhasse bem, seu salário não chegava nem perto do de Liam, cujo valor tinha tantos dígitos que mais parecia um número de telefone. E com a prestação da nossa casa, o custo alto de manter dois carros, o vício de Garv por CDs e meu vício por cremes faciais e bolsas, não sobrava grana no orçamento para tevês de plasma.

— Ora, anime-se, provavelmente ela parou de funcionar, depois de despencar da parede. E logo, logo você vai poder comprar uma igual.

— Você acha...?

— Claro que acho. Assim que acabarmos de mobiliar a casa. — Esse argumento pareceu funcionar. Erguendo o corpo um pouco e parecendo mais animado, ele me ajudou a desempacotar as compras. E foi quando tudo aconteceu.

Ele pegou a caixa das trufas "que se dane" e exclamou:

— Olhe só! — Seus olhos brilharam. — Novamente estes chocolates. Será que eles estão nos perseguindo?

Eu olhei para ele, olhei para a caixa e de volta para ele. Não tinha ideia de sobre o que ele estava falando.

— Você *sabe* — insistiu ele, com ar empolgado. — São os mesmos que nós comemos quando...

LOS ANGELES

Parou de falar de repente. Meu cenho se franziu com curiosidade e eu o encarei. Ele me encarou de volta e, subitamente, um monte de coisas surgiu na minha cabeça. O olhar brincalhão desapareceu do seu rosto e foi substituído por uma expressão de medo. Horror até. E antes mesmo que os pensamentos começassem a tomar forma em minha mente, eu *soube*. Ele estava falando de outra pessoa, de um momento íntimo compartilhado com uma mulher que não era eu. E acontecera recentemente.

Senti como se eu estivesse caindo, e pareceu que eu ia continuar caindo para sempre. Então, de repente eu me forcei a parar. E descobri mais uma coisa. Não ia fazer aquilo. Não ia aguentar observar a espiral descendente do meu casamento começar a sugar outras pessoas e fazê-las girar loucamente em seu vórtice.

Chocada e imóvel, com os olhos grudados nos dele, implorei silenciosamente, desesperada para que ele dissesse algo que servisse de explicação e fizesse aquele clima estranho ir embora. Mas o rosto dele estava petrificado de horror — o mesmo horror que eu senti.

— Eu... — tentou ele, mas não disse mais nada.

Senti uma fisgada de agonia no dente do siso e, então, como se eu estivesse sonhando, saí da sala.

Garv não me seguiu; ficou na cozinha. Não ouvi som algum e imaginei que ele continuava parado ali, no mesmo lugar em que eu o deixara. Isso, por si só, já parecia uma admissão de culpa. Ainda em meu pesadelo ambulante, peguei o controle remoto, liguei a tevê e fiquei esperando o momento de acordar.

CAPÍTULO 2

Não trocamos mais nenhuma palavra pelo resto da noite. Talvez eu devesse ter feito um escândalo, querendo saber dos detalhes — Quem era ela? Há quanto tempo aquilo vinha rolando? Porém, mesmo nos meus melhores dias eu não era assim, e depois de tudo o que nós havíamos passado nos últimos tempos, já não tinha mais vontade nenhuma de brigar.

Se ao menos eu fosse mais parecida com as minhas irmãs, que eram fabulosas no quesito "expressar dor" — especialistas em esmurrar portas, bater com o telefone no gancho, atirar coisas nas paredes e guinchar... O mundo inteiro sempre era informado da sua raiva/desapontamento/namorado safado/musse de chocolate que sumira da geladeira. Eu, porém, nascera sem o gene de diva e, talvez por isso, quando a devastação me atingia, normalmente ficava quietinha, remoendo aquilo na cabeça, tentando entender o lance. Meu sofrimento era como um cabelo encravado que crescia e se enroscava cada vez mais para dentro da pele. O problema é que tudo o que entra tem de sair, e a minha dor invariavelmente reemergia na forma de um eczema escamoso, cheio de flocos e úmido, sempre localizado no braço direito. Aquilo era o barômetro mais confiável do meu estado emocional, e havia noites em que a coisa formigava e pinicava tanto que eu coçava o braço até sangrar.

Fui para a cama antes de Garv e, para minha surpresa, consegui pegar no sono — devido ao choque, talvez? Então, acordei em algum momento indeterminado da madrugada e fiquei ali deitada, olhando para o escuro. Provavelmente eram quatro da manhã. Quatro da manhã é a hora mais sombria da noite, o momento em que estamos na maré mais baixa. É quando as pessoas doentes morrem. É quan-

LOS ANGELES

do as pessoas que estão sendo torturadas entregam os pontos. Minha língua estava áspera e meu maxilar doía; andara novamente rangendo os dentes. Não era de espantar que o meu dente do siso estivesse implorando por um pouco de atenção, fazendo um último apelo desesperado antes que eu o desgastasse até a gengiva.

Então, franzindo os olhos, enfrentei a repulsiva revelação de frente. Essa tal de mulher-trufa — será que Garv tinha realmente um caso com ela?

Em agonia, admiti que provavelmente sim; os sinais estavam todos lá. Se eu estivesse olhando de fora, chegaria à conclusão de que, definitivamente, ele tinha um caso na rua, mas sempre é diferente quando *nossa* própria vida é a que está sendo analisada.

Temia que algo assim pudesse acontecer, tanto que já estava meio preparada para o fato. Naquele momento, porém, depois que a bomba explodira, já não me sentia tão pronta. Ele exibiu um brilho tão grande no olhar quando reparou no chocolate "deles"... Foi algo terrível de presenciar. Ele *devia* estar aprontando alguma. Só que aquilo tudo era muita coisa para eu assimilar, então voltei ao ponto de não acreditar. Isto é, se ele estivesse *mesmo* pulando a cerca eu evidentemente perceberia, certo?

A coisa mais óbvia a fazer seria perguntar a ele de forma direta e acabar com as especulações, mas ele provavelmente ia mentir descaradamente. Ou, pior ainda, podia me contar a verdade. Do nada, começou a me surgiu na cabeça um diálogo típico de um filme B. *A verdade?* (Frase acompanhada de um sorriso sarcástico.) *Você não aguentaria ENFRENTAR a verdade!*

Os pensamentos continuavam a surgir. Poderia ser alguém com quem ele trabalhava? Será que eu a conhecera na festa de Natal da firma? Revistei minhas lembranças daquela noite em um esforço de localizar um olhar diferente ou um comentário significativo. Mas tudo o que eu me lembrava era dele curtindo uma dança judaica com Jessica Benson, uma das suas colegas. Será que era ela? Mas ela tinha sido tão simpática comigo. Se bem que se eu estivesse transando com o marido de outra mulher, talvez também fosse legal com ela. Tirando as mulheres com quem Garv trabalhava, havia as namoradas e amigas dos colegas — mas elas eram minhas amigas também.

Fiquei com vergonha só de pensar naquilo, mas não consegui evitar. Subitamente eu não confiava em ninguém e suspeitava de todas.

E quanto a Donna? Ela e Garv sempre trocavam boas risadas juntos, *e ela o chamava de Doutor Amor*. Fiquei gelada ao me lembrar de ter lido em algum lugar que apelidos especiais eram uma indicação clara de que as pessoas estavam a fim uma da outra.

Mas então, com um suspiro, retirei as queixas e mandei soltarem Donna: ela era uma das minhas melhores amigas, eu não podia acreditar que ela tivesse me aprontado algo assim. Além do mais, por motivos que só ela conhecia, Donna era louca por Robbie, o esquisito. A não ser que ele fosse uma pista falsa bem elaborada. Mas então me lembrei de uma coisa que me convenceu totalmente de que Garv não estava tendo um caso com Donna: o fato de que ela lhe contara a respeito da sua verruga. Para falar a verdade, ela arrancara a bota, tirara a meia e esticara o pé na direção dele para que ele pudesse constatar por si mesmo o quanto ela era nojenta. Quando as pessoas estão apaixonadas uma pela outra, não contam nada a respeito de verrugas. Tudo funciona à base de mistério, sutiãs pouco práticos e patrulha diária para manter as pernas bem depiladas — pelo menos é o que dizem.

E quanto à minha amiga Sinead? Garv era tão gentil com ela... Mas fazia só três meses desde que o namorado dela, Dave, lhe dera um chute na bunda. Ela certamente estava fragilizada demais para se envolver em um caso com o marido de uma amiga — e frágil demais para qualquer homem se chegar, certo? A não ser que a fragilidade dela tivesse encantado Garv. Mas ele já não tinha fragilidade suficiente em mim? Por que procurar xícaras lascadas pela rua quando você já tem uma em casa, quebradinha, absolutamente reduzida a cacos?

Ao meu lado, percebi que Garv também estava acordado — sua respiração profunda meio forçada o entregou. Poderíamos conversar. Só que não fazíamos aquilo havia meses, na verdade nem tentávamos. Eu não ouvi a inspiração forte que precede a emissão de uma palavra, então me assustei quando o breu total do quarto foi violado pela voz de Garv:

— Desculpe.

LOS ANGELES

Desculpe. A pior coisa que ele poderia ter dito. A palavra ficou pendurada no escuro, sem ir embora. Ecoava na minha cabeça sem parar. Foi ficando cada vez mais fraca, até que eu achei que apenas imaginara ouvi-la. Minutos se passaram. Sem ao menos responder, virei de costas para ele e, para minha surpresa, tornei a pegar no sono.

De manhã acordamos tarde e havia sangue debaixo das minhas unhas, de tanto eu coçar o braço. Meu eczema voltara com força total — eu ia acabar novamente tendo de usar luvas para dormir, se aquilo continuasse. Mas será que ia continuar? Mais uma vez tive a sensação de estar caindo.

Mantive-me ocupada, tomando uma ducha e preparando café, e quando Garv disse "Maggie" e tentou interromper meu vai e vem incessante, eu me desviei dele e disse-lhe, sem olhar para seu rosto: "Vou voltar tarde." E saí, carregando comigo aquela sensação vazia de quatro da manhã.

Apesar de ter evitado enfrentar Garv, acabei me atrasando para o trabalho e o contrato não estava sobre a mesa de Frances às nove e meia da manhã. Ela suspirou, dizendo:

— Oh, Maggie — em um tom de "não-estou-zangada-com-você-estou-apenas-desapontada". Essa tática visava alcançar partes que uma esculhambação não conseguiria, e a finalidade era fazer a pessoa se sentir envergonhada e cagada. Entretanto, eu até que gostei do fato de não levar uma esculhambação. Imagino que não era essa a reação que Frances esperava.

Sentia-me totalmente perdida, mas ao mesmo tempo estranhamente calma, de uma forma pouco natural — quase como se estivesse esperando por uma catástrofe durante algum tempo que era uma espécie de alívio quando ela finalmente acontecia. Como eu não fazia a mínima ideia de como me comportar nessas circunstâncias, decidi imitar todo mundo e mergulhei no trabalho. Não era estranho, pensei, que depois de um choque tão terrível eu ainda estivesse funcionando como sempre? Então reparei que estava dando cliques duplos no mouse por causa das minhas mãos, que tremiam.

Por alguns instantes, consegui me perder em uma cláusula contratual, mas o tempo todo uma realidade me assombrava: *Tem algo muito errado*. Ao longo dos anos, como todo casal, Garv e eu havíamos tido nossas brigas, mas nem a mais violenta delas me deixara daquele jeito. A pior discussão fora uma daquelas meio estranhas, e começara a partir de uma desavença exaltada sobre se uma saia que eu comprara era marrom ou roxa, e tudo de repente degringolara para uma amarga tomada de posição, com acusações de daltonismo e hipersensibilidade voando nas duas direções.

(*Garv*: "O que há de errado com a saia ser marrom?"

Eu: "Tudo! Mas ela não é marrom, é roxa, seu cegueta burro e daltônico."

Garv: "Ei, é só uma saia. Tudo o que eu disse é que estava *surpreso* por você comprar uma saia marrom."

Eu: "Mas eu NÃO COMPREI! É ROXA!"

Ele: "Você está fazendo uma tempestade num copo d'água."

Eu: "Claro que NÃO. Eu NUNCA compraria uma saia marrom. Será que você não sabe nem isso a meu respeito?")

Na época, eu achei que jamais conseguiria perdoá-lo. Estava errada. Só que dessa vez era diferente, eu estava terrivelmente certa a respeito.

Na hora do almoço, já não aguentava mais ficar cuidando das pilhas de trabalho urgente, então fui até a Grafton Street em busca de consolo. O que acabou vindo sob a forma de gastar dinheiro — de novo. Sem entusiasmo, comprei uma vela aromática e uma cópia barata (relativamente barata) de uma bolsa Gucci. Só que nenhuma das duas compras preencheu o meu vazio. Então eu parei na farmácia, a fim de comprar um analgésico para a dor de dente, e fui interceptada por uma mulher de cara redonda alaranjada vestindo um guarda-pó branco que me disse que, se eu comprasse dois produtos Clarins — um deles tinha que ser para a pele —, ganharia um brinde. Com ar apático concordei, encolhendo os ombros: "Tá legal."

Ela mal acreditou na sua sorte e, quando sugeriu o produto mais caro — o soro cosmético em frascos de 100 ml —, novamente eu concordei, dando de ombros: "Claro."

LOS ANGELES

Gostei de ganhar um brinde — achei a ideia do presente muito consoladora. Só que quando cheguei de volta ao trabalho e abri o meu presente, vi que ele era muito menos interessante do que parecia na foto: uma sombra com uma cor estranha, um miniminiminitubo de base, quatro gotas de creme para os olhos e um dedal minúsculo com um perfume meio azedo. O anticlímax baixou e então, em um inesperado ataque de normalidade, pintou a culpa, que se instalou e foi inchando sem parar, à medida que a tarde seguia. *Eu precisava parar de gastar dinheiro*. Assim, na primeira chance que tive de dar uma saidinha, corri até a Grafton Street para tentar devolver a bolsa — não dava para devolver os produtos Clarins porque eu já experimentara os brindes —, mas eles não me devolveram o dinheiro, só um vale-compra. E antes de conseguir voltar para o carro, bati os olhos em uma sandália de dedo amarela cheia de florzinhas e, como em uma experiência extracorpórea, me vi dentro da loja, entregando o meu cartão e gastando mais trinta paus. Não era seguro me deixar solta pela rua.

Naquela mesma noite fui a uma reunião com o pessoal do trabalho e fiz uma coisa que normalmente não faço em festas do escritório — fiquei bêbada. Bêbada de verdade, tão mal que em uma das minhas vindas do banheiro, ao ver Stuart Keating, acabei me agarrando com ele. Stuart trabalhava em outro departamento e sempre fora muito legal comigo; ainda me lembro da sua cara de surpresa quando eu tentei focá-lo com os olhos meio tortos. De repente já estávamos nos beijando, mas só por um segundo, antes de eu desengatar. *Que diabos eu estava fazendo?* "Desculpe", exclamei, meio sem graça, e, indignada comigo mesma, voltei para o salão da festa, peguei meu casaco e saí sem me despedir de ninguém. Do outro lado da sala, Frances me observava com uma expressão indecifrável.

Ao chegar em casa, Garv estava me esperando em pé, andando de um lado para outro como um pai ansioso. Tentou falar comigo, mas resmunguei alguma coisa com a voz engrolada, avisando que tinha que ir dormir, e fui direto para o quarto, com Garv na minha cola. Tirei a roupa, deixei-a ficar toda pelo chão e me enfiei debaixo das cobertas. "Beba um pouco d'água." Ouvi o barulho do copo que Garv colocou sobre a minha mesinha de cabeceira. Ignorei os dois, mas antes de mergulhar em uma maravilhosa sessão de sono e esquecimento, lembrei que não havia tirado minhas lentes de contato. Cansada demais, bêbada demais e sem condições de me levantar para ir até o banheiro, tirei as lentes e as coloquei no copo d'água que estava à mão, prometendo a mim mesma que ia lavá-las direitinho e colocá-las na solução apropriada assim que acordasse.

Quando a manhã chegou, porém, minha língua estava seca e grudada no céu da boca. Automaticamente estiquei o braço para pegar o copo d'água e bebi tudo de uma vez. Só quando o finalzinho do líquido já descia pela garganta abaixo foi que eu me lembrei. As lentes de contato! Eu havia bebido minhas lentes de contato. *De novo*. A terceira vez em seis semanas. Eram lentes gelatinosas, descartáveis, daquelas para usar apenas durante um mês, mas mesmo assim...

No dia seguinte, como desgraça nunca vem sozinha, perdi o emprego.

Não fui exatamente despedida. O meu contrato não foi renovado. Eu estava em um regime de contrato por seis meses desde que voltara de Chicago para Dublin, mas ele já tinha sido renovado cinco vezes. Eu achava que a renovação era mera formalidade.

— Quando você começou aqui na empresa — disse Frances —, nos deixou muito impressionados. Seu trabalho era confiável e você era muito dedicada.

Fiz que sim com a cabeça. Aquilo era uma descrição minha. Em um dia bom.

— Só que nos últimos seis meses, mais ou menos, o padrão do seu trabalho e o seu compromisso despencaram de forma dramática. Você quase sempre chega atrasada, sai cedo...

Ouvi tudo quase com ar de surpresa. É claro que, na minha *cabeça*, eu sabia que o meu desempenho não estava grande coisa, mas achei que estivesse apresentando ao mundo exterior uma fachada convincente da minha atuação competente de sempre.

— ... você anda visivelmente distraída, e tirou dez dias de licença médica nos últimos meses.

LOS ANGELES

Eu poderia ter me colocado em pé para fazer um discurso, contando a Frances por que eu andava distraída, ou onde estivera durante a minha licença médica de dez dias, mas permaneci sentada ali, que nem uma tábua, com o rosto fechado. Aquilo não era problema de ninguém, só meu. No entanto, paradoxalmente, achei que ela devia ter percebido que algo andava errado comigo, para me dar um desconto. Desconfio que a minha lucidez já havia tido dias melhores.

— Queremos gente que se importe com o trabalho...

Abri a boca para protestar e dizer que eu me importava, mas percebi, chocada, que na verdade eu estava pouco me lixando.

— ... e é com grande pesar que eu venho lhe dizer que não vamos poder renovar seu contrato conosco.

Já fazia anos desde que eu fora despedida. Na verdade, na última vez eu tinha apenas dezessete anos e trabalhava de babysitter para um vizinho. Deixara o meu namorado entrar escondido depois de colocar as crianças na cama, porque uma casa sem adultos era boa demais para resistir. Mas o filho horrível — que tinha o apropriado nome de Damian — me pegou abrindo a porta para o namorado sair. Jamais vou esquecer a cena: Damian parado em pé no alto das escadas com uma expressão tão malévola que a música do anúncio da Old Spice começou a tocar sozinha na minha cabeça.* Nunca mais me pediram para ser babá (para ser honesta, foi quase um alívio).

Desde então nunca mais me despediram. Sempre fui muito boa no trabalho — não a ponto de me arriscar a ser eleita a "funcionária do mês", mas razoavelmente confiável e produtiva.

— Você quer que eu vá embora? — perguntei a Frances, baixinho.

— Sim.

— Quando?

— Agora seria um bom momento.

* * *

---

* Referência ao coro O Fortuna, da cantata *Carmina Burana*, de Carl Orff, usado em um famoso comercial inglês para os produtos Old Spice. (N.T.)

Por mais estranho que pareça, foi o fato de perder o emprego que finalmente me fez decidir largar Garv. Não sei exatamente por que, pois, como todos sabem, não é assim tão fácil largar alguém. Não na vida real, pelo menos. Na ficção, tudo é sempre delimitado, seco e claro: se você não enxerga um grande futuro para os dois, então *é claro* que cai fora. Simples assim. Ou então, se ele está tendo um caso com outra mulher, você seria uma completa idiota de continuar ao seu lado, certo? Na vida real, porém, é espantosa a quantidade de detalhes que conspiram para manter um casal unido. Você pode pensar: "Certo, então ele já não consegue mais me fazer feliz, mas me dou tão bem com a sua irmã, e os meus amigos gostam tanto dele, e nossas vidas estão entrelaçadas a um tal ponto que não dá para nos extrairmos sozinhos dela. E, afinal, esta é a nossa casa. Está vendo aquelas florzinhas brancas no jardim dos fundos? Fui eu que as plantei." (Bem, na verdade, *não* as *plantei* exatamente, assim tipo enfiá-las dentro da terra com minhas próprias mãos; quem fez isso foi um sujeito emburrado chamado Michael, mas fui eu que coordenei todo o projeto.)

Enfim... largar alguém é um troço complicado. Eu ia me separar de muito mais do que apenas uma pessoa. Estava dizendo adeus a uma vida inteira.

Mas o choque de perder o emprego despertou em mim a convicção de que tudo se desfazia à minha volta. Depois que a porta para o primeiro desastre se abria, as possibilidades para a catástrofe pareciam ilimitadas e eu percebi que não tinha escolha, a não ser tocar a vida em frente, mesmo com ela se descosturando. Perdeu o emprego? Por que não quebrar a banca e perder logo o casamento também? Ele já sofrera tantos golpes nos últimos meses que só existia mesmo no papel.

Quando Garv chegou em casa, vindo do trabalho, eu estava no quarto, enterrada até a cintura em tralhas, em uma tentativa patética de fazer as malas. Como é que uma pessoa consegue mudar de casa de repente, de um dia para outro, é algo que está além da minha compreensão. A maioria das pessoas (quando são como eu) acumula tanto *troço*...

Ele ficou ali parado, olhando para mim, e eu senti como se tivesse sonhado tudo aquilo.

LOS ANGELES

Ele pareceu surpreso. Ou talvez não.

— O que houve? — perguntou.

Era a minha deixa para soltar frases dramáticas de despedida, cheias de efeito, como as pessoas sempre fazem nos filmes e livros. "*Estou LARGANDO você! Tudo ACABOU.*" Em vez disso, porém, deixei a cabeça pender e murmurei:

— Acho melhor ir embora. Nós bem que tentamos acertar as coisas, mas...

— Certo. — Ele engoliu em seco. — Certo. — Assentiu com a cabeça e esse ar de concordância é que foi a pior parte. Havia tanta resignação no gesto. Ele concordava comigo.

— Eu perdi o meu emprego hoje.

— Puxa vida! O que aconteceu?

— Tenho andado distraída, e tirei muitos dias de licença médica.

— Que canalhas!

— É mesmo. Bem. — Suspirei. — O problema é que talvez eu não consiga pagar a minha parte na prestação da casa, este mês. Vou ter que tirar uma grana da minha conta especial para supérfluos femininos.

— Deixe pra lá, pode deixar. Eu cuido disso.

Então ele voltou ao silêncio e ficou claro que a prestação era tudo do qual pretendia cuidar.

Talvez eu devesse estar brava com ele e com a mulher-trufa. Talvez eu devesse desprezá-lo por ele não tomar a iniciativa e me prometer de forma apaixonada que não ia me deixar ir embora, e que nós íamos resolver tudo.

A verdade, porém, é que naquele momento eu *queria* ir.

CAPÍTULO 3

Disfuncional em estado permanente. É assim que eu gostaria de descrever a minha família, os Walsh. Bem, na verdade não é exatamente assim que eu gostaria de descrevê-la. Preferia descrevê-la como o protótipo da Família Dó-Ré-Mi, da série de tevê. Preferia descrevê-la como uma família no estilo da Família Walton, daquela outra série de tevê, ainda mais melosa. Mas ai de mim. Disfuncional em estado permanente é o melhor que consigo.

Tenho quatro irmãs e a fórmula pela qual cada uma delas pauta a sua vida é: Quanto Mais Drama Melhor (um exemplo simples: o marido de Claire a abandonou no dia em que ela deu à luz a primeira filha deles; Rachel é uma viciada (recuperada); Anna não consegue se manter no mundo real; e Helen, a mais nova — bem, é meio difícil de descrever...). Eu, porém, nunca fui muito fã do caos, e nunca consegui descobrir o porquê de ser tão diferente. Em meus momentos de solidão, costumava fantasiar que era adotada, mas nunca pude embarcar nessa ideia porque era óbvio, pela minha aparência, que eu era *uma delas*.

Minhas irmãs e eu fomos fabricadas em duas versões: Modelo A e Modelo B. As do Modelo A são altas, com corpo bem-nutrido e, se ninguém tomar conta, tendem a se tornar candidatas ao hospício. Sou uma Modelo A clássica. Minha irmã mais velha, Claire, e a irmã seguinte na sequência de idade, Rachel, também são Modelos A. As Modelos B, por outro lado, são pequenas, simpáticas e lindíssimas. Com os cabelos compridos, muito escuros, os olhos verdes meio puxados e as pernas compridas, as duas irmãs mais novas, Anna e Helen, são dois exemplos perfeitos do gênero. Embora Anna seja quase três anos mais velha do que Helen, elas parecem quase gêmeas.

LOS ANGELES

Às vezes, nem mesmo a nossa mãe consegue diferenciá-las — embora, pensando melhor, isso provavelmente tenha mais a ver com o fato de ela não usar óculos do que com a aparência das duas. Para simplificar, Anna — uma neo-hippie — se veste como se tivesse pego roupas de forma aleatória no baú, enquanto Helen é a que tem a cara de psicótica.

As Modelos A compartilham a característica de serem altas e fortes. Não exatamente gordas. Não *exatamente*. Na verdade, as Modelos A são conhecidas pelo seu porte esbelto e elegante. Especialmente quando estão nas garras da anorexia, o que não fica muito longe da verdade. Isso certamente já aconteceu, embora, infelizmente, não comigo. Eu nunca tive desordens alimentares — pelo visto não tenho imaginação suficiente para isso, segundo Helen.

Bem, posso não ter tido nenhuma desordem alimentar, mas suspeito que tive ataques de um probleminha relacionado com outra forma de bulimia — a bulimia de fazer compras. Sempre me meti em frenesis consumistas, onde adquiria um monte de tralhas e depois tentava devolver tudo. Na verdade, recentemente provoquei uma briga imensa que envolveu quase toda a família. Helen estava se queixando de como era difícil viver com o salário de maquiadora, quando subitamente se virou para mim e acusou: "Você é boa com dinheiro." Essa cena era comum; elas sempre se referiam a mim como alguém com uma vida estável e um jeito esportivo, embora não tenha praticado mais nenhum esporte desde que morava em Chicago — e pintavam uma imagem de mim que estava defasada em anos, talvez décadas. Meus pais aprovavam totalmente essa minha versão em tons sépia, mas as minhas irmãs — de forma afetuosa, entendam bem — me tratavam como motivo de diversão. Na maior parte das vezes eu as alegrava, mas, naquele dia em particular, subitamente me recusei a ser — mesmo que afetuosamente — tachada de "o tédio em forma de gente".

— Em que sentido vocês acham que eu sou boa com dinheiro?

— No sentido de que você não vive além das suas posses. Pensa com todo o cuidado antes de comprar qualquer produto, esse tipo de coisa — disse Helen, de forma ofensiva. — Não faz dívida nenhuma, e quem não deve não tem... rá-rá-rá.

— Mas eu não sou boa com dinheiro — disse, revoltada.
— É sim! — responderam todos em coro. Meus pais com admiração, Helen sem.
— Ela não é não — acudiu Garv.
— Obrigada — agradeci, virando-me rapidamente na direção dele.
— É sim! — insistiu Helen. — Aposto que você tem um monte de moedas de cinco centavos guardadas em uma lata de biscoitos debaixo da cama.
— Ela jamais guardaria dinheiro em uma lata debaixo da cama — defendeu-me papai. — Não se consegue juros com dinheiro guardado debaixo da cama. Ela guarda suas economias em uma caderneta de poupança.
— Mas que poupança? Eu não tenho nenhuma caderneta de poupança!
— Não tem? — Mamãe pareceu confusa. Chateada até. — Mas você não tinha uma cadernetinha daquelas que as agências dos Correios ofereciam? Eu me lembro que você depositava cinquenta pence por semana.
— Sim, quando tinha *nove* anos.
— Mas você tem um fundo de pensão? — perguntou papai, já ansioso.
— Isso é diferente. Fundo de pensão não é poupança e não dá para tirar antes da pessoa completar sessenta anos. E eu estou *sempre* comprando coisas que não preciso.
— Mas você sempre as devolve para as lojas.
— Só que eles nem sempre fazem devolução do valor pago. Às vezes dão só vales-compra, o que é o mesmo que gastar o dinheiro. — Minha voz começou a ficar mais alta: — E muitas vezes os vales perdem a validade antes de eu usá-los.
— Não! — Mamãe ficou chocada.
— Pois eu aposto que você paga a fatura completa do cartão de crédito todo mês — insistiu Helen.
— EU NÃO PAGO a fatura pelo saldo total. — Todos estavam com a boca ligeiramente aberta diante da minha fúria inesperada. — Só em ALGUNS MESES!

LOS ANGELES

— Puxa vida!

Eu sabia que era meio estranho estar tendo aquela discussão. Eu conhecia gente que brigava por causa de dinheiro — mas normalmente eram pessoas acusadas de gastar demais, e que insistiam em dizer que não era assim, e não o contrário. Fiquei tão agitada que mamãe e Helen acabaram se desculpando. Então, mamãe murmurou para mim:

— Não há do que ter vergonha por ganhar um bom salário e economizar algum dinheiro.

Foi nesse momento que Garv me levou embora, furioso por elas terem me deixado tão chateada. (Lembram aquela história de Garv enxergar o melhor na maioria das pessoas? Bem, isso não conta quando se trata da minha família.)

A caminho de casa perguntei, preocupada:

— Eu sei que tudo é relativo e não estou no nível deles, mas *sou* neurótica, não sou?

— Claro que sim — concordou ele, de forma resoluta. — Não ligue para eles!

Entretanto, eu não estou me referindo à minha família só para dar um colorido à descrição; existe um motivo para isso: é que eu estava prestes a voltar a morar com eles. Eu *podia* ter ido morar com Donna, só que ela acabara de convencer o Robbie-me-dá-só-um-instantinho-que-eu-já-vou-tirar-o-olho-do-meu-umbigo a ir morar com ela, então não creio que eles receberiam muito bem a chegada de uma nova moradora no apartamento. Poderia ter pedido a Sinead, só que Dave a dispensara, e ela, naquele momento, estava mais sem-teto do que eu. Poderia ter tentado a minha melhor amiga, Emily, que tinha lugar *de sobra* em sua casa. O único problema é que ela morava em Los Angeles, que não fica exatamente ali na esquina.

Assim, de boné na mão, tive de retornar ao seio da minha família. Só que, antes, precisava contar-lhes tudo, e morria de medo daquele momento.

Talvez nunca seja fácil desapontar a sua mãe e o seu pai, mas no meu caso isso fica ainda mais difícil. Sou a única filha que se casou com o primeiro namorado, e eles sempre tiveram muito orgulho de mim, de forma comovedora, não só pelo marido, mas também por todos os itens da lista: o casamento, a casa, o emprego, o plano de pensão e a robusta saúde mental.

"Você nunca nos deu um único segundo de preocupação", costumavam dizer. "A única filha, por sinal, que nos deu essa alegria." Nesse momento lançavam um olhar de reprovação para a filha que estivesse lhes trazendo problemas no momento. Pois agora, depois de ter conseguido evitá-los por todos aqueles anos, era a *minha vez* de receber os olhares de reprovação.

Fiquei parada diante da casa antes de entrar, respirando fundo, sentindo uma intensa vontade de sair correndo, fugir do país e evitar encarar meu fracasso atroz. Então, com um suspiro, enfiei a chave na fechadura. Não podia fugir, era uma pessoa responsável e consciencionsa. Em uma família com várias ovelhas negras brigando pela primeira posição, ser a única ovelha branca não é nada divertido.

Ouvi um tumulto vindo da sala de televisão e me pareceu que todas as pessoas morando ali no momento — mamãe, papai, Helen e Anna — estavam em casa. Helen, com vinte e cinco anos, ainda morava com nossos pais por causa da sua relação tempestuosa com os empregos — ela experimentara muitas mudanças de profissão. Dois ou três anos foram desperdiçados na universidade, e depois de um período desempregada ela resolveu ser comissária de voo, mas não conseguiu ser simpática o suficiente. ("Pare de tocar a porra dessa campainha, eu já ouvi quando você tocou da primeira vez" foi, eu imagino, a frase que colocou um ponto final nos altos voos de sua carreira.) Uma nova fase de desemprego se seguiu, até que ela fez um curso caríssimo de maquiagem artística. Esperava trabalhar no teatro ou no cinema, mas em vez disso acabou atendendo um casamento após o outro — na maioria das vezes, filhas dos amigos dos meus pais. Os esforços de mamãe para incentivar o desempenho de Helen não foram muito apreciados e, num arroubo de indignação, a minha mãe me contou que Helen jurara que, se aparecesse diante dela mais uma daminha de honra de seis anos para maquiar, ela ia arrancar os seus olhos com a espátula do delineador. (Não ficou claro se ela se referia aos próprios olhos ou aos da daminha.)

O problema de Helen é que ela acumulava um alto quociente de inteligência associado a um estranho transtorno de déficit de atenção e ainda não encontrara a sua verdadeira vocação.

LOS ANGELES

Ao contrário de Anna, que estava em busca de *qualquer* vocação, mesmo que não fosse a verdadeira. Ela resistira aos incentivos para embarcar em qualquer carreira que fosse e conseguira sobreviver trabalhando como garçonete, servindo como atendente em bares e lendo cartas de tarô. Nunca por muito tempo, diga-se de passagem; seu *curriculum vitae* era, provavelmente, tão volumoso quanto *Guerra e Paz*. Até terminar com o ex-namorado, Shane, os dois viviam uma existência frugal e de espírito livre. Os dois eram o tipo de pessoas que saem para comprar um chocolate ali na esquina e, quando você vai procurar por eles, descobre que foram para Istambul trabalhar em um curtume. Seu lema era "Deus dará", e se Deus não o fizesse, a caridade alheia cuidava disso. Eu invejava a vida deles e o seu estilo despojado e inconsequente. Não, na verdade isso é uma grande mentira. Eu teria odiado aquilo, a constante insegurança, jamais saber quando teria chance de comer outra refeição, comprar outro creme esfoliante, essas coisas...

Uma das características de Anna é que ela pode perceber as coisas com facilidade, de forma tão rápida e precisa que é quase chocante, mas a sua cabeça não é boa para coisas práticas. Como se lembrar de colocar alguma roupa antes de sair de casa, por exemplo. Houve um tempo em que nós sacávamos que o seu jeito doce e a natureza desapegada eram devidos ao fato de Anna ser chegada a algumas drogas recreativas, mas ela arrancou tudo isso da cabeça há quatro anos, mais ou menos na mesma época que Rachel. E embora ela possivelmente seja um pouco mais lúcida agora do que costumava ser, não dá para ter certeza.

Ela voltou a morar com os meus pais havia poucos meses, depois de romper com Shane — embora não tenha recebido a mesma esculhambação que eu esperava receber. Em primeiro lugar porque ela não era casada, e em segundo lugar por todos a verem como volúvel mesmo.

Com todo o cuidado, abri a porta da sala de tevê. Estavam todos amontoados no sofá, assistindo a *Quem Quer Ficar Milionário?* e debochando dos participantes do programa.

— Qualquer boçal sabe a resposta para essa pergunta — afirmou Helen, olhando para a tela.

— E qual é a resposta, então? — perguntou Anna.

— Sei lá! Mas eu não tenho OBRIGAÇÃO de saber. Não estou à beira de perder noventa e três mil libras. Vamos lá, ligue para o seu namorado para ver se ele a ajuda, porque se ele for outro boçal...

Por que todos eles tinham que estar em casa? Por que não poderia ser apenas, digamos, Anna? Eu contaria a novidade para ela, me enfiaria na cama como uma covarde e deixaria que ela desse a notícia para o resto do pessoal.

Então mamãe me avistou na porta.

— Margaret! — exclamou ela. Durante anos eu vinha informando a ela que o meu nome era Maggie, mas ela continuava em estado de negação. — Entre logo, sente-se aqui. Quer um Cornetto? — Deu uma cotovelada no meu pai. — Pegue um Cornetto para ela.

— Chocolate? Morango? Ou... — Papai fez uma pausa antes de liberar com ar triunfante a sua *pièce de résistance* — ... M&M? É o novo sabor!

Sempre havia uma maravilhosa variedade de produtos de padaria e confeitaria na casa dos meus pais. Embora, ao contrário da maioria dos domicílios, isso não representasse um acréscimo ao cardápio usual. Era um caso de *em vez de*. Não que a minha mãe não curtisse preparar refeições, o problema é que *nós* não curtíamos comê-las. Em algum momento nos idos dos anos 80 ela parou de fazer comida de vez.

— De que adianta se vocês, pirralhas ingratas, não comem nada?

— Eu como — baliu papai, uma voz solitária no deserto.

Mas não fez diferença. Comidas prontas tomaram conta do nosso cardápio e eu fiquei triste. Sempre desejara uma família em estilo italiano, daquelas que se reúniam todo dia para a "janta", passando pratos e tigelas de fumegante comida caseira ao longo da mesa de pinho muito bem escovada, enquanto a *mama* de cara redonda sorria do fogão.

De qualquer modo, sorvete em quantidade ilimitada não era algo para ser recusado. Com certa graça aceitei um Cornetto (de M&M, é claro) e assisti à tevê. Tive de assistir, pois não havia jeito de atrair a atenção deles antes do programa acabar. Além do mais, gostava de uma oportunidade de adiar o momento em que eu ia soltar a bomba

LOS ANGELES

Garv e eu nos separamos. Temia que o fato de dizer isso em voz alta iria significar que o evento realmente acontecera.

E então chegou a hora.

Suspirei, engoli a sensação de náusea e comecei:

— Tenho uma coisa para contar a todos.

— Que ótimo! — Mamãe reorganizou as feições e exibiu uma feliz expressão de *vou-ser-vovó-novamente*.

— Garv e eu nos separamos.

— Ah, isso! — Com um rápido farfalhar, meu pai desapareceu atrás do jornal. Anna se lançou em minha direção, e até Helen se mostrou atônita, mas a minha pobre mãe... Ela pareceu ter sido atingida na cabeça por um tijolo voador. Ficou atordoada, golpeada e chocada além de qualquer descrição.

— Já, já você vai me dizer que está brincando — disse, quase sem fôlego.

— Já, já eu vou confirmar o que disse — assegurei, com firmeza. Odiava fazer isso com ela, especialmente porque agora já era a segunda filha dela a acabar com um casamento, mas era importante não iludi-la. Uma falsa esperança era pior do que nenhuma esperança.

— Mas... — mamãe lutou por um pouco de ar — você sempre foi a boazinha, o anjo da família. Fale alguma coisa — ordenou ela ao meu pai, com voz zangada.

Ele apareceu relutante por trás do escudo de jornal.

— *O Pecado Mora ao Lado* — sugeriu, meio indeciso.

— *Os Homens Preferem as Louras* — contrapôs Helen, e deu uma cotovelada em Anna, que pensou por um momento antes de dizer:

— *Os Desajustados.*

— Essa é a sua autodescrição? — replicou Helen, olhando para Anna com cara de deboche, antes de sorrir para a parede de jornal. — Viu só, papai? Conhecemos todos os filmes da Marilyn Monroe, mas de que adianta?

— Na verdade faz *nove* anos que eu estou casada e não sete, como o personagem de *O Pecado Mora ao Lado* — informei a papai, baixinho. A intenção dele tinha sido boa.

— Essa notícia foi um tremendo choque para mim — afirmou mamãe.

— Pois eu achei que vocês iam ficar satisfeitos, haja vista a forma com que todos aqui odeiam Garv.

— Eu sei, mas... — subitamente, mamãe se recompôs. — Pare de dizer tolices, nós não odiamos Garv.

Mas odiavam sim — todos, com exceção de Claire, que conhecia Garv desde a adolescência, quando teve uma quedinha pelo irmão mais velho dele (também conhecido como Garv, o que provocava muita confusão). Claire sempre achou que o *meu* Garv era muito legal, especialmente depois que ele consertou o gravador dela (embora seja melhor não perguntar a ela sobre o Garv mais velho). Apesar do selo de aprovação de Claire, porém, o *meu* Garv tinha — embora a culpa não fosse dele — adquirido a fama de ser pão-duro e antiquado diante do resto da família.

A alegação de avareza mostrara a sua cara feia na primeira vez em que eu o levei para sair, oficialmente, em companhia de toda a família. Ele bem que fugiu da raia por algum tempo, mas eu percebi que a coisa com ele era séria e já era tempo dele conhecer devidamente a minha família. Com espírito festivo nos dirigimos ao Phelan's, o pub local, e o fato é que Garv não pagou nenhuma das rodadas.

Não Pagar Nenhuma Rodada é um pecado mortal na minha família, e sempre há brigas e grandes competições na hora de abrir a mão, pagar mais rodadas e se dar bem com todos na mesa. Combates corpo a corpo são comuns na hora de saber quem vai pagar a primeira rodada.

Na noite em foco, Garv chegou mais do que disposto a pagar drinques para toda a minha família, mas estava nervoso e era educado demais para enfrentá-los naquela briga. Assim que alguém passava da metade do copo ele se levantava com estardalhaço, remexia no bolso e perguntava: "Quer mais uma dose?" E a cada vez em que isso acontecia a mesa entrava em erupção e todos se comportavam como os corretores da bolsa, esticando os braços, falando ao mesmo tempo e ordenando que ele se sentasse e guardasse o dinheiro, pois estava nos insultando. Até eu entrei nessa, levada pelo calor do momento. Abatido pela enxurrada, Garv se sentava de volta, com ar relutante.

LOS ANGELES

O resultado final da noitada foi que papai pagou uma rodada, Rachel pagou uma também, eu paguei a terceira, Anna pagou a quarta, papai tornou a pagar a última... E Garv ganhou a reputação de ser mão-fechada.

Logo após este desvario da justiça, aconteceu o incidente da camisa polo. Uma história com início feliz e fim trágico. Um sábado à tarde, eu e Garv estávamos de bobeira pela cidade, entrando e saindo de lojas de roupas. Garv ainda era estagiário, acabara de comprar um carro, o dinheiro era curto e nós estávamos a fim de pechinchas. Coisas grátis seria o ideal. Por puro acaso, achamos uma camisa polo no fundo de uma banca de saldos. Para nossa surpresa, ela não exibia as características que normalmente associamos com coisas encontradas em saldos, tais como três mangas, nenhum buraco para enfiar a cabeça ou suspeitas e indeléveis manchas cor de bile. Para falar a verdade, a camisa estava perfeita — tinha o tamanho certo, o preço certo e um tom azul clarinho que fazia os olhos de Garv ficarem azuis, embora normalmente parecessem cinza.

Só ao chegar em casa percebemos que havia um pequeno aplique acima do bolso, onde se via um homem balançando um taco de golfe, um detalhe que, com a euforia de descobrir que a peça só tinha duas mangas, deixáramos passar. É claro que ficamos chateados, mas concluímos que o aplique era tão pequeno que mal se percebia. Além disso estávamos duros demais e Garv não queria deixar de vestir a camisa só por esse detalhe. Então ele a usou. Logo eu comecei a ouvir que Garv usava o mesmo tipo de camisa que o meu pai. Depois vieram os rumores de que ele era um grande jogador de golfe, o que era injusto, além de ser, é claro, absolutamente falso.

Garv não era bobo e percebia perfeitamente a antipatia que a minha família tinha por ele. Bem, era difícil *não* perceber, porque toda vez que ele aparecia na porta, Helen se esgoelava, avisando:

— É ele! Pelo amor de Deus, não abram a porta!

Apesar de jamais responder à altura, contra-atacando essas grosserias com indelicadezas próprias, Garv também não fazia o mínimo esforço para lançar uma contraofensiva baseada no seu charme, a fim de conquistá-los. E ele *podia* ter feito isso, pois tinha um jeito simpático e era muito educado, na maior parte do tempo. Em vez disso, começou a se mostrar muito superprotetor comigo, quando estávamos em família, situação que todos interpretaram de formas divergentes, que iam da reserva à hostilidade aberta. E *respondiam* na mesma moeda. Em tudo e por tudo não era uma situação fácil, especialmente na época de Natal...

— Isso é só uma fase — tentou mamãe, de forma valente.

Com cara de arrasada, balancei a cabeça. Será que ela achou que eu não considerara essa possibilidade? Será que ela achava que eu não me agarrara a essa esperança com unhas e dentes, torcendo para que fosse apenas isso?

— Ele andou... ahn...? — Meu pai obviamente estava tentando fazer uma pergunta delicada. — ... Andou molhando o biscoito onde não devia?

— Não. — Talvez tivesse molhado, mas aquilo não vinha ao caso. Era apenas um sintoma de que algo estava errado.

— É que as coisas não têm sido fáceis para vocês nos últimos tempos — acudiu a minha mãe. — Vocês passaram por alguns...

— ... reveses — disse eu, depressa, antes que ela usasse outra palavra.

— Reveses. Por que não tiram umas férias?

— Acabamos de voltar de férias, lembra? Foi um desastre, fez mais mal do que bem.

— E que tal procurar alguma terapia de casal?

— Terapia? Garv? — Se eu ainda tivesse capacidade de rir, aquela teria sido uma boa oportunidade. — Se ele não fala nem comigo, como é que vai falar com um completo estranho?

— Mas vocês se amam! — exclamou ela, exasperada.

— Mas estamos trazendo infelicidade um ao outro.

— O amor vence tudo — assegurou minha mãe, como se eu tivesse cinco anos.

— Não. Ele... Não... Vence... — retruquei, com um traço de histeria na voz. — A senhora acha que eu faria algo tão terrível quanto abandoná-lo se as coisas fossem simples assim?

Isso a deixou com uma cara de *isso-não-são-modos-de-falar-com-a-sua-mãe.*

LOS ANGELES

— Quer dizer que você não vai nos contar o que houve? — concluiu Helen.

— Mas vocês já sabem de tudo o que aconteceu. — OK, nem tudo, pensei, mas a mulher-trufa não foi a causa, foi apenas a gota d'água.

Com cara de deboche, Helen olhou para o teto e sentenciou:

— Isso até parece a história da prova para tirar carteira de motorista, mais uma vez.

Eu devia imaginar que alguém ia desencavar essa história. A mágoa ainda não passara.

Quando eu completei vinte e um anos, entrei em uma auto-escola, marquei a prova de direção e passei. Só depois é que comuniquei o fato à minha família, mas em vez deles ficarem empolgados por mim, sentiram-se magoados e confusos. Sentiram-se também excluídos, enganados, privados de um pouco de drama, e não conseguiram compreender o motivo de eu não tê-los envolvido no processo.

— Eu poderia ter lhe dado uma medalhinha de São Cristóvão, para ele ajudar na hora da prova — protestou a minha mãe.

— Não precisei de medalhinha. Passei no exame, do mesmo jeito.

— Eu poderia ter levado você para treinar um pouco no meu carro — reclamou papai, com ar melancólico. — Maurice Kilfeather ensina a Angela.

— Nós podíamos ter ido com você até o local da prova — lembrou Claire.

O que era precisamente o tipo da coisa que eu queria evitar. Fazer a minha prova de direção era algo que eu desejava realizar sozinha. Era uma coisa que não dizia respeito a ninguém. Aliás, para ser absolutamente franca, eu teria que enfrentar a possibilidade de não passar — e se eu tivesse sido reprovada, jamais me deixariam esquecer isso.

Finalmente, papai perguntou:

— Como vai o trabalho?

CAPÍTULO 4

Eu estava apavorada com a primeira noite longe de Garv (e com as outras todas também, mas uma coisa de cada vez). Tinha certeza de que não ia conseguir dormir, porque, afinal, não é isso o que acontece com as pessoas aflitas? Não precisava ter me preocupado tanto: dormi como uma pedra e acordei em uma cama e em um quarto que não reconheci. *Onde estou?* Por um instante a curiosidade foi quase agradável, mas depois a realidade baixou.

Aquele foi um dos dias mais estranhos da minha vida. Sem trabalho para onde ir, passei o dia quase todo na cama, tentando evitar a minha mãe. Embora ela se mostrasse muito objetiva a respeito de tudo, garantindo que aquilo era apenas uma fase pela qual eu estava passando e que eu iria voltar com Garv logo, logo, minha popularidade com ela estava mais em baixa do que nunca.

Helen, por outro lado, me tratou como se eu fosse uma hóspede vinda diretamente da exposição de aberrações e deu uma passadinha logo cedo para me atormentar, antes de ir para o trabalho. Anna também apareceu, tentando me proteger.

— Nossa, você ainda está aqui? — maravilhou-se Helen, marchando com determinação quarto adentro. — Então você realmente o abandonou? Mas isso está errado, Maggie, você não faz esse tipo de coisa.

Na mesma hora eu me lembrei de uma conversa que havia tido com minhas irmãs no Natal anterior. Estávamos aprisionadas dentro de casa sem nem ao menos um filme do Harrison Ford para distrair nossa mente, e nos vimos especulando sobre o que cada uma de nós seria se fôssemos alimentos, em vez de pessoas. Ficou decidido que Claire seria uma tigela de molho ao curry, porque ambos eram

LOS ANGELES

picantes e difíceis de engolir, e então Helen decretou que Rachel seria uma boneca feita de jujuba, o que a deixou toda feliz.

— Você diz isso porque eu sou doce? — perguntou ela.

— Não, é porque eu tenho vontade de arrancar a sua cabeça a dentadas.

Anna — "Essa é fácil demais", comentou Helen — seria um floco de milho. E eu era "iogurte natural à temperatura ambiente".

Tudo bem, eu sabia que jamais poderia ser descrita como, digamos, um After Eight ("fino e sofisticado"), nem como uma bolacha de gengibre e nozes ("dura, mas interessante"). Também não via nada de errado em ser uma torta inglesa ("recheada de mistérios"). Em vez disso, eu era a coisa mais idiota e mais sem sabor que alguém podia imaginar — iogurte natural à temperatura ambiente. Aquilo me magoou profundamente, e nem mesmo quando Claire disse que Helen era uma jaca, por ser ofensiva e rejeitada em muitos lugares, isso não foi suficiente para elevar meu astral.

De volta ao presente, Helen continuava a pegar no meu pé.

— Você não é o tipo de mulher que larga o marido.

— Não, acabar com um casamento não é o tipo de coisa que um iogurte à temperatura ambiente faz, não é mesmo?

— O quê? — Helen se mostrou confusa.

— Eu disse que acabar com um casamento não é o tipo de coisa que um iogurte natural à temperatura ambiente faz, certo?

Ela me lançou um olhar de estranheza, resmungou alguma coisa a respeito de uma dama de honra mais feia que o homem-elefante, como é que ela ia resolver aquele problema e, finalmente, saiu.

Anna deitou na cama ao meu lado e entrelaçou o braço com o meu.

— Iogurte natural pode ser delicioso — disse baixinho. — Fica perfeito com curry. Além do mais... — depois de fazer uma pausa longa, com ar pensativo, acrescentou: — ... dizem que é ótimo para herpes.

Eu vaguei pela casa sem ter uma ideia real sobre o que estava fazendo ali. Deixei os programas de tevê me inundarem: "Fumar crack não é tão mau assim"; "Garota, sua bunda é maior do que o meu carro." Quando eles acabaram, olhei em torno, confusa por me ver não mais envolvida com os projetos de Chicago, mas em uma sala enfeitada com cortinas de florzinhas e cheia de bibelôs numa casa nos subúrbios de Dublin. E não era qualquer casa enfeitada com cortinas de florzinhas e cheia de bibelôs não... *Como é que eu pude acabar aqui? O que aconteceu?*

Sentia uma sensação de derrota tão grande que tinha medo até de sair de casa. Pensei sobre Garv e a tal garota — pensei muito. Tanto que fui obrigada a voltar a usar o meu muito odiado creme com esteroides no braço, que não parava de coçar. Sentia-me atormentada, sem saber da identidade da tal mulher. Quem era ela, afinal? Há quanto tempo aquilo rolava? E — Deus me livre — será que era sério? As perguntas pintavam sem cessar; mesmo enquanto eu assistia a duas garotas obesas se socando e Jerry Springer fingindo indignação na tevê, outra parte do meu cérebro vasculhava os últimos meses com uma lente de aumento, em busca de pistas, mas sem encontrar nada.

Por fim, senti que eu não tinha o direito de me preocupar com a garota, e não fazia diferença nenhuma mesmo. Com ela ou sem ela, o jogo acabara.

Estava de volta à casa dos meus pais havia menos de vinte e quatro horas quando a reação se instalou. Enquanto eu assistia à tevê com total indiferença, minha temperatura se elevou subitamente. Embora a sala estivesse quente (quente *demais* até), a pele dos meus braços se contraíra como plástico culinário e os meus cabelinhos do braço estavam todos em posição de sentido, sobre folículos arrepiados. Pisquei e descobri que meus olhos ardiam. Então reparei que minha cabeça parecia estar envolta em uma manta de lã, meus ossos doíam e não tive energia nem mesmo para pegar o controle remoto. Com ar confuso e distante, assisti a *Hospital de Animais*, querendo fazer alguma coisa para aquelas sensações pararem. O que havia de errado comigo?

LOS ANGELES

— O que há de errado com você? — perguntou minha mãe, que acabara de entrar na sala. — Minha nossa! O que estão fazendo com aquele pobre pastor-alemão?

— Ele tem hemorroidas. — Minha língua pertencia a outra pessoa. Outra pessoa com a boca muito maior que a minha. — Acho que estou gripada.

— Tem certeza?

— Estou com frio e o meu corpo todo dói. — Logo eu, a forte Maggie, que nunca ficava doente.

— Mas eu nem sabia que cães podiam *ter* hemorroidas. — Minha mãe continuava com os olhos grudados na tela.

— Talvez ele tenha se sentado no chão frio. Acho que estou gripada — repeti, um pouquinho mais alto dessa vez.

Finalmente consegui atrair a sua atenção.

— Você não está com uma cara boa — concordou ela, parecendo preocupada. Quase tão preocupada quanto com o pastor-alemão. Colocou a mão na minha testa e especulou: — Será que você está com febre?

— Claro que estou — grasnei. — É gripe.

Minha mãe foi buscar um termômetro e voltou segurando-o pela ponta e aplicando-lhe várias daquelas sacudidas violentas, como as pessoas sempre fazem antes de tirar a temperatura de alguém. Balançadas enérgicas, como se estivessem a ponto de varejar o pequeno bastão de vidro pela janela, mas tivessem mudado de ideia no último segundo. Apesar de ela cumprir todo o protocolo de cena direitinho, minha temperatura estava normal.

— Se bem que não dá para termos certeza — acrescentou ela, lançando um olhar desconfiado para o termômetro. — Temos esse troço há trinta anos e ele nunca funcionou direito.

Fui para a cama às nove da noite e só acordei no dia seguinte às duas da tarde. Estava deitada exatamente na mesma posição em que me colocara, antes de pegar no sono, como se eu não tivesse me mexido nem um centímetro em todo aquele tempo. Em vez de me sentir melhor, porém, estava pior: letárgica e desanimada. E continuava me sentindo exausta.

Nunca pensei que fosse possível ficar doente de tristeza. Achava que isso era uma história inventada que só existia nos romances melodramáticos da era vitoriana. Em algum momento da semana seguinte, porém, eu compreendi que não havia nada de errado comigo — pelo menos fisicamente. Minha temperatura estava normal e como é que ninguém mais na casa pegara gripe? O que quer que estivesse errado comigo, era emocional. A doença de quem está de luto. Meu corpo estava lutando contra a minha separação de Garv como se aquilo fosse um organismo hostil.

Não conseguia parar de dormir. Era um sono profundo, como se eu estivesse drogada, um sono do qual eu nunca conseguia despertar por completo. E quando estava consciente, mal conseguia realizar as tarefas mais triviais. Sabia que devia estar colocando a vida para a frente. Sabia que devia estar procurando outro emprego. Aparando as arestas da minha antiga vida e arrumando a nova. Mas eu me sentia como se caminhasse dentro d'água. Movia-me em câmera lenta em um mundo denso demais.

Ao entrar debaixo do chuveiro, a água parecia um monte de alfinetes espetando a minha pele fragilizada. A casa era barulhenta demais — toda vez que uma porta batia, o meu coração dava um pulo. Quando papai deixou cair uma frigideira no chão, levei um susto tão grande que meus olhos se encheram de lágrimas. Arrastava uma sensação de opressão permanente, como se uma nuvem cinza com ar de sujeira tivesse se instalado a poucos centímetros da minha cabeça.

Continuava a dar pouco ibope nas pesquisas de popularidade. Mamãe continuava vacilando entre o sentimento de "dói mais que picada de cobra ter uma filha ingrata" e a atitude de "por que você não conserta a sua vida e volta para o seu marido?". Meu pai pegava um pouco mais leve, mas isso não era vantagem, porque eu sempre fui sua favorita. Como costumava jogar bola e cheguei a assistir a um campeonato de sinuca junto com ele, meu pai quase se convenceu de que eu era o filho que ele não tinha.

A não ser a minha família mais próxima, eu não falava com ninguém. As pessoas, no entanto, andavam a fim de conversar comigo. Nada como um desastre para provocar um congestionamento telefô-

LOS ANGELES

nico. Amigas chegadas como Donna e Sinead telefonaram, mas, quando a minha mãe atendeu, eu resmunguei "Diga que eu ligo de volta depois" e não fiz isso. Papa-defuntos como Elaine também ligaram. (Minha mãe comentou que ela pareceu, ao telefone, uma jovem muito simpática.) Claire ligou de Londres e me intimou a ir para a casa dela. Rachel ligou de Nova York e a conversa foi mais ou menos parecida. Mas não havia nem chance de visitar nenhuma delas — ir da tevê até a chaleira sobre o fogão era a única viagem que eu conseguia fazer.

Não telefonei para Garv — e ele, para grande desapontamento e confusão dos meus pais, também não me ligou. De certo modo aquilo foi um alívio, mas um alívio que conseguiu ser desagradável.

Anna também passava muito tempo em casa — estava arrasada por causa de Shane. Conversávamos furtivamente, porque quando mamãe nos via juntas fazia um bico parecido com um cuzinho de gato e perguntava:

— Será que a minha casa virou um abrigo para mulheres abandonadas?

Na medida do possível, conversávamos sobre nossos respectivos rompimentos. O que aconteceu com ela foi que Shane montara um negócio de venda de músicas on-line e da noite para o dia virou um empresário.

— Ele cortou o cabelo — suspirou Anna. — No cabeleireiro! Quando vi que ele havia comprado gel para o cabelo, percebi que tudo acabara. Acho que ele quer crescer e eu não. E quanto a você e Garv?

— Ah, sabe como é... — Não consegui contar a ela a respeito da mulher-trufa. A energia que seria necessária para arrancar as palavras de dentro de mim não estava lá. — Na maior parte do tempo eu não sinto nada — consegui dizer. — É uma espécie de "nada" terrível, entende...? Isso não pode estar certo. Eu não devia estar me acabando de chorar?

Eu não devia estar arrombando a casa da mulher-trufa para manchar o seu carpete e picotar a cortina da sala? Não devia estar fazendo planos para tesourar as mangas das camisas e as pernas de todas as calças de Garv?

— Eu nem ao menos telefonei para dizer a Garv que estou com saudade dele. — Embora sentisse uma fisgada de melancolia a cada hora, o tempo todo. — Minha vida está arruinada e eu não sinto nada. — Meu futuro era uma área cercada e interditada. Eu conseguia, de vez em quando, vislumbrar a tristeza, mas a sensação passava logo. Era como uma porta que dava para uma sala barulhenta demais e se abria de repente para, logo depois, se fechar.

— Você está deprimida — anunciou Anna. — Deprimida de verdade. E isso não é de estranhar, depois de tudo pelo que você passou.

Mas aquela explicação não me caiu muito bem.

— Eu não sou uma pessoa depressiva. — (Eu sabia disso porque fizera o teste da revista *Cosmopolitan*.)

— Mas agora está!... E Garv deve estar também.

Ela dissera uma coisa interessante, talvez até mesmo importante, mas eu não consegui absorver a ideia. Estava cansada demais.

Ao contrário de mim, Anna não conseguia dormir. Pelo menos não em sua própria cama, então circulava pela casa a noite toda, pulando de cama em cama. Muitas vezes se enfiava debaixo das cobertas junto comigo, mas normalmente já havia saído quando eu acordava, deixando no ar o leve resíduo de uma criatura etérea que soltava profundos suspiros e cheirava a Bacardi. Era como ser assombrada por um fantasma benigno.

Vez por outra ela ainda estava ao meu lado quando eu acordava. Um dia eu acordei com um dos pés dela na minha orelha e o outro na minha boca; por motivos que só ela saberia explicar, Anna decidira dormir com a cabeça para os pés da cama.

Outra noite, despertei me sentindo absurdamente feliz: aquecida, segura, amada. Então, como se recebesse um balde de água fria, percebi o que estava acontecendo — Anna estava aninhada junto de mim, roçando o nariz na minha nuca e gemendo "Oh, Shane". Em meu sono profundo, com o braço dela em torno de mim, eu pensei que fosse Garv.

Às vezes, Anna e eu servíamos de conforto uma para a outra. Ela desenvolveu a teoria de que nossas vidas estavam dando tão errado devido ao fato de os nossos anjos da guarda terem saído de férias e

LOS ANGELES

nos deixado aos cuidados de estagiários, que não levavam a profissão a sério.

— Eles só trabalham o mínimo necessário — explicou ela. — Não vamos esquecer os dedos dentro do moedor de carne, mas isso é o máximo que eles vão fazer por nós.

— Como é o nome do meu anjo da guarda verdadeiro? — quis saber eu.

— Basil
— *Basil?*
— Tudo bem, Henry então.
— Henry?
— Que tal Clive?
— Mas ele é um anjo do sexo masculino?
— Não, anjos não têm sexo.
— E como ele é?
— Cheira a fruta cristalizada e é cor-de-rosa.
— Cor-de-rosa?
— Com pintinhas verdes.
— Ah, você não está levando a brincadeira a sério.
— Desculpe. Qual é o nome do meu?
— Penélope.
— Comida favorita?
— Purê de cenoura com batata-baroa.
— Qual é a maior vantagem de ser um anjo da guarda?
— Poder ajudar a pessoa a escolher o melhor vestido e o sapato certo para a festa de Natal. Em que o Clive é bom?
— Em achar brincos perdidos.

... Mesmo assim, de vez em quando não conseguíamos nos consolar mutuamente.

Em uma certa manhã especialmente ruim, Anna entrou debaixo das cobertas, ao meu lado, e ficamos as duas de barriga para cima, olhando para o teto com ar de infelicidade. Depois de algum tempo, ela sentenciou:

— Acho que estamos piorando o estado uma da outra.
— Acho que sim — concordei.
— Vou voltar para a minha cama então, tá bem?

— Tá bem.

Ao contrário de mim, de vez em quando Anna saía de casa — ainda que apenas para atender a um pedido de Shane.

— Ele diz que está querendo "conversar".

— O que há de errado com isso?

— Ele na verdade está querendo "transar". Foi o que aconteceu nas últimas três vezes. Isso eleva o meu astral, mas depois me deixa ainda pior.

— Talvez você não devesse mais dormir com ele — sugeri.

— Pode ser — disse ela, de modo vago, sem se convencer muito.

— Talvez você não devesse nem mesmo ir encontrá-lo.

Mas na vez seguinte, quando ele ligou dizendo que queria vê-la, ela concordou.

— Não se preocupe — prometeu-me ela. — Não vou dormir com ele.

Mas quando eu fui para a cama naquela noite ela ainda não havia voltado. Se bem que eram só nove e meia, e ela saíra havia menos de meia hora.

Em algum momento durante a noite, acordei no meio do breu. Tentei imaginar o que poderia ter me acordado — e então ouvi um barulho que me lembrava bem dos anos da minha adolescência: um arranhar e raspar de metal na porta da frente. Uma das minhas irmãs — Anna, nesse caso — não estava conseguindo enfiar a chave no buraco da fechadura. Os ruídos continuaram por tanto tempo que eu já estava a ponto de me levantar para colocá-la para dentro, quando a porta finalmente se abriu, e eu ouvi a barulhada tranquilizadora dela entrando e esbarrando na mesinha de centro, seguida, minutos depois, pelo cheiro nojento de feijão cozido sendo requentado na frigideira. Tudo como nos velhos tempos, pensei, quase dormindo, e acabei pegando novamente no sono. De volta ao passado...

Algum tempo depois tornei a acordar, sobressaltada. O alarme contra incêndio havia disparado e papai estava desavorado pelo corredor, de pijamas e com os olhos arregalados.

— Como é que eu desligo essa porcaria? — quis saber ele.

Uma fumaça cinza-escura vinha da sala, em rolos; o feijão e a frigideira pareciam carbonizados e Anna estava largada sobre a mesa da cozinha, em sono profundo.

LOS ANGELES

Nós a colocamos na cama, mas algum tempo depois ela entrou debaixo das cobertas ao meu lado, fedendo tanto a bebida que se eu estivesse acordada teria desmaiado. Só pra contrariar, seu hálito incendiário teve em mim o efeito de sais aromáticos e eu acordei de vez.

Mais tarde, naquela mesma noite, toda a casa foi despertada novamente — dessa vez por um estrondo que parecia de trovão; era como se o teto estivesse desabando. Uma investigação mais apurada revelou que não se tratava de nada tão empolgante. O que aconteceu é que Anna tentara se enfiar debaixo das cobertas com Helen, a qual, alimentando sérias objeções a dormir com uma "mulher-destilaria", empurrara a irmã com toda a força para fora da cama.

— Pelo menos eu não dormi com ele — disse Anna, na manhã seguinte, inspecionando as marcas roxas. — Tudo bem que eu bebi tanto, que quase entrei em coma alcoólico, e por pouco não taquei fogo na casa, mas pelo menos não dormi com ele.

— Já é um progresso — concordei.

Em algum momento durante a segunda semana terrível, senti falta de *algo indefinido*, mas havia poucas opções para mim.

— Vá dar uma volta — sugeriu papai. — Vá pegar um pouco de ar fresco.

Eu nunca compreendi muito bem o conceito de "ir dar uma volta". Nem mesmo nos meus melhores dias vi muita graça em "ir dar uma volta", ainda mais em um bairro residencial. Só que eu estava tão mal que resolvi tentar.

— Leve uma capa — aconselhou ele. — É capaz de chover.

— Estamos em junho.

— Estamos na Irlanda.

— Não tenho uma capa. — Bem, eu tinha, mas ela estava na minha casa, a casa de Garv, se é que vocês me entendem. Eu estava com medo de voltar lá, para o caso de Garv ter instalado a namorada na casa. Talvez isso soe como uma reação exagerada, mas meus instintos me diziam que tudo era possível.

— Leve a minha. — A capa de meu pai era vermelha, feita de náilon, e tinha um capuz medonho, mas eu estava carente de afeto e não consegui resistir quando ele veio me ajudar a vesti-la.

Lá fui eu. Nada muito pretensioso. Caminhei por uns duzentos metros até o parque gramado e me sentei junto de um muro, olhando algumas crianças que faziam os que elas geralmente fazem nos parques: fumar escondido, trocar informações erradas sobre sexo, o de sempre... Sentia-me péssima. O céu estava cinza e com ar estagnado, até mesmo nas partes que não ficavam diretamente sobre a minha cabeça. Depois de algum tempo, vi que não me sentia nem um pouco melhor e decidi que era melhor voltar para casa. Devia estar quase na hora de algum episódio de *Garota, Você Não Está Com Essa Bola Toda*. Imperdível.

Vagava meio sem rumo, descendo a ladeira, quando algo passou depressa pelo meu campo de visão e me deixou em estado de alerta. Olhei novamente, com atenção. Era um homem, a uns cinquenta metros de mim, descarregando o porta-malas de um carro. Ah... meu... Deus! Shay Delaney. Bem, pelo menos por um segundo me pareceu ele, depois é claro que eu vi que não era. É que havia alguma coisa no sujeito que me fez lembrar vagamente de Shay, e isso foi o bastante para me desestabilizar.

Quando fui em frente, porém, senti uma espécie de tonteira e vi que *era ele* mesmo. Diferente, mas ainda o mesmo. A mudança era que ele me pareceu mais velho, e isso me deu uma certa satisfação, até eu perceber que, se ele parecia mais velho para mim, eu também devia parecer mais velha para ele.

Ele tirava coisas do porta-malas e empilhava-as junto ao portão da casa de sua mãe. Como é que eu não percebi de cara que era ele? Na porta de sua própria casa. Bem, pelo menos na porta da casa onde ele morou até ir fazer faculdade em Londres, quinze anos antes. *Quinze anos?* Como assim? Eu ainda sou jovem, e já era crescida naquela época, não podem ser quinze anos. Outra tonteira.

Eu *não podia* me encontrar com ele. Não naquele momento, não com toda aquela vergonha. Um forte impulso quase me fez voltar por onde viera, mas depois de uma sessão de prós e contras, só o medo de que ele pudesse me ver fez com que eu parasse.

Com tantas outras horas para dar de cara com ele, pensei, enfurecida. Com tantas outras ocasiões para brincarmos de "O que você andou fazendo todos esses anos?". Por que eu nunca o reencontrei

LOS ANGELES

quando tinha um casamento do qual me orgulhava, quando eu era feliz? É claro que eu não precisava contar a ele o quanto tudo havia dado errado, mas ele não ia perceber? Não era óbvio...?

Minhas pernas meio bambas continuaram a me levar ladeira abaixo, direto na direção dele.

Durante anos eu havia fantasiado reencontrá-lo. Toda vez eu me consolava arquitetando planos meticulosos. Eu estaria magra, linda, com roupas da moda e o rosto iluminado. Estaria segura, confiante, com tudo em cima. E ele teria perdido todo o seu charme. De algum modo estaria mais baixo, no máximo com um metro e sessenta e cinco, os seus cabelos louro-escuros teriam caído e ele teria engordado uma tonelada.

Só que pelo que eu podia ver, ele ainda tinha todo o seu cabelo, engordara alguns quilinhos, e isso só lhe fizera bem, infelizmente. Enquanto isso, olhem para mim — calça de moletom, um ar de fracasso, uma expressão estranha de apatia. Era quase ridículo. A única coisa a meu favor eram as luzes que eu fizera no cabelo — ficara meio em dúvida quando o cabeleireiro sugeriu, mas naquele momento me pareceu um presente dos deuses.

Cheguei mais perto. Mais perto. Ele não demonstrou o menor interesse por mim. Pensei que ainda dava tempo de eu escapar de mansinho, com a minha cara pálida e sem maquiagem, o casaco horroroso do meu pai e o ar vazio de mulher recém-separada. Só que a essa altura eu já estava praticamente passando ao lado dele, que continuava sem me notar. Com um estranho ar de desafio, decidi que se ele não ia falar comigo, então quem ia falar com ele era eu.

— Shay?

Ele olhou e me pareceu, devo confessar, agradavelmente surpreso.

— Maggie? — Ele ficou paralisado com o braço no ar, no movimento de ir pegar alguma coisa no porta-malas, mas logo endireitou o corpo. — Maggie Walsh?

— Garvan — corrigi, com ar de timidez. — Maggie Garvan, agora, mas, sim, sou eu.

— Isso mesmo — concordou ele, de um jeito caloroso. — Ouvi dizer que você se casou. E então, ahn, como vai o Garv?

— Vai bem — respondi, meio na defensiva.

Caiu um silêncio meio desconfortável. Então ele girou os olhos com um jeito brincalhão, como se estivesse chocado.

— Uau! Maggie Walsh. Há quanto tempo, hein? E então...? — Antes de ele perguntar, eu já sabia o que vinha. — Você tem filhos?

— Não. E você?

— Três. Três pestinhas. — Fez uma careta.

— Aposto que são. Rá-rá-rá.

— Você está com uma aparência fantástica! — declarou ele, entusiasmado. Ou era cego ou insano, mas sua empolgação parecia tão genuína que eu me vi quase acreditando nele. — E como vai a sua mãe? — Como se ele realmente se interessasse. — E a comida que ela fazia?

— Ela desistiu de preparar aquela comida de vez.

— Ela é uma grande mulher — afirmou ele, com admiração. — E o seu pai? Vocês cinco ainda o deixam louco?

— Deixamos.

— E em que você trabalha?

— Sou assistente em um firma de advocacia.

— É mesmo? Que legal!

— Sim, é muito bom. E você?

— Trabalho para a Dark Star Produções.

— Já ouvi falar dela. — Realmente eu tinha lido no jornal alguma coisa a respeito dessa tal produtora, mas não me lembrava exatamente o quê, e então repeti: — Muito legal, mesmo.

E então ele disse:

— Bem, foi *ótimo* rever você. — Esticou a mão na minha direção. Olhei para ela com uma cara de idiota, por um segundo: ele estava esperando que eu apertasse aquela mão estendida. Como se fôssemos colegas de trabalho. Quando esfreguei a palma da minha mão de encontro à dele, lembrei que ele costumava espalmar aquela mesma mão sobre a minha boca. Para abafar os gemidos que eu dava. Quando estávamos transando.

Como a vida é estranha.

Ele já estava se afastando.

— Dê lembranças minhas a sua mãe e a seu pai.

— E ao Garv não? — perguntei, sem resistir.

— Claro, ao Garv também.

Ao me afastar, estava me sentindo bem. Mal podia acreditar. Finalmente me encontrara com ele, conversara com ele e me sentia bem. Todos aqueles anos pensando no assunto e de repente eu estava bem. *Ótima.* Com o astral em alta, voltei para casa quase dançando.

No instante em que entrei, comecei a tremer. Tremia tanto que nem consegui abrir o zíper do casaco. Tarde demais, eu me lembrei que não deveria ter sido tão simpática com ele. Devia ter sido fria e desagradável, depois do que ele fizera comigo.

Mamãe apareceu na sala.

— Você encontrou alguém pela rua? — quis saber ela, em meio a uma luta entre a antipatia e a curiosidade social.

— Não.

— Ninguém?

— Não.

Ela adorava Shay Delaney. Ele era o sonho de qualquer mãe, pois já exibia um ar viril, com o maxilar cheio de pelos dourados, enquanto os outros garotos eram imberbes e desengonçados. Mamãe associava o jeito dele ao fato de que o pai de Shay abandonara a família, e Shay teve de ser o homem da casa. Os outros garotos do grupo — Cabeção, Mosquito, Baleia e até mesmo Garv — ficavam com a cara emburrada diante de um adulto, não conseguiam sequer fitar qualquer pessoa que fosse um ano mais velha que eles. Shay, porém, o único entre os de sua idade que era conhecido pelo nome verdadeiro, pelo que eu me lembro, estava sempre de bom humor. Quase que com um ar, muitas vezes, de flerte. Claire, que era uns dois anos mais velha que ele, costumava dizer, em tom de ironia: "Muito prazer, sou Shay Delaney e sempre consigo tudo o que quero."

Eu estava ocupada demais me lembrando de tudo aquilo para encarar um dos ávidos interrogatórios de minha mãe ("O carro dele é grande?", "Dizem que a mulher dele é linda". "O pai dele largou a prostituta e voltou para casa?"). Tive que me deitar na cama, tremendo e pensando em Shay.

Ele estudava no mesmo ano que Cabeção, Mosquito, Baleia e Garv, mas não fazia parte do grupo; por escolha dele, e não dos outros, que dariam tudo para se enturmar com ele. Shay parecia flutuar entre várias facções, e era sempre bem recebido por todas. Era uma daquelas pessoas que tinha — embora eu nem conhecesse a palavra naquela época — carisma. Claire descrevera muito bem isso no dia em que afirmou: "Se Shay Delaney caísse em uma poça de merda ia sair dali cheirando a Chanel n.º 5."

Ele não apenas era incrivelmente atraente, mas tinha a decência de não esfregar a beleza na cara dos outros, e pegou fama de ser um sujeito legal, como bônus. Além, é claro, do fato de o pai ter abandonado a família gerar muita simpatia por ele. Como ele parecia mais velho e tinha autoconfiança e charme suficientes para passar direto sem ser barrado pelos porteiros das boates, ia a lugares onde nós não conseguíamos nem entrar e habitava mundos diferentes do nosso. Mas voltava sempre para nós, e conseguia não parecer metido a besta quando nos alegrava com histórias do creme de menta que experimentara no apartamento das enfermeiras ou da festa de vinte e um anos de uma garota rica e grandona que morava em Meath. Obviamente, teve um monte de namoradas; elas normalmente já haviam completado o ensino médio e estavam ou trabalhando ou na faculdade, e isso deixava os outros rapazes muito impressionados.

Bem, eu já saía com Garv há uns seis meses e estava muito feliz com ele quando Shay Delaney começou a prestar atenção em mim. Lançava sorrisos carinhosos na minha direção e conseguia me envolver em conversas a sós tão sussurradas que excluíam todo o resto das pessoas. Parecia estar sempre me *observando*. Lá estávamos nós, encostados em um muro, fumando escondido, empurrando uns aos outros — o de sempre... — e de repente eu levantava os olhos e via o seu olhar fixo em mim. Se ele fosse qualquer um dos outros rapazes, eu ia imaginar que ele estava de olho em mim, mas era Shay Delaney, que era muita areia para o meu caminhãozinho. Depois de uma semana em que ele intensificou a cota de sorrisos e conversas íntimas, houve uma festa. Um friozinho na barriga me mostrou que algo ia acontecer, e não deu outra: quando Garv saiu para comprar mais bebida, Shay me pegou saindo da cozinha e me empurrou para dentro do armário que ficava debaixo da escada. Eu protestei, meio sem fôlego, mas ele riu, trancou a porta e, depois de alguns elogios sobre

LOS ANGELES

como eu o deixava louco, tentou me beijar. Espremida no escuro junto dele, que era grandalhão, naquele espaço apertado, e finalmente descobrindo que eu não inventara o seu interesse por mim, percebi que o rosto dele vinha em minha direção, e foi como se todos os meus sonhos se transformassem em realidade.

— Não posso — reagi, virando a cabeça de lado.

— Por que não?

— Por causa de Garv.

— Se você não estivesse namorando Garv, ia me deixar beijá-la?

Não consegui responder. Não era óbvio que sim?

— Por que eu? — perguntei. — Por que você se interessou por mim?

— Porque sim. E estou muito interessado, mesmo — garantiu ele, passando o polegar sobre meus lábios e me deixando tonta.

Nunca descobri ao certo o porquê dele me querer. Eu não era tão bonita quanto as suas namoradas, nem tão sofisticada. O melhor que consegui imaginar era que como o pai dele os abandonara e a sua casa estava meio caótica, eu representava estabilidade. Acho que a minha normalidade era a coisa que mais o atraía em mim.

Assim, superficial que eu era, dei um chute na bunda do pobre Garv. Fingimos que não era eu que estava terminando, que era uma decisão mútua, garantimos um ao outro que iríamos continuar amigos e toda aquela história que rola quando se é adolescente, mas a verdade nua e crua é que eu dispensei Garv por causa de Shay. Garv sabia disso tão bem quanto eu. A partir do momento que Shay decidiu que me queria, Garv não teve a menor chance.

Mais tarde, naquele mesmo dia, à noite, papai entrou de mansinho no meu quarto com um saco pardo debaixo do braço.

— McDonald's! — declarou. — O seu lanche favorito.

Quando eu tinha onze anos, podia ser, mas de qualquer modo, me fez bem a sua companhia.

— Nuggets de frango! — anunciou ele, com orgulho. — Mais dois potinhos com molhos diferentes.

— E por que isso tudo?

— Você precisa comer. E a sua mãe... — Ele fez uma pausa e suspirou fundo, com uma expressão triste. — ... Bem, ela faz o que pode.

Desde a noite em que eu abandonara Garv, o simples fato de pensar em comida já era uma maldição — eu não ficava enjoada, apenas atônita. Só que naquela noite eu ia ter que tentar, porque além dos nuggets de frango o meu pai também trouxe um pacote grande de batatas fritas e um copo de Coca, além de um McLanche Feliz para ele, que veio com um robô grátis.

— Coma uma dessas batatas-palito — sugeriu papai, como se aquilo fosse uma tentação. (Ele se sentia tolo chamando-as simplesmente de "batatas fritas". O nome verdadeiro, segundo ele, era "batata-palito".)

Eu quase preferia comer o robô, mas como fiquei com pena de papai, experimentei a batata ("palito", se preferirem). Ela passeou pela minha boca como se fosse um corpo estranho. Ele me olhou com ar preocupado e eu tentei engolir, fazendo tudo descer pela garganta bloqueada.

— Quer beber alguma coisa? — perguntou ele. — Conhaque, vodca, sidra?

Fiquei pasma. Aquela foi uma das perguntas mais estranhas que ele me fizera em toda a minha vida. A mais estranha, na verdade. A única ocasião em que os meus pais bebiam durante a refeição era no Natal, quando curtiam uma garrafa de vinho Blue Nun quente — isso quando a garrafa não era descoberta e consumida na véspera. Além do mais, não havia — o que foi mesmo que ele sugeriu? — conhaque, nem vodca, nem sidra na casa. Então percebi que papai não estava me *oferecendo* um drinque. Era só curiosidade, para avaliar o quanto eu estava mal.

Balancei a cabeça para os lados.

— Não quero um drinque não. — Se eu bebesse alguma coisa, isso seria um grande erro. Quando eu estava deprimida, o álcool nunca servia para me animar. Na verdade, me deixava ainda pior, chorosa e sentindo autopiedade. — Se eu ficar bêbada, vou acabar me matando.

— Ótimo! Maravilha! — Subitamente, ele pareceu estar tão feliz quanto o lanche. Comeu tudo com muita disposição, tentando brincar com o robô. — O que esse troço faz? — perguntou ele, e em seguida foi embora.

Alguns minutos depois, voltou e informou:

— Emily está ao telefone.

CAPÍTULO 5

Emily era a minha melhor amiga. Entre as *mulheres*, embora, pensando bem, desde que Garv e eu começamos a nos estranhar, provavelmente ela era a minha *única* amiga.

Havíamos nos encontrado na escola, aos doze anos, e na mesma hora nos reconhecemos como almas gêmeas. Éramos as diferentes. Não totalmente párias, mas estávamos muito longe de sermos as garotas mais populares da escola. Uma parte do problema é que nós duas éramos boas em esportes. As garotas realmente "espertas" fumavam e escreviam cartas com assinatura falsificada dos pais informando que não iam poder participar da aula de educação física por estarem doentes. Outra marca negra sobre nós duas é que não demonstrávamos interesse algum em experiências com cigarros e álcool. Eu morria de medo de me meter em encrencas, e Emily dizia que aquilo era um desperdício de dinheiro. Em uníssono, denominávamos tais atividades de "burrice".

Na escola, Emily era baixa, magrinha, parecia o E.T. com peruca. Um visual muito diferente do que ela tem hoje. Ainda é baixinha e magra, o que agora sabemos que é uma coisa boa, certo? Especialmente a parte de ser magra. Mas a peruca (que não era peruca, na verdade, mas o cabelo dela mesmo) tornou-se uma distante lembrança do passado. Seu cabelo hoje em dia é sedoso e brilhante — muito, muito impressionante, embora ela diga que se o deixasse no estado natural, poderia servir de dublê para um dos membros do Jackson Five, e que para fazer com que ele ficasse esticado daquele jeito o seu cabeleireiro às vezes tinha de colocar o pé em seu peito e puxar com toda a força.

Seu visual é muito bem-cuidado e confiante. Quando um novo estilo entra na moda, eu normalmente compro uma peça qualquer com o "novo visual", tento combiná-la com o resto do meu vestuário "antiquado" e acho que estou ótima. Mas não Emily. Por exemplo, lembram quando o visual "rock chique" estava na moda? Eu comprei uma camiseta onde se lia "Rock Chique" em brilhantes letras cor-de-rosa e achei que estava arrasando. Emily, porém, apareceu com um jeans colado no corpo, em tecido tipo "pele de cobra", botas altas roxas com salto agulha e um chapéu de caubói em couro cor-de-rosa. Só que em vez de parecer ridícula — e qualquer pessoa correria esse risco, ainda mais com o chapéu de caubói cor-de-rosa —, ela me deu vontade de aplaudir. Para completar, era uma mulher que sabia usar acessórios como ninguém. Exibia sapatos coloridos (qualquer cor, menos preto), bolsas em forma de vasos de flores e boinas loucas sobre o cabelo, meio de lado, sempre que a ocasião exigia.

Não sou uma mulher completamente tapada. Leio revistas, sou uma compradora entusiasmada e demonstro muito interesse na altura das saias, no formato dos saltos e nas propriedades difusoras de luz de uma base para o rosto. Mas basta olhar para as minhas amigas solteiras para ver que todas elas são muito mais magras e glamorosas do que eu, e seus estojos de maquiagem são uma cornucópia de maravilhas. Enquanto eu ainda estou lendo a respeito de alguma novidade, elas já a estão usando. (Vocês sabem quanto tempo eu levei para descobrir que sombra azul com brilho estava novamente na moda? Não tenho nem coragem de contar para vocês, e embora pareça um clichê, acho que *isso* tem a ver com eu estar com um homem, em vez de andar circulando sozinha pelas baladas.)

Apesar dos nossos estilos de vida completamente diferentes e de vivermos a muitos quilômetros de distância uma da outra, a minha amizade com Emily se manteve firme. Trocamos e-mails duas ou três vezes por semana. Ela me conta os relacionamentos desastrosos dela, depois pergunta sobre a minha vidinha sem-sal de mulher casada e ambas saímos do papo muito felizes.

Foi uma grande fonte de tristeza o fato de quase nunca conseguirmos morar no mesmo continente. Garv e eu mal havíamos nos casado e, poucos meses depois, fomos morar em Chicago durante cinco anos. Então, menos de quatro semanas antes de voltarmos à Irlanda, Emily se mudara para Los Angeles.

O fato é que Emily sempre quis ser escritora. Escrevera alguns contos e romances curtos, mas não chegara a lugar algum. Suas histórias sempre me pareceram muito boas, mas quem sou eu para avaliar? Como Helen costuma dizer, eu nem tenho imaginação.

Então, uns cinco anos atrás, Emily escreveu um curta-metragem chamado *Um Dia Perfeito*, que foi comprado por uma produtora irlandesa e exibido na tevê. Foi uma produção caprichada, muito bem-feita, porém, o que normalmente acontece com um curta-metragem, é que ele é exibido uma vez e desaparece. É uma espécie de exercício para futuros cineastas. Algo inesperado, porém, aconteceu com *Um Dia Perfeito*, porque ele tinha uma duração interessante: quatorze minutos e meio. Sempre que estourava algum escândalo político na Irlanda, com investigações sobre corrupção (a cada duas semanas, em média), o noticiário das nove da noite passava do tempo e era necessário um "tapa-buraco" para cobrir a grade da emissora até as dez, quando a programação voltava ao horário normal. Três vezes em um período de quatro meses *Um Dia Perfeito* foi esse "tapa-buraco", e a história começou a se entranhar no dia a dia do país. De repente, junto aos bebedores, ao lado das máquinas de xerox das empresas, nos pontos de ônibus e por toda parte as pessoas começaram a perguntar umas às outras: "Você viu aquela história linda que passou na tevê ontem à noite, depois do jornal?"

Da noite para o dia Emily se tornou um nome conhecido — as pessoas não sabiam exatamente quem ela era, mas certamente já haviam ouvido falar do filme.

Ela conseguiria ganhar um bom dinheiro na Irlanda, se estivesse preparada para ser flexível e escrever seriados cômicos, peças ou trabalhar com propaganda — dizem que eles pagam muito bem —, além dos filmes. Mas ela resolveu arriscar, largou seu empreguinho sacal e foi para Los Angeles.

O tempo passou, e então eu soube que ela fora contratada por uma dessas grandes agências de Hollywood. Logo depois veio a notícia de que ela vendera um roteiro de um longa-metragem para a Dreamworks. Ou será que era a Miramax? Enfim, era um desses estúdios grandes. O filme se chamava *Reféns* (ou talvez fosse *Reféns!*) e contava a história de uma ilha minúscula no Pacífico Sul apropriada para casais em lua de mel que era invadida por terroristas que matavam alguns moradores locais e transformavam em reféns vários dos recém-casados. Alguns deles conseguiam fugir para o mato, sobreviviam como náufragos, fazendo fogueiras com gravetos etc. e planejavam uma missão de resgate. A história era descrita como "um filme de ação com romance e um pouco de humor".

O jornal *Sunday Independent* publicou um artigo sobre a venda do roteiro, a tevê irlandesa passou *Um Dia Perfeito* mais uma vez e a mãe de Emily comprou um vestido longo azul-marinho cheio de lantejoulas para usar na estreia do filme. (Comprou na liquidação, com quarenta por cento de desconto, mas mesmo assim foi muito caro.)

Passou-se mais algum tempo e nada aconteceu. Ninguém foi contratado para o elenco e, quando eu perguntava em que pé estavam as coisas, Emily me respondia, com a voz tensa: "Estamos melhorando o roteiro." Acabei não perguntando mais.

Um dia, sua mãe telefonou perguntando se Emily se importaria se ela usasse o vestido longo azul-marinho de lantejoulas na festa de Natal da firma do pai de Emily. Afinal, ela o comprara fazia quase um ano, e mesmo com o desconto de quarenta por cento o preço tinha sido bem alto; ela gostaria de usá-lo em algum lugar.

"Vá em frente", aconselhou Emily.

Então, vejam só como as coisas são, um estúdio rival comprou um outro roteiro. Era sobre um grupo de oito casais que se reuniram para um torneio de golfe em um lugar minúsculo perto das ilhas Fiji. A ilha foi invadida por terroristas, que mataram alguns moradores e transformaram vários dos golfistas em reféns. Alguns deles conseguiram fugir para o mato, sobreviveram como náufragos, fazendo fogueiras com gravetos etc. e planejaram uma missão de resgate. Era um filme de ação — vocês nunca poderiam adivinhar — com um pouco de romance e algumas cenas engraçadas. Eu já trabalhava no mundo dos espetáculos há tempo bastante para não me sentir surpresa ao saber que o estúdio resolvera adiar a filmagem da história de Emily. "Adiar" era o jargão hollywoodiano para "rejeitar", "desistir" ou "não queremos mais nada com esse projeto". Telefonei para Emily, para lhe dizer o quanto sentia o ocorrido. Ela me atendeu chorando. "Mas não tem nada não, eu já estou bolando um novo roteiro", garantiu-me ela. "Perde-se uma, ganha-se outra, certo?"

Isso acontecera um ano e meio antes. Logo depois ela voltou para a Irlanda, a fim de passar o Natal, e me convenceu a sair à noite com ela, só nós duas.

Garv bem que tentou ir também, mas Emily avisou, com ar de tristeza, que era um programa só para mulheres, e ele não estaria preparado para aquilo. Tinha razão. Em seus melhores momentos, Emily já era uma pessoa perigosa de ter como companhia, mas quando se sentia arrasada, humilhada e sem vontade de desabafar, ficava ainda pior.

Essa foi a noite do chapéu de caubói cor-de-rosa: o visual rock chique estava no maior pique, mas prestes a sair de moda, sob o peso da própria idiotice. Mas isso ainda não acontecera e ela me pareceu sensacional.

Pulei em volta dela que nem uma maluca, feliz por revê-la, mas, apesar de adorarmos a companhia uma da outra, aquela foi uma noite estranha. Na hora eu achei que estava me divertindo como nunca, mas agora, avaliando de forma objetiva, já não estou tão certa. Emily bebeu muito, e com uma velocidade espantosa — desde que começara a beber ela se tornara especialista na coisa. Normalmente eu nem tentava acompanhá-la, mas naquela noite em particular, resolvi fazê-lo. Obviamente fiquei muito bêbada, mas o mais estranho é que eu nem percebi. Sentia-me perfeitamente sóbria. A única pista de que havia algo errado era o fato de que todo mundo que eu via ou encontrava fazia alguma coisa que me deixava insultada ou aborrecida. Não me ocorreu que talvez o problema fosse comigo mesma.

Estávamos em um bar do Hayman, um hotel metido a besta onde tudo, desde os azulejos até os cinzeiros, havia sido "criado" por algum famoso designer de Nova York. Ouvira falar do lugar — lera artigos nos jornais e sabia que a maioria dos *objetos* expostos estava à venda —, mas nunca tinha estado lá, embora Emily, que chegara havia só três dias, já tivesse ido ao lugar duas vezes.

Nos acomodamos em uma mesa do canto, pedimos uma garrafa de vinho e Emily começou a desfiar a história da sua vida desde a

LOS ANGELES

última vez em que havíamos nos visto. Recusou-se a conversar sobre seus escritos. "Nem mencione essa guerra!", gemeu ela, e em vez disso me contou sobre a sua vida amorosa. Descreveu os encontros com um cara que era gay, mas insistia que não era, e falou do hétero que insistia que era gay. Era uma grande contadora de histórias, com uma impecável atenção para os detalhes. Nada de pinceladas leves, tudo nas suas histórias era cativante.

Ela sempre falava muito mais do que eu. É claro que ela tinha muito mais coisas a contar. Quando terminou de relatar as sagas de sua vida, nós já havíamos quase esvaziado a segunda garrafa de vinho.

— Agora é a sua vez — ordenou ela. — Como é que foi a história dos coelhos? — Franziu o cenho. — E o que uma garota precisa fazer para conseguir que lhe sirvam uma bebida nesta joça?

Suspirei e comecei a minha triste história, mas então avistei, no meio da multidão, a minha irmã Claire.

— O que *você* está fazendo aqui? — exclamou ela. Então viu Emily ao meu lado e entendeu. Passou um tempinho batendo papo conosco, e então se lembrou das pessoas com quem fora se encontrar e caiu fora. Logo que ela saiu, Emily resmungou, com ar sombrio: "Pois é!... Pode ir... Divirta-se com o pessoal da mesa GRANDE."

Olhou para mim fixamente — ou pelo menos assim me pareceu, mas pelo visto estávamos simplesmente oscilando no mesmo ritmo, e afirmou:

— Zaganei zua irmã ... e — abriu os braços, exibindo o ambiente — tamém ózamigos dela.

Olhei na direção da mesa para onde Claire fora. Sua chegada fora saudada por uma explosão de risos e altos brados. Senti uma peculiar sensação de exclusão.

— Eu gosto de sacanear os amigos dela também! — afirmei.

Não gostava?

Emily lançou a cabeça para trás, entornou o resto do vinho pela garganta, em um gole só, e disse:

— Você gosta de *zaganar*.

Tudo bem. Eu gostava de *zaganar*.

Conseguimos fazer aparecer mais uma garrafa de vinho, e então decidimos ir a algum outro lugar onde as pessoas não fossem tão irritantes. Ao sairmos, passamos por Claire e seus amigos.

— Vamos embora — avisou Emily em tom de desafio —, mas não é por sua causa.

Enigmático, eu sei, mas na hora fez muito sentido.

No saguão do hotel, diante da porta de entrada, decidimos executar alguns passos de dança, antes de sairmos. Não me lembro de quem foi a ideia, mas ambas concordamos que era ótima. Colocamos as nossas bolsas no chão e executamos uma pequena dança animada em volta delas, antes de cairmos novamente na noite, às gargalhadas. Até hoje ainda me lembro das expressões atônitas de três homens, consideravelmente mais sóbrios, que estavam em pé ali perto.

Do lado de fora, acenamos para um táxi e pedimos — melhor dizendo, exigimos — que ele nos levasse à Grafton Street. Em poucos segundos já estávamos *zaganando* o motorista e reclamando que ele estava nos levando pelo caminho mais comprido.

— Mas não dá para virar à direita naquela ponte — defendeu-se ele.

— Sei!... — debochou Emily. — Não tente me enrolar não, eu moro aqui! — mentiu ela, com ar agressivo. — Não sou turista!

Então me cutucou com o cotovelo magro e pontudo, soltou risadinhas roucas e me disse:

— Maggie, olhe só isso. — Abriu a bolsa larga, como um dentista tentando alcançar os últimos molares, onde, entre a carteira Louis Vuitton (falsa) e o estojo de maquiagem Prada (genuíno), estava aninhado um dos cinzeiros do hotel. Se eu me lembro bem, aquele com uma etiqueta pregada e o preço de trinta libras.

— Onde você arranjou isso?

Não precisava nem perguntar. Quando Emily ficava estressada, costumava malocar coisas, e eu detestava aquilo. Por que ela não podia ser como eu? Meu jeito de lidar com o estresse era ter um ataque de eczema no braço direito. Não estou dizendo que seja agradável, mas pelo menos não acabava em cana.

— Pare de roubar coisas! — ralhei com ela, em voz baixa, mas determinada. — Uma hora dessas você vai ser pega, isso ainda vai acabar em encrenca!

LOS ANGELES

Mas ela nem respondeu, porque já estava novamente implicando com o taxista.

Fomos a uma boate para a qual éramos velhas demais e nos divertimos muito *zaganando* mais gente — o porteiro, que não nos chamou para a frente da fila com a rapidez que Emily esperava, os atendentes do bar, que não nos serviram na mesma hora, os diversos frequentadores, que não pularam dos assentos para nos oferecer o lugar assim que chegamos...

Basicamente nos divertimos muito, e, no dia seguinte, até que Garv foi compreensivo. Rapidamente deixou o banheiro livre todas as vezes em que eu tinha de vomitar, e ficou esperando no corredor com toda a paciência, o rosto coberto de creme de barbear e a lâmina na mão.

Às seis da tarde eu já melhorara o bastante para falar e telefonei para Emily. Estava toda alegrinha — quase orgulhosa pelo nosso comportamento radical da véspera, mas Emily me pareceu arrasada.

— Nós dançamos em volta das nossas bolsas na porta do Hayman? — perguntou.

— Dançamos.

— Sabe de uma coisa...? — disse ela, fingindo um tom casual. — Tenho uma horrível sensação de que não havia pista de dança ali.

— Esqueça a pista de dança — exclamei. — Não havia música! E não foi o máximo o jeito com que a gente *zaganou* todas aquelas pessoas?

Emily fez um ruído engraçado com a boca. Uma espécie de gemido que se transformou num grunhido.

— Não me diga que nós ficamos sacaneando as pessoas.

— *Zaganando* — corrigi. — Ficamos *zaganando* as pessoas. Foi o máximo!

— Ah, meu Deus!

Atendi o telefone:

— Oi, Emily.

— Você está bem?

— Estou ótima — grasnei. — Acho que só estou um pouco gripada.

— Sua mãe me contou que você se separou de Garv.
— Ah... foi.
— E também perdeu o emprego.
— Sim — suspirei. — Perdi.
— Mas... — Ela parecia perplexa e impotente. — Eu mandei um monte de e-mails para o seu trabalho. A pessoa que os recebeu já deve estar sabendo de todos os detalhes sobre Brett e suas tentativas de aumentar o pênis.
— Desculpe — consegui dizer. — Eu não tenho mantido contato com ninguém.

Fez-se silêncio, enquanto ruídos de estática irromperam na linha. Eu sabia que ela estava louca para me fazer um monte de perguntas, mas pareceu se satisfazer com um simples:

— Você tem certeza de que está legal?
— Estou bem.

Mais estática.

— Escute... — disse ela, bem devagar. — Se você não está trabalhando e... tudo o mais, por que não pega um avião e vem para cá por algum tempo?
— E o que tem de bom aí?
— Sol o tempo todo... — seduziu-me ela —, batatas Pringles sem gordura... além *de mim*, é claro.

Dava para perceber o quanto eu estava mal, porque pensei que ela estava brincando. Achei que estivesse dizendo aquilo só por sentir que tinha de fazê-lo, pois era o que uma boa amiga *deveria* dizer e tudo o mais. Só que, ao mesmo tempo, algo cintilou em meio à minha total apatia. Los Angeles. A Cidade dos Anjos. Eu queria ir.

CAPÍTULO 6

Estávamos havia já um tempão sobrevoando os subúrbios de Los Angeles, o que era preocupante. Os bairros se desdobravam debaixo de nós em quarteirões quadriculados, um após outro, cheios de casas de um andar só que pareciam empoeiradas, espalhadas pelas quadras ordenadas, ocasionalmente interrompidas por gigantescas rodovias que serpenteavam de forma violenta entre elas. Bem longe, à distância, vinha o brilho cintilante do oceano.

Mal fazia uma semana desde o telefonema de Emily, e eu nem acreditava que estivesse lá. *Quase* lá — será que algum dia iríamos pousar?

Houve muita oposição à minha viagem. Especialmente por parte de minha mãe.

— Los Angeles? *Qual* Los Angeles? — quis saber ela. — Rachel não lhe disse que você podia ficar com ela em Nova York? Claire não lhe disse que você poderia ir para Londres e ficar com ela o tempo que quisesse? E se acontecer um terremoto nessa tal de Los Angeles? — Ela se virou para papai. — Fale alguma coisa!

— Comprei duas entradas para a semifinal do campeonato de hóquei — informou papai, com ar de tristeza. — Agora, quem é que vai ao jogo comigo?

Nesse momento, mamãe se lembrou de algo e perguntou a papai:

— Não foi em Los Angeles que você machucou o pescoço?

Vinte anos antes, papai fora a Los Angeles em companhia de outros contadores e voltara com torcicolo, depois de andar na Splash Mountain, um dos brinquedos da Disneylândia.

— A culpa foi minha — insistiu ele. — Havia avisos dizendo que eu não devia me levantar do carrinho. Mas não fui só eu. Nós sete ficamos com torcicolo.

— Minha Nossa Senhora! — Mamãe levantou a mão e tapou a boca. — Ela arrancou a aliança do dedo!

Eu andava experimentando andar sem as alianças, para ver como é que ficava. As duas alianças (a de noivado também saiu) haviam deixado um sulco bem nítido e um círculo de pele branca, parecendo massa de pão malcozido. Acho que nos nove anos em que estive casada nunca as tirara do dedo: estar sem elas me fazia sentir mal e um pouco estranha. Mas usá-las era ainda pior. Pelo menos, assim ficava mais honesto.

O próximo a demonstrar insatisfação com a minha partida foi Garv. Eu telefonei para ele, a fim de avisar que ia ficar fora por mais ou menos um mês, e ele bateu lá em casa rapidinho. Minha mãe o recebeu na sala de estar.

— Pronto! — declarou, com ar de triunfo, como se sua postura dissesse: "Acabou a brincadeira, mocinha."

Garv me cumprimentou e ficamos olhando um para o outro por muito tempo. Talvez seja isso que as pessoas fazem quando se separam: tentam se lembrar do que os fazia permanecer juntos. Ele estava um pouco mais desarrumado. Embora usasse um dos ternos de trabalhar, estava com os cabelos caídos na testa, como os usava fora do expediente, e sua expressão era sombria — ou será que sempre fora assim? Talvez eu estivesse vendo mais coisas do que devia.

Na verdade, ele não parecia arrasado de dor; continuava sendo, para usar uma das expressões da minha mãe (que ela nunca usava para se referir a Garv, é claro), um "pedaço de mau caminho". Vagamente, comecei a suspeitar que aqueles não eram os pensamentos corretos para ter, diante das circunstâncias; não eram solenes o suficiente, mas foram os que me apareceram na cabeça. Por quê? Devido ao choque, talvez? Talvez Anna estivesse certa e a *Cosmopolitan* errada — talvez eu *estivesse* deprimida.

— Por que Los Angeles? — perguntou Garv, com voz tensa.

— Por que não...? Emily mora lá.

Ele me lançou um olhar que eu não compreendi.

— Eu estou sem emprego e... sabe como é... — expliquei. — É melhor sair um pouco. Sei que temos um monte de coisas para resolver, mas...

LOS ANGELES

— Quando é que você volta?
— Não sei exatamente, a passagem está com a volta em aberto. Daqui a um mês, mais ou menos.
— Um mês. — Ele pareceu cansado. — Tudo bem; quando você voltar, nós conversamos.
— Ora, essa é novidade! — Eu não pretendia parecer tão amarga.
Uma espécie de rancor explodiu entre nós, formando um cogumelo de fumaça venenosa. De repente — puf! — ela desapareceu e voltamos a ser adultos educados.
— Precisamos conversar — insistiu ele.
— Se eu não voltar em um mês, você pode ir até lá para me pegar. — Eu lutava para parecer simpática. — Depois disso, podemos escolher os advogados e tudo o mais.
— Sim.
— Não vá colocar o carro na frente dos bois e contratar um advogado antes de mim, hein? — Tentava parecer brincalhona, mas em vez disso, a frase me pareceu ressentida.
— Não se preocupe — disse ele, olhando para mim sem expressão. — Vou esperar até você voltar.
— Eu não estou trabalhando, mas vou pagar a minha parte da prestação da casa com a conta especial para supérfluos femininos.
Essa era a tal conta que eu tinha, separada da conta conjunta com Garv, e nela eu colocava uma pequena quantia todos os meses — o suficiente para cobrir o preço de sandálias pouco práticas de usar e brilhos labiais desnecessários sem me sentir arrasada por estar gastando dinheiro que seria para pagar a prestação da casa. Algumas das minhas amigas — Donna, especificamente — viviam se perguntando como foi que eu conseguira convencer Garv a concordar com aquilo, mas na verdade a ideia fora dele, e ele mesmo batizara a conta extra com aquele nome engraçado.
— Não esquente com a prestação — suspirou. — Eu cubro a sua parte. Você vai precisar do dinheiro da sua conta especial para supérfluos femininos para comprar supérfluos femininos.
— Mas depois eu quero pagar esse dinheiro para você. — Fiquei aliviada por poder contar com um pouco mais de grana para minha

estada em Los Angeles. — Posso passar em casa para pegar algumas das minhas coisas?

— E por que não poderia? — Senti um ar defensivo, talvez um pouco culpado. Ele sabia exatamente sobre o que eu estava falando, mas fingiu que não, e eu não me dei ao trabalho de explicar melhor. Havia uma estranha cumplicidade entre nós e um monte de coisas terríveis ficou sem ser dito. Era isso mesmo que eu queria: se ele estava com outra pessoa eu *fazia questão* de *não saber*. — A casa é sua — disse ele. — Você é dona de metade dela.

Foi então que eu tive o primeiro pensamento normal que uma pessoa cujo casamento acabou devia ter — íamos ser obrigados a vender a casa. A névoa clareou e meu futuro se desenrolou diante de mim como um filme. Vender a casa, não ter mais onde viver, procurar outro lugar onde morar, tentar construir uma nova vida sozinha. *E quem seria eu?* Uma parte tão grande da minha noção de identidade estava ligada ao meu casamento que, sem ele, eu não fazia a mínima ideia de quem eu era.

Sentia-me deslocada de tudo, flutuando em um vazio de tempo e espaço, mas não podia pensar em nada disso naquele momento.

— Somando tudo, como é que estão as coisas? Você está bem? — perguntou Garv.

— Sim. Dentro do possível. E você?

— Tudo bem — deu um risinho curto —, dentro do possível. Veja se manda notícias — pediu ele, e fez um movimento desajeitado na minha direção. Começou como um abraço, mas terminou em uma palmadinha no ombro.

— Claro — concordei, me afastando do seu calor e cheiro familiares. Não queria chegar muito perto dele. Nos despedimos como dois estranhos.

Pela janela, observei-o enquanto ele ia embora. Aquele é o meu marido, disse a mim mesma, espantada ao ver como tudo parecia irreal. Logo vai ser *ex*-marido e vai carregar com ele mais de uma década da minha vida. Enquanto ele caminhava pela calçada estreita e desaparecia atrás da cerca, fui tomada por um ataque de fúria infernal. *Vá logo*, quis gritar, a plenos pulmões; *vá trepar com a mulher-trufa*. Tão depressa quanto surgiu, porém, o ataque de raiva sumiu, e mais uma vez eu me senti pesada e meio morta.

Helen foi a única que aprovou a minha viagem para Los Angeles.

— Boa ideia — elogiou ela. — Pense só nos homens. Aqueles gatos fortes com jeito de surfista — gemeu. — *Nossa!* O corpo bronzeado, os cabelos descoloridos pelo sol, muito emaranhados e salgados, barrigas de tanquinho, coxas grossas por ficar o tempo todo em cima das pranchas... — Parou um instante e anunciou: — Puxa vida, acho que vou com você!

E foi então que eu percebi: estava solteira. Era uma balzaquiana solta na vida. Passara a fase dos vinte anos dentro do casulo seguro do casamento, e não tinha a mínima ideia de como seria ficar por conta própria. É claro que sabia a respeito de gente solteira, bem como os dados culturais sobre os solteiros com mais de trinta anos. Conhecia as estatísticas: uma mulher com trinta e poucos anos tinha mais chances de ser abduzida por extraterrestres (achava eu) do que de receber uma proposta de casamento. Eu acompanhara toda a odisseia das minhas irmãs e de várias amigas em uma busca incansável pelo verdadeiro amor, e me juntara a elas durante as especulações sobre para onde iam todos os homens quando as coisas davam errado. O interesse por essas questões, no entanto, era puramente teórico. Eu *me perguntava* por onde andavam todos os homens, mas na verdade não queria nem saber. Não se tratava de arrogância — pelo menos não conscientemente —, mas a verdade é que o orgulho precede a queda.

Estava sem homem agora. Não havia diferença entre mim e Emily, ou Sinead, ou qualquer uma. Embora, para ser franca, eu não quisesse um homem. Não queria mais ficar com Garv, mas estava bloqueada. Não conseguia dar o salto de imaginação necessário para me ver com outra pessoa.

Foi então que tive o meu segundo pensamento normal: *minha vida acabou*. Essa era a única coisa da qual eu tinha certeza, o único fato definido em um mundo incerto. Agarrei-me a este pensamento porque, por estranho que pareça, ele me servia de conforto.

A fila da imigração demorou um século. Finalmente, chegou a minha vez de entregar o passaporte para o sujeito grandalhão e desagradável que atendia no balcão. (Não fazia diferença que balcão a pessoa escolhesse, os caras eram iguais: devia haver algum lugar onde aqueles homens eram fabricados em série.) Enquanto ele me lançou um olhar enojado, de alto a baixo, perguntei a mim mesma se ele seria casado ou divorciado. Não (que fique bem claro) que eu tivesse algum interesse nele. Eu me perguntei a mesma coisa sobre a mulher que viajara ao meu lado no avião e *tenho certeza* de que não estava interessada nela. Só não queria me sentir a única.

Minhas especulações foram encerradas abruptamente quando ele ladrou:

— Qual o motivo da sua visita aos Estados Unidos?

— Férias.

— Onde vai ficar?

— Com uma pessoa amiga que mora em Santa Mônica.

— E esse seu tal amigo de Santa Mônica? Em que ele trabalha?

— É uma *amiga*. Ela é roteirista.

Juro por Deus que o Sr. Emburrado imediatamente se transformou diante dos meus olhos. Ele endireitou o corpo, parou de estreitar os olhos com ar de desprezo e subitamente se mostrou dócil e simpático.

— É mesmo? — perguntou ele. — Alguém já comprou algum roteiro dela?

— A Universal. Ou será que foi a Paramount? Olhe, eu só sei que eles acabaram desistindo e...

— Será que tem um papel para mim nesse filme? — brincou ele. Embora eu não esteja bem certa se era brincadeira.

— Não sei — respondi, nervosa.

— Não sabe — suspirou ele, pegando um carimbo e aplicando um golpe com ele sobre o meu passaporte.

Entrei no país!

E lá estava Emily, batendo com impaciência o pé (que, por sinal, estava dentro de uma linda sandália estilo japonesa). Puxa, era tão bom vê-la.

LOS ANGELES

— Como é que você está? Meio zureta por causa do jet lag? — perguntou, solidária.

— Ganhei carteirinha de desorientada. Acho que assisti a três filmes no avião, mas não consigo me lembrar de nenhum deles. O último tinha a ver com um cão, eu acho

— Deixe que eu dirijo. — Emily se posicionou no comando do carrinho com as malas e o empurrou rapidamente rumo ao estacionamento do aeroporto.

O calor me atingiu em cheio, como se Deus de repente tivesse aberto a porta de um forno gigantesco.

— Nossa! — reagi, cambaleando.

— O carro não está longe — incentivou Emily.

— Ei, olhe só aquilo! — Fui distraída do calor estonteante por um grupo de figuras que pareciam pertencer a um culto; estavam todas reunidas sobre um gramado, usavam mantos longos azul-turquesa, tocavam pandeiro e entoavam musiquinhas. Cheguei a desconfiar que eles haviam sido colocados ali para me receber ("Bem-vinda a Los Angeles"), como eles faziam no Havaí, onde uma garota sorridente colocava guirlandas de flores em volta do seu pescoço.

Emily nem tomou conhecimento.

— Há centenas deles espalhados por aí. Entre. — Abriu a porta do carro. — O ar condicionado vai começar a fazer efeito em dois minutos.

Eu nunca estivera em Los Angeles, mas teria reconhecido a cidade a qualquer tempo. Tudo era muito familiar — as rodovias com dezesseis pistas, as palmeiras muito altas e finas, as casas com revestimento em cor de cerâmica. A linha do horizonte se estendia a perder de vista — não era *nada* parecida com Chicago.

A cada dois ou três quarteirões, nós passávamos por pequenos centros comerciais onde havia pet shops, cabeleireiros, lojas de armas, equipamentos de vigilância, dentistas, mais pet shops...

— Como tem pet shops nesta cidade — reparei, com ar meio sonhador, ainda por causa do jet lag. Estava meio abobada.

Emily não tinha tempo para tolices. Havia uma história a ser contada e ela queria ouvi-la.

— E então, o que houve entre você e Garv?

Senti uma vontade súbita de me jogar do carro em alta velocidade, mas afundei no banco e respondi:

— Cada um de nós estava fazendo o outro infeliz, então colocamos um fim na história.

— Sim, mas... — Dava para sentir o medo na voz dela. — Vocês não romperam de verdade, não é? Estão só fazendo uma pausa para descansar um do outro, certo...? Por causa do que aconteceu...?

O que era aquilo? Uma conspiração? Por que ninguém conseguia aceitar que o casamento havia acabado?

— Nós *rompemos* sim. — Meu braço direito começou a coçar. — Tudo acabou.

— Puxa vida! — Ela me pareceu terrivelmente chateada. — Mas vocês não vão se... divorciar, vão?

— E o que mais poderíamos fazer? — Senti uma onda de vergonha.

— Vocês já deram início ao processo judicial?

— Ainda não. Vamos esperar até eu voltar. — Ao dizer isso, um fato que eu só percebera em nível intelectual se transformou em algo pessoal. — Eu vou ser uma divorciada!

— Ahn... Se vocês se divorciarem, provavelmente sim. — Emily me lançou um olhar de ansiedade. — É um choque pensar nisso?

— Não, é que... só agora caiu a ficha. — De qualquer modo, aquilo nunca fizera parte dos meus planos de vida. — Uma divorciada. — Experimentei pronunciar a palavra bem devagar, e meu eternamente presente senso de fracasso se intensificou. Tentando fazer graça, perguntei: — Você sabe o que isso significa? Vou ter que pintar os cabelos de louro platinado e dar vexame nas festas de família, bebendo demais e dançando de forma provocante com homens mais novos.

— Essa sou eu agora — disse Emily. — Quer saber? Até que não é tão mau.

Um silêncio pesado desceu e eu quase consegui ouvir as engrenagens do cérebro de Emily se movimentando.

— Ainda não consigo acreditar — sussurrou ela. — Puxa, o que *aconteceu*? Foi ele que terminou ou foi você que...?

LOS ANGELES

Eu não queria mais falar daquilo. Queria esquecer tudo e curtir estar sozinha.

— Nenhum dos dois. Isto é, ambos. — Então, como se estivesse com uma batata quente nas mãos, soltei a bomba: — Acho que ele conheceu outra pessoa.

— Quem? *Garv?!* — guinchou ela, em um tom tão agudo que só os morcegos conseguiram ouvir.

— Ele é um homem atraente. — Eu me senti estranhamente na defensiva.

— Não foi isso que eu quis dizer. — Com uma rodada de perguntas bem direcionadas, ela conseguiu extrair de mim toda a história da mulher-trufa, e encarou tudo quase que com mais indignação do que eu. Dirigindo pela estrada ensolarada, resmungou: — E eu que achava que o comportamento decente de Garv Garvan era a única coisa na vida que eu podia contar como certa. Pensava que ele era um dos poucos homens honestos por aí. Maggie, estou arrasada!

— Pois eu não estou exatamente dando pulinhos de alegria.

— Quem é essa mulher?

— Pode ser qualquer uma. Alguém com quem ele trabalha. Poderia até ser... — Fiz um esforço para falar. — ... Poderia ser Donna. Ou Sinead. Ele se dá muito bem com ambas.

— Não é Donna nem Sinead. Elas não fariam uma coisa dessas. E se fizessem, o lance já teria chegado aos meus ouvidos. Os homens... — acrescentou, com um tom amargo — são todos iguais. Os poucos neurônios que têm estão todos no pau. Você está morrendo de ódio dele?

— Estou. Quando consigo reunir energia para isso. — A verdade é que embora estivesse com raiva de Garv, de certo modo eu não o culpava.

Emily me olhou fixamente. Ela me conhecia muito bem, eu não tinha segredos para ela. Antes, porém, que ela pudesse se estender sobre o assunto, tentei adiantar a conversa:

— Podia ser pior — garanti, com falsa alegria. — Pelo menos foi um lance amigável... mais ou menos — acrescentei, sem tanta certeza. — A questão do dinheiro e da casa vai ser resolvida numa boa.

— Claro que vai. Garv é um cara justo. Pelo menos vocês não têm... — parou de falar, horrorizada consigo mesma.
— Filhos — terminei a frase por ela.
— Desculpe — sussurrou ela.
— Tudo bem — tranquilizei-a. Não estava nada bem, mas eu não queria pensar naquele assunto.
— Vocês... — ela começou a perguntar, mas eu a interrompi:
— E então? Que estrada é essa em que estamos?
Emily ignorou a minha tentativa de mudar de assunto. Em vez disso, avisou:
— Amigável ou não, você vai ter que me contar tudo sobre você e Garv.
Afundei ainda mais no banco, meio contrariada, e então, de repente, me lembrei do que aquilo estava parecendo. Quando eu fiz dezesseis anos, escorreguei ao descer da escada e bati com o joelho na porta de vidro de frente, quebrando-a em mil pedaços. Acabei com centenas de caquinhos de vidro enfiados sob a pele do joelho, e cada um deles teve de ser removido com pinça. O pior é que nem me deram um analgésico, nem anestesia, e eu tive que ficar ali sentada na cadeira, com o corpo rígido, suando de dor e de expectativa de mais um ataque da pinça. Cada palavra sobre mim e Garv era como um caquinho sendo arrancado da minha ferida em carne viva.
— Eu vou conversar sobre isso — concordei —, mas não agora. Por favor.
— OK.
Finalmente, as características das estradas começaram a mudar, até entrarmos em um modesto bairro residencial. Cada casinha era de um jeito — uma em tijolinhos, outra em estilo da Nova Inglaterra, algumas art déco ou pintadas em tom pastel. Havia um ar de limpeza e organização no lugar, e em toda parte tinha flores.
— Estamos chegando. É legal aqui, não é?
— Lindo. — Eu esperava algo mais radical, em se tratando de Emily.
— Assim que me mudei para Los Angeles, eu morava em um lugar decadente, literalmente caindo aos pedaços, um prédio de

LOS ANGELES

apartamentos na Zona Leste da cidade, onde as pessoas trocavam tiros e se matavam bem debaixo da minha janela.

Tudo bem, talvez ser radical não fosse tão bom assim.

— A taxa de assassinatos em Santa Mônica é muito mais baixa — tranquilizou-me ela.

Maravilha!

Estacionamos ao lado de um bangalô revestido de tábuas brancas horizontais com um gramado na frente. Os dispersores de água para regar o jardim trabalhavam a todo vapor, girando como faróis, molhando todo o gramado.

— Cuidado com essa porcaria de regadores — aconselhou Emily. — Eles são programados para ligar sozinhos em determinadas horas; sempre me pegam de surpresa e arrasam com o meu cabelo. Tenha cuidado também com os vizinhos daquele lado ali, porque eles são o tipo de gente que trouxe má fama a Los Angeles.

— Assassinos em série?

— Não. Esotéricos da Nova Era; começam a ler a aura de todo mundo assim que avistam alguém. Os vizinhos do outro lado não são muito melhores não. Rapazes. Estão na faculdade, estudando computação, programação ou algo desse tipo. Só são úteis para o caso de você querer comprar alguma droga, não que seja o seu caso, que eu sei.

Isso me deu um certo alívio; não queria me ver cercada de jovens recém-casados. Preferia muito mais universitários traficantes.

As flores em tom de rosa-choque contrastavam com o branco ofuscante da casa de Emily. Tudo era muito bonito. Foi nesse momento que reparei no cartaz avisando que o local estava protegido por "seguranças armados" e a minha empolgação diminuiu um pouco. O que será que acontecia por ali para exigir "seguranças armados"?

Levamos minha bagagem para a casa sombreada e fresca. Enquanto eu me desdobrava em "ohs" e "ahs" ao reparar no piso de tábua corrida, nas persianas verticais brancas e no lindo jardim dos fundos, Emily foi direto para a secretária eletrônica.

— Aaargh! — ela rosnou. — Toca, maldito!

— Você está esperando a ligação de um homem? — perguntei, com o máximo de compaixão que consegui.
— Quem dera...
— Ah.
— Maggie. — Ela se largou em uma poltrona. — Estou oficialmente em uma maré de má sorte.
— Está? — perguntei, baixinho, percebendo subitamente que eu não era a única pessoa no mundo que passava por uma crise.
— Estou tão feliz por você estar aqui!...
— Está? — Como foi que eu me transformara de repente de consolada em consoladora?

Emily suspirou e desembuchou toda a sua história.

Depois que o estúdio desistiu de *Reféns* (ou será que era *Reféns!?*), o agente de Emily lhe dera um pé na bunda, o que era nada menos que catastrófico. Os estúdios de cinema nunca, *nunca mesmo*, olhavam para um trabalho que não tivesse sido submetido por um agente; e era quase impossível conseguir um agente, ela explicou. A cada dia literalmente milhares de roteiros caíam nas caixas de correio das grandes agências e tinham de passar por um selvagem processo de seleção. Se os rapazes que recebiam o pacote não gostassem dele logo de cara, fim da linha. Se o texto conseguisse passar por eles, ainda tinha de enfrentar um leitor. Se conseguisse passar adiante, o que era pouquíssimo provável, aí então o trabalho conseguia ser lido por um assistente do agente. Só se ele se empolgasse muito com o roteiro é que o agente finalmente se dignava a dar uma olhada.

Emily passara os últimos dezoito meses escrevendo um monte de roteiros diferentes, mas toda vez que conseguia um agente era rejeitada.

— Mas você já tem uma reputação em Hollywood.
— Uma *má* reputação — corrigiu ela. — Todo mundo se lembra que o estúdio dispensou o *Reféns*. Estou em uma posição pior do que alguém que esteja chegando agora. Essa cidade não perdoa ninguém.
— Mas por que você não me contou nada disso?
— Sei lá... Estava com muita vergonha. Logo eu, a roteirista de sucesso. Além do mais, fiquei esperando um pouco para ver se as coisas melhoravam, sabe como é?

LOS ANGELES

Eu sabia, é claro.

Dez dias antes, Emily conseguira enviar o seu roteiro mais recente para um novo agente. Só que era uma agência muito menor, que não tinha muita penetração junto aos grandes estúdios.

— O seu nome é David Crowe. Ele pegou o meu texto e está tentando armar um lance, a fim de dar início a uma guerra de propostas. Até agora não tive mais notícias.

— Mas ele acabou de pegar o roteiro.

— As coisas acontecem muito depressa nesta cidade, ou simplesmente não acontecem. Isso está acabando com os meus nervos — disse ela. — Se eu não decolar agora, estou acabada.

— Não fique assim. Você pode se reerguer e tentar novamente.

— Claro que não, e você sabe disso — rebateu Emily, com ar sombrio. — Vou ficar queimada. Esta cidade me deixou no bagaço. Haverá vítimas por toda parte, você vai ver... e o pior é que estou dura — acrescentou.

— Como assim, dura? — Eu estava chocada. Emily conseguira uma boa grana pelo roteiro de *Reféns* e não precisou devolver o dinheiro quando o estúdio desistiu de fazer o filme.

— Eu recebi o dinheiro há três anos, e duzentos mil dólares, tirando os impostos e a comissão do agente, não duram muito tempo. E não pense que me senti superior e não quis procurar trabalho escrevendo filmes B e outras porcarias que saem direto em vídeo. Tentei até um filme pornô.

— Para *atuar* nele? — Será que as coisas estavam assim tão mal?

— Não, para escrever o roteiro. Agora, porém, que você falou nisso, talvez eu tivesse mais sorte em um teste para estrelar. Até eles me rejeitaram, pois já conheciam o meu pedigree. Acho que eu não seria aprovada nem para ir presa.

— Puxa vida.

— Os últimos dezoito meses têm sido horríveis — admitiu ela. — No dia em que a Abdução Produções me ligou...

— Quem?

— Você ouviu. Uma produtora de filmes C que funciona dentro de um trailer em Pasadena. O dia em que eles rejeitaram o meu roteiro para a quarta sequência de *Seres Esmagadores de Gama 9* foi o pior da minha vida.

Eu me sentia paralisada pela magnitude dos problemas de Emily. Estava quente demais, eu estava exausta e queria ir para casa. Só que minha casa não existia mais.

— Ah, meu Deus, meu Deus... — De repente, ela pareceu aflita. — Sinto muito, Maggie, sinto muitíssimo. Que falta de tato eu estar fazendo isso! Vou arranjar algo para você comer.

Ela preparou uma salada e abriu uma garrafa de vinho branco. Felizmente pareceu se animar um pouco.

— As coisas também não são tão ruins assim. Eu posso voltar para a Irlanda e arrumar algum trabalho lá, agora que consegui tantos contatos em Hollywood — brincou ela.

Depois de uma pausa, perguntou:

— Você sabe quem é que eu encontro de vez em quando, profissionalmente?

Alguma coisa no tom da sua voz me fez ficar alerta.

— Quem?

Outra pausa.

— Shay Delaney. — Ficou claro que ela estava só esperando o melhor momento para me contar aquilo.

— Como assim...?

— Ele trabalha na Dark Star Produções. É uma...

— ... produtora de filmes independentes — completei por ela. — Subitamente eu me lembrei do porquê de conhecer o nome quando ele mencionara onde trabalhava.

— Ele passa boa parte do tempo aqui. — O tom me pareceu quase defensivo.

— Imagino que sim. Gente que trabalha em produtoras de filmes viaja muito para Los Angeles. — Ela pareceu intrigada e eu expliquei: — Eu o encontrei, na semana passada.

— Sério?! — Enquanto Emily se maravilhava com aquela coincidência, eu me curvei sobre a salada. Por que foi mesmo que eu estava tão a fim de vir até Los Angeles?

CAPÍTULO 7

Acordei no escuro com o barulho de tiros de metralhadora. Meu sangue correu mais depressa. Fiquei à espera de mais ruídos — barulhos de gritos, gemidos, sirenes —, mas não ouvi nada.
*Não estamos mais no Kansas, Totó.**
Deitada de barriga para cima no breu, admiti a triste verdade. Estava arrependida de ter viajado. Tinha a esperança de me sentir melhor como num passe de mágica, mas como isso poderia acontecer, se eu levei a mim mesma e a minha vida falida na bagagem? Além do mais, morar na casa de outra pessoa — mesmo a casa de uma boa amiga — era pior do que eu imaginava. Apesar da diferença de oito horas no fuso horário, levei um tempão para pegar no sono, porque Emily assistia à televisão no volume máximo. Fiquei quietinha no meu canto (que na verdade era o escritório dela), torcendo para ela baixar o volume. Não havia mais nada que eu pudesse fazer — a casa não era minha. Quando uma explosão de gargalhadas vinda de um enlatado qualquer atravessou as paredes finas, eu senti uma saudade violenta da minha vida com Garv. Não dava para viver daquele jeito. De repente eu me vi pronta a admitir que me separar fora uma péssima ideia, e que as coisas logo poderiam voltar ao normal se eu tivesse ficado. Estava acostumada com a harmonia da minha vida, e também de poder desligar a televisão quando bem entendesse.
Mas será que aquela era uma boa razão para voltar para o casamento? Provavelmente não, decidi, com relutância.

---

* Frase da personagem Dorothy, no filme *O Mágico de Oz*, ao acordar depois de um furacão passar pela sua casa. (N.T.)

Finalmente tornei a pegar no sono, mas logo acordei novamente. Outra rajada de metralhadora fez com que o meu coração quase explodisse contra as costelas. O que será que estava *acontecendo* lá fora?

Se ao menos eu pudesse voltar para casa, desejei. Mas desconfiava que aquilo estava fora de cogitação. Todo mundo ia achar que eu havia pirado de vez quando soubessem que eu fora a Los Angeles e só ficara um dia. E a questão não era só eu — obviamente, Emily também precisava de alguém por perto. Nossa, talvez nós duas acabássemos voltando para casa juntas, uma dupla de fracassadas. Íamos ser obrigadas a viajar em um setor separado, no avião, para não contaminarmos os outros passageiros.

Um ruído na janela me fez dar um pulo na cama. O que era aquilo? Um galho de árvore batendo contra a vidraça? Um louco à solta em busca de uma garota para torturar e matar? Apostei todas as fichas no maluco. Afinal de contas, ali era Los Angeles, uma cidade cheia de loucos assassinos, segundo dizem. Eu já havia lido um ou dois romances de Jackie Collins e sabia tudo sobre psicopatas que pensam em itálico.

Não faltava muito agora. Logo, logo a vingança seria dele. E todos se arrependeriam de terem rido na sua cara e se recusado a retornar suas ligações. Ele estava forte agora. Nunca estivera tão forte. E tinha a faca. A faca que atenderia prontamente os seus comandos. Primeiro ele ia cortar os cabelos dela, depois ia lhe arrancar as joias, para então começar a cortar-lhe a pele. Ela ia implorar, suplicar por misericórdia, pedir para acabar com a sua agonia. Mas a dor ia continuar, porque agora era a vez dela sofrer, dessa vez era ela...

Comecei a suar. Aquelas casas de tábuas finas eram muito frágeis e eu me sentia vulnerável por estar em uma casa de um andar só.

Morrendo de medo, acendi a luz e procurei alguma coisa para ler na estante de Emily. De preferência algo bem leve, para afastar a cabeça do meu iminente esquartejamento. Só que como ali era o escritório dela, tudo o que encontrei foram livros sobre a arte de escrever roteiros. Então, vi um monte de páginas empilhadas sobre a escrivaninha. *Operação Grana*, seu novo roteiro. Aquilo ia servir.

Na segunda página o texto já me cativara e eu me esqueci do louco à solta. A história era sobre duas mulheres que resolvem assaltar uma joalheria para pagar a operação plástica das suas filhas, a fim de elas terem mais sorte com os homens do que as mães. Era uma comédia com toques de suspense, um pouco de romance e, o mais importante para Hollywood, tinha uma frase memorável ("Mas eu a amo, mamãe, você não precisava me comprar peitos novos").

Pouco antes de tornar a dormir, pensei, meio sonolenta: *Eu compraria os direitos desse roteiro.*

Quando tornei a acordar, levei o maior susto da minha vida — o sol brilhava, despejando uma luz amarela no quarto. Com o coração aos pulos, perguntei a mim mesma: *Onde diabos eu estou?* Os últimos nove meses se atropelaram ao passar pela minha cabeça, reunindo péssimas recordações e jogando-as todas em cima de mim, até que eu me lembrei do porquê de estar naquele lugar estranhamente ensolarado. *Ah, é mesmo...*

Emily estava na cozinha, digitando freneticamente em seu notebook.

— Bom-dia — cumprimentei. — Você está trabalhando?

— Estou, em um novo roteiro.

— Um *novo* novíssimo?

— É. — Ela riu e então se levantou e começou a preparar para si mesma algo que mais tarde seria conhecido pelo mundo como "shake de proteínas". — Não sei se esse aqui é bom, mas tenho que continuar fazendo pressão, para o caso de *Operação Grana* não ser comprado.

Que pesadelo, pensei. Para nos alegrar, exclamei:

— Não está um dia fabuloso?

— É, acho que sim. — Ela pareceu surpresa. — Aqui os dias são todos assim. Você ouviu os fogos de artifício, ontem à noite?

— Fogos de artifício?

— Sim, a comemoração do Dia de Santa Mônica. Provavelmente você estava desmaiada de sono.

— Não, eu ouvi sim. — Confessei então, com cara de atormentada: — Pensei que fossem rajadas de metralhadora.

— Mas por que achou que poderiam ser rajadas de metralhadora? Minha nossa! — O rosto dela se encheu de angústia e preocupação. — Você está *mal* mesmo, hein?

Deu a volta em torno da mesa e me abraçou, colocando os braços magros em volta de mim, e eu me senti tão comovida pelo contato físico que pela primeira vez, desde que largara Garv, consegui chorar. Todas as lágrimas que estavam congeladas dentro de mim, fora de alcance, se desmancharam naquele momento.

— Estou tão triste — balbuciei, com a voz embargada. — Muito triste, triste dema-a-a-ais.

— Eu sei, eu sei, eu sei — repetiu Emily, como um disco arranhado.

O pesar que até aquele momento eu só conseguira vislumbrar com o rabo do olho se revelou por completo diante de mim e eu senti o fardo de todas as nossas esperanças destruídas. O fim de um casamento é a coisa mais triste do mundo. Ninguém se casa imaginando que as coisas não vão dar certo, não é? Vi na minha frente a imagem de uma jovem de vinte e quatro anos (eu) e um rapaz de vinte e cinco (Garv), e me lembrei da nossa inocente confiança no futuro. Aquilo foi de arrasar.

— Toda aquela esperança não nos serviu de nada. — Enxuguei as lágrimas com um pedaço de toalha de papel da cozinha embolado. — Tive que sair de casa, Emily, não me restou outra escolha, e foi tão horrível... Ele teria saído, se eu não o fizesse antes. E agora está tudo aca-ba-a-do.

— Eu sei, eu sei, eu sei — murmurou Emily. — Eu sei.

— Eu achava que nunca na vida ia me sentir tão triste quanto em fevereiro deste ano. — Tossi, por causa das lágrimas. — Mas estou. É mais triste dos que os bebês famintos em *As Cinzas de Ângela*.

— Mais triste do que a hora em que Mary ficou cega em *Adoráveis Mulheres*?

— Sim, mais triste.

LOS ANGELES

Mas o mal já estava feito e ela me fez rir. Depois de limpar o meu rosto e me mandar assoar o nariz, ela me ofereceu a tentação:

— Quer um shake de proteínas? É uma deliciosa especialidade daqui.

— Vamos lá, então.

Emily me preparou o tal do shake (era realmente delicioso) e fomos nos sentar do lado de fora, no jardinzinho dos fundos, banhado pelo sol, e eu comecei a me sentir mais calma, até ela decidir mais uma vez tentar descobrir o que acontecera entre mim e Garv.

— O problema é que tudo me parece meio prematuro — disse ela. — Foi tão repentino.

Fiquei ali sentada, em silêncio, enquanto o meu braço foi esquentando e começou a coçar.

— Nada termina assim, de forma limpa e rápida — insistiu.

— Não foi nada limpo.

Ela tentou me convencer a falar.

— Vocês deixaram de fora algumas etapas fundamentais no processo da separação — explicou ela. — Normalmente os casais procuram terapia, e então tentam se reconciliar pelo menos duas vezes. As duas vezes têm que ser um desastre total, e se você está se sentindo amarga agora, isso não é nada comparado ao que você vai se sentir depois. *Só então* a relação terá oficialmente acabado.

— Pois não poderia estar mais acabado, porque ele está... está... — não consegui falar "dormindo" — ... está com outra pessoa. Nunca mais vou poder confiar nele. Ou perdoá-lo.

— Eu compreendo — começou ela. — Mas isso é por causa dos...

— Por favor, Emily! — Eu parecia irritada, mas logo o meu tom mudou para desespero: — Está tudo acabado e eu preciso que você acredite nisso, porque não consigo mais falar sobre o assunto.

— OK. Desculpe. — Ela pareceu feliz por deixar aquilo de lado. Parecia exausta. — Então, o que gostaria de fazer hoje?

— Sei lá.

— Eu vou ter que ir ao escritório do meu contador agora de manhã, para saber da devolução do meu Imposto de Renda — comentou ela. — Você pode ir comigo, se quiser, ou então eu posso deixá-la na praia.

Eu não queria ficar sozinha, só que ia ser um saco ficar sentada no escritório de um contador enquanto Emily resolvia problemas de devolução de imposto. O sol rebrilhava nas pedras do jardim e eu já era uma garota crescidinha.

— Vou à praia — disse, engolindo em seco.

— Como é que você está de grana? — quis saber Emily. — Não que eu esteja precisando que você me empreste alguma — acrescentou ela, depressa.

— Bem, Garv me disse que ia cobrir a minha parte da prestação da casa, este mês, e estou com o meu cartão de crédito. Só não sei como vou pagar a fatura, pelo menos até conseguir um novo emprego. — Por algum motivo, essa preocupação não estava tão forte como de hábito. — Tenho mais algum dinheiro na minha conta bancária.

Na verdade, a minha conta especial para supérfluos femininos estava bem recheada. Embora eu andasse gastando muito ultimamente, geralmente sacava o dinheiro da conta conjunta, e de repente me passou pela cabeça que eu, inconscientemente, estava economizando o dinheiro da conta pessoal, como se estivesse preparando o terreno para me separar de Garv. Não foi um pensamento muito agradável.

— Por que está me perguntando sobre dinheiro, Emily?

— É que eu achei que talvez você quisesse alugar um carro, enquanto está em Los Angeles.

— Ué, não posso andar de ônibus?

Um barulho engraçado me fez levantar a cabeça. Era Emily, rindo.

— O que foi que eu disse de tão engraçado?

— Perguntou se não pode andar de ônibus. Depois dessa, só falta dizer que você vai querer andar a pé por aí. Que comédia!

— Não vou poder andar de ônibus, então?

— Claro que não, *ninguém* aqui pega ônibus. O serviço é péssimo. Pelo menos foi o que me contaram, porque eu nunca entrei em um ônibus aqui. Você precisa de um carro para se locomover nesta cidade. Existem umas picapes ótimas para alugar — disse Emily, com ar sonhador.

LOS ANGELES

— Picapes? Você quer dizer jipes?
— Não, quero dizer picapes mesmo.
— Como aquelas caminhonetes grandes que as pessoas usam em fazendas?
— Bem, são essas mesmo, só que novinhas em folha e sem os porcos sentados no banco da frente.

Mas eu não queria uma picape. Andava nutrindo uma fantasia interessante de rodar por Los Angeles a bordo de um conversível prateado, com os cabelos voando ao vento, cheia de charme, baixando os óculos escuros em forma de coração e piscando para homens desconhecidos enquanto esperava o sinal abrir. (Não que eu fosse realmente fazer isso, é claro.)

— Só turistas e gente de fora da cidade dirigem conversíveis — debochou Emily. — Os moradores de Los Angeles, nunca, por causa do *smog*.

Eu lembrei que Emily me pegara no aeroporto em um veículo gigantesco com tração nas quatro rodas, parecido com um jipe. Ela parecia estar dirigindo um prédio de apartamentos de tão alto que era; eu quase precisei de cordas e grampos de alpinismo para alcançar o banco do carona.

— As picapes são a grande moda agora — explicou ela. — Se não for uma picape, alugue um jipe igual ao meu.

— Mas eu preciso só de um carro simples, que me leve do ponto A ao ponto B. — Eu sabia que para Emily era ótimo seguir a moda, ainda mais vivendo em uma cidade com dias ensolarados o ano inteiro, mas quando é que eu ia ter outra chance de baixar a capota do meu carro sem ficar ensopada até os ossos?

— Veja bem, é pelo seu carro que as pessoas julgam você nesta cidade. Pelo seu carro e pelo seu corpo, é claro. Não importa se você mora em uma caixa de papelão, contanto que seu carro seja de arrasar e você seja anoréxica em estado terminal.

— Pois eu adoro carros conversíveis. É um desses que eu quero.
— Mas...
— Meu casamento acabou — argumentei, apelando para esse golpe baixo. — Quero um conversível!

— Tudo bem. — Emily sabia admitir uma derrota. — Vamos arranjar um conversível para você, então.

Quando estávamos prontas para sair, minha mãe telefonou.
— Todo o litoral da Califórnia vai afundar no oceano Pacífico a qualquer momento.
— Sério?
— Estou avisando para o seu próprio bem.
— Obrigada.
— Está ensolarado aí?
— Muito. Agora, preciso desligar.

A praia era pertinho, dava para ir a pé. Se Emily tivesse deixado. Fiz rapel para descer do carro e ela foi embora, com o corpo magrinho aboletado no último andar do seu *prédiomóvel*.

A cena diante de mim parecia a de um cartão-postal. Banhada por uma luz cítrica, fileiras de palmeiras finas e esbeltas acariciavam o alegre azul do céu. Estendendo-se até perder de vista nas duas direções havia uma extensão de areia fina muito branca e, mais além, o cintilante oceano se espalhava.

Todos já ouvimos dizer que os californianos são maravilhosos. Que através de uma combinação de bom padrão de vida, preocupação com a saúde, sol o tempo todo, cirurgia plástica e desordens alimentares, eles são todos magros, musculosos e reluzentes. Ao estender minha toalha de praia sobre a areia, olhei disfarçadamente para as outras pessoas que estavam na praia. Não havia muita gente — possivelmente por ser dia de semana —, mas as que estavam ali já eram em número suficiente para eu confirmar meus maiores temores. Eu era a pessoa mais gorda e flácida naquele pedaço de areia. Possivelmente de todo o estado da Califórnia. Nossa, como eles eram magros! Na mesma hora tomei uma decisão, assolada pelo desespero: ia voltar para a academia.

Duas garotas que pareciam escandinavas vieram se instalar perto de mim. Mais perto do que eu gostaria, por sinal. Imediatamente, pus-me a imaginar se elas seriam divorciadas; estava ficando louca

LOS ANGELES

com aquela história de especular sobre o estado civil de todo mundo que surgia na minha frente.

Elas despiram os shortinhos e os tops, revelando minúsculos biquínis, barriguinhas retas, musculosas, e coxas douradas com musculatura bem definida e tudo no lugar. Nunca vira duas pessoas tão confortáveis com o próprio corpo. Fiquei com vontade de enxotá-las para longe de mim.

A chegada delas serviu para mostrar que eu não poderia remover a minha saída de praia. O tempo passou e, quando eu consegui me convencer de que ninguém ali tinha o mínimo interesse por mim, fui tirando a saída de praia bem devagarinho. Prendi a respiração, esperando a qualquer momento que um salva-vidas, chocado ao me ver, viesse correndo em câmera lenta com uma boia vermelha debaixo do braço, um rock ao fundo servindo de trilha sonora e gritasse na minha direção: "Desculpe, dona, mas vamos ter que pedir que a senhora se retire deste local. Esta é uma praia familiar e a senhora está incomodando os frequentadores."

Nada de tão dramático aconteceu; eu me besuntei de protetor solar oito e me preparei para cozinhar. Naquele momento, câncer de pele era a menor das minhas preocupações. Nossa, como eu estava branca! Devia ter passado uma loção autobronzeadora antes de vir para a Califórnia. Na mesma hora me lembrei de Garv. É que eu sempre colocava luvas cirúrgicas antes de passar o autobronzeador, e ele costumava brincar comigo, dizendo: "Olha lá, chegou a enfermeira-chefe e suas luvas!"

Puxa vida! Fechei os olhos, me deixei embalar pelo ritmo das ondas, pelo calor amarelo do sol, pela brisa rápida e suave.

Estava quase curtindo o momento, até que me virei de barriga para baixo, para queimar do outro lado, e descobri que não havia ninguém para passar loção nas minhas costas. Garv era quem fazia isso. Subitamente me senti muito solitária e o sentimento bateu mais uma vez: *minha vida acabou.*

Quando fazia as malas, na véspera de deixar a Irlanda, eu dissera a Anna e Helen exatamente isso: "Minha vida acabou."

— Não acabou não! — exclamou Anna, visivelmente preocupada.

— Não dê corda pra ela, Anna — avisou Helen.

— Vai aparecer alguém, você ainda é muito nova — afirmou Anna, meio em dúvida.

— Ah, nova é que ela não é — garantiu Helen. — Não com trinta e três anos.

— E você é muito bonita — insistiu Anna.

— É, até que ela não é feia — admitiu Helen, meio a contragosto. — Tem um bom cabelo. E a pele também não é tão ruim, para a idade.

— E com a vida certinha que ela leva... — acrescentou Anna.

— É verdade. Com a vida certinha que ela leva... — ecoou Helen, com ar solene.

Suspirei. Minha vida não era assim tão certinha, a delas é que era bagunçada demais. Além disso, a pele "boa para a minha idade" conseguia se manter graças ao fato de eu passar aquele creme caríssimo na cara toda noite, e em tamanha quantidade que a fronha ficava toda lambuzada, mas deixei passar esse detalhe.

— Tem mais uma coisa — comentou Helen, com ar pensativo. Cheguei para a ponta da cama, pronta para o elogio. — Você tem uma bolsa linda.

Recostei-me, desapontada.

— Isso é engraçado — continuou ela. — Eu jamais avaliaria você como uma mulher que gosta de bolsas caras.

Tentei protestar: Eu *sou* o tipo de mulher que gosta de bolsas caras, tenho quase certeza disso. Mas não queria armar outra briga com Helen, ainda mais depois de tentar convencê-la de que eu era irresponsável com dinheiro.

Além do mais, o fato é que foi Garv quem tinha me dado de presente a linda bolsa em questão.

— Até parece...! — Helen soltara uma gargalhada. — Você quer me convencer que o Senhor Não-tiro-a-mão-do-bolso-nem-pra-jogar-peteca ia pagar uma grana preta por uma *sac à main*? Esse é o nome em francês, sabia? De qualquer modo, se você acha que a sua vida acabou, não vai mais precisar dessa bolsa, vai?

Mas eu não quis abrir mão da bolsa, o que a levou a comentar, desconfiada:

— Então a sua vida não acabou *tanto assim*, não é?

LOS ANGELES

— Não enche, você já vai ficar com o meu carro.
— Só por um mês. E ainda vou ter que dividi-lo com *ela*. — Esticou a cabeça na direção de Anna.

Neste momento eu ouvi uma voz que me trouxe de volta ao presente:

— Olha o sorvete!

Coloquei-me sentada na mesma hora. Um rapaz vinha passando, arrastando pesadamente uma geladeira de isopor cheia de sorvetes que ele não tinha a mínima esperança de vender. Pelo menos, não para aquele bando de anoréxicos.

— Picolés — gritava ele, desolado. — Sabores chocolate, baunilha ou frutas.

Fiquei morrendo de pena dele. Aliás, estava morrendo de fome também.

— Ei, por favor — pedi. — Quero um picolé de chocolate.

Fizemos a transação rapidamente e logo depois ele seguiu em frente, a caminho da falência. Fiquei imaginando se as pessoas não atiravam pedras quando ele passava pela praia apregoando a sua mercadoria cheia de açúcar e gordura ("Xô!... Passa fora!"), do jeito que gente de outras comunidades faz com traficantes de drogas.

E então tornei a ficar sozinha. De repente, me senti muito satisfeita por estar na Califórnia, porque dava para culpar o jet lag pela horrível sensação de estar fora de compasso com o resto da raça humana. A responsabilidade não era minha e eu ainda podia me enganar pensando que em poucos dias estaria perfeitamente normal.

Observada com olhos famintos pelas duas garotas de ar escandinavo, comi o meu picolé. As expressões delas eram tão ávidas que eu fiquei meio sem graça. Na verdade, quase ofereci um pedaço para elas. Não consegui deixar de imaginar que se aquilo fosse um livro, *alguém* teria me convidado para participar de um jogo de vôlei, ou pelo menos teria vindo puxar assunto, fosse o salva-vidas ou outro banhista. Mas a única pessoa que falou comigo durante o dia todo foi o sorveteiro. E eu tenho a suspeita de que eu fui a única pessoa que falou com ele.

CAPÍTULO 8

No fim da tarde, Emily me pegou na praia. Ao chegarmos em casa, ainda não havia nenhum recado de David Crowe. O desespero dela encheu a casa.

— Se não há notícia nenhuma, é bom sinal — tentei.

— Errado — rebateu Emily. — Se não há notícia é péssimo sinal. Eles escondem as más notícias e se cobrem de glórias quando elas são boas.

— Ora, então ligue para ele.

Emily soltou uma risada amarga e garantiu:

— É mais fácil conseguir um passe para visitar o set de um filme de Tom Cruise do que falar com um agente que não quer falar com você.

Mesmo assim, ela telefonou. E ele "não podia atender no momento".

— Aposto que se fosse o Ron Bass ele não ia mandar dizer que "não podia atender no momento" — disse ela, com ar sombrio.

Imaginei que o tal de Ron Bass fosse algum roteirista famoso.

— Estou com uma vontade irresistível de beber até entortar — avisou ela. — Será que você aguentaria sair hoje à noite, com esse seu jet lag?

— O que tem em mente? — Será que eu ia me ver forçada a sair com um bando de garotas que dançavam ao som de "I Will Survive", como sempre acontecia com mulheres que acabaram de se separar dos homens com quem estavam?

— Que tal jantar em algum lugar legal?

— Excelente! — O alívio de não haver nenhuma Gloria Gaynor no programa me fez parecer mais entusiasmada do que estava na verdade.

— Isso, bola pra cima! Quer saber de uma coisa? — comentou ela, com ar pensativo. — O que você precisa é se descontrair um pouco. — Embora Emily gostasse muito de Garv, sempre achou que eu deixara de aproveitar os ritos de passagem necessários ao crescimento pessoal, pois me casara muito cedo. — Aproveite e solte a franga um pouco, enquanto está aqui.

— Vou ver — disse, meio incerta. Nossa, mal sabia eu...

— Vamos chamar Lara, ela gosta de beber. E Connie. E Troy. E Justin.

Uma rápida rodada de telefonemas e ela foi lá para dentro, a fim de se produzir. *Vapt-vupt*, como se fosse a coisa mais fácil do mundo. Vestido, bolsa, cabelo, tudo brilhante, nos trinques.

Então, abriu o maravilhoso estojo de maquiagem e compartilhou comigo alguns dos seus segredos. Colocou um pouco de creme nos meus lábios, "para ficarem carnudos, como se tivessem acabado de ser picados por uma abelha". Meus cílios foram tratados com uma maquininha (um "curvador de cílios"). Depois disso, ela fez aparecer um tubinho e disse:

— Isso vai dar cabo das suas olheiras.

— Não precisa — retruquei, com ar convencido. — Trouxe o meu Radiante-sei-lá-o-quê.

— Radiante-enganante. Espere só até você experimentar *isso*. — Passou um pouco de creme debaixo dos meus olhos, e então, de forma dramática, eu senti a minha pele se contrair de verdade.

— O que é isso? De que marca é? — Estava decidida a ir até a loja de cosméticos mais próxima e pagar a pequena fortuna que um produto mágico como aquele devia custar.

— É Anusol.

— Ahn?

— Pomada para hemorroidas. Cinco dólares o tubo, funciona que é uma maravilha, todas as modelos usam.

Entendem o que eu falei sobre Emily estar sempre um passo à frente dos outros?

Em seguida, ela alisou o meu cabelo com outra maquininha e colocou um pouco de *Aloe vera* no meu dedo anular — eu tinha queimado a parte branca onde antes usava a aliança (isso daria um bom título para uma daquelas músicas country chorosas).

Emily marchou decidida em direção à porta, cheia de ruídos agitados. Era um *tac-tac* dos saltos, um *riiip* do zíper da bolsa, um *clique* do isqueiro, um *toc-toc* das unhas. Adorei aquilo.

Estávamos indo a um lugar em Sunset, explicou ela. O tal de Troy não ia sair conosco, nem Connie, que estava enterrada até o pescoço em atividades relacionadas com o seu casamento, mas parece que Lara, a maluca, e Justin poderiam ir.

— Algum deles é casado? — perguntei, com ar casual.
— Nossa, não. — Emily riu. — Os dois são solteiros.
— Solteiros solteiros?
— E tem algum outro tipo?
— Solteiros divorciados.
— Não — garantiu ela, com ar solidário. — Eles são solteiros solteiros.

Enquanto seguíamos de carro pelas ruas, a silhueta das palmeiras começou a se recortar contra a linha do horizonte. O sol estava se pondo e o céu vestira mil cores: azul-claro junto do infinito, tornando-se gradualmente mais escuro à medida que subia, até ficar absolutamente luminoso em cima, onde as primeiras estrelas reluziam como furinhos de alfinete em um tecido escuro.

Passamos pelas luzes em néon de postos de gasolina, motéis que ofereciam camas d'água, cartazes em espanhol, pátios para venda de carros usados, anúncios de comida mexicana, quiropráticos e casas com números muito compridos. Não podia haver mais de vinte e duas mil casas naquela rua. Será que podia?

— Talvez — disse Emily. — A Sunset tem mais de trinta quilômetros.

Sunset. Ela estava falando de Sunset Boulevard. *Eu estou passeando por Sunset Boulevard,* pensei, me sentindo em um filme.

Adiante, um homem estava de pé na calçada, junto de um cruzamento, segurando um pedaço de cartolina onde se lia em letras tortas: PROCURA-SE UMA ESPOSA. Havia até mesmo um número de telefone. Ele até que parecia bem apresentável, isso é o que foi mais esquisito.

LOS ANGELES

— Eis a grande chance, Maggie — disse Emily, apontando para o rapaz. — Que a melhor de nós duas vença!
— Mas eu já sou casada — respondi, de forma automática.
É engraçado como às vezes a gente se esquece.
Paramos diante de um hotel imenso, todo branco, e na mesma hora uns rapazes se aproximaram. Por um momento, achei que haviam sido atraídos pelos meus lábios picados por abelhas e os cílios curvos, mas eles estavam ali apenas para estacionar o carro.
— Quer dizer que você entrega a eles a chave do carro, eles estacionam o veículo e depois o trazem de volta quando você pede? — Eu já tinha ouvido falar naquilo, mas nunca vira acontecer ao vivo. Como eu achava que estacionar era muito estressante, teci elaborados elogios àquela prática tão civilizada.
— Mas você paga, não pense que eles fazem isso por bondade — disse Emily, depressa. — *E tem que dar uma gorjeta maior para o motorista. Vamos entrar.
O lugar estava apinhado e vibrava de tanta agitação. Todos pareciam bronzeados, bem-cuidados e maravilhosos. No entanto, ninguém me pediu para sair. Só por isso eu já gostei deles.
Assim que nos sentamos, Emily avisou:
— Lara chegou.
Vi uma mulher alta e loura rebolando para passar por entre as mesas, e ao olhar para ela eu só consegui pensar em campos de trigo balançando ao vento. Tinha um ar cintilante, como se tivesse sido mergulhada por inteiro em uma calda dourada. Havia muita gente maravilhosa no restaurante, mas ela era, possivelmente, a mais bonita de todas.
— Ooooiii! — exclamou ela para mim, quando Emily nos apresentou.
— Oi — respondi eu. Normalmente eu diria "olá" ou "prazer em conhecê-la", mas estava louca para me enturmar.
O garçom chegou. Na verdade, eu devia dizer "a cortina se abriu". Já me haviam dito que todos os garçons de Los Angeles eram atores desempregados, mas aquele Adônis era tão lindo e atraente que só poderia trabalhar no cinema.

— Oi, caras damas. — Ele era ofuscante. — Meu nome é Deyan. Sou seu criado para esta noite, e vou dar o que quiserem até doer.

— Quem é esse? — O rosto de Lara parecia intrigado, ao olhar para o rapaz. — Kevin Kline em *Será que Ele É?*... Ou aquele cara do *Will & Grace*?

Deyan exibiu um olhar alarmado, que parecia dizer *Não pode ser você novamente*, e admitiu, relutante:

— Essa é minha interpretação de Jack, do seriado *Will & Grace*.

— Eu saquei logo! — Lara estava radiante. — Sabe de uma coisa, Deyan? Não estou muito no clima do Jack hoje à noite. Sirva-nos no estilo do... — Ela lançou os olhos azuis sobre mim e Emily. — Quem vamos querer? Escolha um ator. Arnold? Ralph Fiennes?

— Eu gosto do Nicolas Cage — confessei.

— Que tal ele? — perguntou Lara a Deyan.

— Em qual filme? — perguntou ele, muito sério.

— *Coração Selvagem*? — sugeri, temerosa. — *Cidade dos Anjos*?

Ele ficou parado, com ar distante, e eu achei que ele descartara minhas sugestões. Então, de repente, assumiu um jeito largado, como se o seu corpo não tivesse ossos.

— Mar'vilha de notícia, m'to boa mesmo — falou ele, com a voz arrastada, incorporando o charme típico do ator, com olhar de peixe morto e tudo!

Só quando eu me ouvi rindo alto é que percebi que fazia muito tempo desde a última vez em que achara alguma coisa engraçada.

— Poss'servir às maravilhosas damas um drinq? — perguntou Deyan, com a voz rouca e sensual de Nicolas.

— Vodca-martíni com Gray Goose, sem gelo e com quatro azeitonas — pediu Lara.

— Martíni de maçã com Tanqueray e gelo picado — decretou Emily.

— A mesma coisa — murmurei. — O de maçã.

— Uvinha, é pra já!

Tenho de admitir que eu ficara muito impressionada com Lara. Na hora em que coloquei os olhos em seu corpo sinuoso, nos esvoaçantes cabelos cor de mel e no corpo firme e dourado, imediatamente decidi que se eu fosse procurar a palavra "cabeça de vento" no dicionário ia encontrar uma foto dela ilustrando o verbete. O problema é que Lara era inteligente, além de bonita. Ainda não estava convencida de que isso era justo.

Do outro lado do bar, Deyan parou de repente, deixou o corpo amolecer como se fosse dobrar sobre um joelho só, mas parou a poucos centímetros do chão, para em seguida rodopiar em nossa direção, apontar o dedo para nós e dar uma piscada. Fez mímica de algumas palavras, uma das quais era, sem dúvida, "uvinha". Tenho que reconhecer que ele estava se esforçando para agradar.

Logo depois reapareceu com os drinques. Continuando a encarnar o personagem, começou:

— O prato especial de hoje é...

Na mesma hora o meu cérebro entrou em descanso de tela. Não consegui evitar. Queria saber qual era o prato especial do dia, mas manter os olhos fixos em um mesmo lugar por muito tempo interferia diretamente com a minha audição. Era sempre assim.

— ... blá-blá-blá com molho de uva-do-monte blá-blá-blá...

— Hã-hã... — murmurei com cara de admiração exacerbada, balançando a cabeça para a frente e ainda grudada naquele olhar penetrante.

— ... blá-blá-blá servido com blá-blá-blá...

— Alguém ouviu tudo o que ele disse? — perguntou Lara, depois que o garçom foi embora. — Eu sempre tenho síndrome de déficit de atenção quando eles começam a falar.

Feliz da vida por não ser a única, exclamei:

— É como quando alguém me ensina o caminho para ir a algum lugar. Toda a minha energia se foca em ficar balançando a cabeça, para parecer atenta.

— Grande, garota! — declarou Lara (um grande elogio, nos Estados Unidos). — Eu também sou assim. Só consigo pegar a primeira frase... "Vire à direita." Depois é como se as palavras começassem a embolar, e eu só consigo captar uma a cada vinte...

— "... depois do segundo sinal de trânsito" — cantarolei.

— "... vire à esquerda na Doheny". Onde foi que você encontrou essa garota? — Lara olhou para Emily, apontando para mim. — Ela é ótima!

A simpatia dela era meio exagerada, mas serviu para apagar um pouco o meu sentimento de inadequação. Quem seria aquela Lara? Pelo visto, ela trabalhava em uma produtora.

— Uma produtora de cinema?

Ela me lançou um olhar surpreso, como quem pergunta: *E existe alguma outra?*, antes de confirmar com a cabeça e completar:

— Claro, uma produtora de filmes. Filmes independentes.

— O que significa — explicou Emily — que eles fazem filmes inteligentes.

— Mas que não rendem muito dinheiro — riu Lara.

— Você anda muito atarefada? — perguntou Emily.

— Não. Nas duas próximas semanas vou organizar o coquetel de lançamento do filme *Pombos*, mas no momento estou dando um tempo.

— Pois eu só tenho dado um tempo ultimamente — suspirou Emily.

Prestei muita atenção à conversa. "Dar um tempo" parecia significar "estar sem trabalho". Uma das coisas que eu adorava em ir para os Estados Unidos era a chance de poder aprender um monte de gírias novas muito antes de elas aparecerem na Irlanda. Que eu saiba, eu fui a primeira nativa do interior de Blackrock a usar a expressão "sem noção", aprendida numa viagem a Nova York, em uma visita a Rachel. É como assistir aos grandes lançamentos do cinema seis meses antes de chegarem à sua cidade.

— Acho que vou dar um tempo pelo resto da vida. — Emily estava começando a se mostrar meio frágil. — Maldito agente!

— Só tem três dias que ele pegou o seu roteiro! — ralhou Lara. — Dê uma chance ao cara.

— Faz *cinco* dias. Ele pegou o texto comigo na sexta passada.

— Três dias úteis. Isso não é nada. E como o novo roteiro está indo?

— Mal. Muito mal.

— Você só diz isso porque está com a autoconfiança em baixa. Olhem, chegou o Justin.

Justin não era exatamente o que poderíamos chamar de "um gato". Usava óculos, era baixinho, tinha o cabelo encaracolado e era

LOS ANGELES

meio gorducho. Se bem que, para ser justa, ele estava apenas um ou dois quilos acima do peso ideal, mas como todo mundo em LA era tão magro e esbelto, ele parecia gorducho, em comparação.

— Desculpe o atraso, galera. — Seu timbre era agudo demais para voz de homem. — Desiree está muito deprimida e eu não queria deixá-la em casa sozinha.

Pensei que Desiree fosse a sua namorada, mas descobri que era a cadelinha de estimação.

Emily havia dito que Justin atuara como ator em várias películas.

— Será que eu já vi você em algum filme? — perguntei.

— Talvez. — Mas ele não pareceu estar levando a pergunta muito a sério. — Sempre faço papéis de gordos dispensáveis para a história. Sabe quando a nave do ator principal aterrissa em um planeta e um dos membros da tripulação é pulverizado por algum E.T. hostil? Pois é, o pulverizado sou eu. Ou um tira que morre em um tiroteio.

— Não reclame da vida — aconselhou Emily. — Você arruma mais trabalho do que consegue dar conta.

— Isso é verdade! No planeta Cinema há muitos gordos dispensáveis que precisam ser aniquilados.

— E então...? — perguntou ele a Emily. — O que aconteceu no seu jantar de sábado com aquele cara desconhecido?

— Puxa... — gemeu Emily. — Bem, quando eu cheguei lá o tal cara que me arranjaram, que se chama Al, até que me pareceu gente fina.

— Isso é sempre um mau sinal — disse Lara, com ar irônico.

— Ele contou que trabalha na área de doação de órgãos, e eu decidi que *não conseguiria escapar* daquela paixão. *Este homem salva vidas*, pensei. Então, pedi para ele me contar a respeito do seu trabalho.

— Esse é um grande erro em Los Angeles — explicou-me Lara. — É só você pedir a um homem para lhe passar o saleiro e é obrigada a ouvir o quanto ele próprio é maravilhoso, em um monólogo de dez minutos.

Emily concordou.

— Al tem que ir ao local de acidentes de carro, a fim de verificar a existência de órgãos para doação, e começou a me contar a respeito de um caso especial. O homem fora... isso é *horrível*, preparem-se... decapitado. "Sua cabeça estava a mais de trinta metros do local do desastre", ele disse, "mas só descobriram isso no dia seguinte. Tinha voado da estrada, indo parar no jardim de um morador. Foi o cachorro que a encontrou."

— Eeeca...! — Lara e Justin estremeceram.

— Ele adorou me contar essa história com todos os detalhes — confessou Emily. — Teve uma hora em que eu fui ao toalete. Quando voltei, ele estava contando para o restaurante inteiro: "O CÃO ENCONTROU A CABEÇA NO JARDIM." Por outro lado, me dei superbem com um outro cara, Lou. Ele ficou com o meu telefone, mas ainda não ligou. — Subitamente sóbria, comentou, tensa: — Não consigo um relacionamento estável. Ninguém quer saber do meu trabalho. Sou o maior fracasso que já vi na vida.

— Não, nada disso... — consolei-a, desesperada. Engoli em seco e me obriguei a dizer: — Eu estou me divorciando. Não existe fracasso maior.

— Mas *pelo menos* você foi casada — lembrou Emily, com ar sombrio. — Eu, no momento, me contentaria com qualquer coisa, nem que fosse só sexo. Como os procedimentos para aumentar o pênis de Brett foram um fracasso, eu não durmo com um homem há quase quatro meses. E você, Maggie?

— Não faz tanto tempo. — Estava morrendo de vergonha de falar disso na frente de Lara e Justin. Já tinha sido duro demais admitir que eu estava me divorciando.

— Pois eu — sorriu Lara — não durmo com um homem há *oito anos*.

Ela só podia estar brincando. Todos ficaram parados, enquanto eu esperava pelo fim da piada. Afinal, aquela mulher era uma supergata, um monumento. Se ela não conseguia um namorado, que esperança havia para as pobres mortais como eu, em toda parte?

— Você está falando sério? — eu quis saber.

— Claro.

Já ouvira falar de mulheres como ela. Emily me dissera que em Los Angeles tinha muitas assim, todas com uma beleza estonteante, muito inteligentes e nem um pouco neuróticas, mas que haviam sido magoadas por tantos homens — aos quais não faltavam mulheres maravilhosas a um estalar de dedos — que decidiram jogar a toalha e se fecharam emocionalmente.

— Mas por quê? — insisti.

— Sou gay.

Gay! Lara era *lésbica*. Eu nunca havia conhecido uma lésbica pessoalmente. Não que eu soubesse, pelo menos. Conhecia um monte de homens gays, é claro, mas aquilo era novidade para mim e fiquei sem noção sobre o que dizer. *Parabéns?* Ou então: *Ah, para com isso, você é bonita demais para ser gay?*

— Nossa, desculpem. — Lara quase caiu da cadeira de tanto rir. — Eu não devia ter falado isso.

— Então, você não é gay? — De repente comecei a ficar novamente à vontade.

— Ora, mas eu sou gay sim.

CAPÍTULO 9

O dia seguinte amanheceu brilhante e ensolarado. Eu estava começando a perceber um padrão no clima.

— Como é que você está se sentindo hoje? — perguntou Emily, entregando-me o tal shake de proteínas para tomar como café da manhã.

Como é que eu estava?, pensei. *Sentindo-me idiota, exausta, receosa, desorientada...*

— Com jet lag — disse, sem fornecer detalhes.

— Mais uns dois dias e você vai se sentir ótima.

Eu torcia para que sim.

Depois do desjejum, Emily me levou para alugar um carro, mas, para meu desapontamento, não peguei o veículo sexy e sofisticado que eu havia sonhado, porque o sexy e sofisticado custava dez vezes mais que o modelo simples.

— Alugue o mais caro — incentivou Emily.

— Não posso — argumentei —, estou sem trabalho.

— Eu sei como é isso...

Em seguida, nós duas fomos para a praia e passamos um tempão jogando conversa fora, falando de coisas banais, como o quanto Robbie, namorado de Donna, era idiota — passamos horas nesse assunto — e como Sinead ficara muito mais bonita depois que pintara o cabelo de louro, no ano anterior.

— Nunca imaginei que cabelo louro ficasse bem nela.

— Nem eu. Ainda mais com aquela pele.

— Pois é, aquele tom de pele...

— Mas ficou o máximo!

— Ficou mesmo.

— Se ela tivesse me contado dos seus planos de pintar o cabelo, eu teria tentado fazê-la desistir da ideia.
— Eu também. Nunca imaginei que pudesse ficar tão legal.
— Nem eu. Juro que nunca pensei que fosse ficar bonito.
— Mas ela ficou fantástica. Parece natural.
— *Muito* natural mesmo... — E assim por diante. Foi uma delícia, só papos superficiais, e eu não precisava dizer nada inteligente, nem mesmo coerente. Muito confortável.

Quando voltamos da praia, porém, nosso jeito relaxado e sonolento mudou e nos vimos novamente encapsuladas em um bolsão de ansiedade. A primeira coisa que Emily fez depois de abrir a porta foi correr para a secretária eletrônica, em busca de algum recado de David Crowe.
— E então...? — perguntei.
— Nada.
— Oh, pobre Emily.

— Já era... — lamentou-se ela na manhã seguinte, enquanto preparava os nossos shakes. — Se fosse para acontecer alguma coisa boa, já teria acontecido.
— Mas o seu roteiro é brilhante.
— Não faz diferença.

Apesar de eu estar com problemas pessoais perfeitamente válidos, não pude deixar de me sentir abalada pela desesperança de Emily.
— A vida não é injusta? — consolei-a.
— Muito. Estou tão chateada por esse lance estar acontecendo comigo bem na época da sua visita...! — disse ela. — Você não precisava passar por tudo isso.
— Ah, que nada! — Encolhi os ombros.

A verdade — embora eu jamais conseguisse admitir — é que eu me sentia quase aliviada por assistir a um dramalhão que não era o meu. De vez em quando, Emily ainda fazia um esforço para me interrogar sobre Garv, mas eu resistia bravamente e ela não tinha muita energia para insistir.

— E então, o que você está a fim de fazer hoje? — perguntou Emily.

— Dãã...! — Apontei para a janela e para o dia radiante do lado de fora. — Ir à praia, é claro.

— Vou pegar o meu biquíni — disse ela, de forma educada.

— Não precisa. — Balancei a cabeça. — Fique em casa e trabalhe um pouco, você vai se sentir melhor.

Emily sempre fora muito batalhadora, e embora anunciasse que não estava fazendo muitos progressos com o novo roteiro, eu sabia que ela se sentia culpada quando não trabalhava nele pelo menos durante algumas horas por dia. Inclusive, na véspera, ela trabalhara um pouco no texto, à noite.

O problema é que, além de escrever, Emily passava metade do tempo ao telefone, pulando de uma "chamada em espera" para outra, como um malabarista mantendo várias bolas no ar. Ela não entendia o conceito de papo rápido.

Connie — a quem eu ainda não conhecera — parecia tomar muito do tempo dela, por conta dos seus sucessivos dramas estrelados por flores, serviços de bufê, cabeleireiros, vestidos de damas de honra... eu ficava com o estômago embrulhado só de ouvir aquelas conversas. Não queria que ninguém se casasse, queria que o mundo inteiro se divorciasse — até os solteiros — para que a minha vida não ficasse parecendo um fiasco tão completo e incomum.

O mais recente desastre relacionado com o casamento de Connie era a lua de mel. Em uma estranha versão de "a vida imita a arte", o resort que ela escolhera para a lua de mel fora invadido por milícias locais insatisfeitas, que haviam transformado vários veranistas em reféns. O agente de viagens de Connie recusava-se a devolver o depósito que ela fizera para garantir a reserva, e embora Emily não tivesse a mínima noção de legislação nem de direitos do consumidor, incentivava Connie a processar a agência.

— Você tem os seus direitos. E daí se isso não estava previsto no contrato? Olhe, aguenta aí um instantinho, tem uma chamada em espera...

— Mais tarde a gente se vê — disse eu, jogando um livro na minha bolsa de praia.

LOS ANGELES

— Você tem certeza de que está bem? — perguntou Emily.
— Tenho.

Bem, até que não foi tão mal — eu já estava em Los Angeles havia três dias e ainda não telefonara nem uma vez para Garv. Tive dois impulsos quase irresistíveis de fazer isso, mas felizmente ambos aconteceram quando, pelo fuso horário da Irlanda, era o meio da madrugada, então consegui me segurar e não liguei.

— Você está pegando um bronzeado lindo — elogiou Emily, sentada com as pernas cruzadas no sofá, enquanto digitava em seu notebook. — Dirija com cuidado.

A caminho do carro, vi os vizinhos esotéricos, obviamente a caminho do trabalho. Um par estranho: ela era afro-americana, muito altiva e elegante, com pescoço de cisne e cabelos alongados até o meio das costas, enquanto ele parecia o Bill Bryson — barbado, careca, de óculos e cara de bem-disposto. Eu os cumprimentei com um aceno de cabeça. Sorrindo, eles se aproximaram de mim e se apresentaram: Charmaine e Mike. Pareceram muito agradáveis e não mencionaram a minha aura.

Assim que me despedi do casal e voltei por onde viera, vi um dos vizinhos do outro lado, que fora comprar café para ele e os companheiros e chegava naquele instante com uma bandeja da Starbucks na mão.

— Oi! — gritou o rapaz, olhando para mim; vestia uma calça que ia só até o tornozelo, com bainha desfiada, e usava um casaco rasgado. Mesmo que Emily não tivesse me dito que os vizinhos eram estudantes, acho que eu teria descoberto por mim mesma, pois aquele ali, por exemplo, não era exatamente um corretor de seguros, a julgar pela cabeça raspada, os inúmeros piercings faciais e os elaborados fios de barba na cara. Nos meus poucos dias em Los Angeles eu já descobrira que a casa ao lado era uma espécie de ponto de encontro dos Cavanhaques Anônimos. Parecia haver dezenas deles — embora Emily me dissesse que eram apenas três — e todos tinham o cavanhaque em comum. Alguns deles exibiam uns pelinhos ralos; outros, mais radicais como aquele ali, cultivavam minibarbas em estilo Fu Manchu.

Estacionado na calçada em frente à casa deles ficava um carro comprido e baixo, laranja-avermelhado. Parecia tão velho que eu achei que tivesse sido abandonado ali, mas Emily me disse que o veículo pertencia aos rapazes. Havia custado só duzentos dólares porque nenhuma das portas abria e a entrada e a saída eram feitas pelas janelas. Eles o chamavam de "gatãomóvel", pois era igual ao automóvel do seriado *Os Gatões*.

— Oi! — respondi, já entrando no carro.

Percorri de carro a distância vergonhosamente curta até a praia e estacionei. A vista diante de mim estava perfeita, como sempre. A areia, o sol, as ondas, a luz clara e dourada. Era uma pena eu estar me sentindo tão miseravelmente só. O pior — e eu morria de vergonha de admitir isso — era que eu me sentia pouco à vontade sem a rotina e a estrutura de um emprego; vocês não imaginam o quanto essa sensação era irritante, porque eu havia passado toda a minha vida em fantasias de ganhar na loteria, pedir demissão do emprego e passar o tempo livre lagarteando ao sol. Agora que havia conseguido tudo isso, sentia-me desconfortável e receosa. É claro que ao longo dos anos eu tirara férias, mas aquele hiato estranho e fora dos planos não caracterizava um estado de férias. Eu não sabia exatamente *como* descrevê-lo, mas "férias" é que não era.

Reparei que o meu dedo anular esquerdo já não estava tão estranho — a coloração de pão cru estava se igualando à do resto da pele, a queimadura melhorara e a marca da aliança estava sumindo. Era como escrever na areia e ver as ondas apagarem as letras.

Estendi a toalha e me sentei dentro da invisível bolha de plástico que me separava do resto do mundo — com exceção de Rudy, o sorveteiro. Ele não aparecera na véspera.

— Ontem foi seu dia de folga? — perguntei-lhe, assim que ele apareceu.

— Não — respondeu Rudy. — Fui fazer um teste de palco. E então, o que vai querer hoje?

— O que você recomenda?

— Que tal um picolé Klondike?

Aceitei o picolé Klondike e ele se foi.

Observei-o enquanto ele se afastava pela praia afora, ficando menor a cada instante. Onde será que ele guardava os sorvetes à noite?, perguntei a mim mesma. Será que havia um lugar espaçoso para todos eles ficarem, como uma imensa garagem, só que para sorvetes? Ou será que os levava todos para casa? E se fazia isso, será que ele se preocupava com os membros da sua família acabarem com o estoque? Não seria mal se eles comessem e pagassem o que consumissem, pois isso pouparia Rudy das longas caminhadas pela praia e do apedrejamento dos banhistas. Só que provavelmente eles não pagavam... Acabei cochilando.

No que me dizia respeito, não era algo impossível dormir demais. Eu continuava a dormir como uma pedra, do mesmo jeito que acontecia em casa — pelo menos quando a tevê mais barulhenta do hemisfério ocidental era desligada. Dormir era um alívio abençoado, e acordar era como voltar ao inferno. A cada manhã, quando a realidade me atingia, o meu primeiro pensamento era de terror. "Não consigo acreditar que isto tenha acontecido. Não acredito que eu esteja aqui." Mas logo depois de acordar o horror normalmente se dissolvia, deixando apenas um resíduo de medo.

Quando eu voltei, por volta das seis e meia da noite, Emily estava ferrada no sono, sobre o sofá, com o notebook no colo, e uma luzinha piscava na secretária eletrônica. Uma mensagem. E não era para mim.

Ouvi uma voz de homem, com o sotaque largado e meio cantarolado da Califórnia, como se aquela ligação não fosse uma questão de vida ou morte.

"Oi, Emily, aqui é o David. David Crowe, o seu incansável agente." Nesse momento a sua voz pareceu ainda mais cantarolante. "Acabei de receber uma ligação de Mort Russell, da Hothouse. Ele leu o seu roteiro e ficou muito empolgado." Completou o recado, entoando mais alto: "Ligue para mim."

— Emily! Acorde! — Eu cutuquei o braço dela e tentei acordá-la. — Levante, você precisa escutar isso!

Diante do seu rosto sem expressão e meio zonzo, repeti a mensagem gravada. Ela pulou do sofá e mergulhou sobre o telefone...

— Que produtora é essa tal de Hothouse? — perguntei. — Eles são bons?

— Acho que pertencem à Tower — murmurou ela, digitando números de forma frenética. — Por favor, não me diga que você já foi para casa, *por favor*, esteja no escritório... Alô? Aqui é Emily O'Keeffe, preciso falar com David Crowe.

Passaram a ligação para ele.

— Sim — disse ela, balançando a cabeça. — Certo... Tá legal. — Outro aceno. — OK... Quando...? Entendi. Até logo.

Lentamente, ela colocou o fone no gancho. Em câmera lenta, deixou o corpo deslizar bem devagar pela parede até chegar no chão. Tudo em sua expressão corporal denotava catástrofe. De repente, ela virou o rosto contraído na minha direção.

— Sabe o que aconteceu?

— O quê?

— Eles querem que eu entregue o roteiro para a produtora deles.

— Mas isso é bom! — afirmei, depois de um instante.

— Eu sei. *Eu sei*. EU SEI.

Então veio um choro explosivo, como eu jamais havia visto em ninguém. Em jato. Em baldes. Em convulsões.

— Obrigada, meu Deus — balbuciava ela, com as mãos no rosto. — ObrigadameuDeusobrigadameuDeusobrigadameuDeus...

— Vocês, artistas — comentei, com ar de indulgência.

— Preciso falar com Troy! — exclamou ela, parecendo ter pressa.

Foi um telefonema rápido — pelo menos pelos padrões dela, uns vinte minutos só — e em seguida, mãos à obra. Cabelo, maquiagem, vestidos e saltos; íamos nos encontrar com Troy no Bar Marmont, às oito e meia. Pelo visto, Troy era diretor e iria dar alguns conselhos a Emily sobre Mort Russell, sobre a Hothouse e sobre melhorar a autoestima, entre outras coisas.

— Ele é casado? — perguntei, como fazia a respeito de todo mundo.

Isso fez Emily cair na gargalhada.

— Troy, casado? É, Troy é casado sim, mas com o trabalho. Tirando isso, ele é solteiro. Solteiro, solteiro. Solteiro, solteiro, solteiro. O homem mais solteiro que você já conheceu.

— Quais os filmes que ele fez? — perguntei, enquanto seguíamos a toda velocidade pela 405.
— Nenhum do qual você já tenha ouvido falar.
— Ele não é bom, então?
— É brilhante, mas trabalha com filmes independentes. É determinado demais em só fazer o que quer e não sobreviveria trabalhando para os grandes estúdios... pelo menos no momento. Está esperando que a sua reputação aumente mais, a fim de poder ter completo controle artístico na hora em que aceitar dirigir uma superprodução.
— Minha nossa, olhe só aquelas pessoas! — Estávamos passando por uma academia imensa que tinha paredes envidraçadas do teto ao chão e exibia para o mundo todo as pessoas malhando lá dentro, como se elas estivessem em uma vitrine. Eu detestaria que os motoristas dos carros me vissem toda vermelha, suada, e ainda por cima eram oito e meia da noite de uma sexta-feira! Não havia bares para aquele povo ir?
— Agora é moda essas academias com paredes totalmente envidraçadas — explicou Emily. — Sempre existe uma chance de Steven Spielberg passar por aqui de carro.

O Bar Marmont era escuro, meio gótico e quase anti-Los Angeles. Serpentes de gesso subiam pelas paredes e até os espelhos refletiam uma luz sombria.
— Lá está ele. — Emily caminhou de forma decidida até um homem sentado sozinho. Depois de se cumprimentarem com muita empolgação, ela me apresentou a ele.
— Oi — disse Troy, de um jeito meio tímido.
— Oi. — Eu continuava olhando para ele. Sabia que não devia encarar as pessoas daquele jeito, mas o que podia fazer? *O que torna um homem lindo?*
Com relação a isso, eu sabia que existiam certas convenções. Queixo largo, maçãs do rosto salientes, cílios grossos e compridos. Todas as mulheres gostam de dentes perfeitos, muito brancos e reluzentes, enquanto um olhar de cachorrinho sem dono funciona para outras (não sou uma delas). E quanto aos narizes? Não, o nariz deve

sempre ficar no banco de trás. Todas acham melhor se ele ficar fora do caminho.

Apesar de tudo isso, às vezes uma pessoa quebrava todas as regras e mesmo assim acabava sendo devastadora. O rosto comprido de Troy era dominado pelo seu nariz. Sua boca era um traço reto e discreto que não transmitia nada. Mas a luz refletia em sua pele morena e sua cabeça com cabelo muito preto estava quase raspada, em estilo militar. Seus olhos tinham, talvez, uma tonalidade castanha. Depois de uma sacada meio de lado, quando ele olhou na direção do bar, percebi que eram muito brilhantes e meio esverdeados.

— E então, garotas, querem beber alguma coisa? — perguntou, com a voz suave.

— Claro — disse Emily, prontamente. — Vinho branco.

— E você, Maggie? — Seus olhos estavam em mim. Tinham um tom mais cáqui do que castanho.

— Qualquer coisa.

— Dá para ser um pouco mais específica? — brincou ele, um sorriso se insinuando no canto da boca.

— Ahn. Qualquer coisa gelada. Com álcool.

— Qualquer coisa gelada e com álcool. Saquei. — Ele sorriu. Ah, ali estavam eles. Dentes perfeitos, muito brancos e reluzentes. Todos presentes e arrumadinhos.

Observei-o enquanto ele saiu rumo ao bar, em busca das bebidas. Não era muito alto, mas havia uma certa graça descuidada em seus movimentos, como se ele não estivesse nem aí para si mesmo.

— Você está bem? — perguntou Emily.

— Ahn... Sim.

Ela futucou na bolsa, com um sorrisinho indefinido.

Então ele voltou.

— Uma margarita gelada para você, Maggie. A melhor da cidade. E então, o que a traz a LA?

— Eu... — Odiava aquela pergunta, simplesmente odiava. Então me lembrei do que responder. — Estou dando um tempo.

Ninguém olhou para mim com cara estranha. Ninguém caiu na gargalhada. Pelo jeito, eu conseguira usar a gíria local no momento certo.

Então começou o interrogatório. De acordo com Troy, Mort Russell era "insano, mas não no mau sentido... *Nem sempre* no mau sentido", esclareceu ele.

— Ele está muito EMPOLGADO com o meu roteiro — comentou Emily, feliz, com os olhos brilhando.

— E eu adoro o seu trabalho — elogiou Troy. — Gosto de verdade. Queria transar com ele, de tanto que eu o adoro.

— Pois eu adoro o *seu* — informou-lhe Emily. — Sinto tesão só de pensar nele... é assim que todos falam por aqui — explicou-me ela. — Mort Russell provavelmente nem leu o meu texto.

— Eles encharcam você de amor e a deixam sufocada — comentou Troy. — Dois dias depois, nem mesmo atendem suas ligações. Não que isso vá acontecer com Emily — insistiu.

— E então, o que você sabe a respeito dessa tal de Hothouse? — quis saber Emily.

— Eles têm gente boa trabalhando lá, um bocado de energia. Você sabia que foram eles que fizeram o *À Moda Americana*?

— Foram eles? — Emily pareceu alarmada. — Esse filme não foi grande coisa.

— É verdade, mas é que eles ficavam despedindo os diretores o tempo todo.

— Sabe o *Flores de Vidro*? — continuou Emily, meio ressabiada. — Ouvi dizer que eles usaram *dezesseis* roteiristas nele.

— É verdade. E dá para notar, pelo resultado. O que achou de *Areia nos teus Olhos*?

— Não tão ruim quanto *Obedecendo Ordens*. Pelo menos no *Areia* eu não saí no meio do filme.

Enquanto eu tomava a minha margarita supergelada, Emily e Troy batiam um papo descontraído, trocando figurinhas sobre todos os filmes a que haviam assistido recentemente. Metiam o pau em quase todos, mas de vez em quando havia algum do qual os dois haviam gostado.

— *Que* fotografia!

— Um roteiro bem amarrado.

Depois de algum tempo, eu percebi as regras do papo. No caso de filmes dos quais eu já ouvira falar, eles provavelmente não gostavam, mas se o título me era estranho, algo obscuro e de preferência estrangeiro, eles faziam altos elogios.

— E agora, fale-me do seu filme, Emily — incentivou Troy.

— Certo. É uma mistura de *Thelma e Louise* com *Flores de Aço*, *A Arte do Crime* e um pouco de *Jogos, Trapaças e Dois Canos Fumegantes* — disse ela, falando muito depressa. — Brincadeirinha...! Ainda não tive tempo de pensar em como descrevê-lo.

— Temos até quarta — avisou Troy. — Mas quer saber...? Vai estar ótimo, porque você... — apontou para ela — chega e arrasa a sala.

— Chega e arrasa a sala...? — perguntei, sem entender.

— É assim — explicou Troy — que eles descrevem uma pessoa que domina a arte de apresentar bem o roteiro para um produtor. Emily é uma grande contadora de histórias, tem presença marcante, chega e arrasa a sala. Quer outra bebida gelada com álcool?

— É a minha vez de pagar.

Três drinques depois, Troy olhou para o relógio.

— Tenho que ir nessa... Começo cedo amanhã.

— Marcou para andar de patins com alguém antes do café? — quis saber Emily.

— Não. Aula de spinning às sete da manhã — respondeu ele e os dois caíram na gargalhada.

— Eles todos fazem isso por aqui também — Troy me explicou.

— É considerado coisa de macho, em Los Angeles, ter um personal trainer batendo na sua porta antes mesmo de o sol raiar.

Fomos pegar o carro no estacionamento e entregamos os tíquetes. Eu devia estar bem mamada, porque não parei de elogiar a grande ideia que era o tal de *valet parking*. Comentei isso com Emily, com Troy, com o guardador e com o casal que também esperava pelo carro atrás de nós; todos pareceram se divertir com o que eu dizia. Eu não entendia qual era a graça de eu não saber estacionar direito e viver arranhando a porta do carro em edifícios-garagem. Embora, na verdade, eu não fizesse isso com qualquer carro, só com o de...

— Chegou o meu — comunicou Troy, acompanhando um jipe que vinha em nossa direção. Passou o braço sobre o ombro de Emily e se despediu: — A gente se fala, garota...

Depois me abraçou de leve e tocou a minha bochecha com a boca fechada.

— Aproveite o tempo que você está dando...

Entregou um dólar ao motorista, entrou no jipe e foi embora.

Era meia-noite. Ao passarmos de volta pela Sunset Boulevard, reparei em uma das academias com vidros do chão ao teto. Ainda havia gente lá dentro caminhando sobre as esteiras, sem ir a lugar algum.

CAPÍTULO 10

O dia seguinte era sábado. Os cadarços apertados da minha ética trabalhista se afrouxaram e me deram um pouco de alívio. Naquele dia eu ia poder ir à praia e tomar banho de sol de forma legítima, sem me sentir como uma meliante prestes a ser presa.

A ligação de David Crowe provocara uma profunda transformação em Emily. Sua letargia desesperançada desaparecera por completo e *atividade* era a ordem do dia. Depois do café da manhã escalamos até o alto do seu *prédiomóvel* e percorremos dois quarteirões rumo a um supermercado tão grande quanto um hangar para aviões de grande porte. Desde os anos em que morara em Chicago eu já sabia como os supermercados americanos eram imensos, mas mesmo assim tinha quase certeza de que as lojas de Chicago não exibiam a magnífica quantidade de produtos com baixas calorias que se via ali. Por todo lado as embalagens, que pareciam gritar "0% de gordura", saltavam à vista e me encurralavam. Era impossível eu não me deixar influenciar pela impregnante ética do corpo maravilhoso, e, sentindo-me um poço de virtudes, passei direto pelas rosquinhas recheadas, pelos sorvetes e comprei frutas vermelhas, salada e sushi. Além de vinho, é claro. Emily insistiu.

— Preciso cuidar muito bem de mim, nesse momento tão importante da minha vida — argumentou ela, colocando mais um monte de garrafas dentro do carrinho.

Quando levávamos as compras para o carro, levei um susto ao ouvir alguém gritar:

— Ei, você!

Virei para trás e me vi diante de um sujeito sujo, barbado e vestindo uma roupa esfarrapada.

— Ei, garotas, estão me ouvindo? — gritou ele mais uma vez, com a voz zangada. — Tem um cadáver debaixo da escada de incêndio. Sexo masculino, branco, trinta e poucos anos.

— Qual é o lance desse cara? — perguntei a Emily, já nervosa.

— Não liga não, ele está sempre por aqui. — Emily não se mostrou nem de leve interessada na história. — Fala muito alto e conta histórias malucas. É pirado, coitado, mas inofensivo.

Mal chegamos em casa e começamos a desempacotar as compras, Lara irrompeu pela porta da frente e se lançou com tanto entusiasmo em cima de Emily que ela foi cambaleando para trás até o meio da sala.

— Você é o máximo! — gritou Lara. — Fiquei superfeliz quando soube da sua apresentação!

Contou que estava nas proximidades, tendo uma aula de yogilates (o que quer que isso seja). Entregou flores, um cartão com uma frase de incentivo e um objeto qualquer de artesanato indígena, a fim de comemorar com Emily as boas-novas.

Então se virou para trás, me viu e exclamou:

— Grande, garota! Nossa, que *bronze*, hein? Tem ido muito à praia?

— Tenho — concordei, meio envergonhada, mas me sentindo lisonjeada com o elogio. Aquilo era bom, ainda mais vindo dela, que mais parecia um raio de luz ambulante.

Lara chegou um pouco mais perto e disse, com ar pensativo:

— Sabe de uma coisa? O seu cabelo é *muito legal*!

Eu já estava começando a perceber o jeito de falar e a entonação que se usava em LA. Dizer a alguém que algo era "muito legal" era, na verdade, uma crítica. "Seu roteiro é *muito legal*" — mas não vamos comprá-lo. "A amiga que você me apresentou é *muito legal*" — mas ela quase me matou de tédio e espero nunca mais tornar a vê-la.

Assim, quando Lara disse que o meu cabelo era "muito legal", eu gostei, a princípio, mas por pouco tempo.

— *Muito legal* mesmo — repetiu —, mas as suas franjas estão muito compridas. Ei! — Riu ela, baixinho. — ... Tem alguém em casa? — E abriu as franjas para os lados com as pontas das unhas, tirando-as da frente da minha testa. — Ah, aí está você!

— Oi — respondi. Eu estava tão perto dela que dava para ver suas lentes de contato.

— Quer saber de uma coisa? — Com ar pensativo, ela avaliou o comprimento dos meus cabelos, enroscando-os nas pontas dos dedos e colocando-os na palma da outra mão. — Precisamos levar você a um cabeleireiro. Tem que ser Dino, porque ele é *o melhor*. Vou ligar agora mesmo, para marcar.

Em segundos, ela já estava no outro lado da sala, pescando algo em sua bolsa, enquanto eu respirava de alívio. Ela tinha ficado muito perto de mim, e eu sentira medo de me mexer, ainda mais por ela ser sapatão. Se fosse qualquer outra pessoa, eu teria me afastado na mesma hora, sem trauma, mas não queria que ela pensasse que eu estava pouco à vontade perto dela e de sua sapatice. Essa história de ser politicamente correto é um *campo minado*. Ela teclava alguns números em um celular minúsculo e de repente já estava falando com alguém. Nada de esperas. Eles fazem tudo muito *depressa* em LA.

— Dino? Beijinhos mil, amor. Quero marcar hora com você para a minha amiga. Ela tem um rosto *perfeito*, mas precisa de um corte de cabelo que seja *dez*. Terça? — Ela olhou para mim com seus olhos cor de água-marinha. — Que tal, Maggie, terça às seis e meia?

Eu me senti atropelada, meio pega de surpresa. Até que gostei.

— Tá ótimo! — Que diabos, por que não? — Terça está bom.

— Eu também tenho um motivo para celebrar — anunciou Lara, levantando um punho fechado no ar. — *Dois Mortos* finalmente saiu da lista dos dez filmes mais assistidos!

— Valeu! — exclamou Emily, e pintou um ar de celebração generalizada.

Dois Mortos era uma comédia sobre gângsteres. Que mal o filme teria feito a Lara?

— Conte o lance para Maggie — sugeriu Emily.

— Você quer ouvir a história?

— Claro!

— Tá legal! Como você sabe. eu trabalho em uma produtora e uma das minhas muitas e *muitas* tarefas é analisar os relatórios sobre os roteiros. Eu leio tudo e decido quais são as possibilidades da história resultar em um bom filme ou não. Pois bem, há dois anos apa-

LOS ANGELES

receu um roteiro na minha mesa, eu o li, achei uma porcaria e quase joguei no lixo. Adivinhe qual era o nome desse cocô...? *Dois Mortos*. Simplesmente uma das comédias de maior sucesso do ano! — Seu entusiasmo era contagiante. — O dia em que eu li na *Variety* que a Fox ia produzir aquela história foi um dos piores de toda a minha vida. Rezei TANTO para o filme ser um fracasso... SUEI FRIO quando vi o resultado da bilheteria da primeira semana. Cheguei perto *assim* — quase juntou o polegar e o indicador, deixando apenas um espaço microscópico entre eles — de levar um pé na bunda.

— Ué, mas você tem direito à sua opinião? — reagi.

— Nã-na-ni-na-não... — Ela balançou a cabeça. — Não aqui em Lalalândia. Um passo em falso e você é carta fora do baralho.

— Eu também li o roteiro original — disse Emily. — Lara tem razão, era uma bosta. Acho que quem escreveu nem tencionava fazer comédia, mas a história era tão ruim que todo mundo achou que *só podia* ser piada.

— Mas agora está tudo bem — disse Lara, sorrindo.

De repente surgiu uma vibração grave e baixa. Eu a senti antes mesmo de ouvir e fui ficando alarmada. Por um minuto achei que era um terremoto, e que a minha mãe tinha razão. Irritante aquela sensação...

— Aaargh! — gemeu Emily. — Lá vêm eles, começando com essa história de novo... Batucando para entrar no ritmo da vida. Eles têm merda na cabeça!

— Quem?

— Os vizinhos. Mike, Charmaine e um monte de marmanjos que deviam tomar um chazinho de simancol. Ficam lá, tocando tambores indígenas na esperança de se sintonizar com a felicidade. Aposto que fazem isso de propósito, só pra me irritar.

— Você não devia ter roubado o cartaz de "seguranças armados" do jardim deles — disse Lara.

— Eu que o diga! Bem, diante disso não me resta outra escolha a não ser a de ir ao shopping, a fim de comprar alguma coisa para usar na Grande Apresentação. Alguém aí topa...?

Compras! Com exceção de um protetor solar no freeshop, eu não comprava nada há séculos — desde que a minha vida virara de pernas para o ar. Senti um fervilhar de empolgação por dentro, sentindo-me ligada e mais normalzinha, sensação que aumentou quando elas comentaram que queriam ir à Rodeo Drive. Claro! Ir à Rodeo Drive era exatamente o que eu *devia* estar fazendo; aliás, o que qualquer pessoa que visita LA devia fazer, em vez de ficar sentada sozinha em uma praia quase deserta, como uma alma penada. Tudo bem, eu sei que a faixa de preços da Rodeo Drive é muita areia para o meu caminhãozinho, mas uma mulher sempre pode sonhar... e usar o cartão de crédito.

Quando saímos, os Cavanhaque Boys também estavam indo para a rua.

— Oi, Lara! — gritou o de cabeça raspada, explodindo de admiração. — Você é uma gata, sabia? Uma supergata!

— Obrigada, Curtis.

— Não, sou o Ethan. Aquele ali é que é o Curtis.

— Oi. — Curtis levantou a mão rechonchuda e acenou para ela, com timidez.

— E eu sou o Luis — apresentou-se, também com um aceno, um lindo rapaz latino com pestanas grossas, compridas e uma barba curta e bem-cuidada. — Você é realmente *A* gata.

— Eu estava torcendo — lamentou-se Emily — para que eles fizessem as malas e fossem embora no fim do semestre, a fim de podermos ganhar vizinhos respeitáveis, mas, pelo jeito, vamos ter que aguentá-los o verão todo.

Os Cavanhaque Boys iam sair na sua lata de lixo motorizada. Luis apoiou as mãos sobre o teto do carro, ergueu o corpo, balançou-o para a frente, lançou-se para dentro do carro pela janela aberta e pousou com elegância sobre o banco do carona. Em seguida, Ethan colocou suas mãos grandes no teto do veículo, do outro lado, e imitou o amigo, entrando primeiro com os pés. Só que as coisas não foram assim tão fáceis para o gorducho do Curtis, que ficou entalado na janela, em uma versão moderna do Ursinho Puff.

Depois de ajudarmos a empurrá-lo para dentro, entramos no carro de Lara (uma reluzente picape prateada com um quilômetro de comprimento). O céu estava muito azul, as palmeiras cintilantes balançavam com suavidade sob a brisa gentil e eu estava com um lindo bronzeado — somando tudo, até que as coisas não estavam tão mal.

Eu imaginara a Rodeo Drive como uma espécie de reduto de celebridades, quase um parque temático onde as pessoas tinham de comprar ingresso para entrar. Mas não... assim como a Sloane Street, de Londres, ou a Quinta Avenida, em Nova York, era apenas uma rua com lojas famosas e caríssimas, cheias de atendentes anoréxicas e arrogantes, todas saídas da mesma fornada, verdadeiras vacas esnobes. Eu estava bem longe da *minha* praia, andando por ali. Bem que eu vestira a minha melhor roupa em estilo "garota de cidade grande" e balançava a minha bolsa cara como se fosse um crachá de acesso irrestrito, mas quem achei que poderia enganar? Depois de duas ou três lojas, sussurrei para Lara, com a voz sombria:

— Detesto as pessoas que trabalham nesses lugares; elas sempre me fazem sentir um pedaço de merda ambulante.

— Existe um truque para superar isso — explicou ela, solidária. — Você tem que entrar na loja quase marchando, como se fosse a dona do lugar. Deve fazer cara de má, dar a impressão de que está achando tudo um tédio e nunca, *nunquinha*, perguntar o preço de nada.

Assim, na loja seguinte, alta como um armazém e com decoração clean, quase vazia, analisei uma bolsa de alça alta, porque elas são a última moda, tentei fazer cara de má e entediada, conforme as instruções. Só que não devo ter parecido muito convincente, porque a empregada, subnutrida e de cabelo glamoroso, me ignorou com um olhar de desprezo. De repente, porém, seu radar captou a presença de Emily, a mulher das grifes, e tudo mudou.

— Oi, querida!... Como está hoje?

— Estou legal — respondeu Emily. — E VOCÊ, como está?

Falando sério, por um instante eu achei que elas duas realmente se conheciam, até que a magricela continuou:

— Meu nome é Bryony. Em que posso ajudá-la *hoje*?

Nas raras ocasiões em que atendentes daquele tipo me perguntam isso, eu me sinto intimidada demais para responder. Na verdade, normalmente vou embora na mesma hora. (E que doença era aquela de "hoje"? Quando é que ela estava planejando ajudar as clientes? Terça que vem?)

Recoloquei a linda bolsa sobre o pequeno pedestal onde ela estava exposta. Aparentemente, não a recoloquei da forma correta porque a tal de Bryony deu um pulo, veio com ar decidido na minha direção e moveu a bolsa alguns milímetros para o lado, colocando-a na posição certa. Em seguida, pegou um paninho e começou a limpar as minhas impressões digitais. Nesse momento eu me senti tão humilhada que tive vontade de sentar no chão e chorar.

— Não se esqueça — murmurou Lara no meio do meu cabelo — de que as roupas dela são emprestadas. Ela não conseguiria comprar a blusa que está usando nem com o salário de um ano inteiro.

Enquanto isso, Bryony gravitava em torno de Emily, que vistoriava os cabides como quem folheia uma revista, com ar treinado. Em seguida, Emily foi encaminhada para o provador, onde começou a experimentar uma porção de roupas, despindo-as em seguida de forma apressada e atirando-as todas emboladas para cima da vaca esnobe.

— Você ficou LINDA — insistia Bryony o tempo todo, mas Lara mantinha um duvidoso "huummm..." no fundo da garganta.

— Vamos tentar outra cor. O que acha da saia mais comprida? Não tem nenhum modelo daqueles que cruzam na frente?

Bryony estava quase se descabelando para conseguir atender a todas as sugestões de Lara.

Por fim, eu também comecei a dar os meus palpites:

— Por que não tenta um modelo um número menor?

— Isso! — cochichou Lara para mim em tom de elogio, quando Bryony foi obrigada a voltar mais uma vez às araras e prateleiras. — Agora você está pegando o jeito.

Fizemos Bryony trazer roupas em estilos e tamanhos diferentes — inclusive sapatos e bolsas —, até termos a impressão de que Emily já tinha experimentado todos os itens da loja várias vezes. De forma cruelmente indecisa, ela diminuiu as opções finais a um tailleur com saia clássica, depois nos empurrou para dentro do provador gigantesco e fechou a pesada porta de madeira.

— Fiquei dura! — cochichou ela. — É uma coisa muito errada pagar o preço de um mês de aluguel por uma roupa?

LOS ANGELES

Eu me preparei para dizer a ela que era errado e que ela podia conseguir uma roupa bem apresentável em uma das lojas da Banana Republic pela décima parte daquele valor — e não pensava assim só por não querer que Bryony ganhasse a comissão pela venda, não sou tão mesquinha, estava apenas preocupada com as finanças de Emily. Antes de conseguir me manifestar, porém, Lara afirmou, solenemente:

— É preciso *gastar* dinheiro para *ganhar* dinheiro. Você tem que aparecer nessa apresentação com um visual de arrasar. Desculpe, Maggie — disse então, olhando para mim. — Isso aqui está parecendo aquela cena de *Uma Linda Mulher...*

— "Foi um grande erro" — citei o diálogo do filme, na mesma hora.

— "Grande. Imenso!" Está parecendo mesmo.

Só então Emily compreendeu.

— Minha nossa! — reagiu ela. — Bryony estava se comportando como a vendedora esnobe do filme?

— Estava — confirmou Lara. E então se virou para mim: — Só que a apresentação de Emily é absurdamente importante, e ela ficou linda com essa roupa...

— Então, tudo bem.

— E aí, o que você vai levar? — perguntou Lara a Emily.

— Vou levar o tailleur, mas não os sapatos.

— Você é quem sabe.

— Bem, talvez aproveite para levar os sapatos, mas não a bolsa.

— A decisão é sua.

— Acho que tem de ser calça de veludo ou bunda de fora.

— E então...? — A cara de vaca apareceu.

— Vou levar tudo!

Bem na hora de sairmos, Lara pegou a "minha" bolsa do pedestal onde ela estava, manuseou-a bastante e então a recolocou no lugar, meio torta e cheia de marcas de dedos.

— Obrigada — sorriu ela para Bryony, por cima do ombro.

— *Eu* é que agradeço — cochichei para Lara.

Enquanto seguíamos pela rua, Emily carregada de sacolas, apontei para um sujeito que passava perto de nós.

— Olhe só... Aquele cara parece o Pierce Brosnan, cuspido e escarrado. Dava até para ele conseguir um emprego como sósia dele.
Emily e Lara olharam com desdém.
— Ele *é* o Pierce Brosnan — comentou Lara, e as duas seguiram pela rua, com total indiferença.
— Para onde vamos agora?
— Chanel?
Mas a Chanel estava fechada porque uma pessoa famosa resolvera comprar a loja toda. Madonna, de acordo com uma pequena multidão de turistas japoneses amontoados do lado de fora da vitrine. Magic Johnson, insistia um grupo rival. Não, não, garantiu um terceiro grupo, era Michael Douglas.
Talvez fosse melhor a loja estar fechada, segundo Emily. Ela já fizera estragos demais para um só dia.
— São cinco horas, vamos tomar um drinque — sugeriu Lara.
— No Four Seasons? — propôs Emily. — Fica aqui pertinho.
— É, pode ser lá...
— Não façam isso! — exclamei.
— Fazer o quê?!
— Não comentem sobre ir ao Four Seasons de Beverly Hills para tomar um drinque como se fosse uma coisa *absolutamente trivial*.
— É verdade. Desculpe — pediu Emily, com ar humilde.
— Sim, desculpe — acompanhou Lara.

O Four Seasons era decorado com peças de arte clássica e vasos imensos, cortinas drapeadas, tapete felpudo e *mucho*, mas *mucho* dourado. Tudo parecia combinado em *padrões*. Minha mãe teria adorado o lugar. Quando caminhávamos em direção ao bar, um homem à cabeceira de uma das mesas gritou:
— Billy Crystal é o melhor diretor do mundo!
— Isso é só para mostrar que ele trabalha no mundo do cinema — resmungou Emily.
Conseguimos um sofá almofadado, pedimos Martínis Complicados e eles nos trouxeram um prato com biscoitinhos japoneses. Quando a bebida começou a fazer efeito, começamos a nos empolgar um pouco.

LOS ANGELES

— Tudo está apenas começando para você — garantiu Lara a Emily. — Veja só o caso de Candy Devereaux. Trabalhava como garçonete, pensando em pegar o ônibus de volta para Wisconsin. Então escreveu um roteiro maravilhoso e agora cobra cem mil dólares por semana só para retocar as histórias que levam para ela avaliar.

— A Prada vai me mandar um caminhão de mercadorias e eu vou poder ficar com o que BEM QUISER — afirmou Emily, toda animadinha, se espreguiçando no sofá.

Um monte de fantasia e, no entanto... Em outros empregos, uma pessoa precisa ralar muito para ir aumentando as chances de sucesso. Naquela cidade, porém, as coisas funcionavam de forma diferente: sua sorte podia mudar em um piscar de olhos e você ia da sarjeta para a estratosfera muito, muito depressa. De repente me distraí olhando para uma mulher que passava com um decote tão profundo que mais parecia o Grand Canyon. Aquilo é que era silicone... Isto é, uns peitos daquele tamanho *não podiam* ser verdadeiros.

— Posso fazer um papel no seu filme? — perguntou Lara.

— Claro! Quando Lara chegou em LA, ela era atriz — contou Emily.

— E por que deixou de ser?

— Não tinha os atributos necessários. — Inclinou a cabeça para trás e atirou na boca um monte de biscoitinhos japoneses. — Não era magra o bastante. Nem linda o bastante.

— Mas você é linda, *de verdade* — garanti.

— Assim eu vou acabar gostando dela — disse Lara para Emily, com a voz arrastada.

Emily lançou-lhe um olhar severo, que foi interrompido pelo toque do celular de Lara. Um animado bate-papo se seguiu, e então Lara desligou o telefone.

— Era a Kirsty. Ela está perto e vai dar uma passadinha rápida aqui, para tomar um drinque conosco.

Emily fez uma careta.

— Vai ser um copo d'água sem álcool, sem lactose e sem sódio, servido com uma rodela de limão orgânico, em um copo de vidro sem chumbo.

— Ela é uma pessoa legal — disse Lara.

— É sim. O problema é que é perfeita e sem senso de humor. Ainda por cima se acha linda.

— Mas ela é mesmo.

— Isso não é motivo para ela ficar por aí se exibindo — explicou Emily, olhando para mim. — Teve um dia em que estávamos brincando de escolher quem faria o papel de nós mesmos em um filme sobre a nossa vida... sim, eu sei que é uma coisa idiota, mas é típico de LA. Lara, essa Lara aqui, *linda* desse jeito, escolheu a Kathy Bates. Eu escolhi o E.T. com uma peruca black power, Justin disse que ele tinha que ser interpretado pelo John Goodman, e até mesmo Troy entrou na pilha e disse que seria Sam, a águia dos Muppets. Quem você acha que a Kirsty escolheu para fazer o papel dela mesma? Nicole Kidman. Ela diz que as pessoas sempre a confundem com a Nicole Kidman na rua. Quem dera, bem que ela gostaria disso... Mas, olhem, antes que ela chegue eu quero lhes mostrar uma coisinha.

Abriu a bolsa e tirou lá de dentro, lentamente, um chaveiro. Eu o reconheci. Era da loja onde havíamos comprado as roupas; tinha até o logotipo da marca, em pedrinhas brilhantes.

— Fui uma menina má — disse Emily, sem conseguir esconder um sorriso.

— Minha nossa! — gemeu Lara. — Emily, você *tem* que parar com isso!

— Você *roubou* esse chaveiro? — quis saber eu.

— Eu o libertei, como prefiro dizer. Puxa, gente, estou superestressada!

— Eu sei, mas não podia resolver o problema com um CD de relaxamento ou algo desse tipo? — perguntei.

— Você está é com ciúme — acusou Emily.

— Eu sei — admiti, com humildade.

Eu só roubara objetos em lojas uma vez em toda a minha vida — um sorvete de chocolate em uma banca de jornais. Nem era o que eu queria, preferia muito mais o Cornetto, mas não tinha no expositor, e Adrienne Quigley havia me desafiado a fazer aquilo. Não preciso nem contar o resto, não é?... Fui pega no flagra. O dono da loja até que foi legal comigo, disse que ia me deixar escapar se eu prometesse nunca mais fazer aquilo. O resultado é que eu passei o resto da adolescência olhando, cheia de inveja, as amigas que voltavam de passeios ao centro da cidade com as mochilas carregadas de todo tipo de mercadorias afanadas: brincos, batons, esmalte cintilante ou um pedaço de fio e um monte de parafusos de uma loja de ferragens. Era Emily quem malocava coisas como parafusos e fios, porque ela só roubava pela emoção, enquanto Adrienne Quigley roubava por encomenda. Eu morria de inveja da coragem delas (e das coisas grátis que conseguiam, com exceção dos fios e dos parafusos), mas tinha certeza de que, se tentasse novamente, ia ser apanhada — e ainda ia arrastar todo mundo comigo. Cada uma das minhas irmãs conseguia se sair bem das coisas que armava com a maior cara de pau, porque Claire ficava emburrada, Rachel era engraçada, Anna vivia longe, em companhia das fadas, e Helen era destemida. Quanto a mim, a minha característica era a obediência, e também a minha ferramenta para sobreviver.

A chegada de Kirsty colocou um ponto final na minha súbita introspecção, e a verdade é que ela era realmente parecida com a Nicole Kidman, com os cabelos ruivo-alourados muito cacheados e a pele de alabastro. (Por sinal, ela também era magra como um palito, mas isso eu já devia ter adivinhado, é claro. *Como era possível todo mundo conseguir ser tão magro naquela terra?* Ainda mais um monte de mulheres com trinta e poucos anos, idade em que, geralmente, todas ficam muito longe do visual etéreo dos dezesseis anos.) Kirsty era cheia de vida, muito animada, e eu não entendi a razão da antipatia que Emily sentia por ela — até o momento em que o garçom apareceu e ela o obrigou a declamar a lista de todos os tipos de água mineral que existiam no lugar.

Então eu lhe ofereci um biscoitinho e ela só faltou estremecer.

— Eles têm só quatro calorias cada um — informou Emily. — O garçom é que disse.

Kirsty lançou um olhar panorâmico em torno da mesa, com ar de quem sabe das coisas.

— Esses biscoitos já estão largados aí na mesa há um tempão, com a mão de todo mundo passando por cima deles. Se vocês querem comer os germes de outras pessoas, tudo bem, fiquem à vontade!

Na mesma hora o clima despencou e ficou meio estranho, com todas nós morrendo de vergonha. Ninguém mais chegou perto dos biscoitinhos depois disso e, quando o garçom finalmente os levou embora, foi um alívio geral.

Uma garota com uma camiseta cor-de-rosa esticada ao extremo e cobrindo um GIGANTESCO par de seios passou toda serelepe pelo bar. Livres, soltos e sacolejantes, era como se os peitos estivessem carregando *a dona* para dar uma volta. Todo mundo sabe que LA é a Central Mundial de Cirurgia Plástica, mas ver uma Barbie daquelas pessoalmente era um desafio para os próprios olhos.

Emily lançou um sorriso significativo para Lara, que balançou a cabeça com ar de pesar.

— Artificiais demais. Esses peitos falsos a gente consegue distinguir até apalpando. — Olhou para baixo, na direção do próprio decote. — Eu que o diga...

— Chega, nós NÃO precisamos saber de muitos detalhes — ralhou Kirsty.

Nesse ponto ela estava errada, é claro. Será que Lara estava insinuando que tinha peitos de silicone? Fiquei fascinada com o assunto, mas não tive coragem de perguntar o que queria saber. Era verdade que às vezes eles estouravam a bordo de aviões? Que se alguém colocasse uma luz por baixo ficavam verdes? Que em piscinas flutuavam como boias de braço e não era possível mantê-los dentro d'água nem por decreto?

— Conte as suas novidades a Kirsty — sugeriu Lara.

Emily rapidamente fez um resumo da apresentação do roteiro, que já estava marcada com o produtor, e, verdade seja dita, Kirsty pareceu muito empolgada.

— Uau! — reagiu ela. — Até que enfim! Já estávamos preocupados com você, enterrada naquela sua casinha e com ar de perdedora.

— *Como disse?* — quis saber Emily.

— Adorei as suas sandálias novas, Kirsty! Onde foi que você as comprou? — perguntou Lara, falando muito depressa.

— Vocês não vão acreditar. Comprei-as no verão passado e guardei-as na caixa sem estreá-las, de propósito — anunciou Kirsty, com ar alegre. — Agora todo mundo quer comprar esse modelo e ninguém encontra mais! Bem, garotas, tenho que ir embora... Troy ficou de dar uma passadinha lá em casa agora à noite.

Emily fez cara de quem levara um golpe no crânio dado por uma frigideira.

— É mesmo? — espantou-se Lara. — Mas você e ele estão...?

— Até parece que eu iria contar a você, se estivéssemos! — replicou Kirsty, com muito bom humor.

Lara foi andando com Kirsty até o quiosque do guardador de carros e Emily ficou na mesa comigo, soltando fumacinha de tanta raiva.

— Troy é *meu* amigo. Ela simplesmente foi apresentada a ele por intermédio de Lara. Não sei que diabos Lara vê nessa mulher. E Troy, o que será que vê nela? Uma piranha mão-fechada que nem pagou a bebida que tomou. E que papo estranho, aquele das sandálias, hein? Escondendo a caixa na gaveta durante um ano... que merda de história foi aquela...?

— Lara está voltando — avisei.

Só que em vez disso fazer Emily calar a boca, ela reagiu dizendo:

— Ótimo! — E despejou tudo em cima de Lara, que pareceu muito adulta e cordata a respeito de tudo. Disse que Emily não era dona de Troy, que ele podia sair com quem bem entendesse, concordou que o lance das sandálias tinha sido meio esquisito, mas explicou que Kirsty trabalhava como recepcionista em uma academia e ganhava pouco...

— Vamos tomar mais um drinque — sugeriu, por fim.

Depois de mais um Martíni Complicado, os vestígios da passagem de Kirsty haviam desaparecido por completo.

— Você vai à festa de Dan Gonzalez, na segunda à noite? — perguntou Emily a Lara.

— Eu pensei que você não fosse!

— É que agora a coisa mudou. Vou poder entrar lá com a cabeça erguida. Continuo em campo. Então, você vai?

— Ahn-ahn — respondeu Lara, balançando a cabeça para os lados. — Tenho um encontro.

Emily ficou toda assanhada e ordenou, aos gritos:

— Conte-nos tudo! Você não me disse nada! Onde foi que você a conheceu?

— Em uma danceteria.

Para ser honesta, eu fiquei meio sem graça. Não sabia o que dizer. Se fosse uma garota contando que marcara de sair com um cara, eu estaria louca para saber dos detalhes, mas...

— Ela é uma gracinha — definiu Lara. — Era bailarina.

— Bailarina, uau! Deve ter um lindo corpo, certo? — incentivou Emily.

— Um corpaço!

E Lara começou a descrever a garota, do mesmo jeito que as mulheres costumam descrever os homens. Comentou o quanto ela era bonita, como tinha um jeitinho doce e que parecia realmente gostar dela...

Empurrei o meu embaraço para o lado e ecoei cada um dos gritinhos empolgados de Emily, enquanto ouvia tudo. Eu era uma mulher do mundo, muito vivida, tentei convencer a mim mesma.

CAPÍTULO 11

Lentamente, deixei a sola do meu pé deslizar por sobre o felpudo tapete do banheiro. Os fofos montinhos de lã eram um bálsamo para meus pés doloridos. Troquei um pé pelo outro e senti o toque de todas as fibras de encontro à minha pele sensível... *tão macio, tão suave...* Depois, coloquei de volta o primeiro pé.

Há quanto tempo eu estava em pé ali, fazendo aquilo? Tempo demais. Talvez fosse melhor acabar logo de me enxugar. Alguém poderia estar precisando usar o banheiro.

Ao cambalear de volta para o quarto, a fim de me vestir, tive certeza de uma coisa: *nunca mais ia beber Martínis Complicados.* Obviamente Emily estava sendo uma péssima influência para mim. Eu não sou uma pessoa particularmente ligada em festas, mas ficara bêbada dois dias seguidos. E nunca antes na minha vida entrara debaixo do chuveiro usando óculos escuros. Só isso já diz muita coisa sobre as pessoas com quem eu andava, certo?

Eu não me importaria com o porre em si; o problema era eu ser a única a me sentir um bagaço. Abrira os olhos às oito da manhã, sentindo como se estivesse saindo de um longo coma, e o meu terror habitual ao acordar foi mais intenso. Encontrei Lara e Emily sentadas na cozinha, bebendo shakes e batendo papo, como pessoas normais. Eram criaturas realmente resistentes.

— Você está bem? — Emily pareceu preocupada.

— Estou — garanti. — Só que... não consigo abrir os olhos. A dor de cabeça está forte demais.

Emily me ofereceu os óculos escuros, alguns analgésicos e sugeriu que eu tomasse uma chuveirada. O que não ajudara muita coisa, embora o tapete felpudo do banheiro tivesse feito maravilhas, pelo menos durante o tempo em que eu estive sobre ele.

Quando fui me vestir os óculos caíram, e quando eu me agachei para pegá-los senti a vista ficar escura. Desisti de apanhá-los. Tornei a ir para a sala, onde o som dos meus pés descalços sobre o piso de madeira me pareceu muito alto. Dei uma olhada em volta, esperando encontrar um travesseiro, lençóis ou outro sinal de que Lara tivesse dormido no sofá, mas não vi nada. Ao espiar no quarto de Emily, vi as roupas de Lara espalhadas pelo chão. Ela devia ter dormido com Emily.

Não dormido, *dormido*. Só assim, tipo dormido mesmo. Ah, vocês sabem o que eu quero dizer...

Levei o maior susto quando vi que enquanto eu estava debaixo do chuveiro, Troy chegara. Entreabri os olhos, mas os mantive meio fechados, tentando olhar para ele, que continuava estranhamente lindo, com uma beleza do tipo "esculpida em pedra".

— Oi, Maggie — cumprimentou ele.

— Bom-dia — respondi, arrasada demais para me incomodar com aquela história de dar "oi" a toda hora. Precisava deitar em algum lugar. Com todo o cuidado, fui baixando o corpo sobre o sofá e deixei as costas afundarem nos travesseiros, mas mesmo depois de parar eu sentia como se ainda estivesse afundando, afundando...

Emily, Lara e Troy conversavam sobre a apresentação. Era como se eu ouvisse as vozes deles murmurando muito longe dali. Descobri que se eu passasse as pontas dos meus cabelos bem devagar por sobre as bochechas a dor que sentia nos ossos molares diminuía um pouco. Fiquei ali passando as pontas do cabelo para a frente e para trás, do nariz até a orelha, parecendo uma perturbada.

— Você está bem, irlandesa? — Troy estava em pé na minha frente. — Qual é o problema com o seu cabelo?

Muito mal para me sentir embaraçada, contei a ele. Depois, falei do tapete felpudo do banheiro.

— Você precisa é de uma massagem — concluiu ele. — Trabalhar esses pontos rígidos.

— Uma massagem dada por você?

— Não. — Riu ele, baixinho. — Dada pelo mestre. Espere só...

Alguns minutos depois, a porta da frente se abriu deixando entrar na sala o brilho resplandecente da manhã.

LOS ANGELES

— Feche essa porta — implorei.

Era Justin, sorrindo de orelha a orelha e vestindo uma camisa havaiana amarela e vermelha. Quase vomitei.

Um *clic-clic* no piso de tábuas corridas me alertou de outra presença na sala. Uma cadelinha terrier escocesa perseguia partículas de poeira no ar e era uma gracinha. Tratava-se de Desiree, imaginei.

— Você chegou bem na hora — disse Troy a Justin. — Temos uma dama aqui precisando de ajuda.

— Ah, é? — perguntou Justin, com sua voz aguda. — Qual é o problema? — Ele se ajoelhou ao lado do sofá, pegou meu braço e mediu minha pulsação, com ar teatral.

— Ressaca — disse eu, ofuscada pela sua camisa.

— A culpa foi minha — desculpou-se Emily.

Justin espalmou as mãos para fora, entrelaçou os dedos e os flexionou para a frente e para trás, mostrando que ia começar a trabalhar.

— Muito bem, onde é que dói?

— O corpo todo.

— O corpo todo... Muito bem, então vamos tratar do corpo todo.

Fiquei com medo de ele me pedir para tirar a roupa, mas percebi que era só nos meus pés que ele estava interessado: reflexologia. Eu não gosto dos meus pés. Sempre que eu fizera sessões de reflexologia a vergonha da pele dura nas solas dos pés e o fato lamentável de o meu segundo dedo ser mais comprido que o dedão atrapalharam a minha descontração. Naquele momento, porém, a grande vantagem de eu me sentir como se quisesse morrer é que eu estava pouco ligando para o estado dos meus pés.

Troy tinha razão. Justin era mesmo um mestre.

Enquanto ele pressionava meus pés, entortava-os e apertava-os com firmeza, a dor foi cedendo gradualmente; em pouco tempo, para minha surpresa, eu me senti ótima.

Sentei-me reta no sofá. Os pássaros cantavam, o mundo cintilava, era brilhante e suportável. O sol já não parecia mais um duende amarelo maligno e voltara a ser um amigo muito querido. Dava até para encarar a camisa berrante de Justin.

— Você... — disse, absolutamente pasma — ... é um fazedor de milagres. Devia ganhar a vida fazendo isso. Era essa a sua profissão, antes de você virar ator?

— Não, é só um hobby. Aprendi a fazer isso para conseguir namorar uma garota.

— Funcionou?

— Não.

— *Ainda* não, é o que você quer dizer.

— Não mesmo, eu desisti dela. Não sou o gordinho dispensável apenas na tela, sou na vida real também. Agora minha vida é dedicada a Desiree. Embora — acrescentou ele, com um ar satisfeito — eu a tenha comprado só para poder encontrar mulheres pela rua. Meu plano era circular pelos parques onde elas levam os cães para passear e tentar achar uma namorada, mas isso também não funcionou.

— É IMPOSSÍVEL encontrar amor nesta cidade — exclamou Emily. — Todos só pensam em trabalho. E não há lugares onde dê para conhecer pessoas.

— Mas e quanto aos bares? E as danceterias? — Eu quis saber. Tinha certeza de já ter ouvido minhas irmãs e amigas na Irlanda contando milhões de histórias sobre elas irem a um lugar para dançar e acordarem na manhã seguinte com um homem desconhecido na cama. Aliás, devo esclarecer que era raro isso *não* acontecer, o que me deixava com saudade dos tempos de solteira.

— Amigos de amigos, essa é a única maneira de conhecer pessoas em Los Angeles. — Emily lançou um olhar cheio de insinuações para Troy, mas se tinha esperança dele contar o que acontecera na noite anterior, ficou desapontada.

Troy se aproximou de mim e perguntou:

— E então...? Está melhor?

— Muito melhor! — Jogando o corpo novamente para trás, concordei com a cabeça. — Estou pronta para a minha corrida diária de vinte quilômetros.

— É melhor você não brincar com essas coisas por aqui — avisou Emily, com a voz vinda não sei de onde. — E então, vamos trabalhar ou não?

Eles se reuniram em torno da mesa da cozinha como se fosse um conselho de guerra. Até Desiree se sentou sobre uma cadeira, prestando muita atenção. Mais tarde, eu descobri que ela já aparecera em alguns filmes.

As portas e janelas da casa estavam todas abertas. Ao meio-dia, Emily pediu algumas coisas em um restaurante ali perto, e meia hora depois entregaram comida suficiente para alimentar um batalhão.

— Quer um pouco? — ofereceu ela. — Ou você ainda está enjoada?

— Acho que aguento comer alguma coisa leve. — A dor de cabeça passara, mas eu ainda sentia vestígios da náusea provocada pela ressaca.

Troy me trouxe um prato com comida e, quando eu tentei me sentar, ele disse "Não precisa" e tentou equilibrar o prato no meu peito. O problema é que meus seios eram grandes, não paravam de balançar e a comida não ficava parada.

— Talvez seja melhor você segurar o prato — decidiu ele, sorrindo meio sem graça. — Pronto, segurou? — Nesse momento, ele me olhou fixamente com aqueles olhos esverdeados e, de repente, já não parecia nem um pouco embaraçado. Quem estava era eu.

Depois que ele me deixou ali, tentei engolir algumas garfadas, com todo o cuidado, e me maravilhei ao sentir que a comida ficou no estômago.

Algum tempo depois, Troy tornou a aparecer.

— Já acabou?

Não sei por que, mas esperei por dois segundos e fiquei olhando para o rosto dele, antes de responder:

— Já.

Então ele pegou o prato do meu colo e de algum modo conseguiu roçar em um dos meus mamilos, que na mesma hora se contraíram e ficaram duros, pulando em terceira dimensão por baixo da camiseta, espetados em sua direção.

Ele olhou para eles, depois olhou para mim. Eu sabia que devia dar uma risada, mas não consegui. Fiquei olhando para as suas costas, enquanto ele se afastava para se juntar aos outros.

Permaneci no sofá, folheando um jornal que imaginei que fosse o *Daily Variety*, mas depois percebi que era o *LA Times*. Todas as notícias falavam do mundo do cinema. Não havia nada a respeito de guerras, massacres ou desastres naturais — apenas artigos inócuos sobre as estreias do fim de semana e os campeões de bilheteria... Meus olhos se fecharam.

Emily estava improvisando a sua apresentação, e de vez em quando o comentário de alguém chegava aos meus ouvidos:

— ... Emily — ralhou Troy, de um jeito brincalhão —, você não está me convencendo...

— Não compare a sua história com o *Linda, mas Morta*.

Em algum momento o telefone tocou e, de repente, Emily estava com o rosto pertinho do meu.

— Você está acordada? — perguntou. — Ligação de casa.

Algo no tom da voz dela imediatamente me deixou alerta e, mais que depressa, eu me sentei. Só podia ser Garv, certo?

Só que não era. Era o meu pai. Eu já estava me preparando para me levantar e ir para outro aposento, em busca de privacidade, mas decidi que não valia a pena me dar ao trabalho. Era apenas papai. Só que eu devia ter percebido que algo estava errado. Papai detestava falar ao telefone, normalmente se comportava como se o aparelho emitisse gases venenosos, então por que estaria me ligando?

Tinha algo para me contar, explicou ele, com hesitação e parecendo muito constrangido.

— Talvez o que eu vá contar não seja novidade para você, Maggie.

— Conte logo. — Meu coração ainda batucava diante da expectativa de falar com Garv.

— É que agora à noite estávamos voltando para casa de carro...

Agora à noite?, pensei. *Ah, claro, na Irlanda eram oito horas mais tarde.*

— Pode falar, papai...

— ... é que nós vimos Paul... ahn... Garv. Ele estava em companhia de uma jovem, e os dois pareciam muito... — Papai parou. Eu prendi a respiração e desejei ter levado o telefone para o quarto. Agora era tarde demais, o medo me paralisara. — Bem, filha, eles dois pareciam muito... carinhosos um com o outro — completou papai. — Sua mãe me disse que não ia servir de nada falar disso com você, mas eu achei que seria melhor contar.

Ele tinha razão. De certo modo, a ideia de estar fazendo papel de boba não era nem um pouco agradável, mas eu já sabia daquilo, não é? Só que não era a mesma coisa que ter certeza.

— Você está bem, filha? — perguntou ele, meio sem graça.

Eu disse que sim, mas na verdade não sabia exatamente como me sentia.

— Vocês reconheceram a pessoa que estava com ele? — Meu coração disparou de forma dramática.

— Não, não sabemos quem é ela.

Expirei com alívio. Pelo menos não era uma das minhas amigas.

— Fiquei com pena, muita pena, filhinha — disse ele, parecendo infeliz.

Garv safado, pensei. Fazer isso comigo não era nada, o pior era fazer com o meu pai.

— Não se preocupe, papai, provavelmente era só uma prima dele.

— Você acha? — perguntou ele, ansioso.

— Não — suspirei —, mas isso não importa. Não importa mesmo.

Desliguei o telefone, meio atordoada. O que diabos ele queria dizer com "carinhosos"? O que será que eles estavam fazendo? Talvez se esfregando um no outro no meio da rua?

Quando me virei, notei vários pares de olhos, todos voltados para mim. Até Desiree estava com a cabeça meio de lado, com ar questionador e compadecido.

— O que houve? — perguntou Emily.

Eu estava chocada demais para conseguir disfarçar e a resposta de todos foi imediata e cheia de carinho. Lara me serviu um drinque, Emily me acendeu um cigarro, Justin massageou minhas têmporas, Troy recomendou que eu respirasse fundo e bem devagar, e Desiree me deu uma lambida de consolação.

— Vocês já tinham terminado? — perguntou Lara.

— Já, mas é que...

— Eu sei. *Já, mas é que...* — repetiu ela, compreensiva. — Todos nós passamos por isso.

No meio desse drama o telefone tornou a tocar e Emily atendeu. Seu rosto era a imagem da relutância.

— É a sua mãe.

Eu peguei o telefone e rumei para o quarto.

— Margaret?

— Olá, mamãe. — Fechei a porta atrás de mim.

— É a mamãe.

— Eu sei. — E também sei por que a senhora está ligando.

— Como é que você está? Continua ensolarado aí?

— Continua. E eu ainda não fui engolida pela falha de Santo André.

— Tenho uma coisa para lhe contar e vou ser bem direta. Não adianta nada ficar fazendo rodeios. Quando alguém tem que contar alguma coisa, é melhor contar logo, porque...

— Mamãe...

— É aquele Paul com quem você foi casada — despejou ela. — Passamos por ele na cidade, agora à noite. Ele estava andando pela Dame Street, acompanhado de uma... uma... garota. Pareciam muito íntimos.

Então agora era *íntimos*. *Carinhosos* já estava ruim o bastante. Engoli em seco. Aquele safado, pensei. Safado safadíssimo.

— Seu pai não queria que você soubesse, mas você é como eu, tem o seu orgulho, e sei que prefere saber a verdade.

Talvez eu fosse assim, mas fiquei furiosa do mesmo jeito.

— Sinto muito, filha, sinto de verdade. — Pareceu que ela estava quase chorando. — Sinto muito por não ter compreendido você, nem dado apoio quando saiu de casa. Se houver alguma coisa que eu possa fazer...

Subitamente me lembrei de como, por umas duas vezes, eu havia sentido uma necessidade urgente de telefonar para ele; quase levitei com a alegria insana de não ter feito isso. Já imaginaram se ela estivesse lá? E se ela tivesse *atendido*? Seria o cúmulo da humilhação!

— A senhora a reconheceu?

— Não, nunca a vi.

Quando reapareci, Troy comentou:
— Boas notícias se espalham depressa. Era a sua mãe?
Emily apertou minhas mãos instáveis, tentando fazê-las parar de tremer, enquanto todos me cobriam com palavras de consolo. Eu ia superar tudo. A dor ia passar. Agora parecia horrível, mas com o tempo as coisas melhoravam...
O telefone tocou mais uma vez. Todos olharam uns para os outros. Quem seria agora?
— Helen — disse Emily, me entregando o fone. — É a irmã dela — explicou aos outros.
Mais uma vez eu me vi fechada dentro do quarto.
— Oi, Helen.
Ela me pareceu meio hesitante, o que era estranho.
— Você deve estar se perguntando qual é o motivo de eu estar ligando, e de certo modo eu estou me perguntando a mesma coisa. É que aconteceu um lance, mamãe e papai me avisaram que eu não devia ligar para você sob nenhuma circunstância, mas achei que você devia saber de tudo. É aquele babaca com quem você se casou. Eu sei que já inventei coisas sobre ele no passado, mas o que vou falar dessa vez é verdade.
— Vá em frente.
— Nós o vimos hoje, no centro da cidade. Estava com uma garota, bem coladinho nela, como uma micose.
— Coladinho como? — Eu *continuava* curiosa para saber a forma como eles estavam quando foram vistos.
— Ele estava com a mão em volta da cintura dela.
— Só isso?
— Bem, a mão estava mais embaixo, para ser franca — admitiu ela. — Estava no traseiro dela. Ele a apertava e ela dava risadinhas.
Fechei os olhos. Agora já era informação demais, mas eu queria saber mais:
— Como ela era?
— Tinha a cara toda desfigurada.
— Sério?!
— Na verdade, não, mas nós podemos conseguir para que fique desfigurada.

— Pelo amor de Deus, Helen, a culpa não é dela.
— Certo, então arrasamos com a cara dele. Posso arranjar alguém para surrá-lo. Esse poderia ser o meu presente de aniversário para você, ou então eu troco o serviço pela sua bolsa.
— Não. Por favor.
— Podíamos colocar fogo na casa dele.
— Não façam isso, metade da casa é minha.
— Ah, é mesmo...
— Prometa-me que você não vai fazer nada. Eu aguento o tranco, juro que sim.
— Sinto muito, Maggie — disse ela, e pareceu sincera. Fiquei comovida. — Você poderia pelo menos me deixar mandar alguém para quebrar as pernas dele... — acrescentou, esperançosa.

Poucos segundos depois de eu recolocar o fone no gancho ele tornou a tocar. Era Anna.

— Outra irmã — ouvi Emily comunicar aos ouvintes reunidos enquanto eu, pela terceira vez em dez minutos, fechava a porta do quarto atrás de mim.

— Oi, Anna — disse eu, falando bem depressa e com ar alegre, para escapar da pena e do constrangimento dela. Já aturara muito daquilo por um dia. — Obrigada por ligar, mas eu já soube de tudo a respeito de Garv e da namorada que ele arranjou.

— *O quê?!*

— Já sei de tudo sobre ele e a garota. Mamãe, papai e Helen já ligaram para me contar. Por que você demorou tanto?

— Garv arranjou uma NAMORADA? — Ela parecia chocada.

— Você não sabia...?

— Não.

— Oh. — Eu devia ter imaginado, porque Anna nunca fora a mais ligada da família. — Mas, então, por que está me ligando?

Houve um longo silêncio e em seguida ela inspirou com força.

— Bati com o seu carro. — Outro silêncio e depois um suspiro.

— A batida foi grave?

— O que quer dizer com "grave"?

— Você matou alguém?

— Não. Bati numa parede, mais ninguém se envolveu no acidente. A frente do carro ficou um pouco amassada, mas a parte de trás não tem nem um arranhão.

Levei algum tempo para digerir aquela informação. Deveria me importar com o ocorrido, mas não estava nem aí, era apenas um carro.

— Mas, Anna, que diabos você *estava fazendo* para bater com o carro?

— Hã... — Ela pareceu confusa. — Estava dirigindo.

Depois de mais alguns segundos de silêncio transcontinental, eu perguntei:

— Você está machucada?

— Estou.

Um lampejo de preocupação me atingiu.

— Você quebrou alguma coisa?

— Quebrei.

— O quê?

— Meu coração.

Percebi tudo. Shane. Só que por mais que eu amasse Anna, não havia como lhe oferecer conforto, minha vida sentimental também estava uma bagunça. Era hora de falar lugares-comuns. Por sorte eu tinha vários à mão, recém-saídos do forno:

— Aguente firme, as coisas vão melhorar — menti. — Quanto ao carro, ele está no seguro. Você consegue resolver tudo com a seguradora?

— Claro, pode deixar que eu me arranjo. Obrigada e desculpe. Prometo não fazer mais isso. Sinto muito, mesmo.

— Tudo bem.

Aquele tipo de situação era séria o bastante para uma resposta mais abrangente do que aquela, mas o máximo que eu consegui foi:

— Anna, você tem vinte e *oito* anos.

— Eu sei — concordou ela, infeliz. — Eu sei.

CAPÍTULO 12

As notícias sobre Garv tinham me arrasado, não consegui evitar. E os outros não me deixaram ligar para ele de jeito nenhum.

— Não agora, que você está magoada — decretou Emily, com firmeza.

Meio revoltada, senti que eu queria respostas. *Como* aquilo acontecera? A partir de que momento tudo começara a dar errado?

— Você fazia alguma ideia da existência dessa outra mulher? — quis saber Lara.

— Fazia.

— Mas você tinha esperança de que fosse fogo de palha, que o caso ia acabar e vocês dois continuariam numa boa? — sugeriu Troy.

— Não! — Para ser sincera, eu não estava torcendo por uma reconciliação, mas existe uma grande diferença entre uma suspeita forte de estar rolando alguma coisa e saber do lance *com certeza*. Saber *com certeza* significava que eu estava destruída, sem direção, distante de tudo. Reconstituí mentalmente a minha última visita à minha antiga casa, no dia em que fora pegar roupas e outras coisas para levar na viagem. Não notara nenhuma evidência de um romance tórrido acontecendo por ali. É bem verdade que eu avisara Garv que ia passar lá, então ele teve tempo de limpar as manchas de Häagen-Dazs dos lençóis. — *Fui eu* que o deixei, entendem? — garanti a todos, mas a minha bravata não convenceu ninguém, especialmente quando completei a explicação: — Bem, na verdade foi um caso de desistência construtiva.

— Vamos sair! — sugeriu Emily ao ver que eu fitava o telefone com olho comprido. Fomos ao cinema. Todos nós, com exceção de Desiree, que ficou em casa com um olhar sofredor, mas estoico, como se dissesse: "Não se importem comigo, eu assisto ao filme quando ele sair em DVD."

Parecia haver centenas de cinemas em Santa Mônica, quase tantos quanto pubs na Irlanda. Sentei-me entre Justin e Troy, que tentaram me distrair oferecendo comida. Balancei a cabeça quando Justin empurrou um balde de pipocas do tamanho de um cesto de lixo na minha direção, e depois recusei um pacote de jujubas.

— Não quer? — cochichou ele, surpreso.

— Não.

— Mostre o seu pulso.

Estendi o braço e Troy, com todo o cuidado, prendeu em volta dele uma espécie de jujuba fina e comprida, que mais parecia um canudo.

— É para alguma emergência — explicou ele e seus dentes brilharam mesmo no escuro do cinema.

Não havia a mínima chance de eu me deixar levar e esquecer os problemas assistindo ao filme. Ainda mais quando percebi que se tratava de um thriller cheio de estilo, violento, com uma trama altamente complexa, cheia de tiras maus e vilões bons que cometiam duplas traições e até mesmo triplas traições uns contra os outros. Estava zonza demais e com a cabeça muito cheia para conseguir acompanhar as constantes mudanças de lealdade entre os personagens. Ao contrário de Troy, que parecia completamente imerso na trama: quando alguém que parecia ser um dos vilões provava ser, na verdade, um dos mocinhos, ele soltava um empolgado "Ahá!", que me fazia dar um pinote de susto na cadeira. Do outro lado, as mãos de Justin se moviam do balde de pipocas para a boca, voltando logo em seguida para o balde em um ritmo tão regular e previsível que eu achei quase tranquilizante. Quebrou o padrão duas vezes, uma delas quando um personagem comum e inocente da trama — e também, devo admitir, meio rechonchudo — foi abatido em um tiroteio.

— O papel dele era parecido com os que eu faço nos filmes.

Ele tornou a se manifestar na cena em que a orelha de um cãozinho foi arrancada por um dos maus que se transformara em bom, para depois mostrar que era realmente um dos vilões.

— Puxa vida! Ainda bem que Desiree não está aqui para ver *esta cena*.

Ao sairmos do cinema em bando, Troy perguntou, genericamente:
— Gostaram do filme?
— Eu não consegui entender direito a história — admiti.
— É... — ele suspirou, de forma solidária. — Sua concentração foi pro espaço, né?
— Não sei bem se o problema foi falta de concentração — confessei. — Para ser franca, nunca consegui acompanhar as voltas e reviravoltas em filmes desse tipo. — E era Garv quem sempre me explicava tudo no fim, pensei comigo mesma, mas não disse nada.

É engraçado o jeito com que as coisas aparecem do nada em nossa cabeça, mas o que me pareceu mais terrível e definitivo naquele instante não era eu ter perdido o meu companheiro de vida, nem o fato de que Garv e eu jamais teríamos um filho, e sim a realidade de que eu ia passar o resto da minha vida sem compreender filmes confusos. E também de nunca mais entender as taxas de câmbio: Garv era uma calculadora humana. "São três dessas para uma libra", me explicava ele, colocando um monte de moedas estrangeiras na minha mão quando fazíamos alguma viagem ao exterior, nas férias.

— Certo — dizia eu. — Então, para saber o preço real das coisas é só multiplicar por três.
— Não, tem de *dividir* por três — explicava ele, com a maior paciência.

Estava decidido: além de não entender filmes com histórias complicadas, eu via diante de mim um futuro terrível, onde eu seria eternamente enganada por camelôs estrangeiros sem escrúpulos.

— Você tem que falar a respeito do problema, colocar tudo pra fora — insistiu Emily, depois que voltamos e todos os outros foram embora. — Sei que você não está a fim de desabafar, mas eu garanto que ajuda.

Agora que as coisas começavam a entrar nos eixos para Emily, ela estava com energia renovada para se focar em mim e no meu drama.

— Vocês, californianos — comentei, com ar de desdém. — Conversam a respeito de tudo. Como se isso funcionasse.

— Pelo menos é melhor do que colocar uma tampa nos problemas e tentar enterrá-los. — Emily me conhecia muito bem.

— De que adianta falar sobre isso? — perguntei, com ar indefeso. — Talvez eu nunca devesse ter me casado com ele.

— É, talvez mesmo — concordou ela, na mesma hora.

Emily cantara essa pedra para mim, na época. Assim que soube que eu ficara noiva, em vez de dar gritinhos empolgados e fazer piadinhas sujas ao ver a minha aliança, disse, muito séria:

— Acho que você vai se casar com Garv só para se sentir segura.

— Mas pensei que você gostasse dele! — reclamei, magoada.

— Eu adoro Garv. Só estou querendo ter certeza dos *seus* sentimentos. Pense no assunto.

Mas não pensei no assunto, porque achei que era aquilo mesmo que eu queria. Analisando a distância, eu às vezes me dizia que talvez Emily tivesse razão, na época. Talvez fosse acomodação, talvez eu buscasse apenas segurança. Mas as coisas também não tinham sido tão más...

— Nós curtimos muito um ao outro, durante anos. — Dava para perceber o tremor na minha voz.

— Então, o que houve?

Fiquei calada por longos minutos.

— Maggie, volte a fita e fale de tudo, desde o começo. Vá em frente, isso ajuda a perceber o sentido das coisas. Comece com a história dos coelhos — incentivou ela. — Vamos lá, você nunca me contou aquele lance direito.

Mas eu não estava a fim de conversar sobre nada. Muito menos sobre os coelhos. Não dava para contar a história dos coelhos sem as pessoas começarem a rir, e eu não estava a fim de ver ninguém me zoar sobre um dos motivos de o meu casamento ter ido pra cucuia.

Tudo começara da forma mais inocente, com um par de chinelos. Em um Natal, há alguns anos, alguém me deu um par de chinelos que pareciam coelhos de pelo preto. Eu adorei o presente. Não só eles mantinham os meus pés aquecidos, mas também eram uma gracinha e eu não precisava pagar o mico de ouvir alguém dizer que eram bichinhos de pelúcia. Caso alguém me zoasse, eu poderia garantir que eles eram úteis e que eu não era uma daquelas mulheres que entopem o peitoril da janela do quarto com um exército de golfinhos fofos, burricos em tom pastel e galinhas que quando têm a barriga apertada fazem os olhos saltarem para fora, pregando um susto nos desavisados. Nada disso... Era um par de chinelos apenas. Eram feitos de astracã, e, quando Garv os batizou com nomes especiais, deve ter sido influenciado pelo pelo, pois deu nomes russos aos dois. Valya e Vladimir. Nunca consegui distingui-los, mas Garv garantiu que Vladimir era o que tinha uma orelha engraçada, enquanto o focinho de Valya parecia o corte transversal de um Toblerone (o motivo de ele não dizer simplesmente que o focinho do bicho era triangular é algo que escapa à minha compreensão). Valya tinha um sotaque forte, era uma espécie de *femme fatale* e costumava dizer coisas como: "Tife muintoz i muintoz amantes." Às vezes ela me dava sugestões sobre que roupa usar. Vladimir — que tinha um sotaque muito parecido com o de Valya — era um membro do Partido Comunista russo que perdera as mordomias. Costumava ser tão taciturno e melancólico quanto Valya.

Garv sempre começava a puxar assunto comigo usando os chinelos de astracã. Enfiava a mão dentro de um deles, balançava-o e perguntava:

— Fou ao zupermerkado. Guero envrentar vila uma vez zó nezza zemana. O que vozê vai querrer?

— Com quem estou falando, Valya ou Vladimir?

— Valya — explicava Garv. — Vladimir é o que tem uma orelha engraçada, enquanto...

— ... Valya é a que tem o focinho que parece um Toblerone, eu sei. Bem, nós precisamos de pizzas, pasta de dentes, queijo...

— Woadka? — sugeriu Valya, esperançosa. Valya bebia demais. Aliás, por coincidência, Vladimir também.

— Não, não precisamos de vodca, mas bem que você podia trazer algumas garrafas de vinho.

— Kafiar do marr Negro?

— Não, nada de caviar.

— Bão integrral?

— Bem lembrado, precisamos de um pão de forma.
— Viu zó? Eztou ajudando vozê. — Valya estava muito satisfeita naquele dia.

Eu não me importava com a brincadeira. Para ser sincera, achava uma gracinha. Até certo ponto. Talvez não devesse ter incentivado Garv a continuar, porque dali aos coelhos de verdade foi apenas um passo.

De forma bem resumida, contei a Emily tudo a respeito dos chinelos. Depois, ignorando as reclamações de que a história estava ficando boa, implorei para que ela me deixasse ir dormir, argumentando que coçara tanto o meu braço que ele estava sangrando.

CAPÍTULO 13

O telefone me acordou. Levantei de um salto e já estava na sala antes de perceber. Por conta dos telefonemas da véspera, meus nervos pareciam elásticos esticados — estava pronta para receber uma ligação da minha professora do jardim de infância ou até mesmo do presidente da Irlanda, ambos loucos para me contar sobre Garv e sua namorada.

— Alô — atendi, meio desconfiada.

Uma voz doce e muito aguda anunciou:

— Escritório de Mort Russell, ele deseja falar com Emily O'Keeffe.

— Um momentinho, por favor — respondi, tentando dar um tom de eficiência à voz, para combinar com o dela.

Emily, porém, estava no banheiro, e quando eu bati na porta ela choramingou:

— Ah, não, agora não dá! Diga-lhe que eu ligo de volta já, já. Estou depilando as pernas, trabalhando em um ponto vital.

Ao voltar ao telefone, tive o feliz instinto de não dividir aquela informação com a secretária de Mort Russell.

— Sinto muito, mas não consegui encontrá-la em sua mesa de trabalho. Quer deixar algum recado?

— Peça para Emily ligar para Mort, por favor — solicitou a vozinha doce e meio esganiçada.

— Obrigada — agradeci, depois de anotar o número.

— *Eu* é que agradeço — replicou ela, feliz como um dia ensolarado.

Ao contrário de mim... Eu acordara às vinte para as três da manhã, com uma vontade incontrolável de ligar para Garv. Tinha ido na ponta dos pés até a sala e, no escuro, ligara para o número da

LOS ANGELES

nossa casa. Só queria FALAR com ele. Sobre o quê, não tinha a menor ideia. Houve um tempo em que ele parecia me amar mais do que alguém jamais amara outra pessoa no mundo, e eu precisava ter certeza de que, mesmo que ele amasse aquela nova mulher, não era tanto quanto um dia me amara.

Depois de um estalo e um ruído de estática, o telefone começou a tocar no outro lado do mundo e eu comecei a torcer o canudo de goma que continuava preso em volta do meu pulso. Só que não havia ninguém em casa: eu fizera o cálculo errado. Na Irlanda eram oito horas *mais tarde* do que na Califórnia, Garv já devia estar no trabalho. Meu desespero começou a esfriar quando a ligação foi transferida para a mesa dele, no escritório, e quando percebi que ele não atendeu e eu teria de deixar um recado em sua caixa-postal, quase desisti. *Deixe a sua mensagem logo após o sinal.*

Decidi não falar nada. Rastejei de volta para a cama, comi a jujuba comprida que arranquei do pulso e desejei ter mais umas cem daquelas para poder mastigar. Já passara por momentos negros no passado, mas acho que nunca me sentira tão arrasada em toda a minha vida. Será que eu ia conseguir superar aquilo? Será que ia voltar a me sentir normal algum dia?

Tinha sérias dúvidas, embora já tivesse testemunhado gente se recuperar de coisas terríveis. Minha irmã Claire, por exemplo: seu marido a abandonou no mesmo dia, *no mesmo dia* em que seu primeiro bebê nasceu. E ela conseguira se recuperar. Um monte de mulheres se casava, divorciava, deixava tudo para trás e voltava a se casar; elas conversavam sobre o "primeiro marido" com um jeito calmo e descontraído, como se nunca tivessem sofrido nem um instante pelo que acontecera — mesmo quando ele era alguém importante na vida delas —, e falavam sem traumas, apenas comentando sobre o passado. As pessoas se adaptavam e seguiam em frente. Eu, porém, encolhida ali na cama como uma bola, tinha um profundo receio de que esse não seria o meu caso. Talvez eu ficasse encalhada, cada vez mais velha e esquisita à medida que o tempo passasse. Ia parar de pintar os cabelos e, no fim, seria obrigada a voltar para a casa dos meus pais, a fim de cuidar deles em sua velhice, até eu mesma me tornar caquética e caduca. Ninguém na nossa rua ia passar para puxar assunto, e quando as crianças batessem em nossa porta no Halloween iríamos fingir que não tinha ninguém em casa, ou então jogaríamos baldes de água fria sobre elas, do andar de cima, para fazer desmanchar suas máscaras e disfarces. Nosso carro ia ter vinte anos de uso, ainda em perfeitas condições, e nós três usaríamos chapéus quando saíssemos de carro, para nos proteger da friagem; papai insistiria em dirigir, apesar de ter encolhido tanto que os outros motoristas só iam conseguir ver a pontinha da boina aparecendo acima do vidro. As pessoas comentariam umas com as outras, a meu respeito: "Ela foi casada uma vez. Costumava ser normalzinha, pelo que dizem... Claro que agora isso é difícil de acreditar."

O telefone tornou a tocar, trazendo-me de volta ao presente com o susto. Era o agente de Emily dessa vez. Bem, não exatamente David Crowe em pessoa, é claro, mas alguma subalterna querendo marcar um almoço de negócios.

Por fim, Emily saiu do banheiro.

— Pronto, não sobrou nem um pelinho — informou ela. — Cadê o número dele?

Entreguei-lhe o pedaço de papel, que ela beijou.

— Você não imagina a quantidade de gente que seria capaz de MATAR para conseguir o telefone pessoal de Mort Russell.

Ela fez a ligação, colocaram-no na linha e ela disse: "Obrigada, eu também *amo* o seu trabalho", várias vezes.

Por fim, desligou e olhou para mim, perguntando:

— Adivinhe o que aconteceu!

— Ele a-do-rou o seu roteiro, amou de verdade?

— Isso! — Nesse instante, pareceu-se lembrar do meu problema. — Oh, tadinha... — exclamou, com tristeza.

— Houve outra ligação — avisei. — David Crowe. Quer que você vá almoçar com ele à uma da tarde, no Club House.

— No *Club House*? — Ela apertou meu braço com força, como se algo terrível tivesse acontecido. — Tem certeza de que ele disse Club House?

— Na verdade quem disse foi "ela", a secretária, mas tenho certeza sim. Qual é o problema?

— Vou lhe mostrar qual é o problema — disse ela, desaparecendo no quarto e voltando com um livro. Folheou as páginas e leu: — "Club House. Lugar preferido dos produtores mais poderosos de Hollywood, onde são selados grandes acordos e contratos, entre pratos de boa comida. Excelentes bifes, saladas e..." Ah, deixa o resto pra lá, você ouviu só o que eu li? *Lugar preferido dos produtores mais poderosos.* E eu vou almoçar lá!

Com isso, ela teve um ataque de choro, igual àquele de quando soube que a Hothouse queria que ela lhes apresentasse o seu roteiro. Quando o turbilhão de lágrimas passou, ela me surpreendeu ao perguntar:

— Você quer ir lá comigo?

— Mas eu não posso. É um almoço de negócios.

— E daí? Você quer ir ou não?

Bem que eu podia aceitar o convite, ia ficar fazendo o quê, sem companhia? Sentar sozinha na praia, tentando não me lembrar do casamento fracassado?

— Tudo bem, eu topo, mas ele vai permitir que você me leve?

— Claro! Esse é o período da lua de mel, quando eles não recusam nada. Temos que aproveitar essa fase ao máximo. Da outra vez, eu não sabia como as coisas funcionam e não soube curtir. Vamos fingir que você é a minha assistente.

— Mas ele não vai achar estranho eu não entender patavina de Hollywood?

— Pois bem, não pergunte nada, então. Fique só concordando e rindo o tempo todo. Por favor, vá comigo.

— Tá legal, eu vou.

Um rápido telefonema se seguiu e tudo ficou acertado.

O tempo mudara. Em vez de céu azul, o sol mal aparecia entre uma nuvem pesada, iluminando o mundo com uma luz cor de mostarda escura. Meus cinco primeiros dias em LA pareciam uma época encantada, em contraste com aquilo. Não só o tempo fora generoso como também o meu astral estava mais alto. Achei que estava infeliz, mas agora me sentia muito pior. E para agravar ainda mais as coisas, não dava para jogar a culpa dos meus sentimentos de medo e alienação no jet lag. Agora a culpa deles era toda *minha*.

Emily e eu seguimos pelo Santa Mônica Boulevard, em direção a Beverly Hills, e o céu sujo foi ficando mais escuro, parecendo pegajoso, à medida que seguíamos para o interior. Aquele era o famoso *smog*, descobri, ligeiramente empolgada. *Típico* de LA. Tão emblemático quanto as palmeiras e a cirurgia plástica.

— Ele é casado? — perguntei. — David Crowe?

Emily ficou um tempo sem responder e por fim disse:

— Pare de fazer isso consigo mesma. Um monte de gente se divorcia, você não é nenhuma aberração.

O Club House era barulhento, estava cheio e quase todos os frequentadores eram homens, em grupos de quatro, surpreendentemente comendo só saladas e bebendo água Evian. Emily e eu fomos conduzidas através da multidão masculina até a nossa mesa. David Crowe ainda não chegara.

Subitamente, senti uma vontade desesperada de tomar um cálice de vinho, mas quando perguntei a Emily se podia, ela balançou a cabeça, pesarosa.

— Desculpe, Maggie, mas você está aqui como minha assistente. Saiba que eu mesma estou morrendo de vontade de beber vários cálices de vinho e fumar uns vinte cigarros bem fortes e sem filtro. — Nervosa, começou a tamborilar na mesa com as pontas das unhas, até que, com os nervos em frangalhos, eu segurei a mão dela para fazê-la parar. Ela me olhou com ar surpreso.

— Vai correr tudo bem — garanti, fingindo que prendera a sua mão para lhe transmitir conforto.

— Obrigada — disse ela, puxando a mão de volta e recomeçando a bater com as unhas sobre a mesa. — Ah, graças a Deus, lá está David.

Graças a Deus mesmo.

Ela apontou para um rapaz jovem que transmitia simpatia e confiança. Claro que isso significava que ele era completamente neurótico, jamais tivera uma relação estável na vida e passava cinco horas por semana fazendo análise. As coisas eram assim em Hollywood, segundo haviam me contado. Quando nos viu, ele nos lançou um

LOS ANGELES

grande sorriso. GRANDE mesmo! Estava pertinho de nós, mas levou uns dez minutos para chegar até onde estávamos, de tão ocupado, parando em cada mesa, apertando mãos, soltando exclamações de prazer e espalhando felicidade.

Finalmente chegou, pegou as minhas mãos entre as dele e me olhou no fundo dos olhos, dizendo:

— Estou tão feliz em conhecê-la, Maggie.

Só então se virou para Emily:

— E como vai a minha estrela principal?!

Todo sorrisos, ele se sentou e mostrou que era um cliente regular ao fazer o pedido sem sequer olhar para o cardápio:

— Quero uma salada Cobb sem abacate e com o molho à parte — comunicou ao garçom, com eficiência. Em seguida, começou a contar um monte de fofocas e banalidades sobre os outros convivas presentes no estabelecimento. Foi quase como um *tour* guiado.

— Como você sabe, a hierarquia do poder nesta cidade muda toda segunda-feira de manhã — contou-me ele.

— Dependendo das bilheterias dos lançamentos no fim de semana — explicou Emily.

— Exato! Estão vendo aquele sujeito ali, de suspensórios? Elmore Shinto. Hoje de manhã, a carreira dele acabou. É produtor executivo de *Pedra da Lua*, um projeto de noventa milhões de dólares. Estão dizendo por aí que o filme é uma droga. Refizeram o final da história quatro vezes. Estreou nesse fim de semana e foi um FIASCO. O estúdio vai levar um prejuízo gigantesco.

Fiquei curiosa para dar uma olhada nele, porque queria ver como é que um sujeito tinha coragem de aparecer em público usando ligas para meias. Devia estar ridículo. Pelo visto, o Club House era uma espécie de Rocky Horror Show. Nesse momento, para meu desapontamento, lembrei que "suspensórios" era o nome, em inglês americano, daquelas tiras presas aos ombros e usadas para segurar as calças. Na minha terra, usávamos essa palavra para "ligas de meias". Pelo jeito com que Elmore batia papo e ria alegremente, não tinha *pinta* de um homem cuja carreira acabara naquela manhã.

— É assim mesmo que eles agem por aqui — confirmou Emily.

— Sempre bem-vestidos e com cara de sucesso... Até serem encontrados encolhidos em um canto, cheios de cocaína nas ideias, e em seguida despachados para o hospício mais próximo — acrescentou, rindo. — Quando chega *a esse ponto* não dá para esconder mais nada.

— É... Pois é — concordou David, sem muita convicção, e continuou a contar um monte de mexericos do mundo do cinema. — O sujeito da mesa *tal* salvou o estúdio de ser comprado por outra empresa... fulano levou o produtor original, sicrano assinou um contrato para fazer três filmes... o roteiro *tal* foi resgatado da lata de lixo... beltrano levou dez anos para conseguir sinal verde para o seu projeto...

O papo rolou durante todo o tempo da refeição, que aliás foi servida em um intervalo de tempo espantosamente curto: nada de entradas e *certamente* nenhuma sobremesa. Desde que eu chegara a LA, ninguém me oferecera nada além de um cafezinho, depois das refeições. Comecei a desconfiar que se me desse vontade de comer uma fatia de torta com cobertura de creme eles iam ter que telefonar correndo para o chef responsável pelas sobremesas, a fim de tirá-lo à força da cama.

Durante o almoço, David e Emily discutiram algumas táticas para a apresentação do roteiro, mas só quando já estávamos saindo do restaurante foi que o trabalho começou de verdade: David parou junto de várias mesas e apresentou Emily aos magnatas de mãos rechonchudas.

— Emily O'Keeffe... Roteirista tremendamente talentosa... Vai apresentar o seu novo filme, *Operação Grana*, à Hothouse, na quarta-feira... Quem quiser produzi-lo vai ter que se mexer depressa!

Eu me deixei ficar atrás deles, sorrindo de nervoso. As reações a Emily foram variadas. Alguns dos sujeitos ficaram visivelmente irritados ao serem interrompidos durante a degustação de suas saladas Cobb com água Evian, mas outros se mostraram genuinamente interessados. Mesmo diante dos mais grosseiros, porém, David — e Emily também — defendeu seu território sem desgrudar o sorriso da cara, como se fossem as maiores estrelas da cidade. Foi muito empolgante ver o zum-zum-zum que David produziu do nada diante dos meus olhos. Quando, finalmente, chegamos à porta, David sussurrou:

— O último cara com quem nós falamos, Larry Savage, já havia dispensado o roteiro, mas aposto que agora ele vai telefonar.

— É que eles detestam a possibilidade de deixar algo bom escapar por entre os dedos — comentei, tentando parecer entendida no assunto.

— E também detestam a ideia de irem para o olho da rua quando a Hothouse transformar o filme em um tremendo sucesso e o estúdio para o qual trabalham descobrir que eles dispensaram a história.

De repente me ouvi exclamando:

— Minha Nossa Senhora!

— Que foi? — perguntou Emily.

— É o Shay Delaney.

— Onde?

— Ali. — Apontei para um homem com um cabelo louro-escuro, em uma mesa com outros três sujeitos.

— Aquele não é Shay Delaney.

— É sim!... Não, não é ele não, você tem razão. — O homem acabara de se virar meio de lado e consegui vê-lo de perfil. — Mas é que o sujeito se parecia com ele — expliquei, na defensiva. — A parte de trás da sua cabeça era igualzinha à de Shay.

CAPÍTULO 14

Naquela mesma tarde, houve mais dois telefonemas da garota gentil e esganiçada que trabalhava no escritório de Mort Russell. O primeiro foi para saber se Emily queria algo especial para a apresentação de quarta-feira.
— Especial como...? — perguntei, curiosa.
— Equipamento audiovisual. Chá de ervas. Uma cadeira especial.
— Bem, receio informar que Emily está em reunião nesse momento. — Ela tinha ido para a aula de gyrotonic (o que quer que isso fosse). Todos em Los Angeles tinham a agenda lotada de consultas com contadores, nutricionistas, cabeleireiros, professores de estranhas disciplinas e o compromisso mais importante de todos: com o divã do analista. — Pode deixar que eu peço para ela ligar assim que acabar a reunião.

Em seguida a secretária tornou a ligar para oferecer instruções extremamente complicadas sobre como estacionar no centro em uma quarta-feira à tarde. Entre outras coisas ela precisava saber a marca do carro de Emily e o número da placa.
— Ela armou o maior circo por causa dessa vaga para estacionar — contei a Emily, quando ela voltou.
— É porque nos estúdios de cinemas as vagas para estacionar são como amigos sinceros — filosofou ela.
— Hein...?
— Muito, *muito* raros. Alguém mais ligou?
— Só meus pais. Falaram que estão muito preocupados comigo.
— Não são os únicos.
— Eu estou bem — suspirei. Pelo menos o pânico que eu sentia no meio da madrugada havia diminuído um pouco. — Liguei para

Donna e para Sinead. — Depois que tive certeza de que nenhuma das duas era a nova namorada de Garv, achei que estava liberada para contar tudo a elas. Ambas adoraram ouvir notícias minhas, depois de tanto tempo sumida, e nenhuma das duas sabia nada a respeito do caso de Garv. Ouvir isso foi um alívio. Pelo menos eu descobri que não era assunto de fofocas por toda a cidade de Dublin.

— O que você vai vestir hoje à noite, na festa de Dan Gonzalez? — perguntou Emily.

— Sei lá...! — Eu estava feliz por irmos a uma festa. Atividade constante, era disso que eu precisava para me manter afastada de mim mesma e dos meus medos. Mas havia uma coisa que eu precisava saber. — Será que Shay Delaney vai estar lá?

Silêncio total.

— Pode ser que esteja. Se ele estiver em Los Angeles. — Outro silêncio. — Você se importa, se ele estiver?

— Eu?... Não.

— Certo.

— Você conhece a mulher dele, Emily?

— Não, ela nunca vem com ele, eu acho. Com três filhos, ela não deve ter chance.

— Será que ele... sabe como é... pula a cerca? Ou é fiel à mulher?

— Não sei — respondeu Emily, com honestidade. — Não o vejo com muita frequência, nem o conheço tão bem assim. O que você prefere? Que ele seja fiel ou que pule a cerca?

— Não sei. Nem uma coisa nem outra.

Emily concordou com a cabeça ao ouvir essa frase ilógica, em puro *nonsense*.

— Escute uma coisa — disse ela, bem devagar. — Você já o deixou morar dentro da sua cabeça por muito tempo sem pagar aluguel e... — Parou de falar. — Desculpe, esqueça que abri a minha boca. Não sei... Acho que ainda não consegui *realmente* imaginar tudo pelo que você passou. Desculpe — repetiu.

— Tudo bem.

Em seguida ela foi se aprontar para a festa e o papo morreu.

* * *

Meia hora depois, Emily reapareceu em um jeans imitando pele de leopardo em rosa e preto, sapatos de salto agulha em estilo *dominadora* e um top sem alças. Mas o impacto não era só o da roupa: havia os braceletes, os prendedores de cabelo e a maquiagem cintilante.

— Como é que você consegue? — Franzi a testa enquanto a analisava de alto a baixo. — Você parece a Mulher Maravilha, do jeito que se transforma rápido.

— Você também ficou ótima.

Eu fiz o melhor que podia, mas não levara roupas cintilantes e chamativas para LA (em grande parte porque não tinha nada assim) e meu pretinho básico fazia parecer que eu estava a caminho de um enterro, perto da plumagem esplendorosa e exótica de Emily.

— Ai, ai... — lamentei. — É uma pena eu não gostar de chamar muita atenção, senão eu poderia usar umas roupas emprestadas de você. Mas será que dá para curvar meus cílios com o seu aparelhinho mágico?

Emily fez mais do que isso: maquiou meu rosto inteiro, me deixou quase tão cintilante quanto ela e depois me emprestou alguns prendedores de cabelo e um monte de braceletes.

E lá fomos nós.

A festa, oferecida em uma mansão em estilo espanhol que ficava em Bel Air, era uma daquelas altamente organizadas e glamorosas. Havia portões eletrônicos com leões de chácara a postos, verificando a identidade dos convidados, dez mexicanos para estacionar os carros e luzinhas feéricas que piscavam por entre as árvores e arbustos. Dentro da casa, pessoas bonitas e bem-falantes circulavam por entre as salas de teto alto, muito arejadas, e jarros imensos transbordavam com elaborados arranjos de lírios. As luzes cintilavam por entre as bandejas de champanhe *e* — para meu desapontamento — água mineral. Como era uma festa de Hollywood, eu meio que esperava encontrar drogas, mulheres vadias e libertinagem em geral, e não estava preparada para me libertar daquelas ideias preconcebidas. Certamente aquela princesa negra em busca do toalete estava

LOS ANGELES

indo cheirar uma trilha de cocaína escondido, não é? E aquela outra garota hispânica lindíssima com ar de menina *só podia* ser uma prostituta.

Emily foi puxar o saco de Dan Gonzalez, o anfitrião, enquanto eu fiquei ali em pé, bebericando champanhe e catando, com olhos de lince, qualquer sinal de bandalheira.

— Oi! — Um rapaz fortinho e muito jovem com as pontas do colarinho viradas meio para cima veio em minha direção. — Sou Gary Fresher, produtor executivo.

— Maggie Gar... ahn, Walsh. — Nossa, eles eram mesmo simpáticos por ali!

— O que você faz, Maggie?

— Ahn... Estou dando um tempo, no momento.

Então, tão rápido que eu mal o ouvi falar, ele disse: "Prazer em conhecê-la", deu as costas para mim e foi embora.

Não entendi nada.

Eu devia ter um emprego para informar às pessoas. Ele não ficou interessado em conversar comigo porque eu não podia ajudá-lo em nada, profissionalmente. A percepção disso me deixou chocada e deprimida. Festa uma ova! Aquilo ali era mais uma convenção de profissionais do entretenimento. Só faltava agora as pessoas começarem a trocar cartões de visita. Olhem só, já estavam fazendo isso e Emily O'Keeffe era uma delas. Lá estava ela, no meio da ação, deslumbrante, confiante, fazendo e acontecendo...

Não havia sinal de Shay Delaney. Ele não devia estar na cidade.

— Oi! Sou Leon Franchetti.

Um rapaz absurdamente atraente se materializara na minha frente, com a mão estendida.

— Maggie Walsh.

— Em que *você* trabalha, Maggie?

— Trato de animais de estimação. — Eu não podia correr o risco de ser novamente esnobada, e essa foi a primeira atividade que me veio à cabeça. — E você?

— Sou ator.

Devo confessar que fiquei impressionada com ele. Não tanto quanto na época em que eu era mais normal, mas mesmo assim...

— Que legal! — Foi a minha reação.

— É... As coisas andam correndo muito bem para mim. — Eu estava sem palavras diante do seu sorriso maravilhoso de ídolo das matinês. Pensei em perguntar sobre os filmes em que ele trabalhara, mas ele se antecipou:

— Acabei de fazer o piloto de um seriado para a ABC, que deve estrear no outono. Consegui um papel fantástico, com muito espaço para crescer dentro da trama, acho que vai ser um bom trampolim...

— Excelen...

— Antes disso eu trabalhei no *Caleidoscópio*. — Outro sorriso hipnotizador.

— É mesmo? — Eu assistira ao filme, mas não me lembrava dele.

— Não foi um papel de destaque, mas eu consegui ser notado... Puxa, consegui mesmo! — Lançou-me outro sorriso irresistível. Estranhamente, este já não me impressionou tanto quanto os outros. — Também fiz o papel de Benjamin no comercial da Casa das Tortas. *Onde eu consigo uma boa torta?* — Esticou o lábio inferior para fora e pareceu desorientado por um segundo, antes de responder: — *Na Casa das Tortas, seu mané!* — Pelo visto, aquele era o *slogan* da tal marca de tortas em um anúncio que me pareceu idiota. — Esse comercial não passou na Califórnia, mas foi um TREMENDO sucesso nos estados do Meio-Oeste. Até os políticos das cidadezinhas do interior pegaram a mania de dizer: "Onde é que você se imagina daqui a dez anos? Na Casa das Tortas, seu mané!"

Foi mais ou menos nesse instante que eu percebi o quanto estava sendo supérflua na conversa. Emily me resgatou, mas em poucos minutos eu estava encurralada diante de outro currículo ambulante, que me relatou em prosa e verso tudo sobre a sua carreira de ator. A única pergunta que me fez, a *única mesmo*, foi: *Você trabalha "na indústria"?*

Depois que ele se cansou de mim, eu me vi sozinha e comecei a observar o salão. Todo o brilho e o glamour desapareceram, e as pessoas que se moviam, sorriam e falavam mais pareciam tubarões em uma piscina. Era verdade o que Emily dissera: seria impossível encontrar amor naquela cidade. Todos só enxergavam o próprio trabalho. Dentro de mim, senti um vazio que aumentava; não havia

LOS ANGELES

nada que me ajudasse a afastar as lembranças de Garv. A depressão começou a me circundar, pronta para descer...

Então meu coração deu um pulo de alegria ao ver um velho amigo do outro lado do salão: Troy, com seu rosto comprido e sua boca implacável. Tudo bem que eu só o conhecia desde sexta-feira, mas comparado àquele bando de egocêntricos sem senso de humor ele me pareceu um dos amigos mais chegados que eu já tivera na vida. Forcei a passagem por entre a multidão.

— Oi! — exclamou ele, parecendo tão feliz por me ver quanto eu por vê-lo. — Está se divertindo?

— Não.

— Ô-ô... — Ele levantou o meu pulso e olhou com atenção. — Aconteceu alguma emergência?

— Sim. — Balancei a cabeça para a frente. — Eu telefonei para Garv, mas ele não estava. Obrigada pela jujuba.

— O nome daquilo é *twizzler* — corrigiu ele. — Ajudou?

— Muito. Eu podia ter comido mais umas vinte.

— Os budistas dizem que tudo é impermanente; isso é um conforto. Mas nada se compara a açúcar refinado. E então, você não está gostando da festa?

— Não — assegurei, com determinação. — Fiquei ouvindo monólogos a noite toda, até agora. Que bando de egocêntricos!

— Trabalhar como ator é uma atividade selvagem — explicou Troy, com toda a calma do mundo. — Todo santo dia alguém aparece para lhe dizer que a sua voz não é boa, que seu visual está ultrapassado. Seu ego recebe tantos golpes que o único jeito de sobreviver é agigantando a autoestima.

— Entendo. — Por um momento me senti pequena, e então me lembrei de outro exemplo que me deixara chocada ali. — Escute só o que me aconteceu logo que cheguei aqui na festa! — Contei a história do sujeito que me virou as costas e foi embora assim que eu disse que não estava trabalhando. — No lugar de onde eu vim — garanti, com ar de desdém —, as pessoas não se interessam por você só pelo que você faz.

— Não, elas se interessam pela sua aparência — disse ele, com um tom seco.

— Tudo bem, você tem razão — admiti e fiquei um instante sem dizer nada. — Até agora não vi ninguém cheirando cocaína, e ainda querem me convencer de que esta é uma festa de Hollywood. E quanto àquela garota ali, você acha que ela pode ser uma prostituta? — Apontei discretamente para a garota hispânica.

— Aquela é a filha de Dan Gonzalez.

Senti o ar de desapontamento que se espalhou pelo meu rosto e Troy deu uma gargalhada discreta e baixa.

— Você não vai encontrar drogas nem devassidão em uma festa como esta. Todos vieram aqui a trabalho. Porém — convidou —, se você quiser, podemos sair uma noite dessas e eu lhe mostro um lado completamente diferente de LA.

— Obrigada — respondi, fingindo casualidade. Fiquei irritada com a onda de calor que subiu pelo meu pescoço e explodiu em vermelho no meu rosto.

Quando Emily e eu voltamos para casa, fiquei fascinada pelo tráfego na autoestrada. Cinco fileiras de carros seguindo na mesma direção, todos na mesma velocidade e mantendo a mesma distância entre si.

Ruas transversais despejavam mais carros na estrada principal. Eles se encaixavam e entravam no mesmo ritmo com uma graça de bailarinos que jamais perdiam um compasso. Ao mesmo tempo, alguns veículos saíam, abandonando a massa motorizada de forma discreta e suave, através de saídas laterais, até desaparecerem de vista. Movimento constante, graça constante — achei tudo aquilo lindo.

O que havia de errado comigo? Eu estava achando o tráfego lindo! Estava achando homens de nariz grande e feições rudes lindos!

Estava muito confusa. Já fazia muito, muito tempo mesmo desde a última vez que eu achara outro homem que não fosse Garv bonito, e não consegui evitar o peso da preocupação ao constatar as minhas escolhas pouco convencionais.

CAPÍTULO 15

Uma pequena crise se instalou. David Crowe não ia poder comparecer à apresentação do roteiro de Emily.

— Aconteceu um imprevisto — disse Emily, com a voz amarga. — *Uma pessoa* é o que ele deve estar querendo dizer. E mais importante que eu.

Mas o "pessoal" de Mort Russell ainda queria que a reunião acontecesse, conforme fora agendado.

— David me aconselhou a levar a minha assistente.

— Que assistente?

— Você!

— Eu?!...

— Nada vem de graça nesta cidade — lamentou Emily. — Vou ficar pagando por aquela salada Caesar que você comeu no Club House pelo resto da vida.

— Mas, Emily, eu não vou ajudar em nada. Não manjo xongas de apresentação de roteiro.

— Nem precisa. Você tem só que ficar do meu lado, rindo em todas as partes engraçadas. Talvez com uma prancheta na mão.

— Mas... mas que roupa eu vou usar? Não trouxe terninhos, nem roupas desse tipo, vou ter que comprar alguma coisa.

— Third Street Boulevard! Fica a cinco minutos daqui. Vá lá correndo!

Obediente como sempre, fui até lá (como se fazer compras fosse um grande sacrifício!) e passei umas duas horas rodando por lojas normais, onde as atendentes pareciam satisfeitas por me receber, ao contrário das vacas esnobes da Rodeo Drive. O problema é que, como todos sabem, a primeira lei da física das compras é que, quando uma pessoa está desesperada para achar uma coisa bem específica, não há a mínima esperança de encontrá-la. Os poucos terninhos que achei tinham o peculiar efeito de me fazerem parecer uma carcereira. Desanimada, adquiri alguns itens clandestinos completamente desnecessários: uma saia jeans com detalhes bordados e um top branco.

Então me vi diante de uma Bloomingdales. Sei que é meio *pobre* comprar em lugares assim, mas eu adoro lojas de departamentos — muito mais do que as pequenas butiques metidas a besta onde a cliente tem que tocar uma campainha para poder entrar. Aquelas lojas que só têm onze itens no estoque, que dá para você olhar e descartar em 2,7 segundos, mas depois tem que gastar mais quinze minutos dizendo: "Ah, essa aqui é linda!", só para não parecer rude diante da vendedora, que fica colada em você, nunca a mais de dez centímetros de sua nuca e não para de explicar que a seda foi fabricada a mão no Nepal, tingida com elementos vegetais absolutamente naturais etc. É um sufoco e muitas vezes eu acabo comprando alguma coisinha só para poder ir logo embora.

Por tudo isso, o que eu amo de paixão nas lojas de departamentos é a oportunidade de circular livremente. Com exceção de uma ou outra mulher que ocasionalmente pulava na minha frente, tentando me borrifar com perfume, ninguém me incomodava. Mas devia haver alguma lição de moral a ser aprendida naquela história, porque poucos segundos depois de entrar eu já estava sacando a carteira para resgatar mais um clandestino desnecessário: um gel facial que prometia deixar minha pele radiante. Logo depois, seguiu-se um breve instante de insanidade, durante o qual eu quase comprei um produto da Clinique para homens, pensando em levar para Garv — minha cabeça certamente pirou ao ver o lindo brinde que vinha com o produto. Felizmente, na mesma hora eu lembrei que o odiava.

A questão, porém, é que eu continuava sem um terninho para usar na apresentação. As compras que eu fiz só me deixaram feliz por quarenta segundos, e quando voltei para casa, estava me roendo de culpa (eu não devia comprar nada enquanto estivesse sem emprego), e também de medo, porque Emily estava muito instável naquele dia. Com todo o cuidado, contei a ela que não encontrara nenhum terninho decente para comprar, ao que ela reagiu com espasmos e chiados profundos, em um ataque de hiperventilação, e então eu completei, depressa:

— Será que eu não posso pegar uma roupa emprestada com alguém?

— Com quem? Charles Manson? O Coelhinho da Páscoa? — Com um olhar selvagem ela começou a me analisar de alto a baixo, e então, visivelmente, se acalmou. — Vamos ver... você usa o mesmo número de Lara. A não ser no busto.

— Ela realmente colocou silicone?

— Ela era atriz — lembrou Emily, como se isso explicasse tudo. — Tudo bem, você pode ligar para ela e pedir um terninho emprestado.

— Ótimo, eu vou estar com ela mesmo, mais tarde. Ela vai me levar ao cabeleireiro, lembra?

— Vai? — Emily pareceu surpresa. — Quando foi que vocês combinaram isso?

Tentei lembrar. Foi em um dia de manhã. Estava fazendo sol. Se bem que isso não era de grande ajuda, porque todos os dias fazia sol. Deixe-me ver... Lara estava de folga no trabalho...

— Foi no sábado, você lembra?

— Ah, sim, lembrei, desculpe.

Às seis horas, Lara me pegou em sua picape prateada para me levar ao salão do Dino.

— Muito bem, querida, vamos fazer você ficar ainda mais bonita do que já é!

Enquanto seguíamos pelo Santa Mônica Boulevard, voando baixo, perguntei a Lara, em um rompante de ousadia:

— E então, como foi o seu encontro de ontem à noite?

— Foi legal — respondeu ela, toda alegrinha. — É cedo demais para saber com certeza, mas ela tem senso de humor e nos divertimos muito. Ela ficou de me ligar. É melhor que ligue mesmo!

Lara deixou o carro em um espaço onde daria para três estacionarem e entrou comigo em um salão todo branco, em estilo grego, cheio de jarros, heras e colunas.

— Dino! — chamou ela.

Dino era enorme, usava umas costeletas imensas e roupas exuberantes e muito apertadas. Os músculos dilatados pareciam querer saltar de dentro da pele. Gay? Não necessariamente.

— A maravilhosa Miss Lara!

Lara me empurrou na direção dele e apresentou:

— Esta é a Maggie. Ela não tem um rosto de ARRASAR?

— Tem mesmo! — concordou Dino, com a voz arrastada de espanto e interesse, enquanto passava a mão ao longo da minha bochecha, afirmando que via um grande potencial em mim. Senti um estremecimento de esperança. Eu ia mudar para melhor. — Olhe, preciso lhe contar uma grande novidade! — comunicou Dino a Lara, com tanta dramaticidade que eu achei que, no mínimo, ele acabara de ganhar na loteria. Mas logo percebi que ele comprara um raspador de língua. — Não sei como consegui viver sem uma coisa dessas até hoje. Meu hálito está FRESQUÍSSIMO. — Ele fez "Aahhh...!" e expirou com força na cara de Lara, para provar.

— Fresco mesmo — sentenciou ela em concordância, com ar solene.

— Você precisa comprar um desses, ele vai mudar a sua vida — profetizou.

Agora que ele mencionara o raspador de língua, eu me lembrei de ter visto anúncios daquilo. Só que não dei importância, achando o produto uma grande bobagem e colocando a novidade na mesma categoria dos desodorantes vaginais. Será que eu estava enganada?

— Sente-se aqui, na minha cadeira especial. A luz é melhor. — Dino me guiou. Em seguida, com ar de grande concentração, já estava mexendo no meu cabelo, colocando as pontas à altura do queixo, repartindo-o no meio, deixando a franja cair de volta sobre o rosto...

Ao meu lado, Lara analisava as variações pelo espelho.

— Ela tem um queixo poderoso — comentou Dino, com um tom de voz bem objetivo e profissional. — O melhor!

O pior é que eu não tinha. O meu queixo era absolutamente comum e eu sabia disso.

— Observe só esses olhos! — ordenou Dino.

LOS ANGELES

Eu observei. Eram apenas meus olhos, nada especial para contar aos netos. Mas tinham uma tonalidade espantosa. Pelo menos foi o que Lara garantiu. Pelo jeito com que aqueles dois estavam bombando o meu ego, eu poderia jurar que era maravilhosa.

— Acho que vamos ter que cortar bem curtinho aqui — determinou Dino. — O formato da sua cabeça aguenta cabelos curtos.

Abri a boca para fazer uma objeção, mas percebi que não precisava mais.

Era por causa de Garv, entendem?

Apesar das opiniões em contrário, ele até que era uma pessoa tolerante e bem fácil de levar, pelo menos na maioria das vezes. Mas havia duas coisas sobre as quais ele não aceitava nenhum tipo de negociação:

1. Ele não queria nem ouvir falar de cobertores elétricos — preferia morrer de frio. Insistia que quando uma pessoa ficava por muito tempo em uma cama aquecida por um cobertor elétrico acabava — segundo as suas palavras — "sendo lançada para fora como uma torrada".
2. Ele odiava quando eu cortava o cabelo. As idas ao cabeleireiro eram um drama, porque mesmo quando eles simplesmente usavam o secador, Garv me examinava atentamente na volta, e insistia que meus cabelos estavam dez centímetros mais curtos. Uma simples aparada no comprimento virava o maior pesadelo — não importa o quanto eu explicasse sobre pontas duplas e as "coisas terríveis" que isso representava. Apesar de a sua insistência em me ver de cabelos compridos me irritar, eu fazia a vontade dele, porque na época em que fiquei sem tempo para fazer academia e começou tudo a despencar ele não reclamou nem uma vez.

Mas quando as mãos de Dino começaram a experimentar formas com as pontas dos meus cabelos sobre o rosto, subitamente percebi que era livre para fazer o que quisesse com eles. Podia até raspar a cabeça, se me desse na telha.

— Não quero que ele fique curto demais — pedi.
— O seu rosto se sustenta sozinho.

— Mas meu cabelo não. Ele começa a encaracolar todo quando fica com menos de dez centímetros e eu fico parecendo uma couve-flor.

Ao longo dos anos houve muitos cortes famosos para cabelos curtos: o Chanel, o Pajem, o Romeu, o Rachel. Pois bem, eu morria de medo de ficar com o halo encaracolado que era conhecido como Mama Irlandesa.

— Tudo bem, estou ouvindo — disse Dino, fazendo cliques ao abrir e fechar um par de tesouras de aço com lâminas imensas, preparando-se para o ataque.

— Você tem que lavar antes — murmurou Lara.

— Eu *sei*.

Enquanto os chumaços de cabelo escorriam nos lajotões brancos, minha cabeça foi ficando bem mais leve. Era esquisito: já fazia dez anos desde que eu fizera algo mais no cabelo, além de apará-lo. De vez em quando batia a ansiedade, quando eu me esquecia de o quanto a minha vida mudara. Garv ia me *matar*. Então me lembrava de que não ia não. Nem poderia.

— Como foi o seu encontro com a bailarina? — perguntou Dino a Lara. — Quero todas as informações sobre ela.

Enquanto o meu velho *eu* saía de cena, os dois batiam papo numa boa. Então ele me colocou quase de cabeça para baixo, secou meu cabelo e, por fim, fui colocada de frente para o espelho, cara a cara com uma versão mais moderna e reluzente de mim mesma. Por comparação, o meu antigo rosto me pareceu pateticamente sem graça, tolo e absolutamente ultrapassado.

— Eu pareço diferente — disse eu, depois de conseguir achar as palavras. — Mais jovem.

— Um bom corte de cabelo é tão bom quanto um lifting — comentou Dino.

E quase tão caro quanto... Gastei o absurdo de cento e vinte dólares! Mais vinte dólares de gorjeta! Na minha terra eu conseguiria quatro cortes de cabelo por esse preço, e ainda ia sobrar troco para um pacote de biscoitinhos Maltesers cobertos de chocolate para comer no carro, voltando para casa. Enfim, se era assim que as coisas funcionavam por ali...

Ao sairmos, Dino disse:

— Sabe de uma coisa? Você tem sobrancelhas fantásticas, mas bem que elas mereciam um retoque... Sabe o que estou pensando? — perguntou, olhando para Lara.

— Anoushka! — recitaram, a uma só voz.

— Quem?

— A estilista de sobrancelhas das estrelas — explicou Dino.

Em uma cena que já começava a me parecer familiar, vi Lara com o celular na mão.

— Madame Anoushka? Tenho uma amiga em plena crise de sobrancelhas. — Olhou com pena para os meus sobrecílios. — É uma *emergência*, Madame Anoushka.

Por algum motivo eu nem me dei ao trabalho de ficar ofendida.

Lara andava de um lado para outro, parecendo ansiosa.

— Sábado, às cinco e meia? — Ela se virou para mim. — Pode ser?

Concordei com a cabeça. Por que não?

A próxima parada foi o apartamento de Lara em Venice, para apanhar algumas roupas para a apresentação. Gostei de Venice. Havia algo de nostálgico e charmoso nas casinhas de tábuas de madeira com tinta descascando, nas ruas estreitas e escondidas que saíam da rua principal, nas árvores com galhos pesados que desciam quase até o chão dos jardins, lançando uma luz misteriosa e subaquática.

O apartamento de Lara ocupava todo o último andar de uma casa grande de madeira. Das suas janelas, dava para ouvir os sussurros e rugidos do oceano.

— A entrada do meu closet é por aqui — informou ela, marchando em direção ao quarto, comigo atrás. Então, ao olhar para a sua cama, tudo o que me veio à cabeça foram títulos de filmes pornôs: *Lésbicas Quentes em Ação*, *Elas Têm Boca Nervosa*, *Lambidas Sensuais*.

Não pude evitar. Aquele era o primeiro quarto lésbico em que eu pisara na vida e aposto que qualquer mulher teria a mesma reação.

Felizmente alheia ao que se passava em minha cabeça, Lara tirava roupas do closet. Não havia nenhum macacão à vista.
— Tem esse terno com calça de preguinhas. Que tal essa saia com casaco? Vou te mostrar a blusa que combina melhor com esse terninho... Experimente esse aqui — dizia ela. — Vista esse aqui também.
— Quando eu finalmente decidi experimentar, ela saiu do quarto enquanto eu tirava a roupa.
Depois, com os meus braços cheios de roupas típicas de executiva, Lara me deu uma carona de volta para Santa Mônica. A noite caía e a luz ia diminuindo aos poucos. Ao passarmos por uma avenida com palmeiras dos dois lados, com suas silhuetas recortadas contra o céu crepuscular, reparei no quanto elas eram magras e esguias. Dizem que certas pessoas ficam, com o tempo, parecidas com os seus cães. Pois eu acho que os moradores de Los Angeles se parecem todos com suas palmeiras.
Ao entrar em casa, olhei para a sala de Mike e Charmaine, pela janela da frente. Para minha surpresa, havia um monte de gente lá dentro. Todas as pessoas se mantinham imóveis, sentadas diante de velas bruxuleantes. Todas com os olhos fechados. Para ser franca, estavam tão paradas que pareciam nem respirar. Senti um tremor esquisito e me perguntei se eu não estaria presenciando um pacto de suicídio coletivo *à la* Jim Jones, regado a suco de uva.

Enquanto eu estive fora, Emily entrou em uma pilha frenética pré-apresentação e experimentara todas as roupas que possuía. Elas estavam espalhadas sobre a cama, no chão, nas cadeiras, jogadas em cima da televisão, e ela andava de quatro sobre o piso do quarto, apalpando tudo com ar histérico.
— Não tenho nada para usar amanhã! — Ela nem levantou a cabeça.
— Mas e quanto àqueles modelos lindos que você comprou no sábado?
— Tô com ódio daquelas roupas! — Ela balançou a cabeça. — Nada combina com nada!
Só então reparou no meu cabelo.

— Minha nossa! Quase não a reconheci, Maggie. Você ficou LINDA.

— Escute uma coisa. Está acontecendo um lance estranho na casa ao lado...

— Batida policial?

— Não, na casa do outro lado. Tem um monte de gente parada na sala, como estátuas. Parecem mortos! Não é melhor ligar para o 911?

— Estão meditando — explicou ela. — Fazem isso toda terça à noite. Ah, e antes que eu me esqueça: mamãe Walsh telefonou.

— Está preocupada comigo e quer que eu volte para casa?

— Está preocupada com você e, se não parar de chover logo, ela vai se internar em um manicômio.

— Não falou nada sobre eu voltar para casa?

— Nada.

— Ótimo!

— E então, Lara lhe emprestou uma roupa para amanhã?

— Emprestou. — Peguei uma saia que estava caída no chão. — Vamos lá, eu ajudo você a pendurar tudo isso de volta.

— Obrigada — suspirou ela, pegando um monte de cabides. — O apartamento de Lara é lindo, não é?

— É. — Então eu tornei a pensar nos títulos pornôs. — Sabe de uma coisa...? Lara é a primeira lésbica que eu conheci na vida — confessei. — Pelo menos que eu saiba.

— Eu também.

— Eu fiquei imaginando... — Parei de falar.

— Como é que elas se ajeitam na cama?

— Não! Isto é... sim.

— Vibradores, imagino... Sexo oral. Nossa, não tem nada a ver comigo — disse Emily, com cara de nojo. — Ia me sentir lambendo um bacalhau.

Eu pendurei algumas peças e então comentei:

— Mas todo mundo é um pouco bissexual, não é? Pelo menos é o que os cientistas dizem.

Emily parou de pendurar roupas e me lançou um olhar de censura.

— Não! — garantiu com firmeza. — Não entre nessa!

CAPÍTULO 16

No dia em que os coelhos de verdade chegaram, pelo menos Garv não fingiu que eles eram um presente para mim. Já ouvira falar de outros homens que faziam isso — compravam um gato ou um cachorro que na verdade queriam para si mesmos e o davam de presente para a namorada. Isso era sacanagem dupla, porque a garota não só era obrigada a dividir a casa com um bicho que não queria, como também tinha que alimentá-lo e limpar as sujeiras da criatura.

Garv chegou em casa um dia, vindo do trabalho, com uma caixa de papelão forrada de palha e a colocou em cima da mesa.

— Maggie, olhe só! — sussurrou ele, obviamente muito empolgado.

Dividida entre o receio e a curiosidade, olhei lá para dentro. Vi dois pares de olhos cor-de-rosa que me fitavam e dois focinhos que se agitavam.

— Que pizzas engraçadas — disse eu. Garv tinha ficado de levar comida para o jantar.

— Desculpe — disse ele, cheio de bondade. — Esqueci. Vou lá comprar.

— Isso são coelhos — acusei.

— Filhotinhos. — Ele sorriu. — Uma garota no trabalho tinha alguns a mais em casa — explicou. — Não precisamos ficar com os bichinhos se você não quiser, mas não se preocupe que eu vou cuidar deles — prometeu ele.

— Mas... e quando nós sairmos...

— ... De férias? Dermot cuida deles para mim.

Dermot era o irmão mais novo de Garv. Como qualquer irmão mais novo, faria qualquer coisa para ganhar uns trocados.

— Você já pensou em tudo, hein?

Na mesma hora, o seu sorriso se desvaneceu.

— Desculpe, querida, eu não devia tê-los trazido sem falar com você primeiro. Pode deixar que eu os levo de volta amanhã.

Eu me senti *horrível*. Garv adorava bichos. Tinha afeto e paciência com eles, e eu sabia que não estava dizendo que ia devolvê-los só para eu ficar com pena. Seu arrependimento era genuíno.

— Espere — disse eu. — Não vamos nos precipitar.

E assim começou o Ano do Coelho.

O preto e branco era menino, e o todo branquinho era menina.

— Como vamos chamá-los? — perguntou Garv, segurando os dois no colo.

— Sei lá. — *Pentelho e Pentelha?*, pensei, mas não disse. — Pulinho? O que mais os coelhos fazem?

— Comem cenouras? Correm um atrás do outro.

Por fim, decidimos que o macho se chamaria Pulinho e a fêmea, Cenourinha.

Eu preferia não ficar com os dois (bem, na verdade eu preferia não ficar com nenhum), mas Garv disse que seria crueldade ficar só com um, porque ele se sentiria só. Como eu não queria que eles começassem a se reproduzir como... bem, *coelhos*, insisti para que fossem castrados. Seria a primeira de muitas visitas ao veterinário.

Antes de mais nada, porém, tínhamos de comprar uma gaiola para eles.

— Não podemos simplesmente deixá-los soltos no jardim? — perguntei. Pelo jeito, não. Eles iam escavar um túnel debaixo do muro do jardim para sair no terreno dos vizinhos, de onde iam acabar fugindo rumo ao desconhecido. Então, compramos uma gaiola especial para coelhos, a maior que havia no pet shop.

Quase todo dia, depois do trabalho, Garv os deixava soltos no jardim, para lhes dar um gostinho de liberdade. O problema é que apanhá-los de volta para levá-los para a gaiola era mais ou menos como tentar colocar pasta de dentes de volta no tubo. Eles eram *impossíveis*. Lembro que eu ficava na janela da cozinha olhando Garv pular feito um cabrito pelo jardim, ainda com o sisudo terno escuro de trabalho. Cada vez que ele conseguia pegar um, o bicho saltava novamente do seu colo e recomeçava a correria. Só faltava a musiquinha do Benny Hill tocando ao fundo e alguém jogar alguns carrinhos de rolimã no jardim para o circo ficar completo. Era hilário. Mais ou menos.

Não me interpretem mal, até que eles eram simpáticos. E quando vinham pulando alegres em minha direção, no momento em que entrava em casa, vindo do trabalho, até que era bonitinho. Garv tinha um jeito cômico de carregá-los, colocando a cabecinha dos bichos sobre o ombro, como se colocasse um bebê para arrotar, e eu me escangalhava de rir. Especialmente, não sei por que, quando era Cenourinha: ela arregalava os olhos de espanto e era muito engraçado. Nós lhes atribuímos personalidades, como antes havíamos feito com os chinelos. Cenourinha era muito namoradeira, e Pulinho era um conquistador inveterado com um estoque de sedutoras frases de efeito.

Em um dos passeios pelo jardim, porém, os safadinhos comeram as minhas florzinhas brancas, aquelas que eu tinha plantado com as próprias mãos (mais ou menos), e acho que isso me fez ficar com raiva deles. Também me irritava ter de ir fazer compras só para os coelhos. Se não tivéssemos conseguido passar no supermercado para comprar comida, podíamos ligar para um restaurante indiano e eles nos levavam alguma coisa, mas não dava para pedir uns *bhajis* de cebola a mais para os bichos. Assim, éramos obrigados a fazer visitas regulares à quitanda natureba, a fim de comprar pacotes de cenouras, ramas de salsa e umas bolotinhas esquisitas.

Então houve um dia em que Garv chegou em casa sacudindo alguma coisa com a mão e anunciando:

— Trouxe um presente!

Agarrei o pacote, rasguei o papel que o embrulhava... e fiquei olhando.

— É um pedaço de madeira — disse.

— Isso mesmo. É pra mastigar — explicou ele, como se aquilo fizesse sentido.

— Pra mastigar...? — repeti.

Ele compreendeu antes de mim e não conseguiu prender o riso, avisando:

— Não é para você. É para Cenourinha!

Outros presentes se seguiram: uma bola, um espelho para a gaiola, uma bolsa de mão azul-bebê (essa foi para mim, para eu não me sentir excluída). Até que um dia eu cheguei em casa do trabalho e metade do jardim estava esburacada.

— O que aconteceu? — perguntei a Garv. — Você assassinou alguém?

Mas a verdade não era muito mais fácil de engolir: Garv estava fazendo uma espécie de cercado na terra, porque achava uma crueldade confinar as crianças na gaiola.

De certo modo foi um alívio que Garv tenha escavado o jardim todo para fazer o cercado: pelo menos, nunca mais íamos precisar nos preocupar em aparar a grama. Por outro lado, não era nem um pouco agradável. Eu achava que ele estava começando a se apegar demais a Pulinho e Cenourinha. Mas quando comentei isso com Donna, ela me disse para segurar a onda. Afinal, quem já ouvira falar de uma mulher que tinha ciúme de dois coelhos?

Não muito tempo depois, Cenourinha adoeceu e Garv ficou visivelmente preocupado. Tirou uma manhã de folga no trabalho para levá-la ao veterinário, que diagnosticou uma infecção derivada de (que coisa estranha...!) mau alinhamento dos dentes. Não era nada muito grave: o veterinário acertou-lhe os dentes e receitou uma rodada de antibióticos. Poucos dias depois, porém, quando saímos para jantar com Donna e Robbie, Garv começou a contar a história da doença de Cenourinha. Explicou como ele desconfiara que havia algo errado, pois normalmente ela era muito alerta e ativa e, no entanto, mal tocava no seu mordedor de madeira. Donna e Robbie emitiram algumas exclamações solidárias, e Garv foi em frente, falando da febre de Cenourinha e de como Pulinho tentara incentivá-la a beliscar um pouco de *bhaji* de cebola. (Em uma semana muito ocupada, em que não havíamos conseguido tempo para ir ao supermercado, descobrimos que os coelhos apreciavam comida indiana.)

Quando Garv continuou a relatar a saga da coelha, as expressões indulgentes de Donna e Robbie foram desaparecendo, ficando mais duras, e eu senti um nó no estômago que nenhuma quantidade de vinho conseguia dissolver.

— E como vão as coisas no trabalho? — interrompeu Donna.

— Trabalho? — Garv pareceu confuso. — O *meu* trabalho? Mas você nunca me deixa falar sobre ele, diz que esse assunto é um saco! — Quando finalmente a luz se acendeu em seu cérebro, ele começou a rir e se desculpou: — Tudo bem, tudo bem, não falo mais dos coelhos.

Donna me ligou logo cedo no dia seguinte e disse:

— Maggie, você tinha razão, acho que ele está mesmo obcecado com os bichos. Chame Garv um instantinho para bater um papo comigo que eu vou dar um toque nele.

O golpe final aconteceu alguns dias depois, quando a minha irmã Claire veio nos visitar e comentou sobre a parafernália para coelhos que tínhamos em casa. Garv estava colocando os bichos em cestinhas especiais para levá-los ao veterinário, pois era a época das vacinas.

— Vacinas? — exclamou Claire. — Isso é quase tão complicado quanto ter filhos!

CAPÍTULO 17

Cena: Dia ensolarado. Casa de tábuas brancas com um pequeno jardim na frente. A porta da frente se abre. Surgem duas mulheres. Uma é alta, traz uma pasta aparentemente vazia, pelo peso, e usa um paletó folgado à altura do busto. A outra é um pouco mais baixa, magra, muito bem-vestida e vem fumando com sofreguidão.

GAROTA BAIXA: Preciso ir novamente ao banheiro.
GAROTA ALTA: Não, Emily, não precisa não!

As duas atravessam o gramado exatamente no instante em que os dispersores de água para regar o jardim começam a funcionar, atingindo em cheio a garota mais baixa e apagando o seu cigarro. Ela grita alto. Rápido como em uma reação química o seu cabelo brilhante e sedoso imediatamente se eriça e fica todo frisado e volumoso.

Risos ao fundo.

Pare com isso!, pensei.
Não adiantava, eu não conseguia parar de pensar em linguagem de roteiro cinematográfico. Emily tinha treinado comigo a noite toda, e depois entre as idas ao cabeleireiro e ao mestre de reiki, durante toda a manhã.
Estávamos arrasadas de cansaço.
Eu estava com os cabelos em pé, *literalmente*. Como sempre, acordara me sentindo como se o mundo tivesse acabado. E olhem

que isso foi antes de me levantar e ir para o banheiro, momento em que vi o estado do meu cabelo — ou o que restara dele. Quando pensei em todos os cabelos que eu perdera, nos vinte ou vinte e cinco centímetros que caíram no chão e foram varridos para o canto sem a mínima consideração, comecei a chorar. O mais interessante é que eu não estava chorando pelo fato de o corte do meu cabelo ser um símbolo do fim do meu casamento. Tinha quase certeza que o motivo do choro era o fato de que, em meio à empolgação de ir ao Dino, eu acabara aceitando um corte complicado e de difícil manutenção, e agora era tarde demais.

Malditos cabeleireiros! O penteado sempre parece o *máximo* na hora em que saímos do salão (bem, na verdade, nem sempre, mas não quero mencionar as vezes em que tive vontade de chorar já na hora de dar a gorjeta. Prefiro falar sobre as raras ocasiões em que saímos realmente felizes com o serviço). Tudo é maravilhoso até a hora da primeira lavada, momento a partir do qual não conseguimos recriar o visual "acabei de sair do salão" nem que a vaca tussa. Existe apenas um jeito, um *único* jeito de conseguir o visual perfeito "acabei de sair do salão": é quando você acabou de sair do salão. Aquele momento, por exemplo, foi típico. Tudo que eu fiz foi dormir meio de lado e já perdera o controle sobre o cabelo. Foi preciso água, gel e secador na potência máxima para conseguir domá-lo.

Emily tomara a precaução de ir ao cabeleireiro antes da apresentação. Voltou logo depois e ficou andando pela casa, dizendo: "... Câmera para sobre um par de seios em uma camiseta..." Então voltou a sair.

Enquanto estava fora, a secretária doce com voz esganiçada do escritório de Mort Russell ligou para ela.

— Ela não se encontra em sua mesa de trabalho no momento — informei. Emily tinha ido fazer reiki (pelo menos *essa* terapia eu conhecia). — Posso ajudá-la em alguma coisa?

Dessa vez ela queria saber, para questões de identificação, qual era a estrutura do nosso DNA. Bem, quase isso. Na verdade, queria que eu enviasse por fax cópias das carteiras de motorista, pois precisava ver nossas fotos.

LOS ANGELES

— Desculpe incomodar você tanto assim — disse ela —, mas são questões de segurança.

Não era de estranhar. Havia uma grande possibilidade de roteiristas loucos, desesperados por não conseguirem marcar uma apresentação com os produtores, invadirem o estúdio, transformando os chefões em reféns, a fim de forçá-los a ouvir o roteiro que haviam escrito.

— Nos vemos às três e meia — disse ela.

A secretária tinha sido tão gentil todas as vezes em que conversáramos que eu, por impulso, perguntei qual era o seu nome.

— Pulga — respondeu ela.

Na mesma hora percebi meu erro. Tinha me metido a ser íntima demais. Ultrapassara as fronteiras do profissionalismo. Arrasada, murmurei um "até logo" e desliguei. *Pulga*, é mole?!... Isso, podem zoar a idiota irlandesa que acabou de descer do avião. E qual o seu sobrenome, querida Pulga? Saltadora? De Jardim? Atrás da Orelha?

— ... Câmera se aproxima de um par de seios — ouvi. Emily estava de volta.

— Meus chacras estavam em petição de miséria — anunciou ela.

— Ainda bem que eu passei lá.

Então, começou a murmurar diante do espelho: "O universo é bom; eles vão aceitar o meu roteiro; o universo é bom; eles vão aceitar o meu roteiro..." De vez em quando ela variava a ladainha com outra afirmação: "A abertura perfeita para uma apresentação de roteiro tem no máximo vinte e cinco palavras; a abertura perfeita..."

— Pensei que você não acreditasse em chacras — disse eu. — Você não detesta essas coisas esotéricas da Nova Era?

Ela me fez calar a boca.

— Na hora do desespero, Maggie — confessou —, vale qualquer coisa.

No fim, consegui convencer Emily a usar as roupas novas. Ela escovou o cabelo pela milionésima vez, colocou a milésima camada de brilho labial, endireitou as costas e saímos com altivez pela porta afora. Bem na hora em que os dispersores de água do jardim resolveram funcionar e direcionaram todos os seus jatos para Emily. Quando o seu cabelo se expandiu com a rapidez de espuma de banheira de hidromassagem, ela quase ficou histérica.

— Que desastre! — desesperou-se ela, entre guinchos. — Vou ter que desmarcar!

— Rápido, vamos voltar ao secador! — propus.

— Não temos tempo — lamentou ela. — A única coisa que eu posso fazer agora é ficar penteando-o sem parar, até chegar lá. Só que eu vou ter que dirigir!

— Vamos com o meu carro.

— Não podemos aparecer lá com aquele calhambeque alugado. O que vão pensar de nós?

— Bem, na verdade não íamos mesmo poder usar o meu calhambeque alugado porque a vaga está reservada pelo número da placa — lembrei.

— Então eu dirijo e você me penteia.

E seguimos em alta velocidade através de Los Angeles, Emily falando sozinha com a cara dura como granito enquanto eu penteava energicamente o seu cabelo, tentando parecer alheia aos olhares de espanto que recebíamos ao parar nos sinais fechados.

O estúdio, como a maioria dos estúdios, ficava em um lugar chamado "O Vale". Pelo que eu consegui sacar, a maioria das pessoas preferia morar em uma caixa de papelão em Santa Mônica do que em uma mansão de cinco suítes no Vale. Parece que morar lá era tão brega quanto vinho Liebfraumilch, Andrew Lloyd Webber e penteados tipo "mullet" juntos, e um dos maiores insultos que se podia dizer a uma mulher era chamá-la de "garota do Vale".

Depois de uns quarenta e cinco minutos de viagem, Emily interrompeu as suas afirmações e declarou:

— Este é o Vale.

Apesar de toda a fama, o lugar não me pareceu nada de diferente, para ser franca. As pessoas não estavam pela rua bebendo Blue Nun, dançando ao som do *Fantasma da Ópera* nem ajeitando as pontas dos cabelos junto do pescoço, como eu esperava.

— Estamos quase lá — avisou Emily, expirando com força.

Nesse instante, nos vimos em meio a um engarrafamento.

LOS ANGELES

— Vam'bora, vam'bora... Vam'bora! Puxa vida! — Muito agitada, Emily socava o volante e, de repente, me entregou o celular. — Ligue para Pulga e avise que vamos chegar uns cinco minutos atrasadas.
— Pulga? Quer dizer que esse é realmente o nome dela?!
— Isso mesmo, Pulga. — Emily parecia impaciente.
— Mas... Pulga?! Como o inseto?
— Acho que Pulga é uma espécie de apelido carinhoso, por ela ser pequena e agitada.
Ah, entendi, pensei. *Era um apelido... Pequena e agitada. Não era zoação com a idiota irlandesa que acabou de descer do avião!*

De repente, já estávamos passando pelos portões. Um sujeito verificou se os nossos nomes estavam em uma lista e, em seguida, estávamos estacionando na vaga especial reservada para nós. Era uma espécie de experiência extracorpórea e, apesar da minha ansiedade, senti uma coisa me agitar por dentro: empolgação. Durante os meses anteriores (embora me parecesse a vida toda) meus sentimentos positivos andavam em velocidade abaixo da média e fazia muito tempo que eu não conseguia vivenciar nenhuma desenfreada explosão de alegria.

Mas não era bom me empolgar demais, porque eu sabia o quanto aquilo era importante para a vida de Emily. Ela estava quase a zero de grana e de oportunidades, e ia ter que voltar para a chuvosa Irlanda, a fim de trabalhar como balconista, se aquilo não desse certo.

A essa altura nós já estávamos entrando pelas portas de vidro, e por um instante achei que Emily fosse desmaiar. Em seguida nos vimos olhando para cartazes dos campeões de bilheteria que o estúdio já produzira, e nesse momento achei que quem ia desmaiar era *eu*. Fomos nos apresentar a uma recepcionista assustadoramente magra, linda e antipática, escondida atrás de um gigantesco arranjo de flores em um balcão curvo de madeira. Assim que ouviu o nome de Emily, sua expressão inflexível se iluminou.

— Ooooiii! Sou a Tiffany. Adorei o seu roteiro — disse ela, de forma calorosa.

— Você o leu? — Eu estava impressionada. Até mesmo a recepcionista o lera.

Um ar assustado de animal subitamente iluminado pelos faróis de um carro inundou o rosto de Tiffany, e quando ela voltou a falar, parecia ter acabado de inalar hélio.

— Claro que li — grasnou, com voz esganiçada. — Claro. Vou avisar o sr. Russell que vocês chegaram.

Quando Tiffany saiu, clicando o piso de mármore com os saltos altos, Emily falou por entre os dentes, em um tom zangado:

— Ela não leu não!

— Mas ela disse que...

— *Ninguém* leu. Exceto a pessoa cuja função é reduzir as cento e noventa páginas de um roteiro a três linhas.

— Shhh, ela está voltando.

— O sr. Russell está pronto para recebê-las.

Emily e eu nos levantamos e a seguimos pelo corredor, passando por mais cartazes de filmes famosos enquanto caminhávamos. Senti zumbidos nos ouvidos e minhas pernas ficaram bambas. Não poderia imaginar como é que Emily se sentia. Tanta coisa dependia daquele encontro...!

Tiffany abriu uma porta que dava para uma sala decorada com simplicidade e bom gosto, onde três homens e uma loura muito bonita (Pulga?) estavam reunidos em torno de uma mesa. Todos se levantaram e um deles, todo sorrisos e pele bronzeada, estendeu a mão, apresentando-se como Mort Russell. Ele era muito mais jovem do que eu esperava, mas tinha o carisma meio assustador que as pessoas muito poderosas possuem.

— Emily O'Keeffe! — exclamou ele, como se fosse um elogio.

— Culpada. — Emily entrou na sala com um sorriso confiante, e eu me senti um pouco mais relaxada, porque ela parecia estar com as coisas sob controle.

Depois de Mort lisonjear um pouco Emily, ele a apresentou às outras três pessoas. A garota era realmente Pulga, e os dois sujeitos eram vice-presidentes de algum lugar. O que não era necessariamente tão impressionante como parece à primeira vista. Nos Estados Unidos, uma pessoa pode servir chá e ter em sua porta uma tabuleta com o título de Vice-Presidente do Departamento de Provisão de Bebidas (até eu já havia sido vice-presidente de alguma coisa, quando trabalhei em Chicago).

Nesse momento, Emily empurrou a mim e a minha prancheta na direção deles, que se declararam "muito, *muito* felizes por me conhecerem". Quem visse poderia jurar que minha presença era a melhor coisa que lhes havia acontecido na vida.

— Prazer em conhecê-los — respondi. Tinha rígidas instruções para não dizer mais nada.

Café foi oferecido e aceito. Nenhum biscoito nem salgadinho, infelizmente, mas fora esse detalhe triste o ambiente em torno da mesa era amigável, informal, e os quatro não poderiam ser mais gentis. Falando alto e em tons entusiasmados, todos garantiram ter adorado *Operação Grana*.

— É uma história, ahn... — Mort desenhou alguma coisa no ar — ajude-me com uma palavra — ordenou a um dos rapazes.

— Comovente.

— Sim, comovente.

— Mas comercial também — acrescentou o outro.

— Ah, claro, tem que ser comercial.

— Além de ser engraçada — acrescentou o primeiro.

— Sim, engraçada é importante. *Gostamos* de coisas engraçadas. Então, conte-me a história — ordenou a Emily, inesperadamente.

— Claro. — Ela sorriu para todos à mesa, jogou os cabelos para trás e começou: — É uma mistura de *Thelma e Louise* com *Snatch, Porcos e Diamantes...*

Para meu horror, dava quase para *ouvir* o quanto a sua boca estava seca. Todas as palavras eram acompanhadas de uma espécie de estalo, como se a língua estivesse se despregando do céu da boca a cada frase.

Pulga entregou-lhe um copo d'água.

— Água — explicou Emily com um sorriso idiota, e tomou um gole. Então, para meu profundo alívio, o som de velcro parou e ela se soltou de vez.

Os treinos haviam compensado. Ela fez seu resumo de "menos de vinte e cinco palavras". Em seguida, apresentou uma descrição mais longa de tudo o que acontecia na história, e embora eu já tivesse ouvido tudo em primeira mão, ela estava tão bem que por um momento eu me esqueci de onde estava e comecei quase a curtir a trama.

Ela terminou assegurando:

— Vai ser um filme e tanto!

— Muito bem!

Todos a aplaudiram e eu me perguntei se devia acompanhá-los nas palmas ou se ia parecer que estava aplaudindo a mim mesma, mas eles pararam antes de eu decidir.

Nesse momento, Mort Russell falou e eu mal pude acreditar quando as palavras saíram de sua boca:

— Estou vendo um grande filme, um GRANDE sucesso.

Um arrepio de empolgação percorreu meu corpo todo e olhei na mesma hora para Emily. Seu sorriso estava na medida certa.

Mort fez outro desenho no ar, acima da cabeça, que me pareceu a representação de um enquadramento, e todos, de forma obediente, olharam para cima.

— Vamos trabalhar com um grande orçamento e grandes estrelas. Setenta milhões de dólares, no mínimo. Nos papéis principais, Julia Roberts e Cameron Diaz, certo?

Todos concordaram com a cabeça, entusiasmados, e eu os acompanhei.

— Quem poderemos chamar para dirigir o nosso filme? — perguntou Mort aos rapazes.

Eles citaram dois ou três ganhadores do Oscar. Então rolou um papo de acelerar a produção, dar prioridade total, promover estreias em três mil salas de exibição em todo o país. Era a coisa mais empolgante que já me acontecera na vida. Então, todos começaram a apertar as mãos de todos, e Mort garantiu que mal podia esperar para trabalhar comigo.

Quando Emily e eu saímos pelo corredor, eu mal conseguia sentir meus pés no chão, literalmente.

Passamos por mais uma rodada de efusivas despedidas na recepção e saímos do prédio. Sabendo que todos olhavam para nós, não trocamos nem uma palavra. Eu tremia por causa da alegria reprimi-

LOS ANGELES

da. Ainda caladas, entramos no carro. Emily acendeu um cigarro e o tragou com tanta força que parecia estar sugando um milk-shake grosso por um canudo estreito.

— Bem...? — disse eu, por fim, e fiquei esperando pelos GRITOS, a explosão de alegria e os abraços que se seguiriam.

— Bem... — disse ela, com ar pensativo.

— Mas foi fantástico! Você ouviu o que o sujeito disse: Julia Roberts! Cameron Diaz! Três mil cinemas!

— Não se esqueça, Maggie, de que eu já passei por isso antes.

Achei que ela estava sendo muito negativa e lhe disse isso.

— E agora, o que acontece? — perguntei.

— Agora nós esperamos.

— Agora nós esperamos... — repeti, sentindo-me frustrada e ressentida.

— Se bem — acrescentou ela — que podemos tomar um porre enquanto esperamos.

CAPÍTULO 18

Uma festa improvisada era a primeira providência a tomar, decidiu Emily. Ela passou o caminho todo de volta para casa com o celular aninhado entre o ombro e a orelha, convidando as pessoas.

— Ainda não sei se já temos motivos para celebração — avisava —, só sei que vamos ter uma festa.

Lara recebeu instruções de aparecer por volta das seis horas, a fim de acompanhar Emily até a loja de bebidas para comprar a loja inteira. Toda vez que eu via Emily gastando dinheiro, sentia uma fisgada de ansiedade, mas dessa vez eu não me preocupei. Bons tempos estavam vindo.

Chegamos em casa às cinco e meia. Assim que pendurei a roupa de Lara no cabide, perguntei a Emily se a festa ia ser formal, para saber se eu ia precisar catar algum vestido e saltos altos.

— Claro que não! Shortinhos e pés descalços.

Então ia ser shortinho e pés descalços. Enquanto esperava a chegada de Lara, Emily tamborilava na mesa, se levantava toda hora e andava de um lado para outro. Então seu rosto ficou rígido ao ser atingida por um pensamento.

— Olhe — disse ela, meio na defensiva. — Tem uma coisa que eu quero que você faça por mim. Prometa que não vai rir, mas você poderia ir até a casa de Mike para pedir para ele vir até aqui com a sua varinha defumadora?

— Prometo que não vou rir — tranquilizei-a, com toda a honestidade —, porque não faço a menor ideia de sobre o que você está falando.

— Mike, o vizinho do lado... o esotérico com barbicha?

— Ah, o Bill Bryson? Sim, pode falar...

— Ele está sempre se oferecendo para vir limpar a minha casa das energias negativas. Isso se chama defumar. É que acho que talvez a chance de eu receber uma boa notícia vai ser maior se a casa estiver com boas vibrações.

Eu não ri. Em vez disso, senti a verdadeira dimensão do terror que Emily sentia. Ela devia estar totalmente fora de si para pensar em fazer uma coisa pela qual sentia um desprezo tão antigo e sedimentado.

— Você vai até lá para mim?

Fiquei feliz em poder ser útil. Aquela atividade constante estava ajudando a me manter um passo à frente de mim mesma. Mais cedo ou mais tarde eu sabia que a bolha ia estourar e eu ia cair de bunda no chão. Mas ainda não. Assim, saí e toquei a campainha da casa ao lado, mas ninguém veio atender. Toquei novamente, mas a porta continuou fechada. Então, dei um piparote em um imenso sino de vento, provocando um monte de sons fortes e alegres, mas isso continuou sem resultar em nenhuma resposta. Ao chegar a esse ponto, qualquer pessoa sensata teria desistido, mas o fato é que eu sabia que Mike estava em casa. Eu sabia que ele estava em casa porque conseguia *vê-lo*, pelo lado de fora. Havia uma grande janela envidraçada sem cortinas, através da qual ele estava claramente visível para quem estava de fora, sentadinho em um piso cheio de almofadas e fazendo "O" com os polegares e os dedos médios. Já decidira ir embora e prometer a Emily ir procurá-lo outra hora qualquer quando o vi se levantar e vir caminhando com toda a calma até a porta.

— Oi. — Sorriu ele. — Estava acabando a minha meditação. Entre.

Para minha surpresa, não houve nenhuma torrente de gentilezas do tipo "Desculpe por tê-la feito esperar". Talvez pessoas espiritualizadas jamais se desculpassem.

Entrei na sala quase às escuras e senti na mesma hora um cheiro forte e doce. Óleo de rosas? Ou lavanda? Como é que eu podia saber? Ao fundo, dava para ouvir o tilintar de mais sinos de vento. De algum lugar vinha o barulho de água corrente, que se fosse em qualquer outra casa eu imaginaria que só podia ser devido a um cano estourado, mas não ali.

Mandalas de cura com penas penduradas, típicas dos índios norte-americanos, estavam espalhadas pelas janelas; mantas bordadas haviam sido lançadas sobre as poltronas e peças entalhadas — a maioria delas representando homens com olhos esbugalhados e pênis desproporcionais — enfeitavam as paredes. Cada objeto parecia ter um significado próprio, e pela forma singular com que os móveis estavam colocados nos ambientes, eu seria capaz de apostar que cada centímetro do lugar fora decorado de acordo com os princípios do Feng Shui.

— Oi, Bill — cumprimentei-o, por fim.

— Mike — corrigiu ele, com um sorriso simpático.

Que furo!

— Ahn, desculpe... Mike. Emily pediu que eu viesse até aqui.

— Ela quer que eu passe defumador na casa? — Pelo visto ele já esperava por aquilo. — Vou pegar meu bastão.

O efeito da casa — os aromas, os sons, até mesmo os homens com pintos imensos — era profundamente confortador e eu disse isso ao sair.

— É um lugar seguro — concordou Mike, deixando a porta da frente bater com tanta força, ao sair, que o sino de vento na varanda da frente balançou com muita força e, ao voltar, acertou-me em cheio no rosto. Antes de perceber eu já levara uma cacetada no olho direito: uma fisgada de dor atingiu-me o globo ocular, um monte de estrelas vermelhas espocou e tudo o que consegui ouvir foi um monte de notas musicais dissonantes, como vindas de um piano quebrado.

— Opa, não devia ter deixado a porta bater — disse Mike, suavemente, e rindo. — Você está bem?

— Estou ótima! — exclamei, perguntando a mim mesma se eu não ia ficar cega, mas agindo do jeito que as pessoas agem quando se machucam na frente de alguém que não conhecem muito bem. Mesmo que você sinta que a sua cabeça se despregou do pescoço, deve dizer coisas como: "Foi só um arranhão!" e "Eu quase não a uso mesmo!".

Felizmente, eu *fiquei* bem. Meus olhos lacrimejaram um pouco, mas logo a sensação parou. Mas eu me senti à beira das lágrimas, e

LOS ANGELES

acho que Mike percebeu, porque segurou meu braço para me guiar na curta distância entre as casas.

Emily nos deixou entrar e, visivelmente embaraçada e vulnerável, explicou a situação.

— Tudo bem, deixe comigo — disse Mike, com a voz alegre. — Agora é um bom momento?

— Quanto tempo vai levar?

Ele fez um som com os lábios e abanou a cabeça, pesaroso, como um empreiteiro faria ao dar o orçamento para uma obra. Só faltava o cigarro preso atrás da orelha.

— Deixe-me adivinhar... você não trouxe o material — ouvi Emily murmurar.

— Claro que trouxe. — Ele balançou o bastão e Emily teve a delicadeza de ficar ruborizada. — O problema é que a energia desse lugar está tão ruim que uma sessão só não vai dar para limpar tudo. Mas olhe só!... Vinte minutos agora e já dá para adiantar alguma coisa, que tal?

Intrigadas, nós o observamos começar a executar a sua magia. Defumar um ambiente aparentemente envolvia o ato de acender pequenas velas, balançar um bastão de incenso em todos os cantos dos aposentos, murmurar encantamentos e executar uma espécie de dança ritual indígena.

— Você não precisava de mim, poderia fazer isso sozinha — falou Mike, com a voz ofegante, sua barriga subindo e descendo a cada pulo.

— Ah, mas eu nunca conseguiria executar essa dança de forma adequada.

— A dança é opcional! — assegurou ele.

Depois de terminar, Mike garantiu a Emily, com toda a gentileza:

— Isso vai aumentar as suas chances, mas se eles não fecharem o contrato com seu roteiro, isso não é o fim do mundo.

— SERÁ o fim do mundo sim. — Emily mostrou muita veemência.

Mike sorriu de leve, mais ou menos do mesmo jeito de quando eu fui golpeada pelo sino de vento da varanda.

— Tenha cuidado com o que você deseja, pois pode conseguir — disse, ao sair, prometendo voltar mais tarde com Charmaine.

Pouco depois Lara chegou, e Emily se levantou para ir com ela comprar as bebidas.

— Eu não posso ir com vocês? — perguntei, descobrindo o quanto estava relutante em me ver sozinha em casa.

— Mas você não entende de bebidas tão bem quanto eu e Lara — explicou Emily. — Além disso, precisamos de alguém aqui para receber as pessoas.

— A câmera mostra uma mulher sentada sozinha em uma sala — disse eu, ressentida. — Infeliz, claramente abandonada pelas amigas.

Lara riu, mas Emily entrou na pilha:

— A câmera se aproxima lentamente e mostra a mulher se levantando, abrindo uns pacotes de amendoim e espalhando-os por diversas tigelinhas, a fim de fazer algo de útil.

Eu tinha certeza de que ninguém ia chegar enquanto elas estavam fora, mas, menos de cinco minutos depois delas saírem, Troy chegou.

— Oi, irlandesa!

— Entra um rapaz, vestido de forma casual — disse eu.

Troy ficou parado na porta, sem entender nada.

— Fica em pé sob a soleira, com olhar confuso — acrescentei.

— Atravessa a sala — replicou ele, na mesma hora. — Repara que a garota cortou o cabelo. "Ficou muito legal", diz ele.

Eu ri, satisfeita por ele ter percebido a brincadeira tão depressa. Sua boca fina se abriu em um sorriso esperto.

— Voltamos após o intervalo, amigos! — Ele se lançou sobre uma poltrona e colocou uma das pernas sobre o braço do móvel, muito à vontade. — E então, como foram as coisas, no estúdio?

Sentei-me no sofá, estiquei as pernas e relatei tudo o que acontecera no escritório de Mort Russell. Durante o relato, Troy me observou com toda a atenção, balançando a cabeça com vontade quando eu mencionava alguma coisa boa.

— Será que todos estavam mentindo ao dizer que haviam lido o roteiro? — perguntei.

LOS ANGELES

— Não. Quando leem um resumo de doze linhas eles acham, com toda a honestidade, que leram tudo. De verdade.

— E o que você acha de tudo isso? — perguntei, para encerrar a história, louca para ouvir algo diferente da negatividade de Emily.

— Pode ser bom. — Mas ele pareceu mais pensativo do que esperançoso. — Pode ser bom.

Entrou então em um estado de profundo silêncio, que eu quebrei ao perguntar:

— Onde é que você mora?

— Hollywood. — Ele pronunciou "Ho-hollywoood" e espalmou as mãos para demonstrar, com ironia, um imaginário cartaz luminoso. — Apenas o nome é glamoroso. A vizinhança é péssima e por isso os aluguéis são baixos.

— Fica muito longe daqui? Eu não faço ideia de onde ficam os lugares em LA, uns em relação aos outros.

— Vou lhe mostrar. — Ele se levantou da poltrona e foi sentar na ponta do sofá. — Veja só, isto aqui é o mar — mostrou ele, apontando para uma das almofadas. — Esta é a Third Street Promenade, pertinho de onde estamos. — Colou o dedo em um ponto sobre o sofá. — Vire à esquerda na Lincoln e dirija por, deixe ver, uns dois quilômetros — arrastou o dedo em linha reta sobre o tecido — ... desculpe, — disse ele, ao encostar o dedo na minha canela — ... até chegar à autoestrada, momento em que você deve pegar a entrada 10, na direção leste. — Seu dedo virou abruptamente para a esquerda e estava não apenas sobre a minha perna, mas seguia em alta velocidade até o joelho. Fiquei meio surpresa, mas ele parecia não estar nem aí, por isso eu não disse nada.

Ele parou, ainda com o dedo no meu joelho.

— Então, ao chegar ao centro, você tem que pegar a 101, rumo norte — o dedo dele acelerou pela pele nua da minha coxa — ... até Cahuenga Pass, que é mais ou menos aqui. — Fez uma pausa, com o dedo parado com a maior naturalidade bem no alto da minha coxa. — Pensando bem, é um pouco mais para cá. — E moveu o dedo um pouco mais para cima. — Então — concluiu ele, respirando com um jeito absolutamente inocente — você vira à direita. — Seu dedo fez uma curva sobre a parte interna da minha coxa. Ambos olhamos para a mão dele, e logo em seguida um para o outro. — Faltam só mais dois quarteirões.

Seu tom descontraído me deixou confusa. Ele estava me ensinando um caminho, certo? Mas sua mão estava entre as minhas coxas.

— Moro bem aqui — afirmou ele, definindo o lugar com um leve circular do dedo sobre a parte mais branca da minha pele. — Bem aqui — repetiu, continuando a cutucar a parte de dentro da minha coxa.

— Obrigada por me mostrar. — Tenho certeza de que ele conseguiu perceber o calor que subia da minha pele.

— Quer saber a verdade? — Seu sorriso subitamente ficou malicioso. — Eu moro bem perto do Hollywood Bowl, mas se eu mostrasse o ponto exato, acho que você ia me dar um tapa na cara.

Demorei um instante para perceber sobre o que ele estava falando.

— Provavelmente, sim — consegui dizer, sentindo um doce espasmo bem no Hollywood Bowl.

Mais uma cutucada do seu dedo leve como uma pluma, uma olhada melancólica para minhas virilhas cobertas pelo short jeans e de repente ele se levantou.

— Quer uma cerveja? — perguntou-me, indo em direção à cozinha.

Chegou um monte de gente. Não houve nem tempo para o costumeiro passeio pela casa vazia, a anfitriã olhando para a imensa quantidade de bebidas e sentindo solidão e temor de não aparecer ninguém, do jeito que as pessoas ficam antes da festa começar.

Uma das primeiras a chegar foi Nadia, a nova namorada de Lara. Parecia um pirulito, com a cabeça grande emoldurada por cabelos cheios, ondulados, e o resto do corpo fino como um arame. Não me surpreendi ao notar o seu glamour sexy — afinal, conhecer Lara acabara com as minhas ideias preconcebidas de que todas as lésbicas eram parecidas com Elton John —, mas o que mais me impressionou foi a reação de antipatia que ela provocou em mim. Dois segundos depois de termos sido apresentadas, ela fez uma bola com um chiclete e contou, em voz alta:

— Hoje à tarde fiz uma depilação completa, estilo Playboy. Não me sobrou um único pelo na perseguida!

— Puxa, que bom! — reagi eu, completamente desconcertada. — Quer um amendoim?

Ela balançou o cabeção para os lados e nem parou para respirar antes de contar em detalhes como fora obrigada a ficar de quatro, com a bunda para cima, para que a esteticista conseguisse depilá-la. Depois, teve que deitar de costas e colocar os tornozelos atrás da cabeça para depilarem o resto. Os moradores de Los Angeles são capazes de contar *qualquer coisa* a um estranho. Desordem da Confissão Compulsiva, deve ser o nome desse distúrbio.

Então apareceram Justin e Desiree, trazendo com eles dois sujeitos baixos e musculosos que chegaram com três cães. Todos haviam ficado amigos ao se encontrarem no parque, em busca de garotas. A próxima a chegar foi Connie, amiga de Emily, uma americana de origem coreana, baixinha, agitada, com pernas magras meio curvas à altura dos joelhos e o ar sexy típico das pessoas autoconfiantes. Veio acompanhada da irmã, Debbie, dos amigos Philip e Tremain e do noivo, Lewis, que praticamente entrou mudo e saiu calado. Imagino que ela era tão falante que a habilidade dele de se comunicar simplesmente se atrofiara. Aquela era a primeira vez que eu me encontrava com Connie, e nem fazia muita questão de conhecê-la; algo a ver com o seu casamento iminente. Emily fora a minha dama de honra, e ia repetir o papel no casamento de Connie, e eu me senti do lado errado da linha do casamento. Connie tinha um futuro feliz à sua frente, enquanto o meu futuro feliz ficara para trás.

A anoréxica Kirsty apareceu em seguida e me incomodou vê-la ir diretinho na direção de Troy assim que chegou. Mike e Charmaine também apareceram, bem como um monte de gente que eu nunca tinha visto mais gorda. Até mesmo David Crowe deu uma passadinha, espalhou seu charme por toda parte e foi embora.

— Ele ficou tão pouco tempo — comentei.

— Você acha mesmo? — Emily agarrou Troy pelo braço, tirou-o de junto de Kirsty e ordenou: — Conte a piada a Maggie. A piada do agente.

Na mesma hora, Troy começou:

— Um homem recebe a visita da polícia. "Temos más notícias, senhor", avisam eles ao chegar. "Alguém arrombou a sua casa, matou sua mulher e seu filho." O homem fica arrasado e pergunta: "Quem poderia fazer uma coisa dessas?" E os tiras respondem: "Sinto informar, senhor, mas foi o seu agente." E o homem exclama: "Meu agente? Meu agente esteve em minha casa? Puxa, que legal!"
— Entendeu como são as coisas? — perguntou Emily.
— Entendi.
A casa estava cheia e a festa se espalhara pelo quintal. De algum modo, no meio da noite quente e estrelada, acabei engatando um papo com Troy e Kirsty. Ela acabara de voltar de uma aula de duas horas de power yoga e rasgava mil elogios ao exercício quando eu comentei vagamente que planejava ir a uma academia enquanto estivesse em Los Angeles. Para meu espanto, Kirsty disse:
— Que ótima ideia! — Ela me olhou de alto a baixo e concluiu: — Você bem que podia perder uns, deixe ver... dois ou três quilos. — Em seguida, lançou um olhar crítico dos meus pés até os meus braços. — Podia aproveitar também para tonificar os músculos, acho que vale a pena — completou, com ar sério. — Veja só o meu caso. Eu malho muito e estou — mexeu levemente os quadris, antes de completar — ... suuuper em forma.
Eu sei que aquele teatro todo era só exibição para Troy, e provavelmente era verdade. É claro que eu adoraria acordar um belo dia e descobrir que milagrosamente perdera três quilos durante a noite, quem não gostaria...? Mesmo assim, fiquei perplexa. Nunca, em toda a minha vida, eu conhecera uma mulher que admitia abertamente estar em boa forma física. Pensei que não fosse permitido se gabar desse jeito. O normal é você dizer isso a respeito das outras mulheres, seja ou não verdade, enquanto se lamenta por estar uma baleia/hipopótamo/Jabba, the Hutt, mesmo que você esteja tomando apenas suco de laranja e água há um mês. Tudo bem, talvez seja desonesto, mas me parece menos ofensivo.
Naquele instante senti um ódio tão grande de Kirsty que me deu vontade de bater nela! Pela primeira vez em muito tempo senti uma fisgada de dor no meu dente do siso. Mesmo tendo parado ali só para impedir que ela tivesse um *tête-à-tête* com Troy, tinha que cair

fora do papo. Murmurei uma desculpa qualquer, saí dali e na mesma hora dei de cara com Charmaine.

Ela era simpática, embora intensa demais. Postou-se quase colada em mim, e quando eu dava um passinho pra trás, ela dava um passinho pra frente, até que a minha cabeça já estava quase totalmente envolta por um arbusto de azaleias, só com a ponta do nariz de fora, mas ninguém é perfeito. Charmaine não era exatamente hilária, mas tive a impressão de que gostou de mim e me vi de repente contando a ela tudo a respeito de Garv.

— Você ainda o ama? — perguntou ela, com delicadeza.

— Não sei — disse, com ar de desespero. — Como é que eu posso saber?

— E como você sabia que o amava antes?

— Sei lá. Isso é um lance que simplesmente acontece, não é?

— Nenhum momento em especial?

— Não. — De repente, porém, me lembrei de algo. — O caracol! — exclamei.

— Hein?!

Expliquei a ela. Garv, como era homem, era o encarregado da remoção de insetos: aranhas no banheiro, mariposas em volta das lâmpadas, vespas no peitoril das janelas, tudo isso era o seu departamento. Eu nunca levantei um dedo, simplesmente gritava: "Gaaarv! Tem um marimbondo aqui!...", e ele surgia com um jornal dobrado na mão, pronto para a batalha. Mas Garv tinha um problema com caracóis, um trauma qualquer, uma repulsa tão grande que era quase uma fobia. Um dia, quando estávamos namorando havia já uns seis meses, um caracol veio subindo pelo para-brisa do carro e se acomodou ali, disposto a ficar por um bom tempo (ainda por cima do lado de Garv e bem na altura do seu olho, para tornar tudo pior). Ele acelerou o carro para ver se o animal desgrudava, mas ele ficou firme. Por fim paramos o carro, eu coloquei uma luva de borracha, arranquei o bicho e o joguei sobre um Nissan Micra que passava naquele momento, cheio de freiras. Eu também tinha nojo de caracóis, mas fiz aquilo porque amava Garv, e desde esse dia me tornei a responsável pelo extermínio de caracóis.

— Então, nesse momento, você removeria um caracol do para-brisa dele?
— Provavelmente não.
— Eis a sua resposta.
— Certo. — Aquilo me deixou triste.
Então, embalada pela birita, perguntei se era verdade que ela lia auras.
— Sim — confirmou Charmaine.
— Como está a minha...?
— Tem certeza de que quer saber?
Bem, depois disso, *aí é mesmo* que eu queria.
— Está um pouco tóxica — afirmou ela.
Subitamente me senti chateada, apesar de não acreditar no fato de que eu — ou qualquer um, por sinal — pudesse *ter* uma aura.
— Tóxica... Isso é mau, não é?
— Bom e mau são apenas rótulos.
A velha enrolação.
— Você deveria aprender a não julgar as coisas nem as pessoas — instruiu-me ela, me julgando.
Consegui desembaraçar a minha cabeça do arbusto das azaleias, fui para dentro da casa e descobri que os Cavanhaque Boys haviam se juntado à festa. Tomaram posse do som, substituíram Madonna pela barulhada de um conjunto de *death metal* e instalaram uma improvisada pista de dança à base de empurrões em um dos cantos da sala da frente. Luis, o mais baixo, moreno e bonito, demonstrava uma grande aptidão para os empurrões. Enquanto alguns corriam uns em direção aos outros e trocavam barrigadas violentas, Luis inventava novos movimentos, onde misturava passos lentos com súbitos volteios dos quadris.
Para minha surpresa, Mike, o barbudo esotérico, pulava no meio da galera e parecia estar se divertindo como nunca. Certamente ele tinha o corpo certo para aquele tipo de dança. Toda vez que ele dava uma barrigada com vontade em alguém, o atingido voava até o outro lado da sala. Um empurrão mais entusiasmado levantou Luis do chão e o fez se estabacar contra uma cadeira.

Depois que o resgataram e constataram que ele não estava muito machucado, levantaram-no e o fizeram passar por sobre a cabeça uns dos outros, como nos shows de rock, mas a brincadeira acabou quando tentaram erguer Mike do chão e viram que era impossível.

Todos se dispersaram, e então, em um canto, ficou somente aquele com a cabeça raspada, Ethan, debruçado sobre a mesinha de centro. Como ele tinha o cavanhaque mais radical — uma barba pontuda, satânica, e um bigode comprido em estilo Zapata que ia até o queixo —, eu sempre pensei nele como o líder do grupo. Quando cheguei mais perto, reparei que ele brincava com um canivete. Tinha a mão espalmada para baixo sobre a mesa e a espetava com o canivete, desviando dos dedos. De vez em quando errava a mira, pelas cicatrizes dos cortes.

— Pare com isso! — exclamei.

— Qual é, garota, a mão é minha!

— Mas a mesa é de Emily.

— Estou ferrado, garota. — Com ar triste, levantou a cabeça e olhou para mim. — É isso que eu faço quando estou ferrado.

— Mas... — Quis dizer alguma coisa, preocupada com a mesa. Então tive uma ideia. — Se você quer se ferir, por que não tenta se queimar usando cigarros acesos?

— Eu, fumar?! Cara, isso é nojento! — Ele pareceu mortalmente ofendido.

Descobri que ele estava se martirizando porque tentara chegar em Nadia e levara um fora dela. Resolvi explicar que Nadia era gay e ele se animou.

— Sério? De verdade? E ela está com Lara? Caraca, uau! Como é que elas se arranjam?

Aquela era uma curiosidade que eu também tinha.

— Não sei — confessei, com ar austero. — Agora, deixe a mesinha em paz!

Voltei para o jardim, a fim de vigiar Troy e Kirsty. Eles continuavam de papo. Antes de eu decidir como me sentia, Lara e Nadia passaram por mim, de braços dados.

— Você está se divertindo? — perguntou Lara, sorrindo.

— Estou... — Parei de falar ao ver que Nadia enfiou a mão por baixo do braço de Lara e começou a acariciar-lhe um dos seios.

— Ei! — ralhou Lara, rindo. — Corta essa!

Nadia retirou a mão, mas só para lamber a ponta dos dedos antes de retomar as carícias. O mamilo ereto de Lara apareceu através do tecido úmido e eu fiquei absolutamente sem graça. Se um homem fizesse aquilo no meio de uma festa, todo mundo ia voar em cima dele, xingando-o de idiota e pervertido, mas como Nadia era lésbica, eu tive de me comportar como se aquilo fosse a coisa mais natural do mundo.

Fiquei a noite toda ligada em Kirsty, que não parava de conversar com Troy. Mesmo quando eu não os via um com o outro, percebia que estavam próximos, o que não me agradava nem um pouco. Por isso, o ponto alto da noite foi ver que eles não foram embora juntos. Ela caiu fora por volta da meia-noite e eu tive que me segurar para não ir atrás do carro dela pelo meio da estrada, gritando a plenos pulmões: "Você não está em *tão* boa forma quanto imaginava, não é mesmo?"

Troy ficou mais um pouco e, quando finalmente foi embora, eu esperava uma despedida especial. Mas ele beijou Emily no rosto e disse para ela:

— Tchau, garota, a gente se vê. — Então me beijou do mesmo jeito amigável e disse: — Boa-noite, irlandesa.

Pouco a pouco a multidão foi diminuindo, até que não sobrou mais quase ninguém além de mim e de Emily. Enquanto recolhíamos as garrafas para reciclar, limpávamos as lascas de madeira do tampo da mesa e embrulhávamos os copos quebrados em jornal, eu soltei, meio bêbada:

— Estou... interessada em um cara. — Sim, acho que aquela era a palavra certa. — Troy. Eu o acho atraente.

— Pegue um número e entre na fila.

— Ahn? É assim, então?

Ela me apontou um dedo, piscou e disse, imitando Elvis:

— Não se apaixone por mim, garota, porque eu vou magoar você.

— Não me diga que ele falou isso para você!
— Não com essas palavras. — Ela pareceu divertida com aquilo. — É a maneira como age. A gente jura que todas as garotas estão louquinhas por ele... embora, pensando bem — completou, sem ter certeza —, talvez estejam mesmo.
— Mas ele tem nariz grande — protestei.
— Isso não parece incomodar as mulheres nem um pouco.
— Que mulheres?
— Em se tratando de Troy, sempre há alguma mulher.
— Você está se referindo a Kirsty?
— Claro.
— Mas você tem certeza de que tem alguma coisa rolando entre os dois?
— *Intuitivamente* eu tenho certeza.

De repente, percebi algo.
— Alguma coisa já rolou entre *você* e Troy?
— Eu e Troy? — Emily caiu na risada. Começou como uma gargalhada leve e aumentou tanto que ela teve que se apoiar na bancada da cozinha. — Desculpe — disse ela, com o rosto contorcido de tanto rir. — É essa ideia de nós dois juntos... Eu e Troy!

E desandou a rir novamente, sem parar. Peguei um saco de lixo e comecei a jogar latas vazias dentro dele.

Mais tarde, deitada na cama, pensei em Troy. Eu ficara surpresa, quase irritada, quando ele tocou na minha perna. Mas agora eu analisava o lance de forma diferente. Curti a lembrança, revendo a cena sem parar. O calor da mão dele subindo pela minha perna, a fisgada de desejo na hora em que o dedo dele chegou no alto da minha coxa e desviou para dentro. Revi a cena mais uma vez. O dedo dele no alto da minha coxa e desviando para dentro, o dedo dele no alto da minha coxa e desviando para dentro...

Uma fraqueza sonolenta começou a se instalar. Vou me arriscar, pensei. Optara pela segurança por tempo demais. Eu *vou* me apaixonar por ele, e se ele no fim me machucar, a mágoa vai ser muito *bem-vinda*.

Naquele estado de torpor que fica entre o sono e a vigília, baixei a guarda por um instante e fui invadida por imagens de Garv, da mulher-trufa e de suas demonstrações públicas de afeto.

Na mesma hora pensei em Troy.

— Rá! — disse para mim mesma, em um sonolento desafio.

CAPÍTULO 19

O motivo foi, talvez, aquele papo sobre amar alguém, porque naquela noite eu tive O Sonho. Tinha aquele mesmo sonho de forma intermitente, desde os dezoito anos: talvez uma vez por ano, talvez não com tanta frequência, mas quase sempre a história era a mesma. Eu avistava Shay Delaney no meio da multidão, em uma rua, e começava a correr na direção dele, empurrando as pessoas e tentando alcançá-lo. No meio do povaréu que sai nas ruas para as liquidações de janeiro, eu via a parte de trás de sua cabeça, indo em frente e se afastando cada vez mais de mim; então tentava ir mais depressa, mas cada vez mais gente aparecia no meio do caminho, atrapalhando as minhas pernas, fazendo-me tropeçar e bloqueando a minha passagem, até que o perdia de vista.

Nesse instante eu costumava acordar cheia de desejo, com um ar sonhador por causa do amor recordado, irritada e implicante com Garv. Durante todo o dia seguinte ao sonho esses sentimentos se agarravam em mim como se eu estivesse de ressaca, e depois que eles iam embora eu começava a me preocupar. Praticamente não me lembrava mais de Shay à medida que os anos passavam, mas será que os sonhos recorrentes queriam dizer que eu ainda o amava? Que eu não amava Garv?

O consolo veio de uma forma inesperada: um programa científico a que assisti numa tediosa tarde de domingo, há oito ou nove anos. Era sobre a relação da Terra com o Sol. O narrador explicava que mesmo em pleno inverno, quando o nosso lado da Terra está afastado do Sol, a força que ele exerce é tão poderosa que continuamos a ser atraídos para ele. De vez em quando o lado frio descumpre as regras, e isso explica o fato de, às vezes, termos estranhos dias de calor e muito sol no meio de um inverno rigoroso.

Talvez eu tenha entendido a coisa errado, porque, quando tentei refletir sobre aquilo, achei que não fazia muito sentido, mas serviu de consolo: senti que um peso era tirado dos meus ombros, e compreendi que é claro que amava Garv, mas havia momentos em que ainda me sentia atraída por Shay. Isso não significava nada.

Só que naquela noite o sonho foi diferente, porque começou com Shay fugindo de mim, mas de repente ele se transformou em Garv. Corri atrás de Garv como jamais fizera com Shay. Era muito importante alcançá-lo, eu me sentia fragilizada e *louca* de amor por ele, com aquela sensação de enlevo extremo que surge quando nos apaixonamos por alguém. Eu me *lembrei* do sentimento, com toda clareza. Mas ele seguiu pelo meio da multidão, minhas pernas não conseguiram acompanhar seu ritmo e ele desapareceu. Acordei com os olhos cheios d'água, lágrimas de muitos anos de perda.

Na cozinha ensolarada, Emily já se levantara e parecia agitada.

— Levantei às seis da manhã! — anunciou ela. — Estou louca para ouvir o telefone tocar!

Ah, claro, notícias sobre a apresentação. O sonho ainda me assombrava, estava achando difícil me focar no aqui e agora. Parecia um rádio mal sintonizado, pegando duas frequências diferentes. Uma mais nítida e outra meio distorcida, que aparecia e sumia por trás da transmissão principal.

— Mas são só nove horas da manhã...! — Aquilo parecia ser a coisa certa a dizer. — Eles ainda não devem nem ter chegado ao escritório.

— Preguiçosos, são um bando de PREGUIÇOSOS! De qualquer modo, Mort tem o telefone da casa de David. Ele poderia ter ligado ontem à noite ou hoje de manhã bem cedo, se estivesse mesmo interessado. Cada segundo que passa sem novidades é mais um prego no meu caixão.

— Não seja melodramática. Tem café pronto?

Duas canecas de café bem forte conseguiram espantar alguns dos fantasmas que estavam agarrados no meu astral e a vida começou a entrar em foco.

— Até que a casa não ficou muito bagunçada, se considerarmos que havia trinta pessoas aqui ontem à noite, bebendo até cair. Não dá nem para perceber.

— É verdade — concordou Emily —, a não ser pelo suvenir que deixaram no sofá.

Droga! Será que ela estava falando de marcas de queimado, feitas por cigarro? Será que alguém havia vomitado? Tinha gente mamada a esse ponto? Se bem que também podia ter sido uma daquelas bulímicas.

— Pior — disse Emily. — É Ethan. Não sei como não percebemos que ele estava no sofá, ontem à noite. Já tentei acordá-lo, mas ele rosnou para mim como um cachorro, o idiota.

De fato, Ethan estava todo encolhido no sofá, com o canivete entre os dedos curtos e as pontas dos cabelos começando a aparecer em seu crânio raspado. Dormindo, até que a cara dele, cheia de piercings e com cavanhaque, era bonitinha.

— Esse cara precisa ir para casa para raspar a cabeça. Dê-lhe um chute — sugeriu Emily.

— Será que não é melhor simplesmente sacudi-lo?

— É mais divertido dar-lhe um pontapé.

— Certo. — Chutei de leve a sua canela, mas ele se ajeitou e murmurou alguma ameaça sobre pregar a porra da minha cabeça na mesa.

Olhei com ar alarmado para Emily.

— É melhor deixá-lo aí dormindo mais um pouco — sugeri. Nós duas concordamos com entusiasmo. — Um jovem precisa dormir bem. Vamos tomar mais café. — Rumamos de volta para a cozinha.

Em cima da geladeira estava uma garrafa de vinho branco aberta que havíamos esquecido de recolher no fim da festa. Notei que a rolha ainda estava presa ao saca-rolhas. Poderíamos usá-la para fechar a garrafa.

— Pegue o sésamo, Emily — pedi.

Depois de um longo olhar de Emily, uma garrafinha de óleo de gergelim apareceu na minha frente. Olhei para ela, percebi o que dissera e notei que Emily continuava me encarando com um olhar de "pirou e a família não sabe".

— Para que você quer óleo de gergelim, Maggie? Para fritar o seu farelo de aveia com passas?

— Não, eu disse "pegue a rolha, por favor".

— Não senhora, não foi isso o que você disse. Você pediu "sésamo", que até onde eu sei é o mesmo que gergelim. A não ser que eu esteja louca, mas hoje não estou com disposição para isso, não...

Pensei em mentir — seria fácil conseguir convencê-la de que ela estava meio perturbada, mas achei que seria maldade.

— É uma palavra especial, que Garv e eu costumávamos usar — expliquei, meio sem graça. — Sempre que abríamos uma garrafa de vinho, dizíamos "Abre-te, Sésamo!". Assim, a rolha passou a se chamar "sésamo" para nós. Desculpe, eu esqueci.

— É por isso que você anda colocando pasta de dentes na minha escova toda noite, antes de dormir? É uma coisa que você fazia para Garv?

— O q-quê?! — gaguejei.

— Toda noite, desde que você chegou — explicou ela, com toda a paciência —, depois de você ir para a cama, eu chego no banheiro e minha escova está ali me esperando, com pasta já colocada nela. Se não é você, quem está fazendo isso?

— Sou eu. — Fui obrigada a admitir. — Não percebi que estava agindo desse modo. Não consigo acreditar.

— E era alguma coisa que você e Garv faziam?

— Era. Quem fosse para a cama primeiro, deixava a escova preparada para o outro.

— Isso é a coisa mais linda que eu já ouvi — disse Emily, sorrindo, mas fez uma careta ao ver a minha cara.

A dor que eu sentira ao acordar voltara. Eu carregava todo o fardo de linguagens perdidas, sinais secretos e rituais que não significavam nada para as outras pessoas, mas que eram parte do que nos mantinha unidos, Garv e eu. E havia muitos outros: quando ele preparava o jantar e o colocava na mesa eu tinha que entrar correndo na sala e declarar: "Vim assim que você chamou!" Quando eu me esquecia de dizer isso, ele parava com a tigela no ar e mandava: "Diga, vamos lá: *Vim assim que você chamou!*"

Tentar explicar como isso é divertido ou reconfortante seria como tentar descrever as cores para uma pessoa cega. Não que fosse preciso fazer isso, porque agora tudo se fora. Era o fim de todo um modo de vida.

Obviamente, eu devia estar lançando mensagens de tristeza, porque Emily incentivou:

— Vamos lá! Faz bem falar.

— Falar o quê?

— Que você sente saudades dele. Até *eu* sinto.

— Tudo bem — suspirei. — Tenho saudades dele.

Mas eu sentia mais do que saudades dele. Sentia saudades de mim mesma. Sentia falta do jeito que as coisas eram, quando eu não precisava fingir ser ninguém mais além de mim. Agora eu tinha muita gente à minha volta, mas estava cansada de fingir. Nem mesmo com Emily eu era totalmente eu mesma, do jeito que um dia fui com Garv, e isso transparecia nas coisas mais simples, como a televisão ligada alto demais. Com Garv eu simplesmente reclamava e ele abaixava o volume, mas com Emily era obrigada a ficar calada e formar úlceras no estômago.

— Eu tive um sonho — anunciei. Parecia que ia declamar o famoso discurso de Martin Luther King.

— Conte... — disse Emily, e depois de pensar um pouco acrescentou — ... Martin.

— Bem, você já conhece o enredo.

— Foi aquele sonho com Shay Delaney?

— Sim, começou comigo correndo atrás de Shay, mas depois ele se tornou Garv. — Descrevi a correria, o desespero de alcançá-lo, o terror ao vê-lo se afastar cada vez mais de mim, a dor de ver que ele desaparecera de vez. — Pronto — encerrei a história. — Agora faça com que eu me sinta melhor, Emily.

Ela era muito boa nesse tipo de coisa.

— Geralmente nós processamos coisas em nossos sonhos que não conseguimos quando estamos acordados — explicou ela. — Você foi casada por nove anos, é claro que se sente um cocô. O fim de um relacionamento desmonta qualquer um. Eu, por exemplo, mesmo quando estou com um cara apenas há três meses, sinto vontade de me matar quando o namoro acaba. A não ser que tenha sido eu a terminar, nesse caso me sinto no sétimo céu.

Eu já estava começando a me sentir um pouco mais normalzinha quando Emily estragou tudo com a pergunta:

— Será que não existe uma chance de você e Garv voltarem?

A sala pareceu escurecer na mesma hora.

— Eu *sei* que ele teve um caso... — disse Emily.

— Tem! — corrigi. — Ele *está tendo* um caso.

— Mas pode já ter acabado, a essa altura.

— Não me importo. Agora, o dano já está feito. Não vou conseguir nunca mais confiar nele.

— Mas esse problema pode ser resolvido... outras pessoas conseguiram.

— Eu *não quero* resolver. Desde fevereiro que eu... Não tenho nem como descrever, Emily. Sentia como... como se estivesse trancada com ele dentro da mala de um carro.

— Nossa! — reagiu ela, assustada com a minha imagem. Eu mesma me espantei, para ser franca. Normalmente, não sou tão boa assim para descrever as coisas.

— Uma mala de carro que estava encolhendo — acrescentei, para me superar.

Emily sugou o ar com força e colocou as mãos em torno da garganta, gemendo:

— Nem consigo respirar!

— Era exatamente assim que eu estava me sentindo — confirmei, pensativa. — Enfim, acho que estou em um mau dia... Mais um — acrescentei.

— Relaxa, garota — interrompeu-nos uma voz arrastada. Era Ethan, encostado no portal, claramente interessado no papo. — Se o cara não voltar, é porque nunca foi seu de verdade. E se voltar, você pode ficar com ele para sempre.

— Fora! — ordenou Emily, com o braço estendido e o dedo apontando a porta da rua. — Já temos um monte de filósofos de araque por aqui.

Quando ele seguiu em direção à porta, com a maior calma, Emily consultou mais uma vez o relógio.

— David *tem* que estar em sua sala, a essa hora!

E estava, mas não tinha novidades. Como sempre, animou-a com algumas coisas positivas, como "Eles adoraram você!", mas ela queria notícias concretas. Sim ou não. Toparam ou desistiram? Ele não tinha como lhe garantir.

— David está apavorado — suspeitou ela, ao colocar o fone no gancho.

— Mas por que ele estaria apavorado? — perguntei, forçando um ar de jovialidade.

— Porque essa cidade é movida a medo. Se a Hothouse rejeitar o trabalho, isso vai pegar mal para ele, por ter dado força a uma perdedora. Vai torná-lo perdedor também, por tabela.

Aquilo dava o que pensar. Eu sempre imaginara os agentes como uma espécie de catalisadores imparciais. Intermediários que juntavam as pessoas, mas ficavam de fora do processo. Estava errada.

— Mort Russell, por sua vez, está morrendo de medo de comprar a história e algum chefão do estúdio não gostar dela — continuou Emily, sombria. — E também está morrendo de medo de *não comprar* e alguém comprar e transformar o roteiro em um filme de sucesso. No meio disso tudo, eu estou me cagando toda de medo de que *ninguém* compre nada. O que acha disso tudo, Maggie?

Verifiquei meus níveis de ansiedade. Eram os de sempre.

— Apavorante — sentenciei.

— Bem-vinda a Hollywood.

A campainha da porta nos fez lançar olhares intrigados uma para a outra. Emily quase tropeçou e caiu de cara no chão ao correr para a porta, estimulada pela imagem de Mort Russell parado sobre o capacho da entrada e segurando um cheque do tipo "este é o fim dos seus problemas".

Mas não era Mort Russell. Era Luis, um dos Cavanhaque Boys. Até então, eles só existiam para mim como um borrão de barbichas intercambiáveis, mas na festa da noite anterior adquiriram vida própria. Eles eram, na verdade, apenas três. Ethan era grandalhão, musculoso e com a cabeça raspada. Curtis, louro, começando a ficar careca, gorducho, com o cavanhaque menos impressionante dos três. Sua barba era rala, muito espalhada, como se ele tivesse engatinhado por baixo da cama e saísse de lá com um cotão de fiapos e poeira preso no queixo. Eu o achava meio esquisito, mas talvez o motivo disso fosse Ethan ter me contado que no colégio Curtis fora escolhido como o aluno "mais provável de pirar e invadir um local público com uma metralhadora na mão".

E ali, diante de mim, Luis. Com cara de limpo, muito bonito... e educado! Veio agradecer por ter sido convidado para a festa e se ofereceu para nos preparar um jantar, em uma noite qualquer. Informou que era um excelente cozinheiro — resultado, ao que parece, de sua origem colombiana.

— É só vocês marcarem o dia — convidou.
— Certo — agradeceu Emily, fechando bruscamente a porta.
— Você não quer jantar com ele? — perguntei.
— Ah, Maggie, qual é?!... — Ela girou os olhos para cima.

Murmurando alguma coisa sobre ter trinta e três anos, e não quinze, pegou o telefone e passou várias horas pendurada nele, pulando de uma chamada em espera para outra, falando da apresentação, repetindo a história toda sem parar e especulando muito sem chegar a conclusão alguma.

Eu podia ir à praia ou então fazer compras às avessas — já resolvera devolver a saia jeans bordada, porque a vestira ao chegar em casa e achei meus joelhos esquisitos. Em vez disso, porém, assisti ao sermão de um pastor na tevê, com ar apático, arrasada pela volta do meu baixo astral matinal. Pensei em Garv. Ele possuía ótimas qualidades. Mas também tinha péssimas... Elas começaram a brincar de pingue-pongue na minha cabeça de forma tão irritante que de repente eu peguei um dos bloquinhos amarelos de Emily e comecei a escrever:

Lista das Qualidades de Garv

1. Entendia as taxas de câmbio e os roteiros dos filmes de ação.
2. Tinha uma bunda linda, pequena e redonda (era perfeita mesmo, especialmente em calças cargo).
3. Achava que eu era a mulher mais linda do planeta (embora provavelmente já tivesse mudado de ideia, a essa altura).

LOS ANGELES

4. Via o lado bom de todo mundo (exceto o da minha família).
5. Passava as próprias roupas.
6. Costumava me levar a concertos de jazz e coisas desse tipo, para aprimorar a minha cultura.

Lista dos Defeitos de Garv

1. Costumava me levar a concertos de jazz e coisas desse tipo, para aprimorar a minha cultura.
2. Adorava futebol e sentia orgulho de mim, porque achava que eu entendia a regra do impedimento (claro que eu não entendia).
3. A história do cobertor elétrico, obviamente.
4. A implicância que tinha com o comprimento do meu cabelo.
5. Não conversava comigo a respeito da relação (eu sei que todos os homens se recusam a conversar sobre a relação e dão de ombros, dizendo: "Mas está tudo bem entre nós!", quando um casamento de nove anos está se desmanchando, mas, mesmo assim, aquilo me irritava).
6. Estava dormindo com outra mulher.

Minha lista infantil de fatos não levantou o meu astral. Continuava me sentindo assustada, cheia de mágoas e com a sensação desesperada de ser um fracasso. Com medo da minha vida virar uma zona e do meu futuro ser uma zona também (o meu passado *comprovadamente* era uma zona).

Percebendo que ia acabar desperdiçando um dia perfeito, peguei uma toalha e fui para o quintal tomar um pouco de sol. Poucos segundos depois, felizmente, já pegara no sono.

Acordei tossindo com um jato de água na cara — os dispersores tinham se ligado sozinhos. Fui para dentro e vi que Emily continuava ao telefone. Recebia instruções para ir a algum lugar.

— Sim, eu sei onde fica. No quarteirão dos cirurgiões plásticos, não é? Certo. — Desligou e perguntou, olhando para mim: — Quer jantar fora, hoje à noite?

— Quem vai? — perguntei, tentando parecer casual.

— Lara, Nadia, Justin, Desiree, você e eu.

E Troy...?

— Troy está trabalhando — disse ela, com gentileza, sentindo a pergunta que eu não fizera. — Vai se encontrar com algum produtor ou algo assim. Você sabe como ele é, quando se trata de trabalho.

Eu não sabia, mas deixei pra lá. Senti que estava desapontada (e ainda não havia nenhuma notícia de Mort Russell). Apesar disso, enquanto eu dormia, Helen havia telefonado. Fiquei comovida ao ver a sua preocupação comigo. Até descobrir que ela nem perguntara por mim. Tudo que queria era saber de Emily a respeito dos surfistas sexy.

— Sua irmã não quis acreditar nem quando eu jurei que não conhecia nenhum.

Enquanto seguíamos pela tardinha esplendorosa rumo a Beverly Hills, testemunhamos uma confusão em um pequeno centro comercial. Dois rapazes foram presos. Estavam com as mãos sobre a viatura preta e branca e um dos policiais revistava-os, enquanto outro balançava as algemas, pronto para usá-las. Eu nunca vira ninguém ser preso e aquilo me deu um arrepio de empolgação, mas na mesma hora fiquei envergonhada.

O restaurante era quase todo ao ar livre e as mesas ficavam sob um toldo listrado de verde e branco, separadas da rua por uma pequena cerca de treliças brancas. Nadia e Lara já nos esperavam, sentadas a uma das mesas que davam para a rua. Quando Emily e eu circulamos pelas mesas, a fim de chegar até onde elas estavam, senti algo estranho a respeito do lugar, mas não identifiquei o que era até Justin chegar, com Desiree saltitando ao seu lado.

— Que sacanagem, hein, meninas, me convidar para um restaurante só pra sapatas — ralhou Justin, dirigindo-se a Lara e a Nadia entre sussurros, com a voz chorosa. — Vou acabar sendo linchado aqui dentro.

Foi só então que eu percebi o motivo de achar o lugar tão esquisito: a clientela era toda formada por mulheres. Subitamente os olhares diretos, as duas piscadas e um sorriso largo que eu recebera na entrada fizeram sentido. Fiquei ansiosa. Será que eu tinha feito mal em retribuir uma das piscadas? Entre risadinhas, Nadia informou que ir até lá tinha sido ideia dela.

— Adoro este lugar! Não é o máximo?

— O máximo! — resmungou Justin, amedrontado. — Vamos comer. — Enquanto dava uma olhada no cardápio, vigiava em volta com cara de "sou só um gorducho dispensável, vocês não precisam se preocupar comigo" e não conseguiu relaxar.

Cada um escolheu seu prato e todos, com exceção de mim, pediram coisas que não havia no cardápio, ou então eram servidas com complementos diferentes do que eles queriam, e os pratos tiveram que ser personalizados. Pelo jeito, era típico de LA as pessoas complicarem a vida dos garçons nos restaurantes. Quando eu estava com a primeira garfada a caminho da boca, minha mão parou em pleno ar e vi algo que não combinava com o resto do mundo. Uma mulher com o rosto completamente coberto por bandagens vinha sendo conduzida pela calçada por uma jovem de cabelos lindos. Ao chegarem mais perto, ouvi a jovem murmurar, com carinho: "Cuidado, mamãe, tem um degrau bem aí na frente... mais dois passinhos e depois tem outro. Pronto, chegamos ao carro!"

As duas pararam ao lado de uma picape blazer estacionada a poucos metros de nós. Em silêncio, ficamos observando a mulher parada ao lado do carro de forma passiva, sem ver nada, esperando que a porta lhe fosse aberta.

— O que será que aconteceu com ela? — perguntei, com pena e enjoo só de olhar. — Deve ter sofrido queimaduras terríveis.

Na mesma hora, senti sorrisos indulgentes lançados na minha direção. Até os olhinhos líquidos de Desiree pareciam bondosos e divertidos.

— Cirurgia plástica — explicou Lara, sussurrando. — Ela deve ter mexido na cabeça toda.

— Sério?

— Tenho certeza.

Bem, *e por que não?*, pensei comigo mesma. Los Angeles era um templo à beleza e todos os jornais que eu abria me incentivavam a livrar-me dos pneus através de lipoaspiração, a ter todos os pelos do meu corpo eliminados definitivamente a laser, a aumentar a DEFINI-

ÇÃO das maçãs do rosto com pequenas injeções de colágeno (E DAÍ se depois de seis meses o colágeno escorregasse todo por dentro, se acumulasse no seu queixo e deixasse você parecida com o homem-ELEFANTE...? Era só fazer uma pequena LIPOASPIRAÇÃO do COLÁGENO.)

"Vá devagar agora, mamãe." Com todo o cuidado, a mulher estava sendo encaminhada para o banco do carona, mas não abaixou a cabeça o suficiente e deu uma traulitada com a cabeça no teto do carro. Um gemido abafado escapou-lhe pela ranhura da boca e o restaurante inteiro se encolheu, em solidariedade. Todos tinham parado de comer para olhar a cena.

Finalmente, ela entrou. Enquanto a filha rodeava o veículo para entrar pela porta do motorista, ela ficou sentada ali quietinha, parecendo o monstro do filme *O Retorno da Múmia*. Eu não podia fazer piadinhas nem falar mal da cirurgia plástica, ainda mais sabendo dos peitos siliconados de Lara, mas como é que aquele rosto deveria estar parecendo, por baixo das bandagens? Um bife cru? Estremeci só de pensar e desabafei, meio tonta:

— Que troço brutal!

— Ei! — Lara me deu uma sacudidela no braço. — Não vá desmaiar aqui no restaurante. Ela está feliz. Vai passar uns dois dias na cama, e depois dará um almoço de inauguração da cara nova.

— Mas e quanto à filha...? — Não sei exatamente o que quis dizer com isso. Simplesmente achei que devia ser terrível para ela ver a mãe naquele estado.

— Não se preocupe com ela — confortou Emily. — Ela vai ficar bem, já está acostumada. Na parte rica de Beverly Hills as garotas ganham uma recauchutada no nariz como presente de aniversário aos dezesseis anos!

— Eu operei o nariz — anunciou Nadia, toda orgulhosa. — E não foi só por mim, mas pelo meu filho também. Quando ele nascer, quero que saia com um nariz perfeito.

Um silêncio total baixou sobre a mesa. Desiree chegou a descer da cadeira e saiu de perto. Lara sorriu para mim, mas sua cara me pareceu esverdeada.

— Que foi? QUE FOI?! — Nadia percebeu o clima e ficou olhando para todos, de um em um. — O que foi que eu falei de errado?

Então, percebeu e completou:

— Ah, saquei... Vocês estão com essa cara só porque eu sou lésbica... Devem achar que só porque uma mulher é lésbica não pode ter filhos. Qual é, vocês precisam se ligar!

— Doadores de esperma! — declarou Emily e a conversa recomeçou, animada, mas com uma animação meio forçada.

CAPÍTULO 20

Havia uma coisa que eu me esquecera de colocar na lista de defeitos de Garv. O que era mesmo? Guardar embalagens vazias de suco de laranja novamente na geladeira? Falar "contacto", em vez de "contato"?

Não, não era nenhuma dessas, era:

7. Querer filhos, mesmo sabendo que eu morria de medo disso.

Claire acertou na mosca no dia em que comentou que os coelhos davam quase tanto trabalho quanto filhos. *É claro* que o amor que Garv dedicava a Pulinho e Cenourinha tinha algo a ver com desejar filhos. Até mesmo um psicólogo amador reprovado em todos os exames para psicólogo amador sacaria isso. Eu, de certo modo, sabia, mas me esforçava ao máximo para *não* saber.

Antes de Garv e eu nos casarmos, conversamos sobre o assunto e resolvemos que, apesar de ambos querermos filhos, também queríamos alguns anos para aproveitar o casamento, só nós dois. Isso foi ótimo para mim, porque eu achava que vinte e quatro anos era muito cedo para ser mãe. (Embora eu soubesse que outras mulheres de vinte e quatro anos já tinham um monte de filhos; a única explicação que consegui para isso era eu ser muito imatura.)

O fato é que — e eu teria sido a primeira a admitir isso — eu me sentia apavorada com a ideia de ter um bebê. E não era a única. A maioria das minhas amigas pensava igual, e passávamos horas discutindo sobre isso, absolutamente perplexas com o conceito de parto natural. De vez em quando alguém aparecia com a história de uma garota — uma prima distante, alguém com quem uma de nós trabalhara, ninguém muito parecido *conosco*, se me entendem — que recentemente tivera um filho sem tomar nada para aliviar as dores. Eram casos de mulheres normais e simpáticas que haviam marcado a anestesia peridural com meses de antecedência, mas que acabaram chegando ao hospital tarde demais e foram obrigadas a ter uma criança de quatro quilos sem sequer uma aspirina infantil para aliviar a agonia. Esses papos normalmente acabavam de repente, com alguém implorando: "Parem de falar disso, senão vou desmaiar!"

A tinta da nossa certidão de casamento ainda nem acabara de secar e os pais de Garv, bem como os meus, organizaram uma Vigília Pró-Gravidez que funcionava vinte e quatro horas por dia. Tiraram todo tipo de queijo light da minha frente. Quando eu soltava um arroto (não que eu me atrevesse a fazer isso na frente dos pais dele, é claro), isso gerava uma *ola* de sobrancelhas satisfeitas que se elevavam em sequência. Uma vez eu comi um mexilhão estragado, passei três dias no banheiro, enjoada e vomitando, e só faltaram sair correndo para tricotar botinhas de lã. As expectativas deles me deixaram em pânico, e muito ressentida. Só porque eu nunca havia saído da linha antes, isso não queria dizer que, para agradá-los, eu ia agora começar a parir pirralhos como se fossem ervilhas.

— Eles não conseguem evitar — explicou Garv. — É que somos os primeiros da nossa geração a casar, nas duas famílias. Isso os deixou animados.

— Mas você acha que eles vão encarar a espera numa boa? — perguntei, ansiosa, importunada por imagens de meus sogros me prendendo na cama e me engravidando à força com uma seringa culinária de rechear peru.

— Vai ficar tudo bem — ele me tranquilizou.

— Tudo?

— Tudo.

— *Tudo* tudo? (Vocês sabem como às vezes somos chatas.)

— Tudo tudo.

E eu acreditei nele. Ter filhos, eu sabia, era uma daquelas coisas que pertenciam a Algum Lugar do Futuro. Uma mudança que ocorreria automaticamente com o passar dos anos; como a vontade súbita de ficar sentada nos pubs, em vez de ficar em pé, levando empurrões e cotoveladas numa boa — aliás, *curtindo* muito isso — durante anos. Eu já vira essa mudança acontecer com outras pessoas, e não via por que não aconteceria também comigo.

Nós tínhamos pouco tempo de casados quando nos mudamos para Chicago, e de repente eu estava estudando à noite e nós dois trabalhávamos o dia inteiro, tentando colocar pelo menos a pontinha do pé nos primeiros degraus das nossas carreiras. Ter filhos era algo totalmente fora de questão; mal tínhamos tempo ou energia suficiente para conceber a pobre criatura, o que diria cuidar dela.

Então, uma notícia surpreendente veio de Londres: Claire estava grávida. Por um lado isso era uma bênção, porque a minha mãe teria o neto tão desejado e a pressão sobre mim iria diminuir. Por outro lado, no entanto, eu me senti curiosamente usurpada. A função de Claire na família era deixar os meus pais em constante estado de desespero; meu papel era o de deixá-los satisfeitos. De repente ela não parava de vomitar, de dia e de noite, e me tirou do posto de filha mais bem-comportada.

E olhem que Claire era uma das pessoas que mais curtiam festa em nossa época, baladeira de plantão; de onde viera aquela decisão de ter um bebê? Perguntei a ela, com a esperança de ouvi-la contar que James, o seu marido, descobrira que filho dava abatimento no Imposto de Renda. (James era esse tipo de homem. Foi uma dádiva de Deus ele arrumar uma namorada e abandonar a mulher.) Porém, a resposta mais direta que ela conseguiu me dar foi que "já estava na hora". Isso, aos meus ouvidos, soou como: se "já estava na hora" para uma mulher festeira como Claire, certamente, em algum momento, eu também chegaria à conclusão de que "já estava na hora" para mim.

Poucos dias antes da data prevista para o parto, eu fiz uma viagem a Londres, a trabalho. Já fazia meses desde que eu a vira pela última vez, pois estava morando em Chicago, e quando ela foi me pegar de carro na estação de metrô, mal a reconheci. Estava enorme. Certamente era a pessoa mais grávida que eu já vira em toda a minha vida — e o pior é que se mostrava orgulhosa, empolgada e loucamente determinada a me envolver naquela história. Assim que colocamos os pés dentro do apartamento, ela me disse:

LOS ANGELES

— Olhe só, estou IMENSA! — Então, levantou a blusa e virou a barriga nua de frente para mim.

Fiquei satisfeita com a sua felicidade, mas ao olhar para aquela barriga gigantesca, cheia de veias azuis, senti uma espécie de náusea ao lembrar que ali dentro havia um ser humano. O que me deixou ainda mais enjoada, porém, é que ele ia ter que sair dali de dentro, e através de um orifício que era indiscutivelmente pequeno demais para o seu tamanho.

Tentei imaginar onde será que a Mãe Natureza *estava com a cabeça* quando inventou aquilo. O processo de gestação e parto era, certamente, uma das suas piores ideias — o equivalente biológico a se encurralar em um canto.

Entretanto, uma das vantagens de ficar perto de uma mulher absurdamente grávida era que a sua casa estava cheia de coisas para comer. Comidas para todos os tipos de desejo — uma velha lata de biscoitos se transformava em uma Caverna de Aladim, cheia de variados tabletes de chocolate, e ainda havia um freezer entulhado de sorvetes.

Estacionamos os traseiros diante da lata de biscoitos e comemos até nos fartarmos (isso levou algum tempo), e então nos sentimos preparadas para deitar na cama e assistir à tevê. Mas antes disso Claire tirou a camiseta. Por que não? Ela estava em casa e não tinha problema ela se despir na minha frente. Afinal, eu sou sua *irmã*. O problema é que eu tinha de esticar o pescoço para enxergar a tela, por cima da protuberância inflada (digamos apenas que se o filme tivesse legendas, eu não ia ter a mínima ideia do que se passava na história). Tentei ignorar a barriga colossal que se elevava como a Ayers Rock, no meio das planícies australianas. Quase desejei que estivéssemos na era vitoriana. Um pouco de pudor até que não é tão mau.

— Eu não devia ter comido aquelas últimas barras de Bounty, porque o bebê ficou com soluço — comentou ela, com ternura. De fato, diante dos meus olhos horrorizados, sua barrigona começou a pulsar ritmicamente. — Quer sentir com a mão? — perguntou. Se ela tivesse me perguntado se eu queria colocar meus dedos dentro de um liquidificador ligado, eu teria demonstrado o mesmo entusiasmo, talvez *mais*; porém, não consegui pensar em nenhuma desculpa que não a ofendesse.

Exibi minha mão, timidamente, e a deixei ser levada. Quando Claire a colocou sobre o seu estômago, um arrepio me subiu da ponta do braço até o alto da cabeça. Não consegui evitar. Teria preferido arrancar as entranhas de um peru.

Ela passou a minha mão sobre um caroço.

— Está sentindo? Essa é a cabeça da neném — disse Claire, e eu mal consegui engolir um gemido. Então, para piorar as coisas, Claire comentou, com a maior naturalidade: — Ela pode nascer a qualquer minuto.

Senti o suor porejar em minha testa. *Hoje não, meu Deus*, rezei. *Por favor, não a deixe entrar em trabalho de parto hoje.*

Claire sempre jurara que se algum dia tivesse "a infelicidade" (palavras dela) de ter que dar à luz, ia preparar uma dose de heroína no instante em que a bolsa estourasse. No entanto, quando eu tentei investigar quantas linhas de defesa ela preparara para a sua luta contra as dores do parto — petidina? anestesia peridural? heroína? —, ela balançou a cabeça para os lados e disse: "Nada." Meu horror deve ter transparecido no rosto, porque ela caiu na gargalhada e explicou: "Ter este bebê é a coisa mais maravilhosa que já me aconteceu na vida! Quero estar com a consciência totalmente alerta na hora do nascimento."

Evidentemente ela passara para o Lado Escuro — o que achei estranhamente consolador. Se alguém como Claire estava disposta a encarar um parto natural, então ainda havia esperanças para uma pobre encagaçada como eu.

Mesmo assim, logo que amanheceu eu já estava acordada e vestida, mais de uma hora antes do necessário, e nem mesmo os encantos da lata de biscoitos mágica conseguiram me convencer a ficar mais tempo. Claire circulava de um lado para outro do apartamento, bocejando e murmurando para si mesma: "Estou quase estourando." Finalmente, ela se arrastou até o carro, me deu carona até o metrô e, quando eu vi a estação se aproximando, fiquei meio tonta de alívio. Antes mesmo do carro parar de todo eu já estava com a porta aberta e com o pé no meio-fio, com fagulhas de pressa voando dos calcanhares.

Assim que saltei eu disse, quase atropelando as palavras:

— Obrigada pelo chocolate e boa sorte com as excruciantes agonias do parto.

Nossa, não queria ser assim tão rude. Tentei mais uma vez:

— Ahn... Boa sorte com o trabalho de parto.

Claire teve o bebê dois dias depois, e por mais que eu tentasse ouvi-la confessar, não houve jeito dela admitir que doera tanto assim. Foi nesse momento que percebi que aquilo tudo era uma espécie de conspiração. Sempre que eu tentava sondar uma mulher que tivera um filho para saber das dores do parto, da agonia, das providências para diminuir a dor etc., ela não cooperava. Em vez disso, invariavelmente comentava: "É, acho que incomodou um pouco, mas logo depois o bebê nasceu. Puxa vida, um BEBÊ. Tudo o que você pensa nessa hora é que criou uma vida nova. É um milagre!"

Eu torcia para que a passagem do tempo cuidasse dos meus medos e eu conseguisse superá-los. Sendo assim, disse a mim mesma que teria um filho quando completasse trinta anos. Em parte, suspeito, porque achava que os trinta anos estavam tão distantes que nunca iriam chegar.

CAPÍTULO 21

"Enquanto a crise em Santa Mônica entra em seu segundo dia..." Eu acordei de repente e tomei o meu habitual susto ao ouvir Emily falando alto consigo mesma. "... As condições dentro da casa são péssimas. O moral está muito baixo entre os reféns..."

Percebi na mesma hora que Mort Russell não chegara no meio da noite com um contrato debaixo do braço.

Logo depois que eu me levantei, porém, o telefone tocou. Alguém do outro lado da linha fez Emily dar muitas risadinhas e encaracolar os cabelos nas pontas dos dedos, enquanto conversava. Era Lou, o rapaz que ela conhecera durante o jantar com o sujeito que recolhia órgãos pela rua.

— Vamos sair hoje à noite — disse ela depois de, finalmente, desligar. — Ele levou quase duas semanas para telefonar, me convidou em cima da hora, mas eu não ligo. Vou sair com ele, transar com ele e depois nunca mais vou ouvir falar dele. Isso — disse ela, com satisfação — vai me ajudar a esquecer Mort Russell, que não ligou!

Eu estava com os olhos fixos em algo lá fora.

— O que você está olhando? — perguntou ela.

— Curtis. Ele vai acabar se entalando na janela do carro, novamente. — Olhei mais um pouco. — Olhe lá, eles estão nos chamando para ajudar.

— Ai, que saco!

Depois de ajudarmos a desentalar Curtis — dessa vez ele tentava sair do carro, e não entrar —, voltamos para casa. Eu meio que planejara dar uma volta pelo centro comercial de Santa Mônica — meus joelhos continuavam esquisitos na saia jeans —, até ver que Emily tirou do fundo do armário embaixo da pia uma montoeira de produtos de limpeza e começou a colocar luvas de borracha. Faxina! Como eu estava ali morando de graça e tudo o mais, me senti na obrigação de ajudar. Ou pelo menos oferecer ajuda, torcendo para ela recusar. Para meu desapontamento, porém, ela disse:

— Se você realmente não se incomoda, o piso bem que precisa de uma lavada.

Ora, vamos lá, pensei. Vai ser um bom exercício. Enquanto enchia um balde com água e detergente, Emily suspirou.

— Obrigada, Maggie. Conchita vem na segunda. Tenho que deixar tudo limpinho para ela.

— Quem é Conchita?

— A faxineira. Vem de quinze em quinze dias e fica furiosa quando vê que a casa está suja.

Não havia necessidade de questionar essa aparente falta de lógica. Não conheço ninguém que não limpe a casa antes da faxineira aparecer. Comecei a passar o esfregão no chão e já estava começando a sentir um suor saudável surgir dos meus poros quando a porta da frente se abriu e Troy entrou.

— Bem em cima do chão que eu acabei de lavar?! — ralhei.

— Opa... Desculpe. — Ele sorriu de leve, mas senti uma certa urgência em seu jeito. — Adivinhe o que aconteceu?

— O quê? — Emily apareceu na sala.

— Cameron Myers!

Cameron Myers era um novo galã que arrasava corações. Jovem e lindo.

— O que tem ele?

— Lembra que eu fui me encontrar com Ricky, o produtor, ontem à noite? Pois bem, estava na casa dele quando apareceu Cameron Myers, para lhe fazer uma visita! Por acaso, Ricky é um velho amigo de Cameron. Mas a melhor parte vem agora: eu me apresentei a Cameron e ele disse: "Não foi você que dirigiu *Queda Livre*? — Lançou-me um olhar meio de lado e explicou: — Foi o meu primeiro filme, irlandesa. Então, ele disse que achou o filme fantástico!

Emily começou a ficar histérica e eu fiz o melhor para acompanhá-la, mas Troy espalmou a mão para segurar nossa onda, dizendo.

— A coisa é melhor ainda. Hoje é o aniversário de Cameron. Ele reservou a cobertura do Freeman e vai dar uma festa para os amigos. E, atenção, agora é que a coisa fica boa *de verdade*: ele me convidou para a festa! E disse que eu posso ir acompanhado!

A expectativa começou a crescer dentro de mim. Senti os ombros tensos e o meu corpo se moveu na direção dele...

— E então, que tal, Emily? Quem sabe você encontra algumas pessoas importantes por lá? Desculpe, irlandesa. — Levantou os braços, indefeso. — Só posso levar uma pessoa.

A sensação de derrota foi grande, mas em uma inesperada reviravolta do destino, Emily balançou a cabeça.

— Não posso ir. Já marquei um encontro.

— Um encontro? — Troy olhou para ela, e então exibiu os dentes perfeitos em uma risada de surpresa. — Mas quem é *esse* cara por quem você dispensa a festa de aniversário de Cameron Myers?

— Ninguém em especial, mas eu já estou *por aqui* de tanto ouvir só papo de cinema. — Encostou a mão na testa, em linha reta.

Troy lhe lançou um olhar questionador e Emily deixou cair os cantos da boca, com ar de desculpas.

— Talvez eu não seja durona o bastante para esta cidade.

Alguns segundos de silêncio e Troy concluiu:

— Ou talvez você esteja só precisando de uma folguinha.

— Obrigada — disse Emily, com um ar aliviado e meio cansado. — Por que não leva Maggie com você?

— Você quer ir a essa festa comigo? — Ele pareceu surpreso, até humilde, o que, por sua vez, me deixou comovida.

— Sim.

— Você topa sair comigo, só nós dois?

Se você fizer aquelas coisas na minha perna de novo. Só que, é claro, eu não disse isso.

— Emily ainda não alertou você a meu respeito? — Agora ele estava brincando. E flertando. — Eu sou terríííível!

— Eu me arrisco — disse eu, tentando não parecer muito recatada.

— Ótimo!
— Como é Cameron Myers? — eu quis saber.
— Hummm — disse Troy, com ar pensativo. Seus olhos circularam pelo teto da sala enquanto tentava achar uma resposta para aquela pergunta. — Vamos ver, vamos ver... Como é Cameron Myers...? — O silêncio cheio de suspense se prolongou ainda por muito tempo, até que finalmente Troy encontrou uma palavra: — Baixinho! Pego você às oito.

Assim que a porta se fechou, toda a minha esperança e o meu medo se resumiram em uma única frase:
— Tenho que dar um jeito no meu cabelo.

Mas eu não sabia o endereço de Dino. Além do mais, não podia pagar outra fortuna.
— Vá até o salão da Reza ali na esquina, no fim da rua — sugeriu Emily. — Ela é louca de pedra, mas serve em casos de emergência.

Corri até o fim da rua, onde um pequeno salão de cabeleireiro estava espremido entre uma loja da Starbucks e outra de equipamentos para segurança doméstica. O salão estava vazio, a não ser por uma mulher de idade indeterminada e uma beleza magnífica, ainda que um tanto exótica. Será que era a tal Reza-louca-de-pedra? Tinha cabelos muito tingidos que lhe desciam até a altura dos ombros e um monte de correntes de ouro sobre o decote enrugado mas bem cheio. Olhou para mim, parecendo mortalmente insultada quando eu lhe perguntei se havia algum horário livre.
— Agora?!
— Você não pode atender agora? — perguntei, sem entender.
— Posso sim. Mas tem que ser *agora*!
— Ahn... tá legal.
— Meu nome é Reza — declarou ela.
— Prazer... Maggie.

Expliquei que queria que o meu cabelo ficasse bem afofado, cheio e brilhante. Reza enrugou os lábios cor de amora e sentenciou, com um sotaque interessante:
— O problema é que você tem esse cabelo... como é que se diz...? — Expandindo as mãos para os lados, ela buscava a palavra exata.
— ... Gordo?

— Grosso? — tentei ajudá-la.
— Tosco! — concluiu, triunfante. — Muito ruim. Do pior tipo. É muito difícil fazer um cabelo tosco desses pegar brilho, mas eu sou forte!

Ainda bem.

A lavagem que ela fez foi tão completa e enérgica que eu me surpreendi por ela não arrancar sangue do meu couro cabeludo com as unhas.

— Tenho mãos fortes — informou ela, sorrindo com ar sombrio, e passou a me fustigar vigorosamente os cabelos com uma toalha felpuda, para secá-los.

Ao empunhar o secador — gesto que me fez lembrar, não sei por que, um lenhador prestes a cortar uma sequoia com serra elétrica —, perguntou-me de onde eu viera, para ter um cabelo terrível como aquele.

— Irlanda.

— Iowa?

— Não, Irlanda. É um país da Europa.

— Europa! — exclamou ela, com desdém. Era como se tivesse dito "Bah!".

— E você, de onde é?

— Pérsia, mas não somos daquele tipo idiota de persas. Somos bahaístas. Não nos metemos nessa sujeira toda de política, amamos a todos. NÃO! — Virou-se ela, berrando para uma garota que aparecera na porta. — Não podemos atender mais ninguém hoje! Estamos com a LOTAÇÃO ESGOTADA!

Arrasada, a garota desapareceu, e na mesma hora Reza se virou novamente para mim, completando:

— Respeitamos todos os povos, sejam ricos, pobres, negros ou brancos. Agora, não mexa essa porcaria de cabeça! Você tem um cabelo muito RUIM!

Mais de uma vez na meia hora que se seguiu a minha orelha encostou no ombro, enquanto ela puxava e repuxava o meu cabelo "tosco". Depois de algum tempo, o meu pescoço parecia ter sido golpeado por um bastão de beisebol, e finalmente Reza desligou o secador e me virou de frente para o espelho.

— Viu só? — Ela mal conseguia esconder o orgulho. — Ficou bom. Sou muito forte!

Meu cabelo *estava* legal mesmo. A não ser pela minha franja. Não sei como Reza conseguira, mas a franja estava toda voltada para fora, como se tivesse sido enrolada em uma linguiça. Não adiantava reclamar, porque ela ia jogar a culpa no meu cabelo mau e tosco.

Então veio a delicada questão do pagamento, e eu me surpreendi, porque ela me pareceu meio cara. Talvez tenha me cobrado mais pelo meu cabelo ser tão terrível.

— Tudo bem — suspirei, exibindo o cartão Visa, que ela energicamente recusou.

— Esse papo de cartão de crédito é uma furada! — resmungou ela. — Só aceito dinheiro vivo.

Depois continuou murmurando alguma coisa relacionada com "os safados do Imposto de Renda que ficavam com a grana dela". Eu lhe entreguei algumas notas e saí.

Passei o caminho todo de volta para casa apertando a franja de encontro à testa, e tive o azar de ter sido avistada por Ethan, que abriu a janela e gritou:

— Oi, Maggie! Sua franja está esquisitona!

Em poucos segundos, os três rapazes já estavam na calçada, me examinando atentamente.

— Você parece a Joan Crawford — concluiu Curtis.

— E o seu cavanhaque parece algodão-doce colado na cara, mas eu sou muito educada e jamais lhe diria isso — repliquei. Antes mesmo de me arrepender da grosseria, todos estavam ROLANDO de rir e Luis já tinha um plano para me ajudar.

— Vamos ter que abaixar essa franja e mantê-la abaixada. Venha aqui dentro um instantinho.

Uma das características daquele estranho período pós-Garv era que eu não tinha o mínimo de forças para resistir e *não fazer* coisas que não estava a fim de fazer. Vi a mim mesma acompanhando os três para dentro de sua casa escura e fedorenta, e deixei Luis colocar uma meia-calça bem apertada na minha cabeça, com o elástico colando a franja contra a minha testa. A única vantagem da história foi o fato de ser uma meia-calça nova, recém-saída da embalagem. Ethan me explicou que eles costumavam ter sempre algumas em casa, para o caso de um dos três se dar bem com uma garota.

— Não tire até hoje à noite, na hora de sair — aconselhou Luis.

Eu agradeci a todos — isto é, o que mais poderia fazer? — e segui para casa, com as pernas da meia-calça penduradas, balançando nas costas. Assim que eu entrei, Emily levantou os olhos do notebook e exclamou:

— Cruzes! Reza pirou de vez!

E ainda nenhuma notícia de Mort Russell. Emily abandonou o que estava escrevendo e, cantarolando baixinho para si mesma, começou a circular pela casa, limpando os espelhos e fazendo as unhas. De vez em quando, chegava perto do telefone e guinchava: "Toca, maldito! Toca, TOCA, TOCA!!!!!" Depois, com toda a calma, voltava a cantarolar.

Nesse meio-tempo, eu estava me corroendo por dentro por não saber o que usar na festa, imaginando se não seria bom correr até o centro de Santa Mônica para tentar achar alguma coisa, embora conhecesse muito bem a primeira lei da física das compras e soubesse que não havia esperança.

— E aquela nova saia jeans toda bordada? — sugeriu Emily.

— Não dá, ela faz meus joelhos parecerem estranhos.

— Ah, que nada!

— Faz sim.

— Vá vesti-la e me mostre.

— Então venha comigo até o quarto.

Vinte e nove segundos depois, Emily, absolutamente perplexa, foi forçada a admitir: — Nossa, é mesmo! Não sei como é que pode. Normalmente os seus joelhos ficam ótimos.

Ela começou a vasculhar através da minha mala, aberta no chão do quarto, analisando cada uma das roupas que eu levara e comentando:

— Que saia linda... Eu tenho uma camiseta dessas, só que é em rosa. — Então fez uma pausa e gemeu: — Puxa, elas são lindas! —

Eu olhei para trás. Ela encontrara as minhas sandálias turquesa e as estava puxando do fundo da mala, debaixo da pilha de meias. — Lindas de verdade. E são novas. Olhe só, a etiqueta com o preço ainda está colada nelas. Como é que pode você não ter estreado essa maravilha até agora?

— Estou esperando a ocasião certa.

— A qual eu acredito que possa ser esta noite.

— Ah... não. — Engoli em seco. — Diante do seu olhar penetrante, expliquei: — Elas são muito altas e pouco confortáveis. Quero me sentir relaxada hoje à noite.

Não tenho muita certeza se Emily acreditou em mim, mas deixou passar.

Em uma mutação das leis da física, o dia pareceu interminável, mas ao mesmo tempo passou depressa demais. Cada segundo, individualmente, durou um pouco mais de tempo e, no entanto, de repente, já eram cinco e meia — tarde demais para receber alguma notícia ainda naquele dia. Emily ligou para David, que disse que a Hothouse estava obviamente levando o roteiro muito a sério, e que a demora indicava que Mort estava discutindo o assunto com os chefes dele. Mas Emily não se tranquilizou.

— Ele não agitou as coisas o suficiente — disse para mim, com tristeza. — Eu sei como tudo acontece quando a coisa é para acontecer. O agente telefona para o produtor executivo na manhã seguinte e enche tanto o saco dele que o sujeito entrega dois milhões de dólares antes da hora do almoço. Muitas vezes sem nem mesmo ter lido o roteiro.

— Eu não acredito.

— Tô falando sério. Sei de quatro casos famosos em que o estúdio pagou rios de dinheiro sem ter lido uma única palavra. O agente ofereceu a eles uma janela de uma hora de prazo para receber um adiantamento e o estúdio pagou, apavorado por um concorrente agarrar a oportunidade antes deles.

— Mas e se o roteiro for ruim?

— Muitas vezes é mesmo, mas no momento em que o estúdio descobre que pagou dois milhões de dólares por uma porcaria de história, já é tarde demais. O roteirista já está se bronzeando no Caribe, pensando no próximo projeto.

— Mas isso é uma insanidade!

— Esta cidade é insana. Portanto, é melhor eu tentar curtir meu fim de semana — disse ela, de forma sensata. Então, colocou o rosto entre as mãos e guinchou: — Não consigo AGUENTAR isso! — Mas tornou a emergir com um sorriso incerto. — Vamos lá, onde está meu estojo de maquiagem? Venha até aqui para eu passar pintura em você.

— Mas você precisa se aprontar para o seu encontro.

— Que nada, é tão fácil pintar uma pessoa quanto duas. Lembre-se que não é toda noite que você vai ao aniversário de um superastro do cinema, na cobertura do hotel mais fabuloso de LA.

Olhando por esse ângulo...

— Escute, Emily, você *tem certeza* de que não quer ir?

— Tenho. Há uma grande oportunidade de eu conseguir uma boa transa esta noite; mais vale um passarinho na mão e tudo o mais. E quanto a *você*, tem certeza de que quer ir? Não me parece muito animada.

Ela tinha razão. Ir à festa de aniversário de Cameron Myers era uma coisa do tipo "um sonho que se realiza" e eu não estava tão entusiasmada como deveria. Como um dia eu teria ficado. Senti-me envergonhada. A única vez em que estive bem perto de ficar realmente empolgada com alguma coisa, nos últimos tempos, tinha sido no dia da apresentação de Emily — e começava a desconfiar que talvez tivesse sido em vão.

— É que não me parece muito certo eu estar me divertindo, no momento. Tudo na minha vida, mesmo as coisas que eu achava mais fabulosas, me parece meio sem graça.

— É que você está deprimida. O que aconteceu com você a deixou pra baixo. É compreensível.

— A parte que eu mais estou curtindo é sair com Troy — confessei.

— É muito melhor você ser a acompanhante dele — concordou Emily. — Senão era capaz de ele convidar a Kirsty.

— Aquela vaca! — exclamei. — Nem cheguei a te contar as coisas que ela me disse na festa...

Relatei a história toda enquanto Emily preparava a nossa produção visual, com prendedores de cabelo espertos e tudo a que tínhamos direito. No fim, coloquei o mesmo pretinho básico que usara na festa de Dan Gonzalez — eu não tinha nenhuma outra roupa legal —, mas Emily me arranjou uma echarpe de *chiffon* e disse que eu estava "muito Halston". Então pintou o momento da verdade: finalmente removemos a meia-calça da minha cabeça e a minha franja estava mais plana que a Holanda. Fiquei devendo uma para os rapazes.

Às sete e meia, no momento em que Emily caminhava em direção à porta, uma visão perfumada e brilhante, ela parou de repente e se virou para mim, dizendo:

— Só para o caso de você estar pensando em algum lance com Troy, vou lhe dar um conselho, em uma só palavra: Teflon Humano.

— Foram duas palavras.

— Ele é ótimo para se ter por perto, mas... é "antiaderente". Curta bastante, mas não espere muita coisa dele. Promete?

Eu prometi, e então me esqueci disso na mesma hora. Precisava curtir a diversão onde conseguisse encontrá-la.

CAPÍTULO 22

O Freeman era novo, o hotel mais glamoroso em uma cidade apinhada de hotéis glamorosos. Mal conseguimos entrar no saguão barulhento e lotado de pessoas que se encontravam ali para tomar alguns drinques e esperar pelo jantar, enquanto esbarravam nas esculturas. Todas as pessoas eram espantosamente bonitas — e olhem que a maioria delas era de funcionários. Levou muito tempo para conseguirmos que alguém nos desse atenção (conforme Troy murmurou, eles não haviam sido contratados por sua habilidade em atender o público), mas, por fim, fomos conduzidos a um elevador especial, policiado por dois seguranças que nos revistaram em busca de câmeras e gravadores.

O elevador subiu como um foguete, direto para o último andar, arrasando com o meu estômago já enjoado. Quando as portas se abriram, direto na cobertura, eu me senti como se ofuscada por um campo nevado. Tudo era branco. Paredes brancas, tapetes brancos, mesas brancas e imensos grupos estofados em couro branco. Levei um susto ao ver uma cabeça loura sem corpo flutuando no ar sobre um dos sofás — mas logo percebi que era apenas uma garota cujo collant de couro branco parecia se fundir com o do sofá onde ela estava.

Troy e eu saímos do elevador meio indecisos e trocamos um sorriso nervoso.

— Onde está Cameron? — murmurou ele.

Eu olhei em volta: havia não mais de doze pessoas lá, mas eu nunca vira uma concentração tão grande de gente glamorosa. Era como irromper em um episódio de *Barrados no Baile*: garotas com um monte de pele de fora, muito tonificadas e bronzeadas; rapazes

LOS ANGELES

com dentes retos perfeitos, cabelos visivelmente bem cortados, todos rindo muito e segurando copos de martíni. *Que diabos eu estava fazendo naquele lugar?*

Essa sensação de estar deslocada aumentou ainda mais quando meu olhar correu pelo salão e pousou em Cameron Myers. Tenho que reconhecer que, apesar da minha capacidade de me empolgar com alguma coisa não estar operando em força máxima, fiquei meio zonza e perplexa, como se um avião tivesse acabado de passar a poucos centímetros da minha cabeça. Ele estava ajoelhado diante de um buraco na parede, que eu descobri ser uma lareira muito moderna.

— Oi! — Ele se levantou na mesma hora ao avistar Troy, e devo admitir que era muito mais baixo e fofo do que parecia no cinema. — Você veio!

— Feliz aniversário, cara. Obrigado por nos convidar. Esta é Maggie.

— Olá — cumprimentei.

Eu estava quase no mesmo nível do rosto simétrico e perfeito de Cameron Myers, com os cabelos quase brancos de tão louros, os olhos muito, muito azuis e a pele lisinha e bronzeada. Ele me parecia tão familiar como um membro da família, mas ao mesmo tempo...

Espere só até eu voltar para casa e contar a elas. Ninguém vai acreditar.

Percebi que o estava encarando, então lhe entreguei quatro orquídeas em cor laranja, avisando:

— São para você.

Ele pareceu genuinamente comovido.

— Você me trouxe flores!

— Claro, é seu aniversário. — Fiz um gesto largo, exibindo toda a sala. — Só é pena elas não serem brancas.

Ele deu um sorriso doce e eu tive vontade de pegá-lo pelo braço, sair correndo com ele e não parar até trancá-lo em uma gaiola. Ele era uma gracinha, lindo como um cachorrinho de estimação.

— As bebidas geladas estão na cozinha. Podem se servir à vontade.

— Vou buscá-las — disse Troy, atravessando o salão e me deixando sozinha com Cameron Myers.

— Escute, você sabe como lidar com isso aqui? — perguntou ele, apontando com ar desolado para as pequenas toras de lenha de acendimento automático que tinha junto dos pés.

— Ahn... sei sim, é fácil.

— Adoro fogo de verdade na lareira. O ambiente fica mais aconchegante. Você me ajuda?

O que eu poderia dizer? Era julho, alto verão. Estávamos em Los Angeles. Lá fora fazia vinte e sete graus. Mas ele era Cameron Myers e queria a lareira acesa.

— Tudo bem.

Quando o fogo pegou e começou a estalar alegremente, Cameron ligou para a recepção e pediu marshmallows. Troy me entregou um martíni, murmurou: "Que lugar, hein?", e me levou para dar uma volta. Os espaços eram imensos. A "sala de recepção" (como eles a chamavam) devia ter uns vinte metros de comprimento e havia três quartos enormes, todos eles decorados com tecidos de algodão tão ofuscantemente branco que feria os olhos. Havia uma cozinha, um escritório, inúmeros banheiros e até mesmo — podem acreditar — uma sala de vídeo com telão. Tudo em volta estava decorado em branco e havia mantas de caxemira branca, almofadas de camurça brancas, vasos de porcelana brancos. Talvez fosse até melhor Emily não ter vindo, pensei. Ela poderia se sentir tentada a afanar algumas coisas dali.

— Quem são todas essas pessoas? — sussurrei. — Alguma delas é famosa?

— Não creio. São aspirantes a famosos, maes...

— Mães?

— Não. M-A-E: modelo-atriz-etc. Outra palavra usada por aqui é "maçom": modelo-ator-garçom. Agora, dê só uma olhada *nisso*!
— Ele abriu a porta que dava para um jardim no terraço e exclamou:
— Uau!

Saímos na noite abafada, muito mais quente do que lá dentro, no ar-condicionado, e a atmosfera estava densa, com aroma de almíscar e flores. Havia um ofurô, fumegando no meio da noite. O mais impressionante de tudo, porém, era a vista sensacional.

— Não temos *smog* esta noite — observou Troy ao nos debruçarmos sobre a sacada, olhando tudo com assombro. Longe, bem abaixo de nós, espalhavam-se maravilhosas mansões em estilo espanhol, carros cuidadosamente estacionados, a parte de cima das palmeiras e o tom azul-turquesa de piscinas iluminadas por dentro. As piscinas pareciam estrelas, a princípio eu reparara apenas em uma delas, depois outra, e então, subitamente, elas surgiam em toda parte, e havia tantas que não dava para contar. Elas continuavam pontilhando a distância de forma aleatória, até ficarem pequenas demais para serem vistas. Além das ruas próximas, Los Angeles, a megalópole, se estendia como uma grade de lâmpadas de Natal, uma cidade do futuro que se espalhava por muitos quilômetros, até se transformar em um borrão de cores elétricas no horizonte.

O mais estranho é que não se via nenhum ser humano pelas ruas. Mas eles estavam lá — agarrados àquela grade de incontáveis esperanças como milhões de moscas presas em uma teia eterna. De forma quase infinitesimal, senti o peso coletivo de tantos sonhos presos naquela rede de luz: as garotas lindas trabalhando como garçonetes, enquanto aguardavam a sua grande chance; os aspirantes a ator, roteirista e diretor que se espalhavam sobre aquela cidade roubada do deserto, vindo dos quatro cantos do planeta; centenas de milhares de indivíduos, cada qual esperando ser um dos poucos que iam conseguir vencer. Tanta espera, tanta determinação e tenacidade: imaginei que dava quase para ver tudo isso se elevando para o céu noturno, como vapor.

— É lindo, não é? — perguntou Troy, entortando ligeiramente a boca reta.

— Assustador.

— Também. Vamos nos sentar?

Havia uma variedade de poltronas de ratã e espreguiçadeiras nos modelos mais sofisticados (com mais ou menos vinte opções de inclinação em cada uma), todas parecendo dizer "eu sou o modelo mais confortável para você". Troy olhou com ar divertido para o sofá com almofadões muito macios que estava pendurado por cordas grossas em uma viga acima de nós.

Depois de um momento de medo pela possibilidade de as cordas não aguentarem o nosso peso (o *meu* peso, na verdade. Imaginem o mico que seria se eu subisse a bordo do sofá pendente, as cordas se soltassem da viga e despencasse tudo no chão?), eu até que entrei no clima. Sentamos cada um em uma ponta, encolhidos nos almofadões, com os pés quase se tocando.

Olhem só para mim, pensei, surpresa comigo mesma, balançando na noite morna, com vista sobre toda a cidade, tomando martíni em companhia de um homem muito, muito sexy.

Bem, com relação ao "homem muito, muito sexy"... Dizem que a pessoa não sabe o quanto esteve triste até se sentir feliz novamente. Do mesmo modo, acho que ninguém sabe avaliar o quanto estava a fim de uma pessoa até isso tornar a acontecer de verdade. A graça descontraída de Troy, seus olhos esverdeados e a sua proximidade criaram uma sensação em mim que só dá para descrever como "vontade".

— Vou acabar gostando disso aqui — disse ele, com suavidade. Pelo seu jeito de falar e pelo olhar maroto, meio de lado, que ele me lançou, vi que não falava apenas da vista, da bebida gelada e do sofá suspenso. Eu posso ter levado uma vida meio recatada, mas não sou completamente tapada.

— Estou sentindo a mesma coisa. — Mantive o tom neutro.

— Tem certeza? Você está realmente numa boa? Sabe como é, depois de todos aqueles telefonemas a respeito do seu marido.

— Não, estou legal. — Bem, pelo menos me sentia legal naquele exato instante.

— Que bom — concordou ele.

— Fale do seu encontro de trabalho, ontem à noite. — Emily insinuara que o trabalho era muito importante para Troy, então eu queria saber de tudo.

Ele me falou um pouco sobre os três projetos que estava tentando fazer decolar, os vários obstáculos e o quanto era difícil conseguir quem bancasse tudo. Eu o incentivei e fiz cara de pena sempre que necessário, mas era como se estivéssemos conversando em código.

Se ao menos ele tocasse em mim. A pele da minha perna quase gritava de tanta vontade de sentir a mão dele...

— Tem alguma Maggie aí fora? — Alguém colocara a cabeça para fora da porta do salão. — Cameron precisa de você. A lareira apagou.

Isso desfez o clima. Troy fez uma cara triste e disse:

— É melhor entrarmos.

Dentro do salão, mais gente havia chegado para a festa, mas não havia mais de trinta pessoas. Cameron agitou os braços do outro lado da tundra branca congelada e cantarolou, com a voz rouca:

— *Come on baby, light my fire!*

— Nossa! — murmurei para mim mesma. — Será que eu perdi algum agito? — Parecia que o nível de animação se elevara muito enquanto estávamos lá fora. Mas assim que eu tornei a acender a lareira e me instalei, junto com Troy, em um dos sofás de couro, descobri que estava enganada. A musiquinha que Cameron cantarolou para mim foi o máximo de animação: em se tratando de festas, aquela ali estava até bem-comportada demais. Se considerarmos que era uma festa de astros do cinema, era um grande desapontamento.

— Ninguém foi esbofeteado, ninguém ficou de sacanagem dentro do ofurô, nenhum aparelho de televisão foi lançado dentro da piscina — lamentei eu, com ar triste. Tirando uns baseados que circulavam discretamente, não havia ninguém consumindo drogas abertamente.

— Irlandesa, você está obcecada com isso.

— Estou só tentando recuperar o tempo perdido — disse, encolhendo os ombros.

Em volta da lareira, formando um círculo fechado, toda a equipe do *Barrados no Baile* parecia se conhecer. E apesar de serem educadamente cordiais comigo e com Troy, não pareciam exatamente amigáveis. Pelo menos daquela vez eu não liguei a mínima para isso, porque Troy era a única pessoa com quem eu estava a fim de bater papo. Ele voltou a me contar a respeito do seu trabalho enquanto eu arregalava os olhos, passava a língua por sobre os lábios e lançava olhares lânguidos por trás dos cílios curvos, até perceber que estava bebendo de um copo vazio. Já devia estar assim há algum tempo.

— Quer mais um? — perguntou Troy, apontando para o copo.

— Deixe que eu pego — apressei-me em dizer.

Atravessei as vastas planícies brancas até a cozinha, mas, ao chegar lá, a porta foi fechada na minha cara. Por trás da porta, ouvi uma garota cochichar:

— Você quer que *todo mundo* veja? Onde conseguiu isso?

Parei com a mão petrificada sobre a maçaneta e ouvi uma voz masculina oferecer:

— Você vai querer um pouco?

— Eu não posso! E você não devia!

— Só um pouquinho não vai fazer mal.

— Nossa, ouça só o que você está dizendo!

Fiquei com medo de entrar. Que tipo de substância ilegal eles estariam consumindo? Cocaína? Pó de anjo? *Heroína*? A curiosidade acabou prevalecendo e, ao abrir a porta, encontrei os dois debruçados com ar de culpa sobre um pote de sorvete Ben e Jerry, sabor Chunky Monkey. Os dois olharam para mim com cara de chocados e a garota chegou a dizer: "Isso não é o que parece."

Morrendo de rir, voltei até onde Troy estava e, colando a boca de forma íntima em seu ouvido, contei-lhe o que vira.

— Não foi exatamente o que se vê em um show de rock, não é?

— Eu não conseguia parar de rir.

— Não. — Ele riu também. — Aliás, essa festa não está com nada, não acha? Vamos lá, acabe o seu drinque que eu levo você pra casa.

As palavras saíram da minha boca antes mesmo de eu saber que ia dizê-las:

— Pra casa de quem?

Na mesma hora eu baixei os olhos, receosa de encará-lo. Tremia de esperança, cheia de audácia e de terror...

— Maaaaggie — sussurrou ele, e eu, com certa hesitação, tornei a olhar para cima. Sua expressão era de perplexidade. Devia estar se perguntando se ouvira mal, e então viu que não. Ele riu, e foi uma risada engraçada e meio pesarosa. — Puxa vida — disse, com uma voz quase cansada. Com o coração dando pulos dentro do peito, vi que ele se levantou e estendeu o braço na minha direção. — Vamos, então.

CAPÍTULO 23

Em seu jipe, fiquei o tempo todo olhando para fora da janela, porque não aguentava olhar para ele e não poder tocá-lo. Sem falar nada, ele dirigia depressa demais. Porém, em um momento em que pegamos um sinal fechado, cometi o erro de virar o rosto e olhar direto para ele, e de repente a sua boca já estava sobre a minha. Não sabia que tipo de beijo esperar, porque a sua boca era dura, mas ele era um homem gentil — e quando aconteceu, na verdade, eu me senti chocada pela qualidade. Não foi só a minha falta de prática que me fez achar que ele era um especialista em beijos. Ele sabia ser excitante, sedutor e até mesmo um pouco sem-vergonha.

Beijamo-nos em três sinais vermelhos. Na hora, não entendi direito o que estava acontecendo, mas depois de algum tempo comecei a prestar atenção na barulhada louca que ouvia em algum lugar bem longe — o buzinaço deve ter acontecido porque o sinal abriu e nós continuamos parados. O barulho de carros acelerando furiosamente devia ser dos automóveis que nos ultrapassavam, e a nova rodada de buzinas irritadas e estridentes devia vir dos incautos que pararam atrás de nós no cruzamento seguinte, depois que o sinal tornou a abrir.

De repente, estávamos novamente nos movendo, cada vez mais depressa, até estacionarmos em uma rua cheia de lixo acumulado dos dois lados; ele já estava abrindo uma porta de metal toda pichada e me levando com ele por degraus de concreto. Seu apartamento era muito pequeno e desarrumado, cheio de livros e pilhas de manuscritos. De repente já estávamos na cama, de lado, um de frente para o outro.

— Tem certeza de que você quer fazer isso? — perguntou ele, em um murmúrio, acariciando a linha do meu cabelo, junto da testa, e enviando arrepios através de todo o meu corpo.

Durante a minha vida inteira eu fora cautelosa e segurava a minha onda até ter certeza de que algo era a coisa certa a fazer. Naquele momento, porém, a voz da pressa foi bem mais forte:

— Sim, tenho certeza.

— É que você acabou de se separar do seu marido...

Eu não estava a fim de inventar jogos nem de me fazer de difícil, para deixá-lo louco. Queria que o lance acontecesse, e queria logo.

— Já tem seis semanas. E acabou há muito mais tempo. — Estava sem fôlego. Não apenas por causa da espera, mas com medo de que ele fosse me dispensar.

— É que eu sou terrível — avisou ele, com gentileza.

— Sim, já vieram me contar. Quer que eu assine alguma cláusula abrindo mão de você? — Ele riu. Eu peguei a mão dele e a coloquei sobre a minha canela. — Mostre novamente como chegar ao seu apartamento, saindo de Santa Mônica.

— Posso fazer mais que isso.

Ele arrancou a camiseta e eu vi que o seu peito era liso, brilhante e sem pelos. Então tirou o resto das roupas e exibiu um corpo com quadris estreitos, músculos definidos e abençoado por uma fantástica pele morena. Se eu disser que ele era o homem mais lindo que eu já vira em toda a minha vida estaria exagerando um pouco, mas, enfim, dá para vocês sacarem o clima.

De repente ele estava me ajudando a tirar o vestido, e me dizia o tempo todo o quanto me queria.

Claire me contara a respeito da primeira vez que transara depois de se separar de James, e o quanto estava nervosa no dia em que foi para a cama com outro cara. Depois que eu deixei Garv, achava impossível sequer me imaginar dormindo com outro homem. Era literalmente impossível. Ali na hora, porém, até que estava achando mais fácil do que esperava.

— Você é linda — sussurrava ele, desfazendo o nó da minha echarpe Halston e retirando-a de volta do meu pescoço para então, com o mesmo cuidado, amarrá-la em torno do meu pulso e prender a outra ponta no pilar da cama. *Ai, caraca!*

— Fique quietinha aí — ordenou ele, desaparecendo e (*ai, caraca!*) voltando logo em seguida com uns cordões finos. — Tudo bem com você? — perguntou ele, amarrando de leve o meu outro pulso ao pilar da cama no lado oposto.

— Não sei. Nunca fiz isso antes.

— Pois então está na hora de fazer. — Ele riu e, de repente, já estava segurando o meu pé com uma das mãos e amarrando um tornozelo. Logo eu estava com as pernas e os braços estendidos e presos na cama.

E então fiquei com medo. E se ele fosse um serial killer? E se estivesse planejando me torturar e matar?

Então ele começou a subir lentamente pela minha perna acima, passando a língua, levando todo o tempo do mundo em cada centímetro, parando um pouco no joelho, em volta da rótula, e quando chegou na coxa decidi que mesmo que ele fosse um serial killer eu não me importava. Mais para cima, cada vez mais para cima, ele foi seguindo, sem chegar ao ponto mais alto, um pouco mais acima, depois voltando alguns centímetros — eu quase engasguei — para finalmente alcançar o ponto onde eu queria que ele estivesse.

Eu me esquecera de o quanto o sexo pode ser fabuloso. Digamos apenas que fazia muito tempo desde que Garv e eu tínhamos feito sexo selvagem em cima da mesa da cozinha. (O fato de ainda estarmos esperando que ela fosse entregue não ajudava muito, é claro.) Aquilo era prazer puro e egoísta, do tipo "tudo pra mim". Os círculos que ele fazia com a língua começaram a se ampliar, o prazer foi se acumulando e se intensificando, até alcançar um nível de delicadeza quase insuportável, chegando ao auge. Estremeci, indefesa, até que a sensação explosiva se dispersou e voltei ao normal, embora ainda muito ofegante.

— Você é bom nisso — elogiei, quase rindo.

Ele riu e falou, com a voz arrastada:

— É que eu treinei muito.

Então ele se ajoelhou entre as minhas pernas com uma ereção muito impressionante e furiosa, empurrando a ponta de encontro a mim, depois recuando, depois enfiando alguns centímetros e tornando a tirar, depois recolocando um pouco mais para tirar em seguida, até que tudo que eu queria é que ele enfiasse de uma vez e matasse a minha vontade. No meio disso tudo, porém, havia a preocupação com os detalhes importantes — a última coisa de que eu precisava na vida naquele momento era engravidar de Troy.

Então ele pegou um pacotinho na gaveta da mesinha de cabeceira e colocou a camisinha com um gesto rápido e eficiente, e logo me penetrou com força. Embora eu estivesse com as mãos e os pés amarrados, corcoveava e estremecia de desejo por baixo dele. Então ele começou a gemer baixinho: "Caramba... puxa vida..." Com os olhos fechados, sua cabeça se arqueou para trás. No momento do clímax, seu corpo se contraiu e pareceu paralisado, e nada mais se moveu, a não ser os espasmos dele dentro de mim.

Com os braços subitamente moles e sem forças, ele despencou em cima de mim, nossos peitos arfando. Logo depois se levantou, apoiou-se sobre os cotovelos e me olhou com ar divertido:

— Puxa! — disse ele, baixinho. — Você curte mesmo isso, não é?

Desamarrou meus braços e pernas e, da segunda vez, foi com mais calma — muito mais calma. De lado, um de frente para o outro, mal nos movendo, presos pela parte de baixo do corpo e mergulhando cada vez mais fundo um no outro, com toda a suavidade, olhei bem fundo nos olhos dele e me esqueci de quem eu era.

O sol já começava a aparecer quando pegamos no sono, e de repente eu acordei com a luz amarela de uma manhã gloriosa que enchia o quarto. Em pânico, virei a cabeça para o lado, no travesseiro, e lá estava ele. Acordado e olhando para mim. Chegando mais perto, ele fixou os olhos sonolentos e verdes em mim e disse:

— Nossa primeira manhã juntos.

Seu jeito de falar arrastado fazia tudo parecer uma piada, e eu ri, para depois movimentar minhas mãos por baixo do lençol, até achar o que eu queria — pele aveludada envolvendo uma barra de ferro — e me deixei escorregar pela cama abaixo.

— Agora é a sua vez — avisei.

Depois ele insistiu em retribuir o favor, mas então disse, com um suspiro de lamento:

— Eu adoraria ficar aqui fazendo isso o dia inteiro, mas tenho que trabalhar. Venha comigo, eu levo você para casa.

LOS ANGELES

Ao sairmos do apartamento, esbarramos em um grupo de turistas carregados de mapas e máquinas fotográficas, olhando em volta das ruas imundas com ar perplexo. Afinal, Hollywood não era um lugar lindo e glamoroso? Ao entrarmos no jipe de Troy, eles olharam com muita atenção para nossos rostos, loucos para descobrir se éramos artistas famosos, e quando fomos embora ainda continuavam olhando fixamente.

A caminho de Santa Mônica, nenhum de nós dois disse uma só palavra. Fechei os olhos e me deixei embalar por uma imensa sensação de bem-estar. De repente, ouvi a voz de Troy dizendo:

— Acorde, irlandesa, chegamos em casa.

Abri os olhos. Estávamos do lado de fora da casa de Emily e comecei a ver os músicos do Ritmo da Vida começarem a sair da casa de Mike e Charmaine, todos se encaminhando para seus Mercedes e Lexus estacionados, à espera.

Finalmente, elevei o corpo.

— Obrigada pela carona, pela festa e... sabe... por tudo.

— O prazer foi meu. — Ele colocou a mão por trás da minha nuca e deu um beijo de leve em minha boca.

— Telefone para mim depois — sugeri, com ar alegre, saltando do jipe.

— Claro. — Ele sorriu. — E também vou lhe escrever todos os dias.

CAPÍTULO 24

A casa ensolarada estava estranhamente silenciosa; Emily ainda não havia chegado. Obviamente, ela também se dera bem. Pela primeira vez, eu não me importei de estar sozinha em casa, não me importei *nem um pouco*. Estava radiante. Apesar dos pulsos e tornozelos doloridos, e a parte interna das minhas coxas meio dormente, nunca me sentira mais viva. Depois de tomar uma ducha, quando descobri, espantada, uma marca de dentada na barriga, fui de carro até a praia para pegar um pouco de sol. Gostei daquela imagem de mim mesma. Uma mulher independente, dirigindo um conversível e feliz consigo mesma.

Tinha acabado de me esticar sobre a toalha quando vi Rudy chegando, carregado de sorvetes.

— Por onde andou? Estava preocupado com você — afirmou ele.

— Tive uma semana cheia — expliquei. — Você tem Klondike triplo?

Enquanto me instalava em companhia do sorvete sob o sol ofuscante, uma imagem de um novo começo começou a me seduzir. Aquele lugar era tudo de bom: o clima era fantástico, a localização não podia ser melhor, as pessoas eram adoráveis. Eu poderia deixar a minha vida na Irlanda para trás e começar de novo para, dessa vez, tudo dar certo. Com o tempo que trabalhei em Chicago no currículo, alguém poderia me dar emprego e me conseguir um greencard — devia haver milhares de empregos nos estúdios para pessoas com experiência jurídica.

Então entreabri a porta de uma esperança empolgante e secreta: talvez Troy fizesse parte daquela minha nova vida. Comecei a visualizar, de forma fantasiosa, um idílio feliz para mim e para ele, nós dois rindo o tempo todo, juntos, passeando por um mercado de frutas e legumes. Nos filmes, quando as pessoas começam a sair, passam um monte de tempo circulando por entre produtos frescos, não pega mal ficar acariciando pepinos e beringelas, nenhum vendedor mal-humorado aparece gritando: "Ei! Nada de apertar os legumes!"; o apaixonado pode pegar um morango bem vermelho e suculento e colocá-lo na boca da sua amada sem ser preso por furto.

Fiquei ali, entretida com essas imagens, quase a manhã toda, e só parei porque tive de voltar para casa: estava louca de vontade de ir ao banheiro.

Assim que abri a porta, corri para o banheiro e fiquei surpresa com uma sensação de ardência. Então me lembrei do motivo e na mesma hora aquilo se tornou uma sensação agradável. *Ah, sim, claro...*

Ainda não havia sinal de Emily, mas tinha um recado dela na secretária. Ela ia passar o dia todo com Lou, e depois eles iam sair novamente à noite, e eu não precisava esperá-la acordada, pois ela não ia voltar para casa. "Ligue para o celular, se estiver com algum problema." De repente, ela lembrou que talvez eu também não fosse voltar para casa e acrescentou: "Talvez você também ainda não tenha voltado. Vou tentar achar você no telefone de Troy."

Essa era a única mensagem. Isto é, a única *para mim*. Havia umas dez mil para Emily. De Justin, Connie, alguém chamado Lamorna e outra pessoa que disse se chamar Dirk.

Foi só então que as implicações do recado de Emily começaram a ser digeridas: eu ia ter de passar a noite sozinha. Tudo bem, eu poderia ligar para Claire antes de dormir — mas então me lembrei que não, por causa da diferença de fuso horário. Pois bem, então eu ligaria para Rachel em Nova York, e depois de desligar ia complementar meu status de mulher independente e feliz indo ao cinema desacompanhada. Meio indecisa, confirmei: "Sim, eu bem que podia fazer isso." Então comecei a dar forma a um pensamento que estava louco para ganhar vida: "... A não ser que Troy telefone." Sempre havia uma possibilidade de repetir o sexo fantástico da noite anterior e daquela manhã... Na mesma hora eu me senti loucamente excitada. Alguém bateu à porta e eu levantei a cabeça em uma louca expectativa. Será que meus pensamentos haviam feito Troy se materializar? Com uma pistola no bolso?

Nada disso. Era Lara.

— Está pronta? — Sorriu ela. — Para ir à Madame Anoushka?

Fiquei parada feito estátua.

— Minha nossa, eu tinha me esquecido completamente! — Madame Anoushka, que ia me salvar das terríveis sobrancelhas. Tinha hora marcada com ela às cinco e meia. — Por favor, me dê dez minutos — implorei e corri para o chuveiro, para tirar a areia da praia.

Três minutos depois eu já estava enrolando uma toalha em volta do corpo e, enquanto tentava encontrar uma roupa decente, Lara entrou no quarto para falar comigo. Quando peguei o sutiã, tive um momento de pânico, imaginando como é que eu poderia vesti-lo sem que ela me visse nua, mas estava atrasada demais para me preocupar com isso. Ela que veja! Não é nada que ela já não tenha visto antes! Puxa, logo eu, que ficava superirritada com homens homofóbicos que agiam como se todo gay que aparecia na frente deles estivesse prestes a lhes passar uma cantada! Eu não estava ali, naquele momento, me comportando do mesmo jeito?

De qualquer modo, não tive receio, nem por um momento, de que ela fosse se atirar em cima de mim. Acho que a preocupação era com a minha forma física, ou se ela ia achar os meus peitos bonitos.

Fiquei pronta em menos de nove minutos.

— Puxa, estou impressionada! — elogiou Lara, e entramos em sua picape prateada, mais uma vez indo em direção a Beverly Hills. Puxa, até parece que eu não saía de lá! Enquanto dirigia, ela me perguntou a respeito da festa de aniversário de Cameron Myers e eu lhe falei da cobertura, da vista e da lareira de Cameron, mas como ela não perguntou se havia acontecido alguma coisa entre mim e Troy, também não tive como contar o resto da história.

Madame Anoushka era uma russa branca e fria que se mostrou chocada diante das minhas sobrancelhas muito mal aparadas.

— Pavoroso! — sentenciou. — Elas estão em um estado pavoroso!

Tão pavorosas que ela teve que se sentar por um momento para soltar um suspiro longo, do fundo do coração. Então tornou a se levantar, pronta para enfrentar o desafio.

— Famos vazerr o gue vôr pozível! — disse ela, colocando um pouco de cera quente nos meus supercílios. Seu sotaque me fez lembrar de alguém, o que gerou um redemoinho de nostalgia que eu não consegui identificar de onde vinha. De repente lembrei: Valya e Vladimir; Garv e sua lista de compras no supermercado. Foi como uma porta que se abriu dentro de mim, e essa porta dava para um lugar cheio de correntes de ar. Então, felizmente, Madame Anoushka arrancou de uma vez só a tira de cera que aplicara e a agonia foi tão grande que apagou as lembranças.

O processo todo foi absurdamente desagradável. Cada vez que Madame Anoushka usava a pinça, era como ser atacada por milhares de dardos microscópicos, meus olhos se enchiam d'água e eu ficava inquieta, com uma perigosa vontade de espirrar. Todo o tempo ela dava ordens, com seu sotaque de Valya:

— Agorra, a outra pinza! — ladrava ela, como um cirurgião da série *Plantão Médico*. — Agorra, um bouco mais de zêra!

Tive que refrear o impulso de lhe perguntar se ela tivera "muintoz i muintoz amantes". Meu palpite era de que sim, pois ela era uma mulher muito vistosa.

Depois de séculos, o frenesi das pinças passou para a outra sobrancelha e foi, se é que era possível, pior do que a primeira. Eu já estava rezando para a coisa toda acabar.

Por fim, tudo ficou calmo de repente — aquela calma que sentimos quando as pipocas acabam de estourar —, e então eu abri os olhos e fiz menção de me levantar. Só que Madame Anoushka me impediu, insistindo, com voz furiosa:

— Não!

De forma obediente, recostei-me e tornei a fechar os olhos. Mas nada aconteceu e eu, morrendo de medo, abri uma frestinha de olho e me deparei com Madame Anoushka me avaliando com grande concentração.

— A parte mais difícil é saber quando a obra está realmente pronta — disse Lara, com admiração na voz. — Todos os grandes artistas dizem isso.

Nos dez minutos que se seguiram, um único pelo foi arrancado da sobrancelha direita, e nenhum da esquerda, e só então Madame Anoushka achou por bem declarar:

— Está pronto!

Sentando-me ereta, olhei meu rosto no espelho: meu nariz estava muito vermelho e meus olhos estavam meio inchados e congestionados, como se eu tivesse chorado por uma semana. Aquele rosto me fez lembrar alguém. Quem era...? Ah, *eu mesma*. Em fevereiro daquele ano. Mas minhas sobrancelhas estavam lindas, sem sombra de dúvida.

— Izzo é melhorr do gue vazer um lifting! — decretou Madame Anoushka. Onde foi mesmo que eu ouvira isso antes? Ah, lembrei... E ela cobrou quase tanto quanto Dino.

Quando voltamos para a picape de Lara, algo mudou. De repente ela me pareceu pouco à vontade e um clima estranho tomou conta do interior do carro.

— Tem uma coisa que eu preciso lhe dizer — afirmou ela e tomou a minha mão. Em estado de alerta, olhei para os olhos muito azuis dela. Ah, meu Deus, lá vamos nós...! Um beijo de sapata! Argh! Com os sentidos todos subitamente em estado de emergência total, reparei que ela tinha cheiro de morango e suas pernas eram tão compridas que o banco do carro estava posicionado todo para trás... Ela ergueu o meu braço e o levou para perto do rosto. Será que ela ia beijar a minha mão? E depois ia querer me beijar? — Eu me sinto péssima por dizer isso — suspirou ela —, mas as suas unhas estão horríveis. Você *tem que ir* a uma boa manicure.

Levei um momento aparvalhado para perceber que ela devolvera a minha mão. Nada de beijo de sapata. Apenas mais uma etapa da missão de Lara, que tentava me colocar dentro dos padrões estéticos de LA.

— Maggie, você já foi a uma manicure... *alguma vez*?

— Claro que sim. — Eu fui à manicure no dia em que me casei, não fui? E algumas outras vezes, também.

— Mas faz tempo que não vai, certo? Pois bem, o lance é o seguinte: tem um salão em Santa Mônica, na esquina da Arizona com a Terceira. Chama-se Paraíso das Unhas, e as atendentes vieram todas de

Taiwan. São as melhores do mundo! Vá até lá e diga-lhes que fui eu que mandei você procurá-las. — Fiquei esperando-a pegar o celular para marcar uma hora para mim, mas ela não fez isso.

— Você não vai... — tentei manter o tom de voz casual — ... marcar uma hora para mim?

— Você não precisa marcar hora para isso. Imagine, só para fazer as unhas! Este é um país civilizado! Escute, Maggie, você não ficou com raiva de mim, ficou?

— Não.

— Graças!... E agora, vamos fazer o quê? Tomar um drinque, jantar em algum lugar ou...

Antes de conseguirmos decidir, o celular tocou.

— Sim... — Seus olhos se fixaram em mim. — Estou com ela aqui do meu lado.

Era Troy! Desesperado, me procurando! Louco para fazer sexo comigo!

Só que não era. Era Justin. Emily ligara para ele e lhe dera instruções para cuidar de mim durante aquela noite.

— Posso ir também? — pediu Lara.

— Nada de Nadia hoje à noite?

— Não. — Subitamente quieta, ela ligou o carro e seguimos direto para a casa de Justin, uma mini-*hacienda* com um monte de arcos em estilo espanhol e grades em ferro trabalhado. Ele vestia uma camisa havaiana azul e verde que eu nunca tinha visto. Devia ter centenas delas.

— Oi, tudo bem? — perguntei.

— Estou muito chateado — respondeu ele, com a voz ainda mais aguda que normalmente.

— Por que, querido? — quis saber Lara, carinhosa e preocupada.

— Tem um sujeito por aí que anda conseguindo os papéis que eram para mim. Olhem ele aqui! — Deu um tapa no *Daily Variety* com as costas da mão e nos mostrou uma pequena foto do cara. Foi muito estranho, porque ele era parecido com Justin, mas *tão* parecido que era como se fossem irmãos, com a diferença que o ator do jornal era um pouquinho mais rechonchudo e bonitinho, e seu rosto tinha feições mais retas e simples que as de Justin.

— Tudo o que eu faço na vida é ser gordo e dispensável — reclamou ele, arrasado. — Se eu não puder ser nem ao menos isso, estou sem trabalho. Vou ser um perdedor total.

Lara e eu nos lançamos sobre ele, a fim de consolá-lo, lembrando que ele era insuperável em massagens nos pés e também um excelente cozinheiro (segundo Lara), até que, finalmente, ele se animou um pouco.

— Ahn, desculpem, garotas, estou legal. O que vamos fazer? Podíamos pegar um cineminha.

— Para mim, está ótimo. — Ir ao cinema era sempre uma boa oportunidade de me entupir de doces, escondida no escuro.

— Que tal *Porcos Voadores*? — sugeriu Lara.

— Não, eu detestei o último filme dele — recusou Justin.

— Qual foi? *Introspecção*?

— Não, *Dia de Lavanderia*.

— Foi ele que dirigiu aquilo?

Eu me desliguei do assunto, enquanto eles avaliavam a árvore genealógica dos muitos e muitos filmes em cartaz na grande Los Angeles. Aliás, essa era a única reclamação que eu tinha por ter tanto contato com gente do mundo do cinema: eles sabiam coisas demais. Só tornei a me ligar no papo quando eles finalmente elegeram um candidato. Um filme chamado *A Sete Palmos*.

— É uma comédia de humor negro — explicou Justin. — Foi dirigida pelo cara que fez...

— Ótimo, eu topo esse! — Estava mais interessada no saquinho de M&Ms que eu ia comer sozinha enquanto assistia ao filme.

Quando estávamos saindo da casa, reparei no sobrenome de Justin, escrito na caixa de correio: Thyme.

— Justin Thyme? Que nome fantástico!* Ele é verda...

— Não! — Ele nem me esperou acabar de perguntar. — Não é o meu sobrenome verdadeiro. Eu o inventei só para conseguir me destacar no meio dos milhares de gordos dispensáveis que andam por aí.

*　*　*

---

* Justin Thyme se pronuncia, em inglês, da mesma forma que "just in time", que significa "na hora H". (N.T.)

LOS ANGELES

No domingo de manhã eu já estava louca para Emily voltar logo para casa.

E para que Troy me telefonasse.

Quando será que ele ia resolver fazer aquilo? Quais eram as regras? Talvez ainda fosse muito cedo — havia passado menos de um dia. Verifiquei o meu relógio. Vá lá... pouco mais de um dia... Aquilo não era nada, tempo nenhum. Eu poderia ligar para ele, é claro. Isso é o que as pessoas fazem, isto é, as pessoas normais, e era isso que eu devia procurar ser. Mas eu não sabia o número do seu telefone.

Andando pela casa a esmo, abri alguns armários e tornei a fechá-los, sem achar nada de interessante, então me sentei olhando para o chão, torcendo para Emily voltar logo da sua maratona sexual com Lou. Os sintomas da dominguite são iguais em todo lugar.

Quando o telefone tocou, a adrenalina foi bombeada pelas minhas veias com tanta força que achei que ia ter um infarto. Com os nervos à flor da pele, atendi antes do segundo toque. Mas não era Troy, era a minha mãe.

— Está tudo bem com você? — perguntou ela.

Fiz que sim com a cabeça, desapontada demais para conseguir falar.

— Você está gostando daí?

Rapidamente, eu me liguei.

— Muito, de verdade, estou *adorando*! — Eu não queria sofrer nenhum tipo de pressão para voltar logo para casa. — As pessoas são agradáveis, o clima é fantástico...

— Está fazendo sol? — interrompeu ela.

— Muito sol! O calor está de rachar!

— Eu bem que precisava tomar um pouco de sol... — comentou ela, com ar melancólico.

Tive uma estranha premonição e comecei a recuar.

— Se bem que aqui tem o problema do *smog*, que é terrível. Tudo fica meio enevoado. E sempre existe a possibilidade de um terremoto.

— Aqui não parou de chover desde o dia em que você foi embora. Eu preferia um terremoto.

— Rá-rá-rá... — ri de nervoso. Mudei de assunto rapidinho, me despedi o mais depressa possível e voltei a olhar atentamente para o chão.

Emily chegou em casa por volta das duas da tarde. Lou a bombardeara com amor durante todo o fim de semana: ele a levara a restaurantes fabulosos, praticara o shiatsu nela, na noite anterior eles haviam subido até a Mulholland Drive para ver as luzes da cidade, e ele dissera que aquilo era uma coisa que eles um dia contariam aos netos.

— Um caso clássico de homem compromissofóbico — comentou ela, alegremente.

— O que é isso?

— Homens que criam um clima de intimidade instantânea: basta adicionar água e agitar um pouco. Depois, somem e você nunca mais ouve falar deles.

— Você parece quase feliz ao dizer isso.

— É bom saber que existem coisas nas quais você pode confiar... O pior é se ele estivesse falando *sério*, com aquele papo de contar a noitada para os nossos netos — acrescentou ela, com ar de desdém. — *Aí sim* é que seria muito pior!

Não precisou nem que eu lhe dissesse que Mort Russell não havia ligado: ela já verificara a caixa de mensagens um monte de vezes.

— E você, como é que está? — quis saber ela.

Como é que eu estava...? Troy ainda não havia ligado e isso criara uma bola de ansiedade no meu estômago. Mas eu não era o tipo de pessoa que sempre preferiu adiar os bons momentos, para curtir a espera? Pois então...? Quando ele finalmente ligasse, o sufoco valeria a pena.

— Você está meio... diferente, Maggie.

Minha nossa, será que era assim tão óbvio?

Ela me analisou com toda a atenção.

— Suas sobrancelhas! — exclamou, por fim.

— Ah, é mesmo. Lara me levou até a Madame Anoushka.

— Conte-me como foi a festa de Cameron Myers.

— Bem... — disse eu, sem conseguir esconder o ar de prazer que se estampou em meu rosto. — Foi o máximo!

— Como o máximo?... Quero saber de tudo. — Então, a sua expressão se alterou. — Ai, merda — pareceu surpreendentemente chocada —, você dormiu com Troy.

LOS ANGELES

— O que há de errado nisso?

— Nada — disse ela. — Nada mesmo — insistiu. — Tudo bem, é que isso é meio esquisito, para mim — admitiu, por fim. — Puxa, durante nove anos você foi casada com Garv e está aqui em LA há... deixe-me ver quanto tempo... menos de duas semanas, e já está dormindo com outros homens. E olhe que você sempre foi do tipo sossegada. Isto é, mais ou menos. É meio difícil me acostumar com a ideia, só isso.

— Pois eu já me acostumei.

— Ótimo. — Ela fez uma tentativa meio óbvia de parecer animada com a notícia, abriu um grande sorriso e perguntou: — Foi divertido?

— Nossa, divertido não é bem o termo.

— Que bom pra você. — Por um segundo, pareceu que ela ia me dizer mais alguma coisa, mas desistiu.

CAPÍTULO 25

Há cerca de uns três anos aconteceram duas coisas que eu nunca imaginei que fossem acontecer: meu aniversário de trinta anos chegou e, depois de cinco anos morando em Chicago, ofereceram uma promoção a Garv para trabalhar no escritório da companhia em Dublin e nós decidimos voltar a morar na Irlanda. Garv assumiu um posto de gerência, eu consegui um contrato de seis meses de experiência na McDonnell Swindel e de um momento para outro já estava na hora de termos um bebê!

O problema é que, para meu desespero, eu ainda não me sentia "pronta". Era ótimo voltar para a Irlanda, mas eu sentia falta de Chicago. Para piorar, a adaptação ao novo emprego me pareceu muito estressante; eu detestava a insegurança de um contrato de trabalho temporário, mas isso foi tudo o que me ofereceram. O *pior* é que não havia onde morar: tínhamos a expectativa de que o nosso retorno à velha Irlanda, a nossa Ilha Esmeralda, seria igual ao das pessoas que vão para os Estados Unidos e voltam vitoriosas: elas se dão bem na América e retornam com tanta grana que saem esbanjando por aí. Por isso, foi um grande choque descobrir que enquanto estivemos fora do país a Irlanda teve a ousadia de crescer e adquirir uma economia forte e independente.

Dublin se expandia de uma forma nunca vista e o preço dos imóveis subiu às alturas. Nós voltamos ao país no auge da prosperidade, quando casinhas que pareciam verdadeiras caixas de sapato eram vendidas por vários milhões, e se uma pessoa ficasse em pé no mesmo lugar por muito tempo, alguém já entrava com pedido de licença para um projeto de construção de dezesseis apartamentos pendurados nela. O resultado disso foi que, com a grana da venda do nosso apartamento de Chicago, demoramos cinco meses para achar uma casinha no subúrbio de Dean's Grange, a muitos quilômetros do centro.

A antiga dona era uma senhora muito idosa — a cozinha e o banheiro eram peças de museu, os cômodos eram pequenos e escuros. Assim, bolamos várias plantas para fazer uma reforma e modernizar tudo: nova cozinha, novo banheiro, derrubar paredes, instalar claraboias e tudo a que tínhamos direito. Os operários da empresa Lord Lucan, de construções e reformas, chegaram no dia combinado, colocaram abaixo quase toda a casa e imediatamente desapareceram. Cada dia que a pilha de entulho continuava abandonada no "jardim" da frente era mais um dia que eu ganhava, sem precisar encomendar o bebê.

Mas o tempo todo eu sentia o cerco se apertando. Pouco antes de sairmos de Chicago, quase todos os casais que conhecíamos estavam tendo filhos, e mal acabamos de aterrissar na Irlanda, reparei que por ali todo mundo embarcara na mesma onda. Uma semana depois da nossa volta, Shelley, irmã de Garv, teve um menino, Ronan. Garv e eu fomos visitá-la na maternidade, carregando um monte de uvas, e reparamos que Peter, o companheiro de Shelley, já estava com uma garrafa de champanhe debaixo do braço para celebrar o nascimento do seu primeiro filho.

— GARV! — berrou ele, assim que nos viu no corredor. — Garv, Garv! Venha ver o que saiu daqui de dentro, o fruto das minhas entranhas! — Lançou a pélvis para a frente com tanto vigor que quase caiu e então, apoiando-se nas brilhantes paredes verdes, deu uma gravata amigável em Garv e o arrastou até o berçário, aconselhando: — Veja só, aprenda como isso é lindo! — Emocionou-se. — Esse é o m'lagre de u'a nova vida. É U' M'LAGRE! — Fiquei toda sem graça com o mico que ele estava pagando, especialmente depois que foi convidado a se retirar do recinto, pois estava incomodando os outros pais. Garv, porém, me pareceu muito comovido com a cena.

Era impossível não reparar que Garv adorava pirralhinhos em geral. Gostava muito deles e eles gostavam de Garv. Tinham uma alegria especial em despentear os cabelos dele, arrancar-lhe os óculos e enfiar o dedo no seu olho. Quando eles choravam, ele os segurava, conversava com eles usando palavras doces e eles paravam de berrar na mesma hora, olhando para Garv com uma espécie de encantamento que fazia todos exclamarem (exceto a minha família): "Ele tem tudo para ser um grande pai."

Como era de esperar, Garv começou a dar indiretas e diretas sobre nos reproduzirmos, e eu xinguei a minha falta de sorte. Em outros relacionamentos, eram sempre as mulheres que queriam ter filhos, enquanto os homens faziam de tudo para escapar dessa furada. Na verdade, de acordo com o folclore (e as revistas femininas), esses homens que detestavam a ideia de ter filhos estavam espalhados por toda parte, como minas terrestres.

Toda vez que Garv tocava no assunto, eu conseguia um motivo legítimo e aceitável para convencê-lo de que ainda não era o momento certo. Só comecei a desconfiar de que a minha relutância em ter filhos não era temporária no fim de semana em que ficamos cuidando de Ronan. (Bem, eu disse fim de semana, mas na verdade foi só da noite de sábado até a tarde de domingo, o máximo de tempo que Peter e Shelley tinham coragem de ficar longe do filho. E telefonaram umas oitenta vezes para saber se estava tudo bem.)

Foi a primeira vez que ficamos tomando conta de Ronan por tanto tempo, e até que não nos saímos mal em dar mamadeiras, colocá-lo para arrotar, trocar fraldas e distraí-lo. Foi divertido porque, entendam bem, eu não tenho nada contra os bebês *em si*. Só a ideia de tê-los é que me incomoda. Quando Ronan chorou umas duas vezes durante a noite, Garv se levantou para acudi-lo sem reclamar. Depois, de manhã cedo, ele o trouxe para ficar conosco na cama e o colocou sentado em sua barriga, de frente para nós. Ronan começou logo a sorrir, e quando Garv pegou suas mãozinhas rechonchudas e começou a soprar de forma barulhenta na barriga do bebê, ele gargalhou tanto que parecia que a cabeça ia despencar para trás. Garv também morria de rir, e deitado ali, sem camisa e com o cabelo despenteado, parecia o supergato daqueles anúncios em estilo "um homem e seu bebê". Senti uma espécie de desejo tão intenso e confuso que a dor foi quase física.

Foi um grande dia para alguns, e quando Peter e Shelley vieram pegar Ronan, perguntaram:

LOS ANGELES

— Ele ficou quietinho?

— Quietinho? — empolgou-se Garv. — Ele é o máximo! Nem queríamos devolvê-lo.

— Então é melhor tratarem de arranjar um priminho para ele — sugeriu Shelley.

Rápida como um raio, apontei para as paredes descascadas e disse:

— Não podemos criar um bebê dentro desse canteiro de obras, não é?

Eles riram, eu ri e Garv riu, mas a sua risada não foi tão forte quanto as outras. Até eu já percebera que estava exagerando nas desculpas, e logo depois os coelhos apareceram.

O tempo foi passando e eu ainda não me considerava "pronta". Alguns dos meus medos haviam diminuído, especificamente o da dor do parto; conhecia um monte de mulheres que já haviam tido filhos e sabia que dava para sobreviver ao trauma. Mas sempre que ouvia casos de mulheres que tiveram o primeiro filho aos trinta e nove anos, isso alegrava o meu dia. Então eu li no jornal uma notícia a respeito de uma mulher de sessenta que conseguira um bebê por meio de um processo artificial. Isso, também, foi uma boa notícia. Só que, mais cedo do que esperava, o meu aniversário de trinta e um anos chegou e me deixou em pânico; prometera a mim mesma que teria um filho quando completasse trinta anos, e agora eu já estava um ano mais velha. Quando será que o meu instinto maternal ia brotar? O tempo estava passando. Se eu não me apressasse, quando ele aparecesse eu já estaria entrando na menopausa.

Mas, como eu já disse, Garv não era nada bobo. Finalmente, ele me fez sentar em um canto para conversar, de forma gentil (se bem que com firmeza. Ele sabe ser firme quando quer), e me fez falar a respeito do assunto. Falar *de verdade*, a sério, em vez de ficar enrolando, como eu vinha fazendo havia um ano.

— Eu simplesmente não me sinto pronta — admiti. — O problema não é mais a dor do parto, estou melhor com relação a isso.

— Boa menina. Vamos conseguir a melhor anestesia peridural que o dinheiro puder comprar. O que mais está pegando?

— Bem, o meu emprego.

Depois de desabafar em voz alta, compreendi a magnitude do problema. Durante cinco anos, tanto em Chicago quanto na Irlanda, eu trabalhei com muita dedicação, muita mesmo, nadando contra a corrente, e ainda estava à espera da estabilidade, torcendo para que meu cargo alcançasse um ponto onde eu poderia me sentir "segura". Se eu estivesse com a carteira assinada, poderia tirar licença-maternidade sabendo que não ia perder o emprego, sem preocupações sobre os meus colegas estarem fazendo a minha caveira e denegrindo a minha competência. Só que eu já estava no meu terceiro contrato temporário e eles ainda não haviam me efetivado.

— Mas você pode tirar licença-maternidade mesmo assim...

— Eu sei, mas será que vão me querer de volta, depois? E as minhas chances de promoção? Se eu ficar quatro meses afastada, como vou conseguir virar uma Frances, um dia?

— Para quê? Para poder dormir no escritório, debaixo de uma das mesas, e se lavar no banheiro dos funcionários ao acordar, feito uma mendiga? De qualquer modo, eles não podem mandar você embora ao voltar da licença, é contra a lei.

Era fácil para ele dizer isso. Não fora ele que escutara alguém do trabalho reclamar (um homem, é claro) de uma colega que tirara licença para ter filho. "Se eu tirasse quatro meses de folga para velejar por todo o Mediterrâneo e ainda exigisse receber o salário normalmente, aposto que iam rir na minha cara!"

Pois era isso que eu ia ter de enfrentar. É claro que, comparada com a de Garv, a minha carreira não era grande coisa, mas o trabalho era importante para mim. Embora eu me danasse toda e me estressasse, de certa forma a minha profissão era a minha identidade.

— Muito bem. Mais alguma coisa?

— Sim. E se nosso filho nascer igual a uma das minhas irmãs? Como Rachel, por exemplo, com as drogas? Ou Anna, com a sua insanidade? Ou rebelde como Claire. Eu não conseguiria controlá-lo e ia viver eternamente arrasada. — Parei de falar por um momento. — Veja só, já estou parecendo a minha mãe. De qualquer modo, sou muito irresponsável para ter um filho.

Isso o fez rir.

— Você não é irresponsável!

LOS ANGELES

— Sou sim! Puxa, Garv, eu e você — pressionei — nos divertimos à beça. Podemos viajar nos fins de semana mesmo resolvendo tudo em cima da hora. Pense só no Hunter e na Cindy. — Eram amigos nossos, de Chicago, que tiveram um filho, e então, da noite para o dia, suas vidas viraram do avesso. No passado nós quatro havíamos feito várias viagens juntos, mas depois do bebê eles pareciam estar eternamente acorrentados ao filho chorão, enquanto Garv e eu continuávamos a passear pelos Grandes Lagos nos fins de semana, sentindo-nos culpados e ao mesmo tempo aliviados. — Não poderíamos deixar o bebê com Dermot, como fazemos com Pulinho e Cenourinha. Além do mais, a responsabilidade de ser pai e mãe não termina nunca — ressaltei —, pelo menos até os bebês crescerem. E muitas vezes nem então.

— Certo, um bebê vai provocar dores terríveis em você, vai magoar você, acabar com a sua carreira e destruir a sua vida social pelos próximos vinte anos. Tirando essas, você tem mais alguma objeção?

— Sim.
— Conte qual é.
— Vai parecer uma coisa tola.
— Conte mesmo assim.

Resolvi falar.

— E se... bem, se alguma coisa acontecer com nosso filho? E se ele for zoado ou maltratado na escola? E se ele morrer? E se pegar meningite? Se levar algum tombo ou for atropelado? Nós iríamos amá-lo tanto, como conseguiríamos suportar tudo isso? Desculpe ser tão desaparafusada — acrescentei, depressa. A verdade é que eu nunca havia tido conhecimento de alguém que sentisse as coisas daquele modo. Amigas que haviam ficado grávidas admitiram sentir falta de certas coisas, mas o papo era sempre na linha de "Bem... aquele foi o nosso último fim de semana romântico durante três anos", ou "Estou lendo o máximo possível agora, porque não vou poder me concentrar em um livro nos primeiros dois anos do bebê. O cérebro vai pro beleléu". Ninguém havia expressado os tipos de preocupação mórbida que eu tinha. O mais perto que chegavam disso era dizer "Não me importo que seja menino ou menina, contanto que seja saudável".

— Eu compreendo como você se sente — disse Garv, e eu sabia que era verdade. — Mas se pensássemos assim o tempo todo, não conseguiríamos amar ninguém.

Por um momento fiquei com receio de ele sugerir que eu fizesse terapia, mas claro que isso não aconteceu, pois ele era um irlandês.

Ao contrário da maioria das minhas amigas, eu nunca fizera terapia. Emily dizia que era por eu ter medo do que poderia descobrir. Concordo com ela — morria de medo de descobrir que gastara quarenta libras por semana durante dois anos só para divertir um estranho com a história da minha vida.

— Será que você não consegue enxergar nada de positivo em ficar grávida? — perguntou Garv.

Pensei longamente e respondi:

— Consigo.

— Consegue?

— Chocolate.

— Chocolate?

— Comida, de um modo geral. Eu poderia comer tanto quanto quisesse sem me sentir culpada.

— Bem... — disse ele. — É sempre um começo.

Passou-se mais um ano, eu fiz trinta e dois anos e continuava não me sentindo "pronta". Estava mais preparada do que antes e admitia isso, mas não preparada o bastante. Até que um belo dia, sentindo-me como uma condenada cansada de fugir durante tantos anos, eu me desmontei e tive que me entregar. Sabia que era o certo a fazer. A luta silenciosa e constante era exaustiva e eu suspeitava que as coisas entre mim e Garv estavam meio esquisitas desde que Pulinho e Cenourinha haviam chegado. Eu amava Garv e não queria que as coisas piorassem ainda mais.

No dia em que me rendi, Garv quase explodiu de felicidade.

— O que fez você mudar de ideia?

LOS ANGELES

— Não quero que você vire uma daquelas pessoas que roubam bebês nas portas dos supermercados — expliquei.

— Você não vai se arrepender — animou-se ele. — Eu prometo.

Apesar de eu suspeitar que provavelmente iria me arrepender sim, meu ressentimento sumiu ao perceber que Garv não compreendia a magnitude das minhas preocupações. Ele acreditava que a partir do momento em que eu engravidasse, todos os meus medos desapareceriam, arrastados por uma onda de estrogênio.

— Então, o que fazemos? Quer que eu compre aquele aparelho que indica a temperatura do corpo e tudo o mais? — perguntei.

— Não! — Garv pareceu assustado. — Não podemos, simplesmente...?

Então nós, simplesmente...

Na primeira vez que transamos sem contraceptivos, eu me senti pulando de um avião sem paraquedas, e embora já me tivessem dito que podia levar de seis meses a um ano para engravidar, me mantive atenta a tudo o que acontecia com o meu corpo.

Mas apesar dos riscos a que nos expúnhamos, minha menstruação veio e nem mesmo as dores terríveis que eu senti diminuíram o meu alívio. Relaxei um pouco — conseguira mais um mês. Talvez eu fosse uma daquelas mulheres que levavam um ano para engravidar.

Que esperança...! Engravidei no segundo mês, e soube disso em questão de minutos. Não saí por aí desejando manteiga de amendoim nem sanduíches de rabanete japonês, mas algo em mim não parecia estar muito certo, e quando passei a detestar os sanduíches BLT da Tesco, com bacon, alface e tomate, eu *tive certeza*.

Se bem que no mês anterior eu também tive certeza e *não estava* grávida. Mas em questão de dias ficou claro que aquilo não era fruto da minha imaginação neurótica. Eu estava mesmo grávida. Como é que eu podia ter tanta certeza? Talvez algo a ver com o fato de que até depois das oito da noite eu não conseguia manter nada dentro do estômago, nem mesmo água. Ou com a peculiaridade de que se alguma pessoa passasse a menos de um metro dos meus seios extremamente sensíveis eu já tinha vontade de matá-la. Além de estar branca como um papel. E às vezes meio esverdeada. Estava tudo errado. Quando Shelley estava com cinco semanas de gravidez saíra em uma excursão para caminhar nos montes Pireneus (por que diabos lá...?, perguntarão vocês. Pois eu também não faço a menor ideia), andou mais de dezesseis quilômetros por dia e não teve nem mesmo tonteiras. Claire nem sabia que estava grávida e passou o primeiro mês badalando em festas, dia e noite, sem sentir vontade de vomitar uma única vez.

Pois eu era a pessoa mais nauseada de que já ouvira falar, o que ainda era pior, porque sou uma pessoa que dificilmente fica doente. Até mesmo o meu cérebro foi afetado — eu não conseguia nem *pensar* direito. Só para ter certeza absoluta, fiz um teste de gravidez em casa, e quando a segunda linha azul surgiu, Garv chegou a chorar, de um modo bem masculino, do tipo "acho que caiu um cisco no meu olho". Eu chorei também, mas por motivos diferentes.

Mesmo passando mal, consegui continuar trabalhando — sabe Deus como, porque eu não fiz nada de útil para a firma naquelas semanas, e a única coisa que me fazia ir em frente era a visão da minha cama no fim do dia. Assim que chegava em casa, quase gemendo de alívio, ia direto para o quarto. Quando Garv chegava em casa antes de mim, puxava os lençóis para trás e tudo o que eu precisava fazer era colocar as benditas cobertas por cima e me encolher toda. Então Garv deitava ao meu lado, eu segurava com força a mão dele e lhe confessava, de coração, o quanto o odiava.

— Eu sei — cantarolava ele. — Eu não a culpo por isso, mas garanto que daqui a algumas semanas você vai começar a se sentir melhor.

— Sim — sussurrava, agradecida. — Vou sim, obrigada. E aí vou ter forças para te matar!

Um pouco depois disso, invariavelmente, eu fazia um esforço para me sentar na cama e Garv já ficava em posição de largada.

— Quer que eu pegue uma bacia? — perguntava, solícito, e nos preparávamos para mais uma rodada de vômitos.

— Ver um bom jogo de futebol, tomar uma Budweiser — murmurava Garv, enquanto eu botava tudo pra fora na linda bacia de cor magenta que ele comprara especialmente para aquela ocasião.

LOS ANGELES

Foi depois do primeiro mês que alguma coisa começou a me incomodar por dentro, um troço tão estranho que eu não conseguia descrever.

— Indigestão? — sugeriu Garv. — Gases?

— Não... — disse eu, meio zonza. — Acho que é... empolgação.

Garv chorou novamente.

Chamem de hormônios, chamem de Mãe Natureza, chamem do que quiserem, mas a verdade é que, para minha grande surpresa, eu de repente queria muito ter aquele bebê. Então, quando completei sete semanas e fomos fazer a primeira ultrassonografia, meu amor só faltou explodir. A imagem cinza muito granulada mostrava algo minúsculo, uma pequena bolha pouco maior do que as outras bolhas em volta, mas era o nosso bebê. Um ser humano, novo e diferente de qualquer outro. Nós havíamos conseguido e eu o carregava dentro de mim.

— É um milagre — sussurrei para Garv, que o observava com muita atenção.

— O m'lagre de u'a nova vida — concordou ele, solenemente.

Em clima de comemoração, tiramos o resto do dia de folga e fomos almoçar em um restaurante ao qual de vez em quando eu ia em companhia de clientes e, por isso, nunca conseguira curtir de forma devida. Consegui até mesmo provar um pedaço de peito de frango sem colocar tudo pra fora. Depois, passeamos pelo centro e ele me convenceu a deixá-lo comprar uma bolsa da JP Tod's (a tal que agora Helen tanto cobiçava). Ela era tão cara que eu nunca tinha tido coragem de comprá-la, nem mesmo com o dinheiro da minha conta especial para supérfluos femininos.

— É a última vez que vamos ter dinheiro para esse tipo de coisa — declarou Garv, de brincadeira.

Então comprei para ele o CD de um saxofonista que eu não conhecia direito, mas que ele adorava.

— É a última vez que você vai ter chance de ouvir música — declarei, também de brincadeira. Foi um dos dias mais memoráveis de toda a minha vida.

Foi então que decidimos dar Pulinho e Cenourinha para Dermot. Ele se apegara muito aos bichos, e embora estivéssemos com pena de nos desfazer deles, sabíamos que íamos ser obrigados a fazer isso depois que o bebê nascesse. Ouvíramos histórias horríveis de animais ciumentos que atacaram bebês, e embora Pulinho e Cenourinha jamais tivessem demonstrado tendências violentas, achamos que não valia a pena arriscar. Assim, entre lágrimas, os entregamos a Dermot, prometendo ir visitá-los sempre.

Por essa época, outras coisas mudaram também. Eu nunca fui muito de me preocupar com o meu corpo. Isto é, nunca o odiei a ponto de passar fome ou de o retalhar por aí, mas ele também nunca me dera motivo para celebrações. Com a gravidez, porém, aconteceu uma mudança notável; eu me sentia madura, linda, poderosa e também — sei que vai parecer engraçado — *útil*. Até então eu sempre considerara o meu útero como algo semelhante ao chaveirinho que veio pendurado na minha bolsa Texier: não era decorativo e não tinha utilidade nenhuma, mas fazia parte do pacote e eu era obrigada a aceitá-lo.

Outro subproduto da minha gravidez foi o fato de me sentir abençoadamente normal; durante tanto tempo a minha falta de instintos maternais fizera com que eu me considerasse uma aberração. Pela primeira vez em muito tempo eu me senti no mesmo compasso que o resto do mundo.

Geralmente as pessoas esperam até a décima segunda semana para espalhar a notícia, e normalmente eu sou muito boa para guardar segredos, mas não aquele. Assim, na oitava semana contamos para as nossas famílias, que demonstraram muita alegria — pelo menos a maioria das pessoas.

— Eu estava achando que você era uma *jaffa* — disse Helen a Garv, com frieza.

— O que é *jaffa*?

— Uma laranja sem sementes.

Como ele continuou sem entender, ela explicou melhor:

— Eu achei que você só disparava balas de festim. — E acrescentou: — Isso quando eu aguentava pensar no assunto.

Em seguida liguei para Emily, uma das poucas pessoas que sabiam a versão completa sobre a minha relutância em engravidar, e isso mesmo pelo fato de se sentir da mesma forma. Ela era uma

LOS ANGELES

daquelas pessoas que, ao serem questionadas se gostavam de crianças, respondiam, sem pestanejar:

— Eu adoro crianças, mas não consigo aguentar uma inteira.

Contei-lhe que estava grávida de oito semanas. E quando ela me perguntou:

— Você está feliz?

Ouvi a mim mesma respondendo:

— Nunca estive mais feliz em toda a minha vida. Fui uma tola de ter esperado tanto tempo.

Fez-se silêncio por alguns segundos, e então eu a ouvi fungar.

— Você está chorando? — perguntei, desconfiada.

— É que estou muito feliz por você — soluçou ela. — Essa é uma notícia maravilhosa.

Foi em uma ida rotineira ao banheiro, num sábado à tarde, que eu reparei. Não eram as gotinhas sobre as quais eu já ouvira falar. Era um jorro vermelho, sujando o vaso *todo*.

— Garv — chamei, surpresa por me ver assim tão calma. — Garv! Acho melhor nós irmos para o hospital.

Ao chegar ao carro, decidi que queria ir dirigindo. Insisti muito nisso, provavelmente algo a ver com manter o controle das coisas. Garv, porém, que quase nunca ficava nervoso, ficou rígido no meio da rua e berrou:

— EU VOU LEVAR A PORRA DO CARRO!

Lembro-me de cada segundo da viagem de carro até o hospital, quase como se fossem momentos de hiper-realidade. Tudo parecia incrivelmente claro e nítido. Tivemos de passar pelo centro da cidade, que estava tão cheio de pessoas fazendo compras, no movimento típico de sábado à tarde, que mal conseguíamos fazer o carro se arrastar pelas ruas. Apesar da quantidade de pessoas, eu comecei a me sentir sozinha no mundo.

Ao chegar ao hospital, estacionamos em uma vaga para ambulâncias, e até hoje eu me lembro com detalhes como era a cara da mulher da recepção. Ela prometeu que eu seria atendida o mais depressa possível, e então eu e Garv nos sentamos em cadeiras de plástico laranja chumbadas no piso e esperamos. Nenhum dos dois disse uma só palavra.

Quando uma enfermeira apareceu para me levar, Garv me garantiu:
— Tudo vai dar certo.

Mas não deu.

Era um feto de nove semanas, mas parecia que alguém havia morrido. Era muito cedo para saber o sexo, e isso fez com que eu me sentisse ainda pior.

Uma perda compartilhada é mais difícil de suportar, pelo menos é o que eu acho. Eu aguentaria a minha própria dor, mas não consegui aguentar a de Garv. E não havia nada que pudesse dizer a ele sem sentir que a culpa me devorava por dentro.

— Foi culpa minha, isso aconteceu porque eu não queria o bebê. Ele ou ela pressentiu que não era desejado.

— Mas você o desejava sim.

— Não no princípio.

Garv não me disse nada. Sabia que era verdade.

CAPÍTULO 26

No domingo à tarde, Lara apareceu.
— Ué, você não saiu com Nadia? — perguntou Emily.
— Não. Ela foi fazer clareamento anal e não pode nem sentar.
— Co-como é que é?! — gaguejei eu. — Clareamento?!... De ânus?
— É a maior novidade no ramo da cirurgia plástica — explicou Lara. — Tem um monte de garotas fazendo. É para deixar o fiofó mais bonito.
— É o mesmo que fazer clareamento nos dentes — concordou Emily. — Só que é no ânus.
— Vocês estão inventando essa história para me zoar!
— Não, não estamos!
— Mas quem é que vai ver... quando é que...? — Parei de falar. Era melhor nem saber.
— Comprei um presente para mim mesma — cantarolou Lara, balançando uma caixa na nossa frente.
— Que legal! — empolgou-se Emily. — O que é?
— É um novo identificador de chamadas topo de linha. Tão sofisticado que quase dá para saber o que a pessoa que ligou está pensando. Olhem só quantas funções!

Enquanto ela enumerava tudo que o aparelhinho podia fazer, fiquei me lembrando de Garv — meninos e seus brinquedos — e imaginei se haveria uma ligação entre apreciar novidades eletrônicas e gostar de transar com garotas.

Pegamos uma garrafa de vinho, nos instalamos nas espreguiçadeiras no quintal muito perfumado e Lara começou a interrogar Emily sobre o seu encontro de trinta e seis horas com Lou. Emily, porém, encerrou o assunto de forma irritada, dizendo:

— Foi muito divertido, mas ele não vai nem me telefonar. — Ela estava muito mais interessada em analisar a sua situação profissional. — O novo roteiro até agora não decolou, e se Mort Russell dispensar *Operação Grana*, já era... Fim de jogo. — Soprou com força nas mãos em concha e seu rosto ficou pálido. — Não vou ter outra saída, a não ser voltar para a Irlanda.

— Estive pensando a respeito disso — começou Lara, balançando a cabeça. — Deve haver algum outro trabalho que você possa fazer.

— Sim, ouvi dizer que a Starbucks está contratando gente nova.

— Não, outro trabalho de *escritor*. Retocadora de roteiros.

— Que é isso? — perguntei a Emily.

— É pegar um roteiro cheio de furos que já está em pré-produção e torná-lo coerente, acrescentar algumas piadas e fazer os personagens parecerem mais verdadeiros e simpáticos. Eu recebo uma merreca por esse trabalho e outra pessoa leva a fama — suspirou Emily. — É claro que eu adoraria trabalhar com isso, mas existem milhares de escritores nesta cidade, e todos estão querendo o mesmo tipo de serviço. David contou que já tentou me conseguir isso.

— Os agentes são todos uns enroladores. Já está na hora de meter os peitos e você mesma tentar conseguir alguma coisa.

— Eu *faço* isso!

— Pois você precisa fazer mais do que parecer linda e distribuir cartões em festas. Tem que *empentelhar* as pessoas. Isso se você não quiser realmente voltar para a Irlanda.

— Eu não quero, de verdade.

— Tudo bem. Vou ver se consigo agitar alguma coisa, e Troy também. E quanto àquele sujeito irlandês? Você sabe quem é... aquele da Dark Star Produções. Shay não sei o quê. Shay Mahoney?

— Shay Delaney — corrigi. Ao meu lado, senti Emily ficar meio estranha.

— Sim, esse mesmo. Ele certamente deve ter algum filme irlandês daqueles bem fraquinhos cujo roteiro precise de retoques.

— Tenho certeza de que ele tem um monte de filmes irlandeses fraquinhos que precisam de retoques — disse Emily —, só que eles não têm grana para isso.

— Nunca se sabe — refletiu Lara, pensativa. — Ligue para ele. Convença-o.

Emily murmurou algo por entre os dentes e eu me senti aliviada. Não queria que ela telefonasse para Shay.

— Olhem, chega de ficar pra baixo! — declarou Emily. — Precisamos levantar o astral. Lara, será que você não poderia nos contar a sua história "Eu estou numa boa, você está numa boa"? — Enroscou-se sobre a espreguiçadeira, parecendo uma criança que se preparava, empolgada, para ouvir um conto de fadas, antes de dormir. — Vamos lá! — encorajou ela, com ar de quem já tinha ouvido aquilo muitas e muitas vezes. — "Eu já estava estacionada nos dezenove havia sete anos, e começava a dar bandeira da idade real..."

Lara respirou fundo e começou:

— Eu já estava estacionada nos dezenove havia sete anos, e começava a dar bandeira da idade real. Tinha sido a garota mais bonita do colégio, e sete anos antes eu desembarcara em LA com a esperança de ser a próxima Julia Roberts.

Emily, com uma cara satisfeita, fazia mímica de cada palavra com os lábios, pois já conhecia a história de cor e salteado.

— Mas LA estava cheia de garotas que também haviam sido as garotas mais bonitas do colégio, e eu não era nada de especial.

Preparei-me para protestar e dizer que Lara era *muito* especial, mas ela me fez sinal com a mão, impedindo que eu falasse.

— Por favor, me poupe! Olhe à sua volta, esta cidade está cheia de supergatas. Elas estão em toda parte, e mais umas mil novas garotas chegam a cada semana, dá pra *imaginar*? Só que naquela época eu não sabia de nada disso. Assim, comecei a procurar emprego, mas dei de cara com uma muralha de concreto e acabei tendo que pagar teatro.

— O que é isso?

— Peças nas quais você paga para trabalhar nelas.

— *Você* paga a *eles*?

— Pois é. Sempre existe a chance de que algum diretor famoso repare em você no palco, e de qualquer modo é sempre uma experiência a mais para colocar no currículo. Muito bem, depois disso eu arranjei alguns papéis como figurante, onde *eles* me pagavam, e achei que estava no rumo certo. Entre um bico e outro, trabalhava como garçonete e fiz plástica nos seios e nos lábios.

— Aumentou-os, ela quer dizer — explicou Emily. — Até que uma diretora de elenco disse para Lara emagrecer cinco quilos e...

— O nome dela era Kirsty? — perguntei, com sarcasmo.

Nesse momento a história de Lara foi interrompida para Emily ter a chance de meter o pau em Kirsty por ela ter me dito que eu precisava perder cinco quilos (exagerei o lance para fazê-la parecer pior). Lara colocou panos quentes e Emily continuou a história:

— Certo! Uma diretora de elenco mandou Lara emagrecer cinco quilos, embora ela já parecesse raios X ambulantes, e então ela aumentou o tempo de malhação para quatro horas por dia. Em pouco tempo estava passando fome, porque só comia doze uvas e cinco bolinhos de arroz por dia.

Eu não acreditei. Ninguém conseguiria sobreviver comendo só isso.

— É verdade — confirmou Lara. — Eu vivia com fome.

— Apesar de tomar remédios — lembrou Emily.

— Isso mesmo. Tinha receitas de um monte de médicos. Tomei tantos aceleradores de metabolismo, é isso que os comprimidos para emagrecer fazem, que a minha boca vivia seca e o meu coração disparado...

— ... E vivia com tendências homicidas — cantarolou Emily, completando a frase antes de Lara.

— Era muito pobre e infeliz. Em seis dos sete dias da semana eu conseguia levar a dieta a sério. Porém... parecia uma roleta-russa, eu nunca sabia em qual das câmaras tinha uma bala... em um dos dias eu saía da dieta. E como! Três caixas de sorvete, meio quilo de chocolate, quatro pacotes de biscoito... Depois enfiava o dedo na garganta e me obrigava a vomitar tudo.

— Bulimia — entoou Emily, olhando para mim com ar sério. — O pior é que não adiantou nada.

— Não adiantou mesmo. Em vez de conseguir papéis com fala, até mesmo as figurações pararam de pintar. Eles decretaram que o meu visual saíra de moda. Louras altas e boazudas estavam *out* e magricelas com olhos esbugalhados e cara de quem sofrera abuso sexual quando criança estavam *in*.

Lara parou de falar, mas Emily a incentivou a continuar, soprando:

— Fiz vinte e três testes em uma única semana sem receber retorno de ninguém.

— Fiz vinte e três testes em uma única semana sem receber retorno de ninguém — ecoou Lara —, e estava há quase dois anos sem trabalhar como atriz. Vivia dura, envelhecendo a cada instante, com a bunda caindo, a cara cheia de rugas e vendo, semana após semana, umas mil garotas com dezenove anos *de verdade* saltando do ônibus para exibir o corpinho de adolescente por toda a cidade. Como não conseguia mais, não conseguia *mesmo*, trabalhar como garçonete, dei para um diretor... imagine, um *homem*... que havia me prometido um papel. Isso não aconteceu. Então eu fiquei tão desesperada que dormi com um *roteirista*.

— Por que é pior dormir com um roteirista do que com um diretor? — quis saber eu.

Emily e Lara caíram na risada ao mesmo tempo.

— Porque os roteiristas em Hollywood não apitam nada — explicou Emily. — São as amebas da cadeia alimentar de Hollywood, o cocô do cavalo do bandido, ficam abaixo dos caras que fornecem refeições nos sets de filmagem.

— Então — Lara mordeu o lábio inferior, para fazer suspense —, quando eu achei que as coisas não podiam piorar, minha namorada me deu um pé na bunda. Descobriu que eu dormira com o diretor. Fiquei sem emprego, sem dinheiro, sem namorada, sem autoestima, sem bolinhos de arroz. Foi a longa e escura *unhappy hour* da alma. — Ela riu e acrescentou, para arrematar: — Foi horrível, não dá pra descrever. O sonho acabou, eu sabia que estava derrotada e isso arrasou comigo. Vi a mim mesma entrando em um ônibus de volta para Portland e me senti o maior fracasso da história do mundo. Pronto, agora você sabe tudo sobre a minha sórdida vida de atriz!

— Pelo menos você não chegou a fazer nenhum filme pornô — confortei-a.

— Ah, mas eu fiz sim. — Ela pareceu surpresa. — Cheguei a colocar isso no meu *résumé*. Por algum tempo.

— Agora vamos à moral da história — incentivou Emily. — Deixemos os detalhes de lado.

— Bem, a moral da história é que achei que nunca mais poderia ser feliz de novo — continuou Lara. — Estava com vinte e seis anos e completamente detonada. Fizera plásticas, perdera muitos anos da minha vida, gastara todas as minhas esperanças e não tinha resultados para mostrar a ninguém. Odiava a mim mesma e resolvi que seria melhor estar morta.

— Ela tentou se matar cortando os pulsos — disse Emily.

— Só que nem isso eu consegui fazer direito. Você sabia que é preciso cortar no comprimento do pulso, e não atravessado?

— Sabia.

— Mais esperta que eu. Mas o lance foi o seguinte: minha vida melhorou. Tomei a decisão de deixar os sonhos de lado, porque eles estavam me matando, e parei de pedir o impossível para mim mesma. Mudei de atitude e decidi me ligar no que eu tinha, em vez de me focar no que eu não tinha. E o mais importante: resolvi que não ia mais me sentir amarga.

— Então, ela voltou a estudar — disse Emily.

— Sim, voltei a estudar, e dois dias, *dois dias*, depois de me formar e ganhar aquelas letrinhas depois do nome, fui contratada por uma produtora. No final, acabei trabalhando na indústria de cinema, certo? É claro que eu não queria ficar atrás das câmeras, mas respirei fundo e meti a cara. E antes que você me pergunte, sim, tem vezes em que eu vejo o rosto de uma garota em uma imensa tela prateada e sinto muito por não ser ela, mas na maior parte das vezes aceito numa boa. Adoro o meu trabalho, a não ser quando quase sou despedida, como aconteceu com o *Dois Mortos*. Adoro cinema, trabalho nisso e deixei a garota que eu fui para trás. É isso aí...

— Adoro essa história — suspirou Emily. — Ela me faz ver que, não importa o que aconteça, vou conseguir ficar numa boa. E você também vai, Maggie.

Fez-se um silêncio cheio de esperanças e, pela primeira vez, eu ouvi uma conversa vir do terreno do lado, do outro lado da cerca. Os Cavanhaque Boys também estavam pegando um pouco de ar, no quintal deles.

Um deles disse:

— ... está cheio de crostas e esverdeado...

Isso foi seguido de gemidos e exclamações do tipo "Puxa vida, cara!".

— Parece que estou mijando giletes — explicou a primeira voz e novos gemidos se seguiram.

— Doença venérea — sussurrou Emily, fazendo cara de nojo. — Shhh, ouçam só...! Um deles está com doença venérea.

De fato, continuamos ouvindo atentamente e surgiram mais detalhes sobre mijar fogo e visita a um charlatão.

— Qual deles será? — perguntou Lara. — Ethan? Curtis?

— Aposto que é Ethan.

— Não me parece a voz dele.

— Mas Curtis é muito esquisito, quem iria querer transar com ele?

— Você nem imagina o que existe por aí.

Esticamos as orelhas para ouvir um pouco mais. Quem quer que fosse, seu pinto virara uma zona de guerra e o médico conseguira piorar ainda mais as coisas, porque enfiara um aparelhinho que mais parecia um guarda-chuva fechado dentro do membro arrasado e depois... abriu o troço lá dentro! Por trás da cerca, gritos de horror inundaram a noite e eu mesma comecei a ficar com náuseas.

— Não pode ser Luis — insisti. — Ele é tão bonitinho...!

— Mas quem mais pode ser?

— Tenho que descobrir. — Emily arrastou a espreguiçadeira, subiu em cima dela e deu uma espiada por cima da cerca. — Qual de vocês está nessa encrenca? *Luis*? Nossa, estou surpresa.

Ainda sobre a espreguiçadeira, ela se virou para nós e informou:

— É Luis, e eles querem saber se a gente não está a fim de ir para lá, porque estão fazendo coquetéis com tequila. Puxa, isso é bom demais!

Apesar do sarcasmo, ela pareceu gostar da ideia de ir até lá. Lara também, e eu, por minha vez, não ofereci nenhuma objeção: quase tudo que eu fazia em Los Angeles era estranho e novo, e aquilo não ia ser diferente. Só que, ao passar por dentro da casa deles às escuras, rumo ao quintal, levei o maior susto da minha vida ao ver uma pessoa de dois metros de altura me olhando com ar zangado em um dos cantos. Observando melhor, percebi que era um Darth Vader de papelão em tamanho natural — o objeto que Curtis mais amava na vida.

— Eu também tenho um C-3PO e uma fantasia de Chewbacca — gabou-se ele. — Sem falar nos três pôsteres originais.

Puxa, ele era mesmo estranho! Para animá-lo um pouco, comentei alegremente:

— Quer dizer que você é um *trekkie*!

— *Star Wars!* — exclamou ele, parecendo indignado — Não *Star Trek*. — Entre dentes, o ouvi resmungar consigo mesmo: — *Garotas...*

Realmente.

Eles haviam carregado um sofá florido para o quintal, e Luis estava instalado nele, deitado e com um leve ar de inválido. Suas mãos estavam acima e em volta das virilhas, protegendo-as. Ou talvez estivesse apenas tentando escapar dos olhares indiscretos: Emily, Lara e eu ficamos um tempão olhando fixamente para a região afetada.

— Vocês, garotas, parece que têm visão de raios X — disse ele, nervoso.

— Pois pode acreditar que temos mesmo. — Lara lançou-lhe um olhar ameaçador.

Ethan distribuiu os drinques de tequila e então parou na minha frente.

— Você parece diferente — comentou, com ar pensativo.

— É que ela está sem a meia-calça na cabeça — explicou Luis.

— Não, não... é alguma outra coisa. — Ele parou de falar e deu uma cotovelada em Curtis, sibilando como uma mãe autoritária: — Levanta daí para as damas sentarem, menino! — Depois, voltou a me analisar com atenção. — Você... raspou o bigode ou algo assim?

— Ela fez as sobrancelhas — contribuiu Lara.

— Ah, deve ser isso!

E assim começou uma noite agradável e descontraída que só acabou quando surgiu uma briga para ver quem ia ficar com o *gusano*, o pequeno verme que vinha no fundo da garrafa. ("Parem!", ordenei a Lara e Emily, que já estavam coradas por causa da disputa. "A garrafa é de Ethan, é ele que deve ficar com a minhoca.").

Depois, fomos todas para casa e dormimos como pedras.

CAPÍTULO 27

Acordei com uma mulher com pouco mais de um metro e vinte de altura esfregando o quarto com um produto de limpeza qualquer. Conchita, só podia ser!

— Sinto muito por ter acordado você — mentiu ela, sorrindo.

— Eu já estava acordada mesmo — menti de volta, pegando algumas roupas.

Na cozinha, Emily colocava as sandálias, às pressas.

— Droga, esqueci de comprar um pão doce para Conchita, tenho que correr até a Starbucks. Ela se recusa a fazer faxina no banheiro se não tomar uma dose da sua droga predileta: açúcar.

— Deixe que eu vou — ofereci, em busca de algo para me manter ocupada.

— Tem certeza? Bem, obrigada. Mas preste atenção: ela não come nada que tenha banana ou amora — berrou Emily, quando eu já estava de saída.

Do lado de fora, mais um dia maravilhoso se apresentava para revista. Apesar de ser segunda-feira, o mundo estava coberto por uma triunfante luz amarela e tudo parecia um postal — as casinhas, os gramados bem-tratados, as pétalas aveludadas das flores rosa-choque.

Na Starbucks, eu comprei um bolinho de chocolate para cada uma de nós, embora soubesse que Emily ia simplesmente esfarelar o seu em um monte de migalhas para depois anunciar que estava de barriga cheia. Quando voltava para casa, passei pela porta do salão de Reza. Ela estava lá dentro, repuxando com força o cabelo de alguém. Acenei e ela olhou para mim com cara amarrada. Tudo como devia ser! Deus no céu e tudo normal no mundo.

No instante em que coloquei o pé dentro de casa, na volta, percebi que algo de ruim havia acontecido. Emily tremia dos pés à cabeça na ponta do sofá e Conchita estava ao lado, amparando-a.

— Ele passou — declarou Emily.

Por um momento confuso, pensei que ela falava de alguma prova ou de alguém que prestara exame de motorista. Na minha terra a palavra "passou" era uma palavra *boa* — o oposto de "foi reprovado".

— Quem passou em quê?

— Mort Russell. A Hothouse rejeitou o meu roteiro. David acabou de ligar.

O choque me deixou paralisada. Eles não podiam ter rejeitado a história. E quanto a Julia Roberts e Cameron Diaz? E quanto à estreia em três mil cinemas? Passou-se um momento até a esperança ir desaparecendo aos poucos e eu compreender que nada daquilo ia acontecer. Safados mentirosos!

Emily respirava com dificuldade, em golfadas ofegantes, e tremia como se estivesse chorando, mas seus olhos estavam secos.

— O que vou fazer agora? Estou fodida! Totalmente fodida. Não tenho dinheiro, nem um centavo. Ah, meu Deus, meu Deus!

Conchita pegou um frasco no bolso do avental e disse:

— Xanax. Isso pode acalmá-la.

Eu fiz sinal com as mãos como quem diz "vá em frente, toma logo, isso não podia vir em melhor hora".

— Posso tomar dois? — perguntou Emily.

— Claro — respondeu Conchita.

Mas quando a faxineira sacudiu o frasco e deixou alguns comprimidos caírem na palma da mão, houve uma ligeira agitação e, antes que eu percebesse o que acontecera, Emily já pegara não dois, mas *quatro* comprimidos, e jogara tudo na boca.

— Desculpe — falou ela com a voz engrolada, mas só depois de tê-los engolido.

Conchita e eu trocamos olhares. Quem teria coragem de negar aquilo a Emily?

Fui invadida por uma nova onda de incredulidade.

— Eles pareceram tão entusiasmados! — exclamei. — Tive a impressão de que a coisa estava decidida.

LOS ANGELES

— É assim que todos eles fazem.

— Eles disseram o porquê de terem rejeitado a história?

— *Disseram* apenas que não era exatamente o que estavam procurando — disse Emily, ainda ofegante. — Já não sei mais qual é a verdade. Provavelmente simplesmente odiaram tudo.

— Shhh — sussurrou Conchita, consoladora, encostando a cabeça de Emily em seu colo e fazendo carinho em sua cabeça.

— Mas... — comecei eu novamente, com um monte de perguntas indignadas na cabeça. Conchita as evitou com um firme balançar de cabeça.

Nós três ficamos sentadas em silêncio, enquanto o dia passava em desespero, lentamente. Eu estava completamente perdida. Tudo girara em torno desse resultado e eu, embora estivesse meio preocupada, não imaginava realmente que algo assim pudesse acontecer. E agora, o que Emily ia fazer? Voltar para a Irlanda comigo? Mas eu não queria voltar para casa. Ainda mais agora. Ainda mais com Troy. Naquele instante, me lembrei de que ele até agora não me telefonara. A não ser que tivesse me ligado enquanto eu estive fora, comprando os bolinhos, e aquele não era o momento de perguntar...

— Não é melhor você ir para a cama? — sugeriu Conchita, e Emily concordou com a cabeça, obediente.

— Quatro Xanax... ela vai dormir até quarta-feira — garantiu Conchita.

Já estava me animando a pedir alguns comprimidos para mim também quando o telefone tocou. Meu primeiro pensamento foi para Troy, mas quando atendi, uma voz feminina disse: "Espere um instante, David Crowe quer falar com Emily O'Keeffe."

— Ela está muito ocupada agora. — *Tendo um colapso nervoso.* — Sou a assistente dela. Posso ajudar?

Mas a mulher já saíra da linha e, depois de alguns cliques, a voz que ouvi foi de David:

— Oi, Emily! — Ele riu.

— Aqui é a Maggie. Emily não está passando muito bem.

— Claro, eu entendo. Mas tenho uma boa notícia. Larry Savage, da Empire, deu uma olhada no roteiro e quer conversar com ela.

— Puxa, que ótimo! Quando?

— Neste instante.

— Ah, que pena — disse eu, com ar pesaroso. — Ela não pode ir no momento. Acabou de tomar quatro comprimidos de Xanax.

Fez-se um silêncio demorado. Não muito simpático.

— Agora escute aqui...! — vociferou ele, sem vestígios do velho jeito cordial. — Ela tem que se aprontar *agora* e ir até a Empire. Não posso cancelar esse encontro. Ela tem que ir lá agora mesmo, e correndo, antes que Larry descubra que a Hothouse dispensou o roteiro. Não quero saber se ela tomou a porra do Xanax ou não! Use café, cocaína, o que bem entender, mas é melhor ela estar em forma para ir lá. E se ela não puder, vá *você*. Estou com o cu na reta nessa história!

Toda a saliva desapareceu da minha boca. Ela ficou mais seca que um carpete. O que acontecera com David Crowe e seu charme monstruoso? Fiquei com medo dele, com medo de verdade. Ele me pareceu perigoso e vingativo.

Então saquei o que estava acontecendo. Usando de alguma artimanha maquiavélica, David conseguira convencer Larry Savage de que Mort Russell ainda estava interessado. Havia uma pequena janela de oportunidade, antes que alguém contasse a Larry que Mort rejeitara o roteiro. Se Larry descobrisse, era David que ia ficar cagado. E a última chance de Emily desapareceria. Então, a apresentação tinha de ser feita naquele dia.

Olhei para o quarto de Emily. Ela estava apagada, com os olhos fechados e Conchita ao lado, fazendo-lhe cafuné. Não adiantava nada perguntar a ela o que fazer. E *eu* é que não tinha a mínima noção. Pensei em Lara — ela poderia ajudar, embora estivesse atolada, organizando o coquetel de lançamento do tal filme chamado *Pombos*. E quanto a Troy?

— Você pode nos dar umas duas horas? — Olhei para o meu relógio, eram dez e vinte. — Até meio-dia, pelo menos? — Esse tempo devia ser o suficiente para Troy ou Lara chegarem lá, e a partir daí eles poderiam assumir o problema, pois saberiam o que fazer.

— Não! Não posso lhe dar nem cinco minutos! — ladrou ele. — O cronômetro está correndo e as notícias se espalham muito depressa nesta cidade. Tem que ser agora de manhã ou nunca mais. Na hora do almoço, tudo já vai ter ido por água abaixo.

Desesperada, tentei me concentrar no problema e pensar de forma inteligente. *Minha nossa!*

— Tudo bem, tá legal!... O que você pode me dizer a respeito desse tal de Larry Savage?

— Larry, Larry, Larry... o que dizer dele? — Ouvi um barulhinho estranho, como se David estivesse batendo com a ponta do lápis nos dentes. — Bem... dizem por aí que ele transa com animais, se bem que são só boatos.

Deixei de lado a frustração e perguntei:

— Algum dado sobre a sua carreira?

— Uns dois anos atrás ele fez *Fred*. Lembra desse filme? É sobre um velho cão pastor-inglês que salva um circo da falência.

Eu me lembrava.

— Você viu o filme? — perguntou ele.

— Não. Era proibido para maiores de cinco anos.

— Engraçadinha... — reagiu David, de forma desagradável. — Pois então minta para ele. Diga que você adorou o filme.

— Tudo bem. Agora, me diga como chegar à Empire.

Muito irritado, David me forneceu informações genéricas e, para se certificar de que eu não ia me acalmar, terminou a conversa avisando:

— Esta é a última chance de Emily. Certifique-se de que ela não vai estragar tudo.

— Tá legal. — Com o coração martelando, desliguei o telefone e corri para Emily. A qual, flutuando em uma nuvem rosada de Xanax, não queria saber de nada daquilo.

— D'xa q'eu vô lá amnhã — disse ela, sonolenta.

— Amanhã vai ser tarde demais. — A histeria deixou minha voz mais aguda, enquanto eu lhe explicava a situação.

Por sorte, Conchita mostrou conhecer como as coisas funcionavam em Hollywood.

— Se o homem descobrir que o outro sujeito recusou a história, não vai ficar nem um pouco feliz! — Sacudiu Emily com força para fora da cama e ela pareceu espantada.

— Emily, você vai ter que vomitar — disse eu, falando depressa.
— Hein?
— Enfie os dedos na garganta para forçar o vômito. Você tem que se livrar desses comprimidos.

Embora estivesse bem tonta, ela fez cara de nojo.

— Desculpe, mas circunstâncias desesperadas exigem providências desesperadas.

Conchita e eu a levamos para o banheiro, onde, apesar dos impressionantes ruídos inumanos vindos do fundo da garganta, ela não conseguiu se livrar do Xanax.

— U nu'ca vou co'seguir ser bulím'ca — disse ela, encostando-se no vaso sanitário com a testa molhada de suor.

— Mais uma vez — encorajei-a. — Tente só mais uma vezinha.

— Kaaaargh.

Embora ela forçasse o vômito até seu rosto ficar vermelho e cheio de lágrimas, não teve sucesso. O que eu poderia fazer com ela?

Conchita já estava tomando conta da situação.

— Emily, entre debaixo do chuveiro! E você — apontou para mim — vá preparar café. Bem forte!

Depois da ducha, vestimos Emily e tentamos pentear-lhe o cabelo.

— Você está ótima! — encorajou-a Conchita.

— Tá zudo errado — disse Emily com ar triste, balançando a cabeça.

— Por que diz isso?

— M'nha rôpa maj cara tá na ti'turaria, eu nun fiz reiki e ezze cabelo dá parezêndo o do Jackson Five.

— Deixa isso pra lá — disse Conchita, forçando Emily a tomar um café forte demais. — Você tem uma apresentação a fazer, mocinha!

Quando estávamos prontas, Conchita pegou uma garrafinha de água benta e nos borrifou com ela várias vezes. Quando algumas gotas caíram no rosto de Emily, ela me olhou com ar confuso.

— Maggie, izzo está mezmo acotezêndo ô eu tô zonhando?

— Está acontecendo! — garanti, com ar sombrio, levando-a até o meu carro ao mesmo tempo que me perguntava como é que eu ia conseguir chegar no Vale.

A viagem foi horrível. Meu coração martelava sem parar contra as costelas e eu mal conseguia respirar. Não existe nada mais aterrorizante do que as autoestradas de LA quando a pessoa não tem ideia de para onde ir. Pistas e mais pistas de carros agressivos por todos os lados. Meu braço direito estava implorando para ser coçado. Para piorar o drama, tentava fazer com que Emily treinasse a apresentação.

— Câm'ra ze eleva zobre um par de zeios...

— Muito bem! — tentei encorajá-la. — Ótimo! — Vi uma saída se aproximando e olhei em torno, em busca de placas de sinalização. — É esta a nossa saída? — Como é que eu ia atravessar três pistas para alcançar a saída?

No momento em que eu descobri que a saída não era aquela, Emily caíra em um profundo silêncio. Tirei os olhos da estrada tempo bastante para ver seu queixo caído sobre o peito e uma delicada trilha de saliva pendurada, pronta para cair em cima da sua segunda melhor roupa. Puxa, era só o que faltava, ela dormir no meio da apresentação!

Sacudi-a com força e implorei:

— Beba mais um gole dessa bebida energética e tente ficar acordada. Por favor!

— Ai, m'u Deus, Maggie — resmungou ela. — Izzo é um pesadelo.

Morri de pena, porque senti que ela compreendia realmente a gravidade da situação, mas simplesmente não conseguia se controlar.

— Num vô cozeguir — disse ela.

— Consegue sim.

— Cozigo não. — Houve um momento de silêncio e eu sabia o que ela ia dizer em seguida. — Você faz pra mim?

— O quê? A apresentação?

— Zim.

O que eu podia dizer? Com uma terrível resignação, avisei:

— É melhor você me lembrar como é que é.

De repente, eu tentava me lembrar dos detalhes da apresentação ao mesmo tempo que procurava me localizar. As palmas das minhas mãos estavam tão suadas que deslizavam pelo volante e eu continuava sem conseguir respirar direito.

Em algum momento o dia de hoje vai acabar, repetia para mim mesma. Em algum momento do futuro este dia horrível vai acabar. Então mudei o pensamento para: "Algum dia eu vou estar morta, em paz, e nada disso vai ter importância."

Mais por sorte do que por capacidade de localização, finalmente chegamos aos Estúdios Empire. Era impossível errar o lugar. Em cima de cada um dos pilares dos portões havia Freds de quatro metros de altura.

Baixei o vidro e dei nossos nomes ao sujeito que apareceu com uma prancheta, confirmando que estávamos na lista.

— Bem-vindas aos Estúdios Empire — saudou-nos ele.

— Cães lindos os seus — brinquei, apontando com a cabeça para os Freds.

— Acha mesmo? — O homem riu. — O cara que os construiu deve ter alguma bronca do estúdio porque, quando chove, parece que os cachorros estão fazendo xixi em quem entra. — Com um aceno bem-humorado, nos deixou passar.

Os Estúdios Empire pareciam muito diferentes da Hothouse. Lá era tudo em vidro e aço, mas as edificações dali pareciam ter sido feitas nos anos 1930: eram fileiras e mais fileiras de prédios brancos de dois andares, muito discretos. Parecia a sede de uma colônia de férias.

Não que isso significasse que os Estúdios Empire fossem menos importantes do que a Hothouse, apenas que já existiam há mais tempo. A área de recepção estava coberta de pôsteres de megassucessos, exatamente como na Hothouse. A única diferença era que agora nada daquilo me entusiasmava. Tudo me parecia uma farsa, e embora meus joelhos estivessem tão bambos quanto da outra vez, agora era de medo e não de empolgação.

— Podem se sentar, por favor — disse a recepcionista, que era linda como sempre.

— Você está legal? — sussurrei para Emily, quando nos sentamos.

— Tô, só que parece que estou sonhando.

— Pois tente ficar acordada — sugeri, desesperada.

LOS ANGELES

— Vou tentar.

Alguns minutos mais tarde uma jovem simpática chamada Michelle, assistente de Larry Savage, veio nos encontrar.

— Adorei o seu roteiro — disse-nos ela, calorosa. — Adorei mesmo.

Tive que me segurar para não lhe fazer uma careta.

— Por aqui, por favor — disse ela, conduzindo-nos por um caminho a céu aberto, em meio ao calor, até o chalé de Larry Savage.

Eu já vira Larry Savage de relance, no Club House, e ele era exatamente como eu me lembrava: um executivo de Hollywood modelo padrão. Bronzeado, com lindos dentes, um terno bem-talhado, leve e — sem dúvida — com um estoque de frases de efeito. Eu me tornara cética com muita rapidez.

Ele estava ao telefone quando entramos.

— Estou cagando e andando! — berrava ele. — Vamos fazer uma sessão especial, para um público selecionado. Se ninguém gostar, lançamos o filme direto em vídeo. — Uma pausa zangada e então ele berrou: — Vá tomar VOCÊ! — Colocou o fone no gancho com toda a força e se virou para Emily e para mim. — Atores — disse ele, com um sorriso pesaroso.

— Sim — concordei eu, revirando os olhos em solidariedade, para depois fazer as apresentações.

— Pois muito bem. Eu li o seu roteiro — começou ele.

Quase levantei os braços para me proteger da avalanche de elogios que vinha em seguida. Engraçado, comovente, com grandes diálogos — já não tínhamos ouvido tudo aquilo antes?

— Odiei a história! — declarou Larry Savage.

Bem, certamente *isso* eu não estava esperando. Depois fiquei imaginando se aquilo não era um discurso do tipo "detestei tanto que me deu vontade de comprar esse monte de asneiras por três milhões de dólares".

Infelizmente, não era.

— Odiei de verdade — repetiu Larry. — Gosto mesmo é de animais!

— Já ouvimos falar — resmungou Emily, ao meu lado.

Dei um beliscão nela.

— *Fred*... *Babe, o Porquinho Atrapalhado*... *Beethoven*; puxa, *esses* é que foram grandes filmes... — suspirou Larry, com ar melancólico. — Mas o estúdio agora quer uma história meio *cabeça* — bateu com a mão no roteiro que tinha diante dele —, e a sua história é bem cabeça. — Pareceu quase lamentar o que ia dizer. — É um roteiro ágil, inteligente, tem bom ritmo. Mas eu tive uma ideia, ouçam só!...

Concordamos com a cabeça ao mesmo tempo. Não que isso fizesse muita diferença, porque ele estava disposto a falar o que bem quisesse.

— Essas mulheres no seu filme estão fugindo da polícia. Que tal se o cão de estimação da casa fugir junto, escondido no porta-malas do carro sem elas saberem, para então ser descoberto quando já é tarde demais para levá-lo de volta, o que acaba deixando-as felizes? Em seguida, o cão as avisa da chegada dos guardas florestais. Sabe como é, ele as acorda arrancando as cobertas de cima delas com os dentes. — Subitamente, Larry começou a falar com a voz mais fina: "O que houve, Matt? Teve um pesadelo, garoto? Volte a dormir, rapaz... Você não quer? Acha que os guardas estão chegando? Meu Deus, Jessie, acorde!" — Nesse momento, ele voltou à sua voz normal: — Enfim, é o cão que salva as duas. Você faz alguma restrição a isso? — ladrou ele (palavra bem apropriada) para Emily.

Completamente sem fala, ela balançou a cabeça para os lados.

— Excelente! — Subitamente, ele era todo sorrisos. — Mal posso esperar para trabalhar com você. Meu pessoal vai entrar em contato com o seu.

Então, com os braços em cima do ombro de nós duas, uma de cada lado, ele nos encaminhou de volta para a parte de fora, onde o sol continuava a castigar.

Quando Emily entrou no carro, murmurou:

— Será que eu sonhei aquela parte?

— A parte em que o cão salva as personagens dos guardas?

— Não, a parte em que ele disse que o pessoal dele ia entrar em contato com o meu.

— Bem, foi isso que ele disse.

— Mas as pessoas *nunca* dizem isso na vida real.

— Isto *não é* a vida real.

Só quando estávamos entrando de volta no carro é que reparamos que nenhuma das duas precisou fazer a apresentação para ele.

— Depois de tanto ensaio! — Eu ri. — Mas talvez tenha sido melhor assim.

— E então, o que achou? — perguntou Emily, meio zonza. — Será que existe alguma chance dele comprar esse filme e salvar a minha vida?

Analisei a situação. Não houve papo de sinal verde, tocar o projeto em frente, três mil salas nem grandes estrelas. Mas Mort Russell falara tudo isso e a coisa não dera em nada, então, quem sabe...? E será que Emily ia topar reescrever o roteiro com o título de *Matt, o Cão Maravilha*? Mas antes de conseguir comentar a respeito de tudo isso, Emily já pegara no sono, ao meu lado. Dormiu durante toda a infernal viagem de volta, então nem soube que eu peguei um retorno errado na 405 e acabei a meio caminho de Tijuana, passando por um monte de bairros medonhos, sujos e com vizinhança perigosa, antes de conseguir voltar.

Ao chegar a Santa Mônica, não houve jeito de acordá-la e eu tive de bater na casa dos Cavanhaque Boys para pedir a Ethan que me ajudasse a tirá-la do carro. O que foi quase pior a emenda do que o soneto, porque ele me mandou pegá-la pelos braços e insistiu em carregá-la pelas pernas, e eu sabia, *tinha certeza mesmo*, de que aquilo foi uma manobra para olhar a calcinha dela. Então, quando conseguimos atirá-la sobre a cama, ele sugeriu, cheio de esperança:

— É melhor tirarmos a roupa dela, para ela poder respirar melhor e tal...

— Não! Obrigada, Ethan! Até logo!

Eu queria me livrar dele o mais depressa possível, porque ao entrarmos cambaleando na sala, carregando Emily, reparei que havia uma mensagem na secretária. Tinha de ser de Troy. E, de fato, ao apertar o botão para tocar o recado, uma voz de homem disse, com suavidade: "Oi, garota..." Suspirei de alívio. Só que, depois de mais um segundo, minha alegria se transformou em cruel desapontamento. Não era Troy. Era Lou, o compromissofóbico. Mas para que diabos ele estava ligando? De acordo com as próprias previsões de

Emily, ela nunca mais ouviria falar dele na vida. Pois ali estava o cara, chamando-a de "boneca" e sugerindo que fossem ao cinema no dia seguinte à noite.

Subitamente, toda a minha esperança debandou em deserção, como o ar de um balão colorido. Nos últimos dois dias eu andara me alimentando de fé, afastando todas as dúvidas e, subitamente, me vi sem defesas. Por que Troy não me telefonara? Já era segunda-feira, quase de tardinha. Eu o vira no sábado de manhã e ele me disse que ligaria. Bem, na verdade eu pedi que ele ligasse e ele não disse que não. Mesmo assim, eu não tive mais notícias dele. Por quê?

Diante daquilo, minhas piores suspeitas começaram a se multiplicar como bactérias em uma placa de Petri. Será que eu tinha um corpo horrível? Será que era um tédio? Não fui boa de cama? Afinal, eu estava tão sem prática, depois de todo aquele tempo, que talvez meu desempenho fosse uma lástima e eu nem desconfiasse. Mas ele pareceu *curtir*. Pensando bem, Mort Russell também *pareceu* curtir o roteiro de Emily e isso não era verdade. Será que aquela cidade não passava de uma grande sala de espelhos, onde nada era o que parecia?

Imobilizada pelo desespero, tudo o que eu conseguia ver à minha frente era um futuro vazio e queimado. Então eu me lembrei do dia terrível que estava tendo. Qualquer um se sentiria desanimado depois de um dia assim. Tentei com vontade gerar uma pequena parcela de pensamentos positivos. Provavelmente Troy estava muito ocupado. Emily comentara que ele era fanático com coisas relacionadas a trabalho. E na noite que passamos juntos ele pareceu realmente ter gostado da minha companhia. Nós nos divertimos. Ele *iria* me ligar.

Quase convencida, voltei a atenção para a tevê e passei várias horas catatônicas diante dela, cansada demais até mesmo para comer. Por volta das onze da noite, ouvi ruídos no quarto de Emily. Ela devia ter finalmente acordado. Quando entrei, ela estava sentada na cama, parecendo uma princesa.

— Sabe de uma coisa, Maggie? — Seu sorriso foi de ansiedade.
— Acabei de ter um sonho estranhíssimo.

CAPÍTULO 28

A noite de sono promoveu uma mudança espantosa em mim e acordei cheia de pensamentos alegres e benignos. Troy ia me ligar naquele dia, eu *sabia* que sim.

Pelo menos, naquele dia, o meu astral combinou com o clima. Na maioria das manhãs, desde que eu chegara a Los Angeles, acordara com maus pressentimentos, sempre chocada ao ver o quanto a minha vida mudara. Naquela manhã, porém, minhas expectativas eram tão ensolaradas quanto as ruas lá fora.

Emily estava na cozinha, abraçada a um imenso buquê de flores envolto em papel celofane.

— Olhe só! — disse ela. — Foi Lou quem me enviou. O que será que ele está aprontando? — Ela parecia genuinamente perplexa. — Essa deve ser uma nova mutação da síndrome da compromissofobia dos homens. Eles descobriram que as mulheres estavam desenvolvendo resistência ao vírus do "Foi uma noite fantástica", e *sabiam* que elas já contavam com a possibilidade de nunca mais vê-los na vida. Então modificaram a sua tática. Ele quer sair novamente hoje à noite. Imagine... — Ela riu. — Eu devo parecer mais idiota do que imaginava!

— Não passa pela sua cabeça nem por um momento que ele possa estar sendo sincero?

— Não, não mesmo. — Ela balançou a cabeça com determinação. — Porque se ele estivesse falando sério a respeito daquela baboseira de contar tudo aos netos, ia ser pior ainda. Para ter netos, primeiro é preciso ter filhos, e você sabe o que acho de... Ai, Maggie, me desculpe!

— Tudo bem.

— Eu falei sem pensar...

Nesse momento o telefone tocou e eu corri para atender, sabendo com a mesma certeza de que um mais um é dois que era Troy.

Não era. Era David. Bem, eu nunca fora boa nisso de poderes paranormais mesmo. Essa dádiva fora concedida a Anna.

David estava novamente doce e gentil. Nem mencionou o chilique raivoso da véspera, e é claro que também não pediu desculpas.

— Olhe, Larry adorou vocês duas!

— Que engraçado isso — disse eu, com a voz seca —, porque nós praticamente não abrimos a boca. Afinal de contas, ele descobriu que Mort Russell havia rejeitado o roteiro?

— Não sei, mas quem se importa, agora? Vocês duas conseguiram fisgá-lo.

— Ele lhe contou que quer transformar o roteiro em um filme que tem um cão no papel principal?

— Detalhes, detalhes — desconversou ele, sem demonstrar preocupação. — Estou sentindo uma boa vibração a respeito de tudo. Preparem-se para uma boa notícia.

Quando o telefone tornou a tocar, deixei Emily atender. Depois me arrependi, porque dessa vez *realmente* era Troy!

Meu coração deu um pulo imenso, quase doloroso, e eu me enchi de expectativas, enquanto Emily ficou puxando assunto durante horas e horas, contando a Troy todos os eventos dramáticos da véspera.

— Parece um caso de *déjà vu*! — exclamou ela. — A merda é a mesma, as moscas também são as mesmas, só o estúdio é diferente!

Fiquei circulando em volta dela, esperando que Troy acabasse de ser educado com ela e chegasse ao verdadeiro motivo de ter ligado, mas eles continuaram de papo e eu parei de zanzar, porque ficara cansada. Joguei-me em uma poltrona ali perto até que *finalmente* Emily começou a ensaiar uma despedida. Eu já estava me levantando com o braço estendido na direção do telefone quando Emily fez algo inconcebível. Desligou. Tudo pareceu acontecer em câmera lenta, seu dedo apertando o botão vermelho do telefone sem fio e dando o golpe final ao colocá-lo de volta no apoio. Completamente perdida, fiquei olhando com os olhos esbugalhados para ela e para o telefone que devia estar sendo estendido para mim e, por algum motivo incompreensível, não estava.

— Que foi? — Emily pareceu confusa.

— Ele não pediu para falar... ele não quis falar comigo?

— Não. — Então, ainda com os olhos colados em mim: — Ô, merda!

"Ô, merda" era a expressão certa. O recado de Troy para mim não poderia ser mais claro.

— Puxa, Maggie, eu não... — Emily se encolheu toda e sua angústia óbvia fez com que eu me sentisse humilhada. Ela já morria de pena de mim pelo fim do meu casamento, por motivos que eu não compreendia, mas aquilo machucava muito mais. — Puxa, Maggie, eu nem percebi que você tinha esperança de... alguma coisa vinda dele.

— Não tinha não. — Minha voz era quase inaudível.

Emily me pareceu dividida, diante de algum dilema. Com uma gentileza humilhante, disse:

— Tem uma coisa que talvez seja melhor você saber. Quando eu liguei para Troy no sábado, quem atendeu o telefone foi Kirsty.

— Mas você não tem certeza se existe algo entre eles. — Meu ar de desafio era patético. — E mesmo se tiver, quem sabe ele não prefere a mim?

— Você tem razão.

— Acho que vou me deitar um pouco. — Aquela fora demais.

— Escute, Maggie, por favor...

Mas eu fechei a porta do quarto, puxei as cortinas que acabara de abrir com alegria e esperança, menos de uma hora antes, e me enfiei de roupa e tudo debaixo das cobertas. Então era assim que a coisa rolava, percebi. Era isso que significava estar solteira e largada. Puxa, eu não achei que Troy e eu fôssemos acabar juntos, que eu ficaria morando em Los Angeles e que seríamos felizes para sempre. Pelo menos não por mais de cinco minutos. Mas também não esperava que aquilo fosse transa de uma noite só.

Isso é que dava viver perigosamente! Era muito menos divertido do que as pessoas apregoavam. A não ser que a falta fosse minha. Quem sabe era algo que a pessoa fosse aprendendo a apreciar aos poucos, como gostar de azeitonas? Talvez eu devesse insistir, até aprender a gostar do perigo.

Algum tempo depois, Emily entrou no quarto, na ponta dos pés.

— Puxa, Maggie, sinto muito, de verdade — sussurrou. — Como é que você está?

— Não sei.

— Humilhada?

— Sim.

— Rejeitada?

— Sim.

— Traída?

— Sim.

— Não boa o bastante?

— Sim.

— Sozinha?

— Sim.

— Envergonhada por ter dado pra ele tão depressa?

Fechei os olhos. *Nossa, ela precisava ser tão direta?*

— Você *não está* envergonhada por ter dado para ele tão depressa? — Ela parecia intrigada.

— Sim, envergonhada.

— Foi o que eu pensei. Não imaginei que você tivesse mudado tanto assim. Será que me esqueci de alguma coisa?

Esqueceu de perguntar se eu sinto saudades do meu marido, pensei, mas não disse. As duas perdas haviam se fundido em uma só e eu estava arrasada pelo peso delas. Por alguns instantes, quando estava com Troy, me sentira nas nuvens. Agora aquelas mesmas nuvens haviam se tornado escuras e pesadas. Nos momentos em que estive com Troy, flertara com outra vida e me imaginara outra pessoa.

Agora, voltara a ser eu mesma e queria retornar ao abrigo seguro do casamento, onde toda aquela humilhação iria desaparecer. O problema é que agora eu não podia nem mesmo telefonar para Garv. Até ter certeza de que realmente existia uma mulher-trufa, eu achava que aquela opção estava em aberto, se sentisse muitas saudades dele. Agora a porta estava fechada. De qualquer modo, querer voltar para

Garv porque outro homem me humilhara não era uma razão muito apropriada.

— Você tem alguma ideia... — perguntei a Emily — ... tem alguma ideia do motivo de... Troy... ter feito isso comigo?

— Esse é o jeito dele mesmo — explicou ela, com toda a sinceridade. — Ele gosta das mulheres, mas vive ligado demais no próprio trabalho para se interessar em manter um relacionamento.

Ela não me disse "eu bem que avisei". Ainda bem. Além do mais, ele mesmo me avisara, ao dizer "Eu sou terrível!". Só que falou aquilo rindo, e eu, feito uma idiota, achei que o riso significava que era brincadeira.

— Ele não devia ter se metido com você — decretou Emily. — Você está muito vulnerável.

— Você quer dizer muito burra — murmurei, me odiando por ser tão ingênua, tão inexperiente, tão sem prática. Caíra na armadilha mais velha do mundo. Um homem fora legal comigo e eu achei que isso significava alguma coisa.

— Não seja tão dura consigo mesma. Isso é normal, você está no rebote de uma separação! Está por conta própria pela primeira vez em muitos anos, meio perdida. Quem poderia culpá-la por estar à procura de alguém?

De repente eu me vi furiosa com Troy. Furiosa com ele, com os seus *twizzlers* de goma, seus elogios ao meu cabelo e o jeito carinhoso de me chamar de "irlandesa". E pensar que no início eu o achava feio, com seu rosto comprido e boca fina. Um homem com um nariz daquele tamanho não tinha o direito de sair por aí destroçando corações!

Não era de estranhar, também, que o sexo tivesse sido tão tranquilo e natural: o sujeito era um especialista, faixa preta em putaria. Puxa, o cara tinha até cordas especiais para sadomasoquismo! Aquilo era prova da sua dedicação à vida de sacanagem!

Então estremeci ao lembrar a parte mais embaraçosa de todas. Nossa, e pensar que eu pedi para ele... me *telefonar*! Depois de tantos anos ouvindo as histórias das minhas amigas solteiras eu não aprendi *nada*? A mulher nunca deve dar bandeira de que quer que o cara telefone. Se *ele* disser que vai ligar para *você*, aí, sim, você deve murmurar: "Vá lá... pode ser", como se não estivesse dando *a míni-*

ma para ele ligar ou não. O que uma mulher não podia fazer de jeito nenhum era jogar o chapéu para o ar e sair cantando "Os Dias Felizes Voltaram". Não é engraçado como todas as mulheres conhecem as regras, mas sempre acham que não se aplicam a elas?

O pior é que eu estava lidando com a minha separação de maneira completamente errada. O procedimento de rotina é se sentir péssima e arrasada, depois um pouquinho melhor, depois mais um pouquinho. E depois um poução. Só que, quanto mais o tempo passava desde que Garv e eu havíamos nos separado, pior eu me sentia. Durante quanto mais eu ia ter de atravessar aquele deserto escuro, antes de sair do outro lado?

E como será que Garv estava se saindo com a nova vida de solteiro? Melhor que eu? Ou será que ele também estava arrasado? Provavelmente não: ele era homem e os homens sempre superam melhor esse tipo de coisa. E quem, exatamente, era a sua nova namorada? Será que o caso era sério? Os pensamentos agonizantes que haviam andado adormecidos por algum tempo estavam de volta com força total.

— Vou desistir dos homens — disse eu, com amargura. — Sabe o que é que eu vou virar?

— Oh, não — gemeu Emily, baixinho. — Não diga isso, porque alguém aqui em volta pode levar você a sério. Você entendeu tudo errado. As lésbicas são tão cruéis quanto os homens, pelo que eu já vi. Dizem que vão telefonar e não telefonam. Dormem com você e depois te dão um pé na bunda...

— Eu não ia dizer lésbica — interrompi. — Embora essa seja uma ideia a considerar.

— Nããããão. — Ela cobriu os olhos.

— O que eu ia dizer é que estou pretendendo me tornar uma daquelas mulheres solteiras fabulosas, que fazem as próprias escolhas. — Embora amarga por dentro, fingi estar me sentindo leve e afirmei: — "Vai ser *apenas o máximo* estar solteira, porque vou poder *escolher* de que lado da cama dormir. Vou poder *escolher* com quem vou sair ou não. Não vou precisar perder tempo e energia com a família *sacal* do meu marido, nem com seus colegas de trabalho. Nada de acordos nem compromissos." Vai ser mesmo fantástico!

Vou ter milhões de amigos, uma bolsa gigante da Coach, calça de amarrar de linho e um cabelo com corte espetacular, mas bem prático. De algum modo eu ia me transmutar em Sharon Stone.

— Ou talvez não — acrescentei, com um suspiro. Talvez eu simplesmente acabasse voltando para a casa dos meus pais, a fim de nos transformarmos na Família Addams da nossa rua. Iria deixar crescer um bigode, ceder ao inevitável e pedir ao cabeleireiro um corte estilo Mama Irlandesa.

Queria voltar para casa. Estava tão magoada e sem graça pelo jeito com que Troy me rejeitara que eu queria me afastar o máximo possível dele, e quanto mais quilômetros de distância, melhor. Por algum tempo o ofuscante sol californiano amenizara as arestas ásperas da minha dor, mas meus olhos se acostumaram à claridade e a minha agonia estava tão intensa quanto na Irlanda. Como um analgésico forte que começa a perder o efeito com o uso prolongado, Los Angeles não funcionava mais para mim. Eu sempre achei que aquilo poderia acabar acontecendo, só não imaginava que fosse tão rápido. Eu estava lá havia duas semanas e a minha ideia inicial era a de passar um mês. Puxa vida...

Eu tinha a percepção exata do quanto não pertencia ao lugar. Se bem que não sabia onde me encaixar no mundo. "Lar" já não existia, mas ainda havia tanta coisa pendente para ser resolvida na Irlanda que, mais cedo ou mais tarde, eu ia ter de engolir os sapos e voltar — e no rastro da humilhação que Troy me fizera passar, queria voltar para o aeroporto de imediato. Fui buscar minha mala; ela ainda nem estava desfeita por completo, ainda mais por não haver armário de roupa no escritório em que eu dormia. Isso era bom, pois em menos de dez minutos conseguiria arrumar minhas tralhas e cair fora. A imagem de mim mesma entrando no avião era tão confortadora quanto um band aid sobre uma bolha.

Mas e quanto a Emily? Seria o cúmulo do egoísmo abandoná-la num momento de sufoco como aquele. Meio relutante, reconheci que devia esperar até termos notícias de Larry Savage. Ou ele resolvia comprar o roteiro dela e tudo ia ficar bem ou o rejeitaria e as aventuras de Emily na terra do cinema iam chegar ao fim também. Uma coisa ou outra, íamos saber do resultado em breve.

Tomada a decisão, liguei para meus pais, a fim de informá-los de que estava voltando para casa: o simples ato de fazer isso ia me dar a sensação de estar a caminho.

Papai atendeu, com a voz apavorada de sempre.

— Qual delas é você? Ah, Margaret. — Esperei até ele se refazer dos gases tóxicos emitidos pelo telefone, mas, para minha surpresa, ele continuou falando: — Você já foi à Disneylândia?

Eu não fora.

— Você devia ir até lá, é maravilhoso! E tem outros parques bons também por aí. Tem um tal de Six Flags ou algo assim. É lá que fica a maior montanha-russa do mundo.

— Nossa, pense só no pobre do seu pescoço, papai — disse, com a voz firme. — Mas, afinal de contas, como foi que o senhor descobriu sobre o Six Flags Magic Mountain?

— Li a respeito na net.

— *Que* net?

— Na internet net, ora!

— Mas o que o senhor anda fazendo na internet net...? — Não consegui esconder a minha surpresa. Aliás, quase indignação.

— A Helen instalou internet aqui em casa.

— Agora ele não sai mais de lá! — Era a voz da minha mãe entrando na ligação, falando pela extensão. — Fica o tempo todo navegando pela internet, atrás de pornografia.

— Eu não ando atrás de pornografia!

— Não precisa gritar comigo. Eu sei muito bem o que acontece nessa tal de internet.

— Não estou gritando, minha voz só parece alta porque você está aqui perto, no andar de cima. E há um monte de coisas interessantes na internet, além de pornografia.

— Como o quê, por exemplo?

— Férias.

— Viagens de avião? — perguntou ela, meio desconfiada.

— Sim, viagens de avião.

— Para lugares ensolarados?

LOS ANGELES

Tive um forte e desagradável pressentimento de para onde aquele papo estava indo e decidi cortar o mal pela raiz.

— Estou voltando para casa, daqui a uns dias.

— *Está?!* — A exclamação veio em uníssono, em um tom de voz agudo e irritado.

Bem como eu suspeitava... Torci para que aquilo funcionasse como um balde de água fria.

Mais tarde, porém, conversei com Emily a respeito.

— Estou com um mau pressentimento, achando que papai e mamãe podem estar querendo vir aqui me visitar.

— Não seja boba — descartou-me Emily.

— Estou falando sério.

— Eu também. Eles não podem aparecer aqui, porque não marcaram passagem em novembro do ano passado. Seus pais não são exatamente o tipo de gente espontânea e com jogo de cintura, certo? Afinal, você sabe que a ideia deles sobre fazer viagens inesperadas e por impulso é planejar um fim de semana para a próxima primavera.

Devidamente convencida, deixei meus receios de lado.

Mas não podia imaginar que Helen e sua mania de navegar pela internet acabassem explodindo no meu colo menos de três horas depois.

— ... Ela já reservou o voo pela internet — dizia mamãe. — Não precisou daquela confusão de agentes de viagem nem nada, você informa o destino e o computador mostra todas as opções. Essa tal de internet foi uma grande invenção!

— Mas eu quero ir para casa.

— Pois agora não pode mais — disse ela, com satisfação. — Precisamos de você para nos mostrar os melhores lugares. Também, que diferença faz para você ficar alguns dias a mais?

Não, pelo amor de Deus. Tive que morder os nós dos dedos para abafar um grito de frustração.

— Onde vocês vão ficar? — perguntei, falando muito depressa. — Aqui não tem lugar!

— Ora, jamais faríamos uma coisa dessas, incomodar os outros! — explicou mamãe, com muita educação. — Conversei com a mãe de Emily e ela me deu o nome do hotel onde se hospedou quando esteve aí. Um que fica em uma rua bem perto da casa de Emily. Ela disse que o café da manhã é ótimo, que eles oferecem um monte de brindes e...

— Que brindes? — perguntei, já me sentindo cansada.

— Toucas para banho, kits de costura, emprestam guarda-chuvas. Não que eu vá precisar de um guarda-chuva — acrescentou ela, parecendo assustada —, porque estou querendo fugir da chuva. Se começar a chover em Los Angeles, eu desisto e me interno de vez em um hospício.

— Pois é, a senhora sabe o que costumam dizer por aqui?

Fez-se um silêncio demorado.

— Que não se deve passar manteiga em queimaduras?

— Não, dizem que nunca chove na Califórnia.

— Ótimo! — disse ela, com firmeza.

— Mas quando chove é um toró de arrasar.

Nem isso, porém, conseguiu detê-la.

— Eles chegam na terça-feira — avisei a Emily, que ficou pasma.

— Meu bom Deus!

CAPÍTULO 29

Agarrei-me ao sono como se me agarrasse à ponta de um precipício. Fui me deixando retornar à terra da consciência bem devagar, até ficar coberta apenas por um fino véu de sono, mas continuava evitando voltar à superfície. Foi o som do telefone tocando que finalmente me fez desistir e encarar o dia.

Puxa, como me arrependi de fazê-lo. Meu primeiro pensamento foi para Troy e a terrível humilhação que ele me fizera sofrer, rejeitando-me. O segundo pensamento foi que, com a minha família chegando para me visitar, eu estava aprisionada em Los Angeles.

A não ser... a não ser que eles tivessem feito a maior confusão na hora de reservar as passagens pela internet. Porém, quanto mais pensava nisso, mais percebia o quanto era pequena a possibilidade de: a) terem reservado lugares para um voo que não existia, ou b) em vez de Los Angeles, terem marcado por engano um voo para Phnom Penh, no Camboja, ou para a Terra do Fogo.

Cheguei a me animar um pouco pensando nessas possibilidades e, quando Emily bateu de leve na porta do quarto, consegui sorrir para ela. Até ela me entregar o telefone, sussurrando:

— Mamãe Walsh.

Em poucos segundos, os meus maiores receios foram confirmados. Era um voo direto da American Airlines, Dublin–Los Angeles, com reserva confirmada.

— Liguei hoje de manhã e eles confirmaram tudo — contou mamãe, muito satisfeita. Ela sabia até o número do voo. Na verdade, ela já tinha até mesmo marcado os assentos e solicitara uma refeição vegetariana para Anna! Foi quando eu soube que Anna também vinha.

— Por quanto tempo vocês vão ficar?

— Bem, Helen tem que voltar para o casamento de Marie Fitzsimon, pois ela vai ter sete damas de honra, três meninas carregando flores, mais a noiva, a mãe da noiva e a mãe do noivo, muita gente para Helen maquiar. Não vamos poder ficar as duas semanas que planejávamos...

Duas semanas! Eu ia ter que ficar ali e aturar ficar olhando para Troy por mais duas semanas! Pelo amor de Jesus Cristo!

— ... é por isso que vamos ficar só doze dias. Agora fale um instantinho aqui com o seu pai, que ele quer saber se deve levar shorts.

Assim que desliguei o telefone, a coisa piorou. Emily queria ter uma "conversinha" comigo.

— Olhe, Maggie, como você sabe — começou ela, meio sem graça —, eu até agora não tive mais notícias de Larry Savage, nem estou com grandes esperanças. E Lara me deu uma ideia, lembra, naquela noite...?

Eu já sabia o que ia ouvir.

— ... a respeito de procurar outro tipo de trabalho, quem sabe ajeitando roteiros.

Não consegui aguentar mais.

— Ligue para ele — disse.

— Ela sugeriu várias pessoas, e uma delas é o... Ah! Você está falando sério? Shay Delaney? Você não se importa se eu ligar para ele?

— E por que me importaria? — Além do mais, não tinha como impedir.

— Maggie, por favor, seja sincera comigo. Simplesmente diga "não" e eu nem chego perto dele.

— Vá em frente.

— Tem certeza? — perguntou ela, ansiosa.

— Completamente.

— Obrigada, obrigada. Estou desesperada por trabalho e já faz muito tempo o que houve entre você e ele; mas como dizem que o primeiro trauma amoroso é o pior de todos, estava preocupada com você talvez ficar chateada comigo e...

— Tudo bem — interrompi-a, um tanto bruscamente. — Tudo bem.

LOS ANGELES

— Pronto, decidi... Não vou telefonar pra ele — disse Emily, bem depressa. — Desculpe por eu ter pedido, foi errado de minha parte.
— Telefone para ele, eu não dou a MÍNIMA! — O grito ressoou no ar, assustando a nós duas, então eu respirei fundo e forcei um tom mais razoável. — Eu não ligo, sério mesmo. Só não me faça ficar aqui, repetindo isso a vida inteira.
— Mas...
— Nããããão!
— Tem certeza?
— Sim.
— Então tá bem.

Imaginei que ela fosse esperar alguns dias para ligar para Shay, mas pegou o telefone na mesma hora — então eu fui para o meu quarto, de onde poderia ouvir tudo com toda a atenção sem ser observada. Emily não conseguiu falar com ele, mas quando disse: "Quer dizer que ele *está* na cidade hoje?", senti que meus dedos começaram a tremer, embora não com a mesma intensidade do dia em que eu o encontrei e depois não consegui nem mesmo abrir o zíper do casaco do meu pai. Emily soletrou o nome para sei-lá-quem que havia atendido. "O'Keeffe. O-K-E-E-F-F-E sim, O'Keeffe. É irlandês. Não, *irlandês*. Se você puder avisar a ele que eu liguei, ficaria grata. Até logo."

Então ela foi me procurar.
— Maggie? Ele não estava.
— Ah, não? — disse eu, em um tom desinteressado, como se não tivesse acabado de sair detrás da porta, ainda meio roxa de prender a respiração para ouvir melhor.
— Não, ele não estava lá. E agora, o que está a fim de fazer hoje? — perguntou, solícita. — Podíamos ir à praia, dar uma volta de carro, ou que tal almoçarmos fora?
— Mas você tem que trabalhar.
— Ah, posso deixar de trabalhar por um dia.
— Eu estou numa boa! — Não pude deixar de rir.
— Mas...
— Nããããão!

Ela estava com óbvia relutância de deixar a coisa por isso mesmo, mas pelo menos não começou novamente a discordar.

— Vá trabalhar — incentivei.

— Certo. — Ela ligou o notebook e se embrenhou em seus escritos. Eu, por minha vez, liguei a tevê, em busca de alguma fuga para mim, e assim começou mais um dia sem ninguém aceitar o roteiro de Emily. Em um inesperado flash de surrealismo, eu me vi em uma peça de Samuel Beckett, e sabia que ia passar o resto da minha vida trancada dentro daquela casa, esperando por uma boa notícia que nunca viria.

Depois de meia hora pilotando o controle remoto e zapeando a esmo, meus nervos não aguentavam mais, e então decidi que precisávamos de comida e fui para o supermercado.

O homem esfarrapado que falava aos berros estava lá, como sempre, dessa vez relatando um tiroteio entre polícia e bandidos, e contou que um dos heróis fora baleado. Eu devo ter lhe enviado inconscientemente um sinal de "pode me chutar que eu já estou no chão mesmo", porque assim que coloquei os pés para fora do carro o seu rosto se iluminou todo, ele veio correndo pelo meio do estacionamento e berrou: "Zoom!", quando chegou pertinho da minha cara.

Meu coração deu um pulo com o susto. Embora Emily tivesse me garantido que ele não fazia mal a ninguém, parecia completamente descontrolado. Desviando dele, dos seus olhos esbugalhados e do seu fedor, acelerei o passo, tentando evitar a indignidade de correr descabelada em direção à loja. Estava quase às lágrimas ao chegar ao paraíso refrigerado do supermercado.

Então pintou a preocupação de como conseguir voltar para o carro na saída sem ser abordada pelo maluco, e assim, quando eu acabei as compras, meio envergonhada da minha frescura, pedi a um dos empacotadores que me acompanhasse. Fiz bem em pedir, porque, assim que nos avistou saindo pelas portas de correr, o doido esmolambento berrou para mim, com raiva:

— Você devia estar SOZINHA!

— Não ligue não, ele é inofensivo — garantiu o rapaz para me tranquilizar, enquanto seguíamos em frente sem olhar para o doido, empurrando o carrinho de compras a alta velocidade pelo estacionamento.

— Hummm. — Já não estava assim tão preocupada com a minha segurança física. O problema foi o que o homem dissera: "Você devia estar sozinha!" Parecera quase profético e eu me senti absurdamente deprimida com aquilo.

— Temos uma visita — avisou Emily assim que eu entrei em casa cambaleando, com as compras. Imaginei que fosse Ethan. Desde aquela noite em que dormiu no sofá ele se tornara um hóspede regular, sob a falsa ilusão de que era bem-vindo. Vivia aparecendo sem avisar e ficava por ali, assistindo à tevê.

Mas não era Ethan, era Mike, armado com o seu bastão defumador, pulando enquanto o balançava pela casa.

— Oi, Maggie. — Sorriu ele. — Estou só tirando o restinho da energia tóxica que ainda havia por aqui.

— Bom garoto! — elogiou Emily. — Livre-se de toda ela, para eu receber uma boa notícia do estúdio.

— Não é assim que a coisa funciona — explicou Mike, parando para conversar, ainda ofegante. — O defumador faz com que a coisa certa para a sua vida aconteça.

— E a coisa certa é que eles vão querer comprar a história por um milhão de dólares.

— Olhe, é como eu vivo lhe dizendo: tenha cuidado com o que você deseja. — Mike sorriu.

Ainda tomando fôlego, depois da dança, desviou a sua atenção para mim.

— E quanto a você, Maggie?

— Estou numa boa — garanti, com entusiasmo.

— Mesmo...!?

— Hum-hum.

Ele abriu ainda mais o seu sorriso de Bill Bryson para mim e aconselhou:

— Quando a pessoa está em um lugar escuro, sabe o que ela deve fazer?

— O quê? — Encolhi os ombros.
— Levantar a cabeça e olhar para a luz.

Não tinha pista nenhuma de sobre o que ele estava falando, porque normalmente eu não saco nada desses papos vagos e místicos, mas pela segunda vez naquele dia me senti à beira das lágrimas.

— Seja gentil consigo mesma — aconselhou ele.
— Como?
— Alimente o seu espírito. Tire algum tempo para cheirar as flores ou ouvir o mar.
— Ahn...
— Você saberá o que é certo para você. Por que não faz um pouco de meditação e escuta a sua voz interior?
— Ah... tá bem.
— Escutem, garotas, se vocês não tiverem nada programado para hoje, por que não aparecem lá em casa? Vamos ter uma das nossas reuniões noturnas de contadores de histórias.

Tanto Emily quanto eu ficamos petrificadas, tentando achar rapidinho uma desculpa para escapar daquela furada.

— Ahn... o que rola nessas noites para contadores de histórias?
— Pessoas maravilhosas aparecem e contam histórias de suas diferentes culturas.
— Quando você diz "maravilhosas" — perguntou Emily —, está se referindo a pessoas que usam óculos de sol Gucci, têm os cabelos cheios de reflexo e andam de lancha?
— Não. — Mike riu. — Estou me referindo a gente maravilhosa por dentro.
— Era o que eu temia. De qualquer modo, me chamar para ir a uma reunião de contadores de histórias é o mesmo que convidar um dentista para jantar e pedir que ele faça uns dois tratamentos de canal enquanto espera a sobremesa. Eu conto histórias o tempo todo, Mike, essa é a minha profissão.
— Compreendo. — Mike encolheu os ombros, numa boa.

Na mesma hora, enfiei os pés nas minhas sandálias de salto alto e anunciei:

— Muito bem, minha gente, já vou.
— Para onde?

— Vou levantar a cabeça em direção à luz, enquanto faço compras. Não sei como não pensei nisso antes.
— Excelente ideia! — disse Emily. — Vai lhe fazer bem.

Fui até o centro de Santa Mônica e curti uma tarde inesperadamente feliz, passeando pela Third Street Promenade com a cabeça em direção à luz do sol, entrando e saindo de várias cavernas de Aladim, cheias de coisas maravilhosas.

Tinha tanta coisa acontecendo por ali que eu mais uma vez me senti feliz por estar em LA: um sujeito com uma prancheta me deu duas entradas para a sessão de teste de um filme que ainda ia estrear; vi um sujeito que talvez fosse Sean Penn comprando um tubinho de pastilhas Lifesavers; um homem pintado da cabeça aos pés em prata fazia malabarismos com bolas igualmente prateadas e estava sendo filmado por uma equipe profissional. O sol brilhava o tempo todo e a atendente da loja onde eu comprara a saia-jeans-que-fazia-meus-joelhos-ficarem-estranhos me deu toda a atenção.

— Qual o motivo de você estar devolvendo esta roupa? — perguntou ela, já com a caneta preparada para preencher o formulário (ah, sim, você tem que preencher um formulário quando vai trocar uma roupa na loja).

— Ela faz os meus joelhos ficarem estranhos.

— Faz... joelhos... ficarem... estranhos — dizia ela, enquanto escrevia.

Então foi consultar a gerente para ver se "fazer os joelhos ficarem estranhos" era um motivo que merecia uma devolução do dinheiro ou simplesmente um vale-compras. Foi por pouco, explicou ela. Disse que a gerente analisara a minha situação com todo o cuidado, mas no fim achou que não era caso de roupa com defeito, e eu merecia apenas um vale-compras no mesmo valor.

Pelo resto da tarde eu consegui *não realizar* a minha façanha habitual de comprar um monte de coisas que não tinham nada a ver. Meu dinheiro foi parar em outras mãos uma vez só, quando eu comprei duas camisetas tamanho P com mensagens. A de Emily dizia "Eu quero, eu quero, eu quero!", e a minha, "Os Rapazes São Maus".

Sentindo-me muitíssimo melhor, cheguei em casa e Emily me assegurou que adorara a camiseta.

— Vou estreá-la hoje à noite mesmo. Você está a fim de dar uma saída conosco mais tarde, para tomar um drinque?

— E segurar vela para você e Lou?

— Lou? — disse ela, com cara de pouco-caso. — Estou me lixando para as flores e os telefonemas dele. Será que ele me acha uma idiota completa?

— Mas então com quem vai sair hoje à noite?

— Eu... Troy.

— Ah! — Consegui dar um sorriso curto e amargo.

— Puxa, Maggie, por favor, não fique assim. Troy dorme com tudo que é mulher e depois continua sendo amigo delas.

— Então eu é que devo ser muito antiquada — disse, com firmeza.

— Por favor, saia conosco. — Ela parecia ansiosa.

— Quem é que está me convidando? Você? Ou ele? Seja franca!

— Nós dois.

— Ele comentou alguma coisa a meu respeito?

— Ahn...

— Não minta!

— Não, acho que não comentou não.

Apesar de ficar magoada com aquilo, consegui ver o lado bom: se ele planejava me evitar pelo resto da minha visita à cidade, isso era até bom, porque ia diminuir as minhas chances de me sentir humilhada.

— Vão vocês dois — incentivei. — Divirtam-se bastante, você trabalhou o dia todo. E antes que comece a perguntar: eu estou NUMA BOA.

Lá se foi Emily, e embora eu tivesse recebido um monte de convites para a noite — a reunião dos contadores de histórias na casa do lado direito, uma sessão de *O Bebê de Rosemary* em versão remasterizada na casa do lado esquerdo —, me deixei ficar diante da tevê usando a camiseta "Os Rapazes São Maus". Para passar o tempo, planejei estratégias para desprezar Troy, sem conseguir decidir se a melhor delas era manter um silêncio digno e distante ou esculhambá-lo abertamente por sua moral de gato de beco. Até que foi divertido.

Em determinada hora, começou o noticiário, falando sobre o processo de paz na Irlanda, e eu levei o maior susto da noite: por um instante achei que as cores da tevê estavam desbotadas. Tudo parecia cinza, os políticos irlandeses estavam muito pálidos, como se nunca tivessem ido à praia. Quanto aos seus dentes, então nem se fala...

Minha nossa! Cruzara uma fronteira invisível: já estava achando que pele dourada e brilhante era o normal e que dentes tratados ao custo de uma fortuna não era nada de especial. Suspirando, retomei a minha conversa imaginária com Troy.

Algum tempo depois, um carro freou de forma barulhenta do lado de fora, a porta do veículo foi batida com força e ouvi o barulho de saltos altos no caminho da entrada. Escutei com atenção, para descobrir a direção em que eles iam, e os enxerguei ao vivo no instante em que os sapatos irromperam pela sala, sustentando a sua dona desorientada e histérica. Era Lara.

— Onde está Emily?
— Saiu com Troy. Aconteceu algo de errado?
— Ah, meu Deus!
— Quer um pouco de vinho? — ofereci.

Ela aceitou e me seguiu até a cozinha.

— O que houve? — tornei a perguntar. Será que ela fora assaltada? Ou batera com o carro?

— É Nadia. Ela me telefonou agora à noite e o meu novo e infalível identificador de chamadas apareceu anunciando: "Sr. e sra. Hindel." Dá pra acreditar?... Sr. e sra. Hindel! Ela é casada. Aquela vaca é casada!

Eu despejei o vinho mais depressa e disse:

— Pode ser algum engano. Talvez ela fosse casada antes e agora está separada.

— Que nada, ela admitiu tudo! — Lara olhou sem querer para o próprio reflexo em um espelho e gemeu: — Olhe só aquilo! Parece que minha cara foi arrastada vinte quilômetros por uma estrada de cascalho.

Para ser franca, eu também já vira Lara em melhor estado. O seu bronzeado fabuloso estava com cor de cogumelo.

— Ela confessou tudo com a maior cara de pau... — continuou. — Disse que era apenas uma turista sexual curtindo uma aventura.

Depois de um silêncio doloroso, Lara prosseguiu:

— Ela estava simplesmente me usando! — Começou a chorar de um jeito contido e cheio de dignidade, que formou um bolo em minha garganta. — O pior é que eu gostava dela — lamentou, do jeito que as mulheres lamentam a respeito dos homens. — Dói do mesmo jeito quando é uma mulher.

— Eu sei, eu sei. — Bem, pelo menos depois disso fiquei sabendo, certo?

— Eu achei que ela fosse alguém especial.

— Você vai encontrar outra pessoa. — Fiz um carinho em sua cabeça.

— Não vou não!

— Shhh... Vai sim, claro que vai. Você é linda!

— Eu me sinto péssima.

— Isso é agora, mas vai conseguir superar tudo. Ela não era a pessoa certa para você.

— É, você tem razão. — Com um sorriso molhado de lágrimas, ela disse: — Vou dar a mim mesma uma semana para pensar nela de forma obsessiva, e depois vou esquecer que ela existe.

— Esse é o espírito da coisa! — a encorajei.

— Obrigada.

Com as nossas testas quase se tocando, compartilhamos um momento "ruim com amor, pior sem ele", e então, de repente, ela estava pegando o meu rosto com as duas mãos e me dando um beijo de leve nos lábios. Eu fiquei espantada, mas ao mesmo tempo notei que a sensação não foi desagradável.

Esse foi o momento, é claro, que Emily escolheu para chegar em casa. Percebi seu choque antes mesmo de ver quem vinha vindo; branca e estupefata, ela olhou para mim pela janela que dava para a rua. Mais que depressa irrompeu dentro de casa e ficou olhando, confusa, para Lara e depois para mim.

— O que está acontecendo? — perguntou.

— Você não vai *acreditar*! — Lara começou a desfiar a sua ladainha.

Tanto Emily quanto eu ficamos ali, ouvindo-a com toda a atenção, mas não estávamos olhando muito uma para a outra. Não olhamos nem uma vezinha sequer, na verdade. Nem ao menos trocamos palavras, até que, por fim, eu anunciei:

— É melhor eu ir dormir. Preciso das minhas quatorze horas de sono para manter a beleza.

Só então Emily se dirigiu a mim:

— Troy mandou um abraço para você.

— Ah, foi?... Boa-noite.

Fui para a cama, fechei os olhos e, pelo menos daquela vez, não pensei em Garv. Não estava nem mesmo pensando em Troy. Pensei em Lara.

CAPÍTULO 30

Na manhã seguinte, quando cortávamos bananas para o shake de proteínas matinal e as colocávamos no liquidificador, fomos informadas da salvação de Emily: Larry Savage comprara o seu roteiro!

Como era de esperar, ela quase colocou a casa abaixo com os gritos de alegria que deu. E nada, nem mesmo a cláusula que determinava que ela ia ter de reescrever os diálogos para incluir Matt, o cão, conseguiu estragar a sua alegria.

— Troco os personagens todos por orangotangos, se ele quiser! — declarou Emily. — Contanto que ele me pague uma boa grana.

— Quanto você vai ganhar? — perguntei, sentindo-me também bem mais animada.

— O mínimo exigido pela tabela do Sindicato dos Roteiristas. Aquele safado unha de fome! — comentou, com descontração. — É quase um insulto!

Mas era um insulto de quase cem mil dólares. Com a promessa de mais meio milhão se o filme fosse realmente realizado.

A questão era: *será* que eles o fariam? Eu já sabia, apesar de minha pouca experiência, que essa era uma pergunta impossível de ser respondida; por mais que um produtor parecesse entusiasmado, ainda tinha de convencer os executivos do estúdio e o cara que dava a tal luz verde para os filmes que julgava valerem a pena (ou não) realizar. E isso era mais fácil de falar do que de fazer. De qualquer modo, essa não era uma preocupação para aquele dia...

Emily lançou-se ao telefone com precisão cirúrgica e começou uma maratona de ligações: naquela noite nós íamos ter outra festa, uma festa *de verdade*, porque agora havia algo palpável para celebrar. Nesse ínterim, a boa notícia se espalhava por entre os amigos de Emily, e aqueles que ainda não haviam conseguido falar com ela continuavam ligando, provocando um longo engarrafamento na lista de chamadas em espera.

— Aguarde um instantinho, que está entrando uma ligação na outra linha — eu ouvia o tempo todo.

Uma daquelas chamadas em espera era de Shay Delaney. Eu soube na mesma hora: as moléculas em volta de Emily pareceram se reorganizar em uma configuração de culpa. Foi uma pena ele não ter telefonado na noite anterior e deixado um recado, porque eu o teria apagado e Emily nunca descobriria. O que me deu ainda mais pena, porém, foi saber que eu jamais teria coragem de fazer uma coisa dessas.

Quando o frenesi telefônico acalmou, Emily chegou perto de mim meio sem graça, enquanto eu pegava uma camiseta limpa na minha mala.

— Convidei Shay Delaney para vir aqui hoje à noite — informou, como se pedisse desculpas. — Na empolgação do momento, eu o convidei sem querer. Você se importa?

— Agora é meio tarde para perguntar — respondi, de forma rude, e continuei a remexer na mala.

— Eu poderia desconvidá-lo.

Até parece.

— Vou fazer isso agora mesmo.

— Não, eu estou numa boa. — Aquela era a noite da tão aguardada celebração de Emily e eu não tinha o direito de estragá-la. Além do mais, Shay Delaney representava águas passadas.

Emily decidiu que devia contratar um serviço de bufê para a festa. Eu tinha minhas dúvidas. A minha única experiência nessa área foi pedir dezenas de amostras de cardápios, levar seis semanas tentando escolher qual deles era o melhor para no fim decidir que era muito mais barato pagar a minha mãe para preparar sanduíches de presunto e tartelete de maçã. Em Los Angeles, porém, é só pegar o telefone, dizer "Quero aperitivos de comida vietnamita, salgadinhos em miniatura e champanhe cor-de-rosa para quarenta pessoas" e, quatro horas depois, três lindos e musculosos atores desempregados estavam transformando a sua casa em um lugar coberto por toalhas brancas e cristais reluzentes, transbordando de aperitivos vietnamitas, salgadinhos do tamanho de uma moeda pequena e champanhe cor-de-rosa. Eles chegaram com a mesma velocidade e precisão com que uma equipe de Fórmula 1 troca pneus, e no momento exato em que a última taça de champanhe foi colocada nas mesinhas espalhadas em forma de triângulo e o último raminho de coentro foi colocado sobre a pilha de rolinhos primavera de *glass noodle,* eles já estavam indo para outro lugar.

— Vocês agora vão salvar a festa de mais alguém? — perguntou Emily.

— Precisamente, senhora.

— Puxa, obrigada, heróis do Superbufê. Como poderei lhes pagar por isso?

— Não precisa, minha senhora, nosso trabalho é ajudar pessoas em apuros.

— E o boleto virá pelo correio.

— Além do mais, sabemos onde a senhora mora.

— Apareceremos aqui amanhã de manhã para recolher os copos e o resto do material. Divirtam-se!

Depois que eles saíram, Emily decidiu experimentar o champanhe cor-de-rosa.

— Só pra ter certeza de que não é venenoso — explicou.

Brindamos com alegria e Emily disse:

— Não teria conseguido isso se não fosse você. À minha adorável assistente, Maggie!

— A um roteiro brilhante! — rebati eu, de forma galante.

— A Larry Savage!

— A Matt, o cão!

— A um elenco de orangotangos!

No silêncio sonhador que se seguiu, eu me ouvi perguntando:

— Ele sabe que estou passando algumas semanas com você?

— Quem?

— Shay Delaney.

— Não. Bem, pelo menos eu não disse nada.

De uma hora para outra, a minha bolha estourou e eu fiquei à mercê de todos os sentimentos idiotas que as pessoas têm quando sentem que a única defesa caiu e elas se veem sozinhas no frio, excluídas e irrelevantes.

Aliás, por falar em excluída e irrelevante...

— Troy vem à festa?

— Vem. — Emily pareceu pouco à vontade. — Eu sei que você não quer vê-lo nem pintado, mas ele é meu amigo há tanto tempo e me ajudou tanto no roteiro... Eu não poderia deixá-lo de fora.

Entendi a sua posição, mas isso colocou um ponto final nas minhas esperanças de que Troy fosse ter a decência de se manter afastado de mim pelo resto da minha estada, pelo menos para me poupar maiores humilhações. Machucava saber que eu não valia nem mesmo o trabalho de ser evitada!

— Bem, se Troy vem à festa — disse eu, tirando a camiseta "Os Rapazes São Maus" —, é melhor eu procurar outra coisa para vestir.

— Por quê?

— Você não lembra a letra da música? "Ele é tão convencido... Aposto que vai achar que essa camiseta tem a ver com ele."

Pouco depois das sete horas, as pessoas começaram a chegar. Justin e Desiree foram os primeiros a aparecer. Logo em seguida, trazendo uma garrafa de champanhe, veio Lou, o compromissofóbico que, por falar nisso, era moreno, sexy e extremamente agradável. Quando comentei com Emily, aos cochichos, como ele parecia ser muito legal, ela respondeu:

— Oh, sim, esses caras são espertos, não estou negando isso.

Então vi o jipe de Troy estacionando do outro lado da rua e, para minha vergonha, comecei na mesma hora a torcer pelo melhor: que talvez ele me chamasse para um canto, me fizesse um pedido de desculpas em voz baixa e me contasse o quanto andava tão ocupado que não tivera chance de ligar para mim. Fiquei ali imaginando tudo isso mesmo com a certeza de que *nunca iria acontecer.*

E como eu tinha razão! Assim que Troy saiu do carro, senti uma fisgada no estômago ao reparar que ele vinha acompanhado por Kirsty, como se ela fosse um acessório. Logo eles estavam atravessando a rua e chegando à porta. Antes de ter tempo de especular comigo mesma sobre de que forma ele iria se comportar em relação a mim, ele já caminhava direto em minha direção. Meu coração se apertou com uma espécie de esperança... e de repente ele estava plantando um beijo fraterno em minha bochecha e dizendo, em um tom meio de gozação, mas amigável, sem nenhuma das indiretas que eu esperava tanto:

— Quer dizer então, irlandesa, que foi você que dirigiu o carro em disparada por toda a cidade?!

— O quê? — perguntei, com cara rabugenta. O pior é que eu tinha planejado parecer calma e descontraída.

— Você foi a salvação da lavoura na segunda-feira, certo? Levou Emily de carro por toda a cidade até os Estúdios Empire. Até mesmo se ofereceu para fazer a apresentação, não foi? Se não fosse por você, bem, quem sabe... oh, obrigado — disse ele olhando para Justin, que acabara de lhe oferecer um drinque. — Ei, pessoal! Que tal fazermos um merecido brinde à irlandesa aqui?

Justin e Lou, muito obedientes, levantaram as taças na mesma hora, acompanhando Troy, e todos disseram, em coro:

— À irlandesa!

O mais interessante é que o copo de Kirsty, cheio de água com baixa caloria, não se moveu nem um centímetro e seus lábios permaneceram fechados.

— Olá, nós ainda não nos conhecemos. Meu nome é Troy. Sou amigo de Emily. — Troy estendeu a mão para Lou, a fim de selar a apresentação.

— Prazer, meu nome é Lou — respondeu ele, no mesmo tom firme. — Sou namorado de Emily.

— Ah, é? — reagiu Troy. — Está certo. — Ficou olhando para Lou, e este ficou olhando para ele, no que reconheci de imediato como um típico momento "macho alfa". Se fossem dois leões, já estariam circundando um ao outro, medindo suas respectivas forças.

— E onde está Emily? — Troy olhou em volta, à procura da anfitriã.

— Aqui! — gritou ela, saindo do quarto.

Tanto Lou quanto Troy se lançaram na direção dela, mas Troy chegou primeiro e abriu os braços em um gesto de homenagem, dizendo:

— Um roteiro de sucesso! Você precisa de um diretor?

— Não enche!

— Então, qual é a pegadinha do contrato? — perguntou Troy.

— Por que você acha que tem alguma pegadinha?

— Ah, qual é, Emily, você conhece esses caras, sempre aprontam uma pegadinha. Qual o tamanho da sua?

— Matt, o cão, vai ter que ganhar um papel na história.

— E você não se incomodou com esse detalhe?

— Se o produtor está feliz em me dar a grana para fazer isso...

— Puxa, o que aconteceu com a arte? — brincou Troy. — O que aconteceu com os princípios morais?

— É espantoso a rapidez com que as pessoas os esquecem, quando estão quebradas e apavoradas. — Ela sorriu.

— Sim, eu sei. — Troy sorriu também. — Parabéns, garotinha, estou superfeliz por você.

Nesse momento, Kirsty decidiu que já estavam rolando risinhos demais e muita camaradagem entre Emily e Troy, então se enfiou no meio dos dois e começou a choramingar com Troy, reclamando da sua água mineral que estava com as bolhas do tamanho errado, ou algo desse tipo.

Eles chegaram em bando: Lara, David Crowe, Mike e Charmaine, Connie e sua trupe, os dois amigos de Justin, do parque dos cães, toda a turma do curso de roteiristas, colegas de Emily, e todo o pessoal da aula de girotônica. Era tudo tão parecido com uma reprise da festa prematura da semana anterior que no instante em que eu vi os Cavanhaque Boys entrando pela porta da frente, gemi:

— Argh! Isso está parecendo uma cena de *O Feitiço do Tempo*.

Todos trouxeram presentes: o estúdio havia enviado meio jardim de flores, que chegaram mais cedo; David Crowe chegou exibindo um arranjo floral pouco menor. Era uma noite feliz, uma noite de celebração. Como a maioria das pessoas ali era ligada de algum modo à indústria do cinema, o fato de Emily ter vendido um roteiro deixava todo mundo entusiasmado. A vitória de um representava a vitória de todos.

Mas eu não me senti feliz, nem com vontade de celebrar, longe disso. Estava furiosa pelo tratamento que Troy me dispensara. Como se não bastasse ele me transformar em transa de uma noite só, não me considerava importante a ponto de esconder de mim o lance entre ele e Kirsty. Pelo menos parecia respeitar apenas *a ela*, mentindo descaradamente. E eu me tornei sua cúmplice, apesar da humilhação, e, ao manter a boca fechada, sustentei a mentira, tornando tudo mais fácil para ele.

Estava tudo errado, mas eu não via jeito de acertar as coisas. Eu poderia contar a Kirsty que dormira com Troy, depois esbofeteá-la, puxar seus cabelos e armar o maior barraco, como se estivéssemos no *Jerry Springer Show*, mas de que serviria tudo aquilo, a não ser me fazer curtir o escândalo?

Pensando bem, eu não tinha raiva apenas de Troy e de Kirsty, mas odiava a mim mesma. E embora não gostasse de encarar o fato, estava revoltada com Emily também, por ter convidado Shay Delaney. Não era de espantar que eu estivesse com ódio do mundo inteiro. Meu único consolo é que eu não odiava Kirsty *só* porque Troy estava enchendo a bola dela; felizmente eu já a odiava antes disso.

Circulei de modo meio desajeitado oferecendo bandejas de comida para pessoas que pareciam indignadas diante da insinuação de que ocasionalmente comiam. Se não fosse por Justin, as bandejas voltariam intocadas para as mesas.

— Alguém tem que dar atenção a essas delícias — justificava ele, balançando a pança enquanto colocava um camarão gigantesco na boca. — Tenho que comer muito para zelar pelo meu emprego. E quanto a você, princesa?

— Eu?! Bem, mais uns três ou quatro não vão fazer diferença — disse, abocanhando um camarão.

Mas ele não falava comigo, e sim com Desiree, tentando convencê-la a mordiscar um rolinho primavera para o qual ela torceu o focinho, com desdém.

LOS ANGELES

— Viu só? — comentou Justin, olhando para ela, ansioso. — Ela antigamente adorava comida asiática.
— Talvez esteja doente. Por que não a leva ao veterinário?
— Ela não está doente. É pior do que isso.
— Como assim?
— Receio que ela esteja com anorexia.
— Anorexia? Mas... ela é um *animal*.
— Cães também podem ter anorexia — explicou ele, com ar triste. — Li um artigo no *LA Times* a respeito disso.
— Ah, qual é, você não pode estar falando sério.
— Bem que eu gostaria que fosse brincadeira, Maggie — disse ele, preocupado.

Peguei minha bandeja, dei mais uma circulada com os aperitivos, sem receber um único olhar de agradecimento, e fiquei pensando: que diabo de lugar era aquele onde até os cães sofriam de desordem alimentar?

— Encontro você na mesa dos docinhos em cinco minutos — gritou Justin, na minha direção.

Justin e eu ficamos o tempo todo trombando um com o outro pelo jardim, sempre a caminho da mesa dos doces. Eles me atraíam como ímãs e eu já estava começando a me sentir meio sem graça. Alguns minutos depois, Justin e eu tornamos a nos encontrar ao lado de uma das mesas de comida.

— Temos que parar de nos encontrar desse jeito — disse e, na esperança de não ter vontade de comer mais se não pudesse vê-los, coloquei-me de costas para os doces, mas dei de cara com Troy e Kirsty. *Merda*.

— Está se divertindo? — perguntou Troy.
— Um... shim — falei, com a boca cheia. Tornei a me virar para trás, peguei um miniéclair de chocolate e o atirei na boca. Não conseguia me controlar.
— Uma grande notícia para Emily, hein?
— Shim, hum...

Então, como se possuída pelo demônio do açúcar, já estava pegando uma rosquinha recheada do tamanho de uma moeda de dez cents (quando se pede "miniatura" em LA é exatamente isso o que se consegue). Kirsty observava tudo cuidadosamente, seguindo os meus movimentos da bandeja para a boca, e então comentou, com simpatia fingida:

— Com esse você já comeu pelo menos *sete*. Está no período pré-menstrual?

O gostinho do açúcar desapareceu da minha boca, substituído pelo amargor do ódio.

— Sabe o que você devia fazer, Maggie? — aconselhou-me ela, com a voz cantarolada. — Devia tomar zinco. Ele acaba com essa vontade louca de comer açúcar! Você esquece a glicose, esquece os doces! Descobri também uma coisa ainda melhor! — Uma afirmação dessas sempre atrai todas as atenções, em Los Angeles. Várias cabeças se viraram na direção de Kirsty, e quando ela se viu satisfeita pela atenção que atraía e reparou que a plateia estava cativa pelo que ia dizer, continuou: — O melhor de tudo é uma... uva congelada! Você compra as uvas normalmente, no mercado, coloca-as no freezer e sempre que a velha vontade de comer doces surgir, espante-a comendo uma uva congelada. Totalmente doce e zero, veja bem... *zero* caloria.

— Mas... uma uva tem mais do que zero caloria. — Foi tudo o que eu consegui dizer. Uma frase meio tola, mas era melhor que nada.

— Maggie tem razão — concordou Justin, trocando olhares cúmplices comigo. — Uva tem muita frutose. Pelo menos quinze a vinte calorias por uva.

— Mais que isso! — Menti. Eu não fazia a menor ideia. — Depende muito do tamanho da uva. Se for uma daquelas grandes e com muita frutose, pode chegar a... — fiz uma pausa para criar suspense —... CINQUENTA calorias.

— Somando tudo, é mais seguro ficar com os doces — concluiu Justin, pegando uma minúscula tartelete de creme. — Muito melhor!

Com isso, Justin e eu trocamos outro olhar significativo e saímos de mansinho, deixando arrasada a reputação de Kirsty como guru nutricional.

* * *

LOS ANGELES

Bem na hora em que eu achava que havia escapado, Shay Delaney apareceu.

Eu passara a noite mais tensa do que em uma sala de prova, perguntando a mim mesma se ele ia aparecer ou não, mas quanto mais o tempo passava, mais eu me convencia de que era pouco provável ele aterrissar lá. Evidentemente, no instante em que eu me convenci de que ele não ia mais pintar, avistei uma cabeça com cabelos louro-escuros no meio do povo, no jardim. Não poderia ser...

Era.

Todos os meus músculos entraram em estado de alerta e fiquei esperando ele reparar em mim. E esperei. E esperei...

Shay parecia conhecer quase todo mundo. Cabeças eram lançadas para trás de satisfação ao vê-lo e as gargalhadas flutuavam até onde eu estava enquanto ele atravessava o jardim e batia um papinho com David Crowe, depois com Connie e com Dirk, amigo de Emily. Bem que dizem que o mundo do cinema é muito pequeno.

Por fim, sem aguentar mais o suspense, me coloquei no caminho dele.

Exatamente como da outra vez, ele pareceu agradavelmente chocado.

— Maggie Garvan!

— Walsh — corrigi, em tom de desafio. Da última vez em que nos encontramos preferi morrer a deixá-lo descobrir sobre o fim do meu casamento, mas agora eu estava determinada a fazê-lo saber.

— Walsh?

— Sim, Walsh.

— Ah. E então, o que faz aqui?

— Estou dando um tempo.

— Hospedou-se com Emily?

— Sim.

E então, exatamente como da outra vez, ele soltou um "Bem, foi ótimo ver você", estendeu a mão para me cumprimentar e foi embora, deixando-me ali, mergulhada em uma piscina de anticlímax. Tive vontade de gritar para ele: *Ei! Você não quer saber o que aconteceu? Por que voltei a ser Walsh em vez de Garvan?*

Meu astral piorou. Não era nada divertido estar em uma festa onde havia sido rejeitada por dois dos homens presentes. Por que não mandavam trazer Garv, para completar o trio? Embora eu tivesse rido à custa de Kirsty, era ela que estava ao lado de Troy. E lá estava Shay Delaney, circulando com ar de "vejam só, conheço todo mundo da festa", mas sem chegar a menos de um quilômetro de mim.

Bem, pensei, dando um suspiro, talvez ele se sinta culpado. E devia mesmo.

Inesperadamente, Curtis esbarrou em mim, fazendo balançar meu copo e esmagando os dedinhos do meu pé com o seu peso elefantino. Quando o champanhe pegajoso começou a escorrer pela minha mão, a raiva tomou conta de mim e lamentei não ter força suficiente para estrangulá-lo com as mãos nuas.

Talvez Kirsty tivesse razão, quem sabe eu *estava* em meu período pré-menstrual?

Irritada, lambi o champanhe dos dedos e de repente senti aquela sensação de arrepio de quando alguém nos olha fixamente. Levantei a cabeça, procurei em volta do jardim e meu olhar pousou em Lara. Ela me observava. Quando percebeu que eu a vira, seu rosto mudou, ela girou os olhos de brincadeira na direção de Curtis e depois me lançou um sorriso radiante, que me pareceu mais radiante do que de hábito. Sorri de volta, com a cabeça meio zonza e quase perdendo o equilíbrio, e uma estranha sensação de expectativa me surgiu na boca do estômago.

A maior parte das pessoas foi embora por volta de meia-noite. Isto é, a maior parte exceto aquelas que eu realmente queria ver pelas costas: Troy, Kirsty e Shay se aboletaram na cozinha, em volta de Emily, conversando empolgadamente e rindo de rolar. Eu, transbordando de ressentimento, andava de um lado para outro no jardim recolhendo copos, garrafas e restos de comida. Lara e Ethan me ajudaram, carregando a máquina de lavar louça, no caso de Lara, e matando o restinho de bebida no fundo dos copos, no caso de Ethan. Ambos, cada um ao seu modo, ajudaram.

— Com licença — pedi eu, empurrando Troy para o lado, a fim de alcançar a lata de lixo, e então, sem-querer-querendo, espetei sua perna com um garfo.

— Ai!!

— Desculpe — disse eu, tentando o máximo possível não parecer sincera.

Enquanto eu amassava um prato de papelão para colocar no lixo, eles faziam planos para a noite do dia seguinte: Troy, Shay e Emily chegaram à conclusão de que poderiam ajudar uns aos outros, em suas respectivas carreiras, e iam jantar para conversar a respeito.

— Você vai também, não vai, Maggie? — convidou Emily.

— Talvez você ache o papo meio sacal, irlandesa — disse Troy, mais depressa do que eu gostaria.

Endireitei o corpo junto à lata de lixo, olhei para ele com firmeza, tentei dar à minha voz o tom mais desagradável que conseguisse e concordei:

— Sim, provavelmente eu iria achar um saco!

Mas, antes que a coisa piorasse, Lara nos interrompeu, alegremente:

— Ei, Maggie, você podia sair comigo amanhã à noite. Esse pessoal vai ficar conversando sobre trabalho o tempo todo, mas você e eu vamos nos divertir de verdade! — Piscou o olho, como se flertasse e uma onda de confusão me deixou paralisada. Será que eu estava imaginando coisas. Será?...

Não, não estava, porque logo em seguida ela se chegou e colocou o braço em volta da minha cintura, avisando:

— Não se preocupem, porque eu vou tomar conta de Maggie. Tomar conta de verdade, não é, Maggie? — Ela me fez cócegas na cintura, eu girei o corpo e fiquei cara a cara com aqueles olhos da cor de águas-marinhas. Como sempre acontecia na presença dela, me senti arrebatada... e gostei.

— Certo, Lara — concordei eu, com um sorriso imenso, feliz, e então, com a maior cara de pau, me movi na direção dela para beijá-la. Foi um beijo casto, isto é, sem línguas, mas foi doce e demorado, e quando abrimos os olhos e tornamos a olhar para os outros, percebemos que pintara um "clima" engraçado. Troy, Kirsty, Emily e Shay olhavam sem acreditar, confusos.

— Caraca! — gemeu Ethan, ajeitando alguma coisa entre as pernas, com a mão.

Assim que todos foram embora, Emily pareceu pular em cima de mim.

— O que está rolando entre você e Lara?

— Sei lá. Nada. — Mas a honestidade me fez acrescentar: — ... Ainda.

— Ainda?! Maggie! Quer dizer que você está planejando...?

Concordei com a cabeça.

— Sim, talvez. É provável.

— Mas você é hétero!

Depois de alguns segundos em silêncio, obriguei-me a dizer:

— Não estou tão certa de ser, sabia?

— Mas de que DIABOS você está falando?

— Bem... — Era difícil confessar aquilo. Muito difícil. — Sabe o que é...? — Engoli em seco. — Sabe quando você está assistindo a um filme pornô?

Emily fez uma cara engraçada. Embora sempre discutíssemos quase tudo o que acontecera conosco ao longo dos anos, pornografia era uma área intocada.

— Por favor, não fique olhando para mim com essa cara! — implorei. — Não é o que parece, eu não tenho nenhum filme pornô em casa, mas quando viajava, estava em um hotel com Garv e eles passavam algum pornô na tevê do quarto, às vezes eu...

— Hum.

— Nunca admiti isso antes, mas não tinha muito interesse nos homens dos filmes. — Olhei para ela, esperando algum tipo de incentivo, mas ela continuou sem expressão. — Eles pareciam ter corpos de plástico, desenvolvidos demais, exagerados. Para ser franca, eu os achava meio repulsivos.

— Mas eles *são* repulsivos mesmo, com seus penteados armados e bigodes grossos.

— Como é que você sabe qual é o aspecto deles?

— Porque são todos iguais.

— São mesmo? Certo. Bem, a não ser para Garv, eu nunca contei isso para ninguém, mas... — Parei, sem saber se devia continuar. Depois, quase me engasguei ao falar tudo de uma vez só: — Emily, era para as mulheres que eu ficava olhando. Gostava delas.

— Não, você não *gostava* delas — disse Emily, desesperada. — Você queria *estar no lugar delas*, é diferente! Todo mundo se sente um pouco assim. É normal.

— Acho que não. — Balancei a cabeça. — Talvez eu seja lésbica. Na melhor das hipóteses, eu sou bi.

O desespero de Emily diminuiu e seu rosto assumiu um ar de inquietação.

— Maggie, estou preocupada com você. Sério mesmo. Pense por um momento nas coisas que você perdeu recentemente. Não é de estranhar que esteja carente de amor, afeto ou seja lá o que for. Especialmente depois que Troy rejeitou você.

— Troy não me rejeitou.

— Desculpe, me expressei mal. Depois que ele não... depois que ele decidiu não...

— Ele não me rejeitou, porque você só é rejeitada quando se *deixa ser* rejeitada. — Eu tinha ouvido uma frase desse tipo recentemente e gostara dela. Só que não a usei na hora certa, porque Troy decididamente me rejeitara.

— Tudo bem, mas o que estou dizendo, Maggie, é que depois de tudo pelo que você passou, não é de estranhar que você não saiba o que quer. Na semana passada era Troy...

— Pois *aquilo* é que foi um erro.

— ... e agora você acha que quer Lara, mas não quer.

— É aí que você está enganada.

— Não estou não! Você está completamente confusa.

— Não estou confusa. Escute, Emily... Lara sorriu para mim hoje à noite e eu senti algo de bom me acontecer pela primeira vez em muito tempo... Eu me senti... — lutei para encontrar a palavra certa — ... numa boa. Tudo pareceu certo. Sinto muito se você está achando isso duro de aceitar, mas eu entendo o porquê. Você sempre me viu como heterossexual e tem leves tendências homofóbicas...

— Ei, espere um instante!

— Mas você tem! Você disse que ia se sentir lambendo um bacalhau.

— Lara é uma das minhas melhores amigas, adoro-a de paixão. Só porque não curto fazer o que ela faz na cama, isso não significa que eu a desaprove. Veja bem, eu não curto muito sexo anal, por exemplo, mas não me importo se outra pessoa curtir.

Emily cobriu o rosto com as mãos e se lamentou:

— A culpa é toda minha. Fui eu que disse para você soltar a franga.

— E fico feliz por isso. Eu me protegi por tempo demais.

— Então recolha a franga agora — implorou ela —, antes que você se machuque ainda mais.

— Não.

— Hoje é quinta. — Emily murmurou para si mesma. — Eles vão chegar na terça que vem. — Mordeu os nós dos dedos e choramingou: — Ela vai me matar! Mamãe Walsh vai me matar!

CAPÍTULO 31

Larry Savage exigiu seus direitos de produtor o mais depressa que conseguiu. A ressaca da festa da véspera ainda nem se instalara e Emily já tinha sido convocada para ir ao seu chalé, a fim de "agitar" algumas mudanças na história.

— Agora de manhã não vai dar não — ouvi Emily dizer, e então cobriu o fone com a mão e me pediu, desesperada: — Alka Seltzer, por favor! — Depois de um breve silêncio, disse: — Sim, senhor. Compreendo, senhor. Onze da manhã. Estarei aí.

Quando desligou, correu até onde eu estava.

— Maggie, como anda a sua taquigrafia?

— Inexistente. — Entreguei-lhe um copo com líquido borbulhante.

— Ahn... Você sabe escrever rápido?

— Mais ou menos.

— Vista-se. Vamos ao Vale. Temos uma reunião marcada com o sr. Savage.

Antes da reunião, porém, recebi a desagradável incumbência de entrar pela casa sombria dos Cavanhaque Boys, acordar um deles e pedir que ele ficasse esperando pelos caras do bufê, que iam aparecer para recolher suas tralhas. Morri de medo de ver algum deles pelado, especialmente Curtis.

Felizmente, o único que mostrou sinal de vida foi Ethan. Ele estava de short e ainda vestiu uma camiseta, enquanto anunciava que pretendia mudar de carreira.

— Mas primeiro você não precisa ter uma carreira? — perguntei, com voz gentil — para depois, então, pensar em mudar?

Sem se abalar pela piadinha, ele contou-me a sua grande ideia: dar início a uma nova religião.

— Venha! — chamei-o da porta. — Ande logo!

— Minha mãe disse que não se importa, contanto que eu sossegue o facho em alguma atividade fixa. Diz que eu preciso ficar parando de trocar de cursos a toda hora, e eu acho que começar uma nova religião é um bom plano de carreira.

Eu não tinha tanta certeza. A pessoa não tinha que ser crucificada e esse tipo de coisa? Enfim, longe de mim cortar o barato dele.

— Em que tipo de coisas você ia acreditar? — perguntei, abrindo a nossa porta da frente e empurrando-o lá para dentro. — Ou você ainda não chegou nessa parte?

— Claro que já! — Ethan começou a descrever os fundamentos da sua nova fé, que determinava que as discípulas fizessem um monte de sexo com Ethan.

— Ai, Cristo! — murmurou Emily, enquanto colocava batom diante do espelho da sala.

— "Ai, Ethan!..." é o que você vai estar dizendo em breve — corrigiu-a Ethan, alegremente.

— Não conte com isso! — garantiu Emily, com firmeza. — Os carinhas do bufê vão chegar daqui a uma hora e depois você pode voltar para casa. E só para sua informação, a minha gaveta de calcinhas está toda arrumada de um jeito especial, portanto eu vou saber se alguém tiver remexido nela. *Capisce?*

— *Capisco.* E aí, Maggie, você vai mesmo sair com Lara, hoje à noite?

— Vou.

— Uau! Lesbianismo é o máximo!

Emily suspirou, mas não disse nada.

Ao chegar aos Estúdios Empire, fomos recebidos calorosamente por Michelle, assistente de Larry.

— Parabéns! — disse ela, abraçando Emily e depois a mim. — É um grande roteiro, todos aqui ficamos empolgados com ele.

A porta do escritório de Larry estava fechada, mas dava para ouvi-lo com toda a clareza, berrando com alguém:

— Então me processe! Pode me processar!

— Larry está falando ao telefone com a mãe dele — disse Michelle, sorrindo — Não vai demorar.

De fato, depois de um grito de despedida, a porta se abriu e Larry apareceu, cheio de sorrisos.

— Então, como está o nosso lindo acordo? — Sorriu para Emily. — Parabéns, garota.

— Obrigada por comprar os direitos da minha história. — Emily sorriu de volta. — E obrigada pelas flores.

Larry balançou as mãos, como se isso não fosse nada de mais.

— Não precisa agradecer. O estúdio sempre faz isso. É costume.

— Certo. — Com um braço em cada uma de nós, Larry levou-nos para a parte externa, ao sol. — Vamos nos encontrar com dois produtores executivos do estúdio. Temos que colocar esses caras do nosso lado, se quisermos que o filme saia do papel, entenderam?

Concordamos enfaticamente. Puxa, como entendemos.

No chalé para reuniões, os dois executivos — uma loura magra como um palito chamada Maxine e um sujeito com boa aparência e queixo quadrado chamado Chandler — começaram a nos dizer o quanto haviam adorado *Operação Grana* e o quanto o roteiro ia virar um grande filme. Por um pentelhésimo de segundo eu me empolguei, mas logo em seguida segurei minha onda.

Ao nos reunirmos em torno da mesa, Larry fez surgir uma cópia do roteiro, e quando algumas páginas se abriram, vi um monte de riscos vermelhos cortando parágrafos inteiros, e às vezes páginas inteiras. Não dá para descrever o sentimento. Não fui eu que havia escrito o roteiro, e não estava tão ligada ao texto quanto Emily, mas fiquei enjoada só de ver. Por algum motivo, foi como se eu tivesse ido visitar uma pessoa na cadeia e a visse cheia de marcas de espancamento.

Michelle distribuiu cópias de *Operação Grana* para todos nós e Larry deu início à reunião.

— Muito bem. Vamos tentar deixar esse texto em condições! Em primeiro lugar, aquela história de operação plástica vai ter que sair. É muito esquisita e tensa.

— Mas essa é a ideia — explicou Emily, com toda a calma. — A história fala da obsessão das pessoas pelo corpo escultural, diz muita coisa sobre os valores da nossa sociedade e...

— Mas eu não gosto. Livre-se disso. Livre-se de tudo!

O choque fez meu queixo balançar como um cartaz despencando pela ação do vento. Eu já ouvira falar de estúdios que compram uma história e depois a desfiguram por completo, mas sempre achei que esses casos eram exagerados para atrair a simpatia dos ouvintes, ou boas risadas: obviamente não era o caso.

Emily engoliu em seco e perguntou:

— Se não há operação, qual o motivo delas precisarem assaltar um banco para conseguir a grana?

Larry se inclinou sobre a mesa e falou, com a voz cantada:

— Sei lá! Não sou o roteirista!

Emily ficou branca.

— Que tal uma garotinha cega que precisa de uma operação para recobrar a visão? — sugeriu Chandler.

— Gostei disso! — Larry estalou os dedos.

— Ou então um bando de meninos de rua que joga bola em um terreno desocupado — disse Maxine —, mas uma grande incorporadora quer transformar o espaço em um conjunto residencial, e então os meninos têm que conseguir uma grana para comprá-lo.

— Sim... — disse Larry, com ar pensativo. — Isso pode funcionar.

— Mas se não vai haver mais operação, o nome tem que ser mudado — disse Emily, ligeiramente irritada. — *Operação Grana* deixa de fazer sentido.

— Sim, nesse ponto você tem razão. Vamos trocar o nome simplesmente para *Matt*.

Emily pareceu ainda mais aborrecida e eu mal conseguia acreditar; achei que ele pretendia colocar Matt em algumas cenas, não dar a ele o papel principal.

— Se o título for *Matt*, as pessoas não vão achar que se trata de um filme sobre *uma* pessoa? — questionou Maxine.

— Será...?

— Talvez. Como aconteceu com aquele filme, *Joe*.

— Então vamos chamá-lo de *Matt, o Cão* — disse Larry.

— Grande! — concordou Chandler. — Essa ideia é o máximo! Mas... e quanto aos caras que defendem os direitos dos animais? Se

eles virem um filme chamado de *Matt, o Cão*, vão dizer que isso parece uma ordem: mate o cão!
— A não ser que troquemos o nome do cão — disse Michelle.
— Mas eu gosto de Matt.
— Sim, eu também.
— Que tal Tom?
— *Tom, o Cão*? É tão idiota quanto *Matt, o Cão*.
— Podíamos chamá-lo de Branquinho.
— Aí vão achar que é um filme sobre cocaína e outras drogas!
Enquanto a discussão rolava, Emily mantinha um silêncio inabalável. Eu estava proibida de falar, mas, mesmo que não estivesse, eu não iria querer dizer nada, arrasada por um misto de depressão e tédio.

Larry anunciou que iríamos "trabalhar durante o almoço", e quando deu meio-dia e meia uma quantidade de comida suficiente para alimentar um batalhão foi entregue no chalé e arrumada de forma bonita — e rápida — sobre a mesa de canto.

Eu estava morrendo de fome, mas todo mundo colocou porções ridiculamente minúsculas nos pratos: um fio de espaguete, meio tomate-cereja, quatro gravatinhas de macarrão, uma folha de rúcula. Será que a norma ali era pegar pouco e se servir várias vezes? Tudo bem, dava para encarar...

Todos nos sentamos de volta, com a comida nos pratos. Larry continuou a pedir ideias e levei algum tempo para perceber que eu era a única que tinha raspado o prato, e não havia sinais de ninguém levantando da mesa para se servir novamente. Forcei-me a ser paciente, talvez eles comessem devagar mesmo... mas de repente os pratos começaram a ser delicadamente colocados de lado, enquanto as ideias iam sendo escritas nas margens do roteiro. A hora do almoço havia acabado. Antes mesmo de ter começado, e eu continuava morrendo de fome.

Perguntei a mim mesma se não devia simplesmente me levantar, ir até lá e me servir. Mas estávamos todos sentados e as pessoas pareciam mergulhadas no trabalho. Será que não ia pegar mal eu me levantar, ir até a mesa, tornar a encher o prato e continuar a comer? O que eles iriam pensar de mim?

Fiquei olhando para a mesa do almoço com olho comprido. As pernas do aparador estavam quase vergando sob o peso de tanta comida. Um quiche inteirinho — *intocado*. Uma pizza de massa grossa com a circularidade perfeita e intacta. Foi a pizza que me fez decidir. De repente, eu estava empurrando a cadeira para trás e tomava impulso para me levantar.

— Aonde você vai? — Larry Savage olhou para mim com um ar surpreso.

— Lugar nenhum. — Minha determinação subitamente se dissolvera. Recostei-me novamente e fiquei olhando para o roteiro, tentando parecer atenta.

Morria de arrependimento. Se soubesse que aquela ia ser a única chance de comer, teria aproveitado e enchido o prato até transbordar.

De repente, aquele pensamento me pareceu profundo e filosófico.

Trabalhamos até as duas e meia, e então, de repente, Larry começou a recolher tudo, avisando:

— Fim de jogo, pessoal. Meu acupunturista acabou de chegar.

— Vou começar a reescrever o texto. — Com a cabeça baixa, Emily arrumava os papéis diante de si.

— Faça isso, então. Mas precisamos disso rápido.

— Até quando?

— Digamos, sexta-feira.

— Na *próxima* sexta-feira? Ou na sexta-feira de daqui a seis semanas?

— Rá-rá. Na *próxima* sexta.

— Não, sexta não vai dar pra mim.

— Quinta, então. Ou quarta?

— Oh... Tudo bem. Sexta está ótimo.

Exausta, entramos no carro. Emily estava meio cinza.

— Você está bem? — sussurrei.

Seu rosto parecia arrasado.

— Por que diabos eles compram um roteiro se tudo o que pretendem fazer era mutilá-lo?

— Não sei.
— O que foi mesmo que aquele nosso vizinho idiota disse?
— Segui-me e eu transarei com todas vós.
— Não, o vizinho idiota do outro lado. Mike. "Cuidado com o que você deseja" foi o que ele disse. Pois bem, ele tinha razão, eu desejei que alguém comprasse o meu roteiro, e agora gostaria que eles não tivessem comprado.
— Talvez ele se transforme em um grande filme. Nunca se sabe...
— Não, o filme vai ser uma merda completa — disse ela e lágrimas começaram a brotar em seus olhos. — Meu lindo roteiro, no qual eu trabalhei tanto até deixá-lo perfeito, certo, redondinho. Tinha tanto orgulho dele, e agora ele nunca vai ver a luz do dia. Ninguém vai chegar a conhecê-lo. Ralei durante sete meses para deixá-lo maravilhoso, e agora eles querem que eu o reescreva todo em uma semana. Não dá pra fazer isso! Eles arrancaram todas as minhas frases de efeito, toda a parte engraçada saiu e as cenas comoventes agora têm como astro a porcaria de um CACHORRO!

Procurei em algum lugar um lenço de papel, enquanto ela chorava como uma criança.

— Vou morrer de vergonha, Maggie. Não vou ter onde enfiar a cabeça ao ver o meu nome ligado a um filme babaca, piegas e moralista sobre um cão. — Tentou respirar fundo. — E sobre um cão chamado *Matt*.

— Você não pode pular fora? — sugeri. — Simplesmente diga a ele para enfiar o dinheiro onde bem quiser, porque você vai conseguir outro produtor para fazer seu filme!

— Não dá, porque ninguém mais quer comprá-lo. Sei disso e preciso dessa grana para viver. Não há dúvida de que tudo na vida tem um preço.

— Pois então se recuse a fazer as mudanças que ele quer — insisti. — Diga a ele que esse é o filme que ele comprou, e é esse o filme que deve fazer!

— Mas aí ele me despede, eu recebo uma merreca e eles continuam com os direitos sobre o roteiro. Vão simplesmente contratar outra pessoa para fazer as mudanças.

— Eles não podem fazer isso! — Mas eu sabia que podiam; na minha época de assistente jurídica, vi contratos em número suficiente para saber a quantidade de poder que os grandes estúdios tinham.

— Esses caras não compram apenas o seu roteiro, eles compram a sua alma. Troy está certo em fazer todo o seu trabalho com produtoras independentes. — Emily soluçou um pouco mais, antes de se acalmar, e então sorriu, mas com pesar nos olhos. — Quando você faz um acordo com o diabo, não pode se queixar por ficar com um tridente espetado na bunda. — Então as lágrimas começaram novamente a jorrar. — Aquele roteiro era o meu bebê! Eu o amava, queria o melhor para ele, e fico arrasada de vê-lo esquartejado daquele jeito, meu pobre bebezinho... — De repente parou de falar e me olhou, chocada consigo mesma. — Ai, Maggie, fiz a mesma coisa novamente. Desculpe.

CAPÍTULO 32

Quando uma mulher sofre um aborto espontâneo, recebe um monte de informações, mas descobre muito pouco. As pessoas me bombardeavam com conselhos bem-intencionados, mas eles variavam tanto entre si que ofereciam pouco conforto. Alguns diziam que devíamos tentar novamente de imediato; outros insistiam que era vital chorarmos a perda por algum tempo, antes de seguirmos em frente.

Só que ninguém era capaz de me dizer a única coisa que eu queria realmente saber, que era: por que aquilo acontecera? A melhor explicação que o dr. Collins, meu ginecologista, encontrou foi a de que quinze a vinte por cento das gestações normalmente acabam em aborto.

— Mas por quê? — insisti.

— São as leis da Mãe Natureza — disse ele. — Devia haver algo errado com o feto e ele provavelmente não iria sobreviver por conta própria.

Eu sabia que aquilo foi dito para me consolar, mas, em vez disso, me deixou furiosa. Na minha mente o meu filho, onde quer que estivesse, era um serzinho perfeito.

— Não vai acontecer de novo? — perguntou Garv.

— Pode acontecer sim. Provavelmente não acontecerá, mas eu estaria enganando vocês se garantisse que não pode.

— Mas se já aconteceu uma vez... — tentei eu, como se com aquilo tivéssemos esgotado a nossa cota de má sorte.

— Só pelo fato de ter acontecido, isso não representa garantia de que não voltará a acontecer.

— Puxa, muito obrigada — reagi, com amargura.

— Tem mais uma coisa — disse o médico, com cautela.

— Que foi? — perguntei, irritada.
— Sim, o que foi? — ecoou Garv.
— Mudanças de humor.
— O que o senhor quer dizer?
— Pode começar a contar com elas.

Analisei mentalmente tudo o que acontecera nas nove semanas anteriores, passando um pente-fino em cada evento, tentando descobrir o que eu fizera de errado. Será que eu levantara objetos pesados? Esqueci que estava grávida e andei em alguma montanha-russa cheia de loopings? Passei perto de uma clínica para tratamento de rubéola? Ou será que tudo aconteceu simplesmente pelo fato — agora inaceitável — de que eu não desejava o bebê e ele pressentira isso?

Eles me ofereceram uma consultora que servia de enfermeira e psicóloga, e ela me disse que não havia como o bebê saber que a princípio não fora bem-vindo.

— Os fetos são criaturinhas sem noção dessas coisas — afirmou ela. — De qualquer modo, é natural que você se sinta assim. Culpa é uma das emoções que todas as gestantes sentem, quando isso acontece.

— Quais são as outras?
— Ahn... raiva, pesar, mágoa, perda, frustração, medo, alívio...
— Alívio? — eu me espantei.
— Não acontece com todas. Já mencionei fúria irracional?

Como havíamos contado a poucas pessoas que eu estava grávida, pouca gente soube que eu sofrera um aborto. Por outro lado, ninguém nos tratou com mais tolerância ou carinho especial, enquanto tentávamos preencher o vazio das nossas vidas.

E era um tremendo vazio. Havíamos até escolhido os nomes — Patrick, se fosse menino, Aoife se fosse menina.

A data prevista para o nascimento era 29 de abril, e nós já estávamos olhando roupas de bebê e planejando a decoração do quartinho. Então, da noite para o dia, não havia mais necessidade de papel de parede com ursinhos de pelúcia ou abajures giratórios que espalhavam estrelinhas nas paredes, e isso foi difícil de aceitar.

LOS ANGELES

O mais doloroso é que eu estava começando a ficar empolgada pela perspectiva de conhecer o meu filhinho. Já imaginava uma vida inteira com aquela nova pessoinha que era parte de mim e parte de Garv — e de repente tudo aquilo se dissolveu no ar.

Toda mulher sabe como é difícil quando seu namorado a dispensa. De uma hora para outra, o mundo fica cheio de casais amorosos, de mãos dadas, beijando-se, brindando com champanhe, colocando ostras na boquinha um do outro. Do mesmo modo, assim que eu perdi o meu bebê, saíram da fábrica caminhões de mulheres imensamente grávidas, redondas e lindíssimas, exibindo sua barrigona com orgulho. Pior ainda... Havia bebês por toda parte, para onde quer que eu virasse: no supermercado, na rua, na beira do mar, no oculista. Criaturinhas perfeitas com seus sorrisos de golfinho, pele brilhante cheia de frescor, balançando bracinhos rechonchudos, esticando mãozinhas pegajosas, arrancando as meias e dando gritinhos agudos e cantarolantes, como miniaturas carecas da cantora Bjork.

Às vezes era duro ficar olhando para eles, mas outras vezes era pior não olhar. Garv e eu costumávamos *comê-los* com os olhos, pensando: *Quase conseguimos uma lindeza dessas*. Então, Garv cochichava em meu ouvido:

— É melhor parar de olhar para o bebê desse jeito, está ficando esquisito e a mãe vai acabar chamando um guarda.

Meu instinto dizia que eu devia engravidar de imediato, pois assim poderíamos quase fingir que a primeira perda não acontecera. Garv disse que faria o que eu quisesse para me deixar feliz. Então, comprei um termômetro especial, para fazer tabela de temperaturas diárias, porque não queria deixar nada por conta do acaso. Minha vida estacionara diante de uma única necessidade absolutamente devoradora, e um medo terrível me assombrava e atormentava. E se dessa vez fosse levar um ano? E se — nossa, eu nem gostava de pensar nisso — nunca mais acontecesse? Mas tivemos sorte: eu perdi o primeiro bebê no princípio de outubro e já estava grávida novamente no meio de novembro. É difícil descrever o misto de alegria e alívio que senti quando a linha azul apareceu na fitinha do teste; uma nova oportunidade nos fora concedida. Prendendo a respiração de tanta alegria, nos abraçamos com força e choramos, tanto pela perda da outra criança quanto pela alegria da que ia chegar.

Mas quase de imediato a alegria foi substituída pela ansiedade. Por puro terror, na verdade. E se eu perdesse aquele também?

— O raio não cai duas vezes no mesmo lugar — garantiu Garv, embora ele caísse sim, mas, de qualquer modo, não estávamos tratando de raios.

Eu me forcei a ser extra-supercuidadosa; parei de ir a pubs, porque tinha medo de inalar fumaça de cigarros alheios e virar fumante involuntária, dirigia no máximo a trinta quilômetros por hora (rápido demais até, para Dublin) para não precisar frear de repente, recusava-me a deixar entrar queijo magro em nossa casa e não me permitia nem mesmo dar um arroto — o que é compreensível, já que eu achava que até mesmo *respirar* fundo era perigoso, pois poderia desalojar o bebê.

Sonhos horríveis me perseguiam: uma noite, eu sonhei que o bebê morrera, mas continuava dentro de mim; outra noite sonhei que dera à luz uma galinha. Dessa vez não houve folgas no trabalho nem compras extravagantes de bolsas da JP Tod's; havíamos sido punidos tão severamente antes, por estarmos felizes, que morríamos de medo de fazer qualquer coisa que lembrasse remotamente uma celebração. A sorte é que eu não fiquei tão enjoada da segunda vez, nem me senti estranha — a não ser quando achava alguma coisa muito engraçada (quase nunca), ocasião em que eu ria tanto que ficava com vontade de vomitar, o que não acontecia por mais que eu tentasse. (Imaginem o sucesso que eu faria em um jantar elegante.)

Com cautela, vimos os poucos enjoos como um bom sinal. Embora não houvesse fundamentos médicos para isso, eu dizia a Garv que as náuseas terríveis da primeira vez eram provavelmente um sinal de que algo estava errado. Pouco depois, ele repetia essa teoria para mim e, assim, tentávamos tranquilizar um ao outro e a nós mesmos.

Apesar disso, qualquer coisinha diferente que eu sentisse era considerada sinal de desastre iminente. Certa noite, senti uma fisgada na axila e fiquei absolutamente *convencida* de que ia perder o bebê. Garv tentou me acalmar, argumentando que a axila ficava a quilômetros do útero, mas eu contestei, lembrando: "As pessoas que têm infarto sentem dor no braço", e consegui deixá-lo também morrendo de medo.

Conseguimos sobreviver àquela noite e na sétima semana fomos fazer a primeira ultrassonografia, embora a ansiedade tivesse substituído a alegria que sentíramos no primeiro bebê. Fiquei perguntando o tempo todo à enfermeira se estava tudo bem, e a enfermeira ficou repetindo o tempo todo que estava sim.

Mas como é que ela poderia saber? Para ser franca, a imagem que ela nos deu para levar para casa mais parecia uma xerox em preto e branco do quadro *Noite Estrelada*, de Van Gogh.

Ao nos aproximarmos da nona semana, a tensão foi aumentando. Durante a nona semana propriamente dita o tempo foi parando, parando, até se limitar ao tique-taque de cada segundo. Respirávamos devagar, como se o ar estivesse racionado. Então — inacreditavelmente — ela passou sem nenhum incidente, e seguimos para as águas azuis e tranquilas da décima semana. A nuvem se elevou e de repente já respirávamos em grandes golfadas, como se o ar tivesse um toque de chocolate. Dava para ver a mudança em nós até *fisicamente*. Lembro que eu sorria para Garv sem nenhum motivo, o via sorrir de volta para mim e ficava chocada por aquilo me parecer tão estranho.

A décima semana passou. A décima primeira semana chegou e fomos fazer a segunda ultrassonografia, bem mais risonhos e leves do que da outra vez. Então, aconteceu uma coisa maravilhosa que levantou o nosso astral muito mais do que poderíamos sonhar. Enquanto eu estava deitada ali, sobre a mesa, a enfermeira nos mandou ficar em silêncio, apertou um botão e o som dos batimentos do coração do nosso bebê encheu a sala. Era um tamborilar ligeiro e meio aquoso, em uma velocidade incrivelmente rápida. É impossível descrever o tamanho do meu assombro e alegria. Eu me senti enlevada. Como era de esperar, choramos baldes, depois caímos na risada e por fim soltamos mais umas lagrimazinhas pra encerrar. Nosso espanto nos deixou meio tontos e o alívio foi glorioso: o bebê tinha um coração e ele já estava batendo. As coisas deviam estar indo bem.

Assim que passássemos da décima segunda semana, estaríamos seguros e libertos.

— Faltam só dois dias para completar a décima segunda semana — disse para Garv naquela noite, entrelaçando a minha mão com a dele, antes de dormir.

A dor me acordou. Eu não sentira dor da outra vez e, por isso, não me senti muito alarmada. Então percebi o que estava ocorrendo e entrei em parafuso: *Não consigo acreditar que isso esteja acontecendo conosco.*

Quando as coisas ruins acontecem, eu sou sempre pega de surpresa. Sei que tem gente que reage a desastres marchando pela casa e gritando: "Eu sabia, porra, EU SABIA que isso ia acontecer!", mas eu não sou uma delas. Para mim, coisas más acontecem a uma entidade mística representada por "outras pessoas", e é sempre um choque quando descubro que sou uma dessas "outras pessoas".

Quando corremos para o carro, olhei para o céu noturno e silenciosamente implorei a Deus para que Ele não permitisse que aquilo acontecesse. Então notei algo que me pareceu um mau presságio.

— Não há estrelas no céu — disse eu a Garv. — Isso é um sinal.

— Não, querida, nada disso. — Garv colocou o braço em volta de mim. — As estrelas estão sempre no céu, até mesmo de dia. Só que nós não as vemos, por causa da claridade.

A sensação de *déjà vu* a caminho do hospital se transformou em um pesadelo. Então nos vimos novamente sentados nas cadeiras laranja, alguém passou dizendo que tudo ia dar certo e novamente deu errado.

Era cedo demais para determinar o sexo, não que isso fizesse diferença. Tudo o que importava é que aquela era a segunda vez que eu perdera um filho: uma família pronta e planejada acabara antes mesmo de começar.

Da segunda vez foi pior. *Muito pior.* Uma vez dava para aguentar, mas não duas, porque a única coisa que nos servira de amparo da outra vez desaparecera de nossas vidas: a esperança. Odiei a mim mesma e ao meu corpo defeituoso, que nos estava decepcionando de forma tão terrível.

As pessoas começaram a me contar histórias, com a finalidade de me servir de consolo. Minha mãe conhecia uma mulher que perdera cinco filhos antes de conseguir levar uma gravidez até o fim, e agora

LOS ANGELES

tinha quatro lindas crianças, dois meninos e duas meninas. A mãe de Garv me veio com uma história melhor ainda: "Eu conheço uma mulher que sofreu *oito* abortos espontâneos e então teve gêmeos. Um lindo par de meninos. Se bem que — acrescentou ela, com ar de dúvida — um deles acabou na prisão. Deu um desfalque no fundo de pensão onde trabalhava e comprou um palacete na Espanha..."

Todos tentaram inspirar um pouco de otimismo em mim e em Garv, mas comigo não adiantou nada. A esperança havia se retirado de vez e eu me senti absolutamente convencida de que a culpa era minha. Não sou dada a coisas imaginárias, não acredito nessa história de feitiços, coisas que atraem má sorte nem nada desse tipo (quem é assim é a minha irmã Anna), mas não conseguia afastar a certeza de que fui eu mesma quem provocara aquela tragédia.

CAPÍTULO 33

Abri a porta da frente. Emily estava no sofá, debruçada sobre o notebook, trabalhando duro.

— Oi — cumprimentei-a, cautelosa.

— Oi — respondeu ela, igualmente cautelosa. — Você passou bem a noite?

— Passei. E você?

— Também.

— Como foi o jantar com Troy e Shay?

— Legal. Útil. Os dois mandaram abraços.

— E então — perguntei eu, acenando com a cabeça para o notebook —, como vai indo *Matt, o Cão*?

— Um pesadelo. Estou com cólicas só de escrever esse troço. E você, saiu com ela?

— Saí. — Fiquei calada por um instante. — Desculpe, Emily.

— Não se desculpe, cada um faz o que quer da vida. E aí, como é que foi?

— Foi... diferente.

— Como lamber um bacalhau?

— Nossa, foi o nosso primeiro encontro — reclamei. — Que tipo de garota você acha que eu sou?

— Puxa... — disse ela, baixinho. — E o que vocês fizeram, então? — perguntou e deu um tapa na testa. — Quer dizer, antes do lance...?

— Fomos ao cinema. Escute, vou tomar um banho e descansar um pouco.

—- Claro, você deve estar exausta. Isto é... não estou insinuando que... ai, meu Deus — exclamou ela, estalando a língua. — Depois a gente conversa.

Fui para o meu quarto, fechei a porta, sentei junto da escrivaninha de Emily e comecei a folhear alguns dos roteiros que ela não conseguira vender, para me distrair.

Eu não estava exausta. Estava era apavorada. Estava muito fora, COMPLETAMENTE fora da realidade. Aquela história com Lara... que diabos eu estava *pensando* quando topei sair com ela?

Eu não era lésbica. Começava a desconfiar que não era nem mesmo bissexual.

A noite toda foi um completo desastre, a começar por Lara, que apareceu mais radiante do que nunca; seus cabelos estavam mais ondulados e brilhantes e ela usava um vestido colante em jérsei. Não vi nada de mais, até cair a ficha e eu perceber que ela *se produzira toda para mim*. Ela fizera todo aquele esforço *para mim*. Por um momento me senti lisonjeada, mas, alguns segundos depois, achei tudo esquisito e me senti apavorada.

Fomos a Santa Mônica para assistir a um filme, do qual nenhuma das duas entendeu o enredo, e quando saímos andando pela rua, na noite quente, desconfiei que cada uma de nós estava esperando que a outra explicasse o enredo. Aquilo não me caiu muito bem e eu tive uma imensa compulsão de perguntar a Lara o que ela conhecia a respeito de taxas de câmbio, embora desconfiasse que ela era uma negação tão grande quanto eu nesse assunto.

— E agora? — perguntei. — Vamos tomar um drinque? — Havia centenas de bares e restaurantes muito interessantes por ali, mas Lara balançou a cabeça com firmeza e disse, com um sorriso cheio de segundas intenções:

— Hã-hã... Vamos para a minha casa.

Senti um friozinho e minha barriga começou a formigar por dentro. *Nervoso*, disse a mim mesma. *Não é terror, é só nervoso*. Causado pela minha timidez e inexperiência, é claro. Lara, porém, era especialista no assunto e ia cuidar de tudo, a fim de facilitar as coisas para mim.

Fomos então para a sua casa, onde ela abriu uma garrafa de vinho, colocou para tocar uma música suave, meio jazzística, e acendeu algumas velas aromáticas. Foram as velas aromáticas que me alertaram para a imensidão do meu erro. Era tudo tão *romântico*.

Ela estava mesmo a fim de uma noite quente. Uma bola de chumbo substituiu as formigas na minha barriga e eu não tinha mais dúvidas do que sentia. Queria ir para casa, queria sair correndo dali o mais rápido que conseguisse, mas, em vez disso, tive que me encolher no sofá, bebericar um pouco de Chardonnay e trocar olhares provocantes sob a luz trêmula das velas.

Tentei valentemente. Consegui pregar na cara um sorriso forçado cada vez que Lara lançava olhares quentes na minha direção, mas quando ela foi chegando mais perto, o pânico aumentou.

Desesperada, tentei continuar falando, mas estava tão tensa que parecia que eu a estava entrevistando para um emprego.

— Em quantas salas *Pombos* vai estrear? É divertido organizar o coquetel de lançamento de um filme? Ah, é um pesadelo? Puxa...

Estava doida pra cair fora, mas não via como fazê-lo; as palavras que poderiam me libertar daquela situação estavam prontinhas para sair, mas permaneceram presas em minha garganta. O que me impedia de dizê-las é o fato de que eu entrara naquele barco furado sabendo o que estava fazendo. Assim que ela se ofereceu, eu podia ter dito "Vá se catar!", mas, em vez disso, dei toda a pinta de que ela me agradava — porque me agradava mesmo. Agora, no entanto, era outra história, mas eu não me sentia à vontade para lhe dizer que mudara de ideia.

Depois de uma taça e meia de Chardonnay, Lara subitamente se inclinou na minha direção, quase por cima de mim. *Ai, é agora!* Automaticamente me encolhi toda e senti um imenso alívio ao perceber que ela estava apenas completando a minha taça de vinho. Com a mão trêmula eu a peguei e, na mesma hora, bebi tudo de uma vez só.

— Ei, não vá se embebedar, hein? — ralhou Lara, com a voz doce.

— Ahn... não. — Minha ansiedade começou a aumentar novamente.

Rezava em silêncio, oferecendo um trato com Deus: se Ele me livrasse daquele sufoco, eu nunca mais ia ser irresponsável nem fazer nada perigoso. Mas Deus devia estar na outra linha, porque logo em seguida Lara se moveu mais para junto de mim e começou a tirar o cabelo da frente dos meus olhos. Então me beijou, o que até que não foi tão mau, colocou as mãos por baixo do meu top e começou a acariciar os meus seios, o que também não foi tão mau. A essa altura eu imaginei que era a minha vez de fazer alguma coisa, por isso toquei na alça do seu vestido, para demonstrar desejo. Só não esperava que ela fosse abrir o vestido, abaixá-lo até a cintura, para em seguida despir o sutiã e segurar os seios com as mãos. Assim que ela começou a se acariciar, os seus mamilos incharam e apontaram para mim, e isso até que seria sexy em outras circunstâncias, mas naquele momento me deixou paralisada e me pareceu pouco adequado.

— Não tenha medo — disse ela. Então, eu respirei fundo e comecei a acariciar-lhe os seios, em parte porque devia lhe retribuir o favor e em parte porque morria de curiosidade para saber como era um peito siliconado. Só que como eu nunca sentira os peitos de mais ninguém, a não ser os meus, não tive como comparar.

Um pouco mais de carícias e uma sessão de despir roupas se seguiu; Lara era linda, sem dúvida, a sua pele era macia, morna e com um cheirinho doce. No entanto, quando encostamos a parte de baixo do corpo uma na outra, tudo me pareceu errado — as duas eram retas demais. Percebi o quanto eu gostava de um corpo de homem.

A ousadia, curiosidade e carência que haviam provocado a minha resposta inicial às abordagens de Lara desapareceram por completo e eu percebi, de forma pungente, que havia enfiado na boca mais do que conseguiria engolir. Não que eu planejasse enfiar a boca em alguma coisa... puxa, de jeito nenhum! Não haveria ninguém no mundo que me convencesse a embarcar em uma sessão de lambe-lambe.

Dizem que só uma mulher pode verdadeiramente saber o que outra mulher deseja, e Lara certamente se esforçou muito para isso. Mas eu não conseguia dissociar meu corpo da minha mente, muito menos relaxar e me deixar aproveitar o prazer que pudesse surgir daquela experiência. Senti que eu era uma fraude completa e, o que é pior, me senti uma idiota.

Felizmente, Lara parecia estar realmente curtindo aquilo, e espantou qualquer das minhas possíveis inibições com um gesto leve, dizendo:

— Não esquente, é a sua primeira vez.
— Obrigada — disse eu, humilde.
— Logo, logo... — anunciou ela — você vai estar pronta para se amarrar a um consolo de trinta centímetros.
Minha nossa!
Mal dormi a noite toda. Então ela me deixou em casa, de manhã, e seguiu para a aula de yogilates. Os tocadores de tambor do ritmo da vida começavam a chegar, dois deles até me fizeram acenos, obviamente acostumados a me ver chegar em casa em um sábado de manhã ainda com as roupas da noite anterior.
— Ligo para você amanhã — prometeu Lara, saindo com o carro. — Podemos sair... Dê um beijo em Emily por mim.
Ali estava eu, remexendo nos velhos roteiros de Emily, sem conseguir me concentrar em nada. E agora, o que eu ia fazer? Não podia terminar tudo com Lara, pois além de ela parecer realmente gostar de mim, eu ia ter que confessar que era apenas uma turista sexual. Depois que Nadia a deixara tão arrasada, eu simplesmente não podia fazer isso!
Além do mais, não tinha a menor ideia de como terminar um namoro, porque já fazia muito tempo desde a última vez que fizera isso. O que as pessoas diziam? "Não está dando certo?", "Preciso de mais espaço?", "Podemos continuar amigos?".
Por outro lado, se eu não terminasse com ela...
Já dava até para ver o meu futuro se desenrolando diante dos meus olhos. Eu teria que ficar em Los Angeles para sempre e ser uma lésbica. Não via outra saída. Ia ter que fazer todos os tipos de sapatice que parecem interessantes em uma fantasia ocasional, mas não eram nada atraentes na vida real. Além do mais, não ia aguentar o esquema de aprimoramento estético que Lara ia me fazer enfrentar: meus cabelos e sobrancelhas iam precisar ser aparados duas vezes por semana, e ela tornara a mencionar as minhas unhas maltratadas. Ia me obrigar a fazer depilação à brasileira e só Deus sabe mais o quê.
Como foi que eu me metera naquela enrascada? Transar com uma *garota*? Aquela não era eu, aquilo não era o meu jeito, alguém devia ter me desencaminhado. Por mais que me agradasse colocar a

culpa em outra pessoa, a única culpada era eu. Forcei-me a reconhecer que uma das razões que haviam me levado a flertar — sim, flertar — tão descaradamente com Lara foi a vontade de *me exibir* na frente de Troy e Shay. Tinha a esperança de chocá-los, magoá-los ou algo assim, porque ambos, cada um a seu modo, haviam me magoado.

E em que isso me transformara? Antes de Lara, fora Troy, e apesar de o sexo com ele ter sido fantástico, a experiência, no fim, me deixara péssima.

Pelo menos uma coisa estava bem clara, pensei, com ironia: qualquer suspeita que eu tivesse de ser uma garota da pá virada encaixada por engano em um molde de menina boazinha havia sido desfeita. Muitas vezes eu dissera a mim mesma que foi uma pena eu me casar tão cedo, aos vinte e quatro anos, porque isso me privara da experiência de transar sem culpa com um monte de homens misteriosos. Sentia, bem no fundo, que, se eu tivesse a chance de exercitar o meu lado selvagem, seria capaz de deixar no chinelo todas as malucas das minhas amigas.

Mas estava enganada. Não fora talhada para transas de uma noite só. Ao contrário de Emily ou Donna, o sexo casual e descompromissado não me excitava, e sim deprimia. Puxa, que desapontamento saber que eu era exatamente o que sempre demonstrara ser: uma monógama de carteirinha. Quem poderia imaginar? Emily tinha motivos para se preocupar comigo: eu estava totalmente descontrolada.

Desesperada, fiquei ali sentada junto à escrivaninha de Emily durante um tempão. Então comecei a pensar em Emily, que estava ainda mais desesperada do que eu, tentando condensar sete meses de trabalho em uma semana. Levantei-me e fui até a sala. Ela continuava tamborilando furiosamente as teclas do notebook.

— Emily, há algo que eu possa fazer?

Ela parou, com os ombros curvados, e me fitou com olhos cheios de olheiras, que a faziam parecer um guaxinim.

— Eu podia preparar alguma coisa para você comer — ofereci.
— Ou quem sabe massagear o seu pescoço. Sem nenhum intenção de sapatice — acrescentei depressa, para que não houvesse dúvidas.

Bem devagar, ela baixou os ombros.

— Se quer saber, há uma coisa, sim, que você poderia fazer. Gostaria que você reservasse algumas horas livres para hoje à noite. Não importa onde, eu só quero ir a algum lugar. Você decide qual.

— Tudo bem. — Pensei a respeito e soube exatamente o que queria fazer. — Gostaria de sair com um bando de garotas, ficar de porre e dançar em volta das bolsas largadas no chão, ao som de "I Will Survive".

— Excelente ideia — concordou Emily. — Quem você gostaria de chamar? Lara, obviamente...

— Não, ela está ocupada. Humm... que tal Connie?

— Connie? Mas eu pensei que você não gostasse dela.

— Pois é. — Encolhi os ombros.

— São os preparativos do casamento que incomodam você?

— Agora isso já não importa muito.

— *Ei*, você parou de perguntar se todo mundo é casado. Maggie, acho que finalmente você está se acertando. Agora só falta parar de querer transar com todo mundo que aparece na sua frente e...

— Prometo — garanti. — Nunca mais.

Connie topou sair e avisou que ia levar a irmã, Debbie. Nos arrumamos todas, enfiando-nos em saias curtas, saltos altos, maquiagem cintilante e fomos ao Bilderberg Room — um lugar tão cafona que estava novamente entrando na moda —, onde todos os homens eram muito atirados e metidos a Starsky e Hutch, do seriado *Justiça em Dobro*, inclusive com o visual retrô. Mal chegamos na porta e um deles disse para mim: "Aqui estou eu! Quais são os seus outros dois desejos?" Empurrei-o para o lado e, momentos depois, ao passar as mãos pelos cabelos, senti outra mão no meio deles. Pertencia a um cara chamado Dexter, que na mesma hora me convidou para ir à casa dele.

Só que nós quatro estávamos a fim de dançar, não de conhecer homens, e rebatíamos idiotas do mesmo jeito que a Mulher Maravilha rebate balas — o que só serviu para aumentar ainda mais a nossa popularidade. Martínis Complicados foram trazidos para nós,

LOS ANGELES

que bebemos sem agradecer. E embora nossas bolsas fossem tão pequenas que poderiam balançar dos nossos ombros dançantes sem ferir desavisados, as colocamos no chão, para manter a tradição — a bolsa Dior de aba que pertencia a Emily, a Fendi de madrepérola de Connie, a carteira Louis Vuitton de Debbie e a minha JP Tod's especial —, e dançamos em volta delas.

Quando Connie decidiu que precisava retocar a maquiagem, nós quatro passamos direto pelo salão sem dar bola pra ninguém, ignorando ofertas de drinques e/ou sexo fabuloso, e fomos para o toalete feminino, que era uma paisagem marrom revestida por placas de cortiça, inclusive as paredes. As cadeiras altas de vime pareciam pertencer a outra década e os espelhos em estilo marca-de-ferrugem combinavam com o retrô-discoteca, muito estilosos, sem dúvida, mas pouco práticos para quando se quer enxergar se ficou batom nos dentes.

Havia apenas uma mulher lá dentro, apertando os olhos diante do espelho esfumaçado, tentando retocar o rímel. Sobre a bancada, ao lado da bolsa, vi algo esquisito — um par de alças com presilhas reforçadas, normalmente feitas de plástico rígido, dessas que se encaixam uma na outra e normalmente são instaladas em malas de viagem caras. As alças não eram estranhas em si; o que era esquisito era o fato de elas se apresentarem largadas ali, soltas, sem estarem presas a nenhuma mala de grife. Percebi tudo isso de forma quase inconsciente, até que a mulher guardou o rímel na bolsa, colocou-a sob o braço e então — eu achei que estava imaginando coisas — pegou as alças soltas, saindo com elas porta afora como se carregasse uma pesada mala invisível. *A mala nova do imperador.*

Em silêncio total, todas nós observamos a sua saída, e assim que a porta se fechou, Emily, Connie e Debbie começaram a falar ao mesmo tempo, de forma muito entusiasmada.

— Você viu só?

— Eram verdadeiras, não eram?

— Só podem ser!

— Quem? O quê? — perguntei, percebendo que a mulher talvez não fosse, como eu imaginara, uma pobre alma com o cérebro desaparafusado.

— As alças Hawk! — Pelos seus olhos brilhantes, ficou claro que elas esperavam que eu soubesse sobre o que falavam. Lentamente balancei a cabeça para os lados e Emily me explicou:

— Sabe toda a bagagem que cada ser humano traz do passado?

Admiti que sabia. Na verdade, estava começando a perceber o quanto de peso eu mesma carregava.

— Pois então...! A dra. Lydia Hawk é uma psiquiatra que inventou um método pioneiro, absolutamente inédito, de lidar com isso. Ela transmuta a bagagem emocional dos pacientes em bagagem física. Nas primeiras consultas, você tem que sair pela rua carregando uma mala de verdade.

— E não pode ser daquele modelo que tem rodinhas — esclareceu Debbie. — E *o principal*: ela *tem* que estar cheia de tralhas. A dra. Hawk as enche pessoalmente, e os pacientes são obrigados a carregá-la por toda parte. To-da par-te! Para ir à farmácia, ao trabalho, a um encontro...

— E à medida que você vai melhorando, durante o tratamento, a mala vai ficando menor. Até que sua bagagem do passado encolhe tanto que você fica carregando apenas as alças das malas. E tem que carregá-las durante um ano, como lembrete.

— E elas custam mil dólares.

— Dez mil — corrigiu Connie.

— Mas isso é maluquice! — reagi. — São apenas alças de plástico! Você pode arrancá-las de qualquer mala velha, não precisa comprá-las.

Todas discordaram de mim, três cabeças com cabeleiras fartas balançando enfaticamente de um lado para outro.

— Nã-na-ni-na-não! Tem que ser as alças Hawk especiais. Se forem outras, o tratamento não funciona.

— Só existem vinte pares de alças como aquelas em todo o mundo — maravilhou-se Connie. — Elas são simplesmente o máximo!

Às vezes, eu imaginava estar começando a sacar como é que as coisas funcionavam em LA, a Terra da Fantasia. Outras vezes, como naquele momento, eu me sentia tão por fora quanto no dia em que havia chegado.

Mas deixa isso pra lá! Vam'bora dançar! A música era pura discoteca dos anos 1970, nada de remix — "Mighty Real", "Disco Inferno" e outras coisas maravilhosas que eu me lembrava de quando era menina. O ponto alto da noite foi quando Emily cochichou alguma coisa no ouvido do DJ e logo em seguida "I Will Survive" começou a ecoar em todo o salão, pelas paredes espelhadas. Um dos caras mais atiradinhos tentou invadir a pista e entrar no nosso círculo fechado, exatamente no momento em que a letra da canção dizia "Go on now, Go!". Aproveitamos para cantar esse refrão para o coitado, aos berros, até ele tirar o time de campo e nos deixar em paz. Então, continuamos dançando como se não houvesse amanhã.

CAPÍTULO 34

Eu certamente me peguei torcendo para que não houvesse um dia seguinte na hora em que Emily anunciou:
— Lara está vindo para cá.
— Para ver você? — perguntei, cheia de esperanças.
— Não, para ver você. — Lançou-me um olhar engraçado e completou, falando bem devagar, como se eu fosse retardada: — Você... é... a... namorada... dela.

Ai, caraca!

O dia começara muito bem, com Lou nos levando para tomar um café da manhã incrementado. Lou chegara na casa de Emily na noite anterior às duas da manhã porque ela — liberada e cheia de Martínis Complicados nas ideias — telefonou para ele no meio da madrugada e o convidou para visitá-la. Ele chegara em vinte minutos e garantiu que passara a noite vendo futebol na tevê, torcendo para que ela ligasse.
— Argh! — exclamou ela, mostrando claramente que tinha nojo da sua falta de sinceridade.

Então, de manhã, ele nos levara ao Swingers, um lugar muito famoso, com ambiente vibrante e cheio de charme, mesmo às dez horas. Olhares compridos e sedutores eram lançados por sobre crepes de amoras, e estou falando dos garçons. Lou foi divertido, mostrou que tinha um papo agradável e foi muito simpático comigo, sem me parecer falso ou forçado. Insistiu em pagar a conta de nós duas; quando voltávamos de carro para casa, parou em uma drugstore, a fim de comprar cigarros e balas para Emily, ofereceu três boas sugestões para o roteiro de *Matt, o Cão*, e lhe pediu que telefonasse, caso precisasse de qualquer coisa dele.

— Eu disse *qualquer coisa* — assinalou ele, com ar maroto e significado óbvio.

Depois que ele foi embora, eu tive de comentar com Emily:

— Acho que Lou é um cara legal.

— Dá pra ver que você está fora da arena há muito tempo — disse ela, ligando o notebook e se instalando na mesa da cozinha com um cinzeiro ao lado, uma caneca de café e um tubo de Mintos. — Na verdade, ele é o diabo em pessoa.

— O diabo?! Emily, que coisa horrível de se dizer.

— Mas não é uma coisa diabólica planejar tudo com a maior frieza, fazer uma mulher se apaixonar por você e depois desaparecer para sempre em uma nuvem de fumaça?

— Mas você tem *certeza* de que é isso que ele planeja?

— Claro que tenho. — Ela foi movimentando o texto para cima pela tela, enquanto resmungava: — Onde é mesmo que eu estava...? Ah, achei! Matt, o cão, acabou de morder o proprietário do terreno. — Escondeu o rosto com as mãos e choramingou: — Puxa, eu não acredito que esteja escrevendo esse troço. Eu me odeio!

— Pense na grana — repliquei, como ela me pedira para fazer. — Pense em todas as coisas lindas que você vai poder fazer, como comer, pagar o aluguel e encher o tanque do carro.

— Obrigada, Maggie, obrigada. — Ela começou a escrever e ficou tudo ótimo até Lara ligar, dizendo que estava a caminho.

Meia hora depois, Lara irrompeu pela sala, dourada e deslumbrante como sempre, com a diferença de que, em vez de me causar admiração, agora aquilo me deixava apavorada. Parou atrás de Emily, olhou por sobre o ombro dela para a tela do notebook e perguntou:

— Oi, querida, como está o trabalho?

— Estou passada, Lara, morta de vergonha. Sou uma prostituta de Hollywood.

— Ora, mas quem não é? Emily, você se incomoda se eu roubar Maggie um instantinho e levá-la comigo lá pra dentro, para um lance particular?

Emily franziu o cenho, mas concordou:

— Vá em frente.

— Eu sei que isso é meio esquisito para você — disse Lara, com suavidade.

Emily simplesmente encolheu os ombros, sentindo-se arrasada. Levei Lara para o meu quarto, fechei a porta e me preparei para beijos apaixonados.

— E então, o que vocês fizeram na noite passada? — perguntou ela, rodeando a cama e se sentando na cadeira de Emily, junto da escrivaninha.

— Fomos ao Bilderberg Room com Connie e Debbie.

— Deve ter sido muito legal!

— Ahn... foi mesmo. A música estava ótima.

— O que eles tocaram?

Enumerei algumas das canções executadas enquanto me perguntava: *Quando será que a sessão de beijos vai começar?*

— Pois eu fui jantar no Shakers — informou Lara. — Fica em Clearwater Canyon. A comida é ótima. Você devia ir lá um dia desses, para conhecer.

— Certo. — Eu já não aguentava mais o suspense, então me levantei (tive que fazer isso, porque ela estava muito longe), forcei-a a se levantar também e a puxei para junto de mim. Antes de conseguir beijá-la, porém, ela espalmou a mão no meu peito e esticou o braço.

— Não.

— Não?

— Desculpe, Maggie, desculpe mesmo, mas acho que não devíamos fazer isso.

— Porque Emily está lá fora?

— Não. Acho que não devíamos fazer, simplesmente.

Repeti as palavras em silêncio, fazendo mímica com os lábios e esperando o próprio cérebro absorvê-las.

— Quer dizer que você... você quer terminar comigo?

— Ahn... sim, acho que agora você entendeu.

— Mas *por quê*? — O que estava errado comigo? Por que diabos eu passava a vida sendo rejeitada?

Ela me olhou fixamente com seus olhos azuis da cor de raio laser e disse, com toda a delicadeza:

— Eu fiquei muito magoada depois que Nadia me deixou, e senti curiosidade por você. Pareceu uma boa ideia, na hora, entende...? Desculpe.

— Então você não sentiu atração nenhuma por mim?

— Não, senti sim! — apressou-se ela, para não me magoar mais.

— Desde quando?

— Desde... ah, desde a noite em que eu descobri a verdade sobre Nadia e você foi tão simpática e solidária comigo.

— Quer dizer então que a atração não rolou desde que eu cheguei a Los Angeles? — Eu não sabia explicar o porquê de aquilo ser tão importante, mas a verdade é que era.

— Não, logo de cara eu confesso que não. Escute, você deve estar um pouco confusa no momento, por causa do seu casamento e por causa de Troy, e eu estou superarrependida, mas acho que me aproveitei de você.

— Hum...

— Mas, olhe, você é o máximo, o máximo mesmo!

— Mas não máximo o bastante.

— Não é isso, é que... Não sei como lhe dizer isso...

— Eu não sou o seu tipo?

— Não fique pau da vida comigo — pediu ela, com tristeza no olhar.

Muito magoada, engoli em seco.

— Então, qual é o seu tipo? — Quis saber. — Garotas do tipo da Nadia, imagino.

— Sim, acho que sim.

— Mas por quê? Porque Nadia tinha um corpo fantástico?

Sentindo-se meio sem graça, Lara assentiu.

Por aquela eu não esperava. Sabia que os homens muitas vezes faziam escolhas baseados puramente em atração física, mas esperava que as mulheres fossem menos artificiais. *Será que uma personalidade marcante não servia para mais nada?*, perguntei a mim mesma, com ar amargo.

— Mas você tem o corpo fantástico também — garantiu Lara, de um jeito tão gentil que ajudou a diminuir um pouco da minha mortificação. — A diferença é que ela é bailarina, entende... e ela também... bem, ela gosta muito de se cuidar.

— Foi por causa das minhas unhas, não foi?

— Bem, elas não ajudaram muito — admitiu Lara.

— Ahn... — Tive que me obrigar a perguntar: — O meu... você sabe... traseiro, ele tinha... ahn.. tinha a cor errada?

— Para ser franca, eu não cheguei a vê-lo. — Ela encolheu os ombros. — Mas, Maggie, não se trata de nada disso. Estou convencida de que a sua inclinação natural não é a de estar com mulheres...

Pronto, ela conseguira dizer e respirou aliviada.

— Além do mais — continuou —, se eu não terminasse com você, era você que ia terminar comigo muito em breve.

Eu fiquei em silêncio, tentando decidir se devia me fazer de vítima ou manter o meu orgulho intacto. Escolhi o orgulho.

— Para falar a verdade — eu disse —, queria terminar tudo hoje, mas não sabia como.

— O quê?! — reagiu ela, com a voz irritada. — Quer dizer que eu estou aqui feito uma idiota, me sentindo a pior pessoa do mundo à toa?

— Sim. — De repente, o absurdo e a tolice de tudo aquilo me alcançaram e eu caí na risada. — Agora me diga a verdade, Lara, me conte com toda a honestidade: eu não fui um desastre total naquele encontro?

Ela olhou para mim com o rosto sério, mas um sorriso tentava invadir seus lábios e ela não conseguiu prendê-lo.

— Bem, sou obrigada a reconhecer que já tive companhias bem melhores na cama.

— Eu também!

Subitamente, as duas explodiram em convulsões descontroladas de riso, gargalhadas de alívio e libertação, por terem escapado de uma maluquice daquelas.

Quando finalmente sossegamos o facho, eu perguntei:

— Mas ainda vamos continuar sendo amigas, certo?

Pronto! Aquilo deu início a uma nova rodada de risos convulsivos.

— Não marque nada para quarta-feira à noite — disse ela, antes de sair. — É a pré-estreia de *Pombos*.

Depois que a porta se fechou e Lara se foi, fui direto falar com Emily na cozinha.

— Tenho uma boa notícia. Terminamos tudo, Lara e eu.

— O que aconteceu? — perguntou ela, interessada, parando de trabalhar freneticamente no teclado.

— Ela terminou comigo. Disse que não sou o seu tipo.

— E agora...? Você vai odiá-la tanto quanto odeia Troy e toda vez que ela vier me visitar vai enfiar um garfo na perna dela?

— Não! — reagi, indignada, com o coração aos pulos. — Somos amigas!

— Ai, que alívio!

— Emily, desculpe.

— Pelo quê?

— Por sair por aí, dormindo com todos os seus amigos. Não vou mais fazer isso.

— Você pode dormir com quem bem quiser. É o clima pesado que pinta quando as coisas não dão certo que me incomoda.

— Não, prometo que não vou dormir com mais ninguém. Acho que saí dos trilhos e fiquei meio descontrolada, mas já estou numa boa. Desculpe. Vou voltar a ser a Maggie certinha, pois não sirvo para ser outra coisa mesmo. Pode ser até que eu decida entrar para um convento.

Emily abanou a cabeça.

— Encontrar um meio-termo talvez fosse o melhor para você. — Então acrescentou: — Graças a Deus você tirou essa sapatice toda da cabeça, porque com a chegada de Mamãe Walsh todas nós íamos levar uma tremenda surra.

Eu concordei, aliviada.

CAPÍTULO 35

Depois do segundo aborto, eu chorei direto por quatro dias. Sei que muitas vezes as pessoas dizem coisas como "chorei durante uma semana", quando, na verdade, choraram de forma intermitente por alguns dias, mas eu realmente chorei *sem parar* durante quatro dias. Chorava até durante o sono. Tinha uma leve noção de gente entrando e saindo do quarto, rodeando a minha cama na ponta dos pés e sussurrando para Garv: "Como é que ela está, agora?"

Quando parei de chorar, os meus olhos estavam tão inchados que eu parecia ter sido brutalmente espancada e a minha pele estava muito branca e cheia de crostas brancas, como aqueles lagos salgados completamente secos que se vê no deserto.

No passado, quando eu ouvia falar de mulheres que haviam sofrido abortos, não conseguia imaginar a sua tristeza. Talvez me perguntasse, no fundo, como era possível sentir falta de algo que a pessoa nunca teve. Conseguia me identificar mais com outras perdas. Se uma das minhas amigas levava um pé na bunda, dado pelo namorado, eu me sentia solitária, rejeitada e humilhada por ela. Ou, se algum parente próximo de uma amiga morria, eu conseguia avançar um pouco nas tentativas de compreender o choque, o pesar e a estranheza do conceito de morte, embora os meus avós tenham sido as únicas pessoas que eu amava e que haviam morrido.

Mas, definitivamente, eu não teria sido capaz de imaginar a dor profunda de perder um bebê. Não até acontecer comigo. Não até acontecer comigo *duas vezes*.

E o mais estranho é que, de certo modo, aquela era uma perda similar às outras. Eu me sentia solitária, rejeitada e humilhada, como se tivesse levado um fora amoroso. Sentia-me solitária por causa da pessoinha que eu jamais conseguiria conhecer, rejeitada por ela não querer permanecer no meu corpo e humilhada por ser tão defeituosa. E também senti choque, pesar e estranheza, como se alguém tivesse morrido. Só que havia uma dimensão extra à minha tristeza, algo que atingiu a minha própria essência humana. Eu queria um filho e aquela espera era tão visceral e inexplicável quanto a fome.

Durante todo aquele período, eu me senti como em uma redoma de vidro, separada do resto da raça humana, de tão isolada. Parecia que ninguém no mundo poderia compreender a natureza exata da minha dor. As mulheres que perderam filhos conseguiriam, é claro — embora eu não conhecesse nenhuma —, e também aquelas que "tentavam engravidar", e talvez também as pessoas que já tivessem tido bebê. Mas a maioria das outras pessoas não poderia alcançar a dimensão da minha dor. Eu tinha intuição disso, porque durante muito tempo também vira as coisas de fora, como elas.

A única pessoa que verdadeiramente compartilhava a minha dor era a mesma que eu mal conseguia encarar: Garv. Ter de enfrentar tudo aquilo em companhia dele fez as coisas parecerem ainda piores, não sei por quê. De repente, percebi que não conseguia parar de pensar em um caso que acontecera quando eu tinha uns vinte anos: uma criança da vizinhança correra da calçada, por entre dois carros estacionados, e foi atropelada e morta por um motorista que não teve tempo de frear. Os pais do menino morto ficaram arrasados, é claro, mas eu senti também uma enorme compaixão pelo homem que dirigia. Ouvi várias pessoas dizerem: "Estou morrendo de pena do motorista. Coitado, imagine só o que ele deve estar passando."

Pois bem, eu me sentia igualzinha ao motorista. Era a responsável pela dor de Garv. Tudo fora culpa minha e era horrível viver com aquilo.

Mas Garv enfrentou tudo muito melhor do que eu. Durante duas semanas, depois do aborto, foi ele que manteve a casa funcionando, recebia as visitas, substituía as revistas *Mãe e Bebê* por *Vanity Fair* e fazia com que eu me alimentasse. Eu vagava a esmo pela casa, sem conseguir voltar à normalidade, e me recusava a conversar sobre o assunto. Não conseguia nem mesmo usar a palavra "aborto" — quando alguém se referia ao que acontecera, eu interrompia a pessoa e a corrigia, referindo-me ao fato como "o problema" E quando ela concordava e dizia: "Certo, então... o problema", e continuava a me perguntar como eu estava, eu a cortava, avisando: "Não quero falar disso." Era tão resistente que até as minhas amigas mais chegadas desistiram de tocar no assunto.

Então alguém apareceu com a ideia de que Garv e eu devíamos tirar umas férias. De repente, todos à nossa volta estavam de pleno acordo sobre "férias" ser uma ideia excepcional. Parecia que para onde quer que nos virássemos havia um rosto assustador e fantasmagórico entoando o mesmo mantra: "Vai lhes fazer muuuito bem!" Ou então: "Alguns dias deitada à beira de uma piscina lendo um booom livro e você vai se sentiiir como nooova." Parecia um filme de terror.

— Você foi concebida durante umas férias que tiramos, Margaret — disse mamãe, acompanhando essa informação inesperada com uma piscadela e um risinho desconcertante.

— Não nos conte os detalhes, pelo amor de Deus, não conte! — implorou Helen.

No fim, Garv e eu não tivemos outra escolha. Eu já não tinha energia para resistir à insistência de todo mundo, e a ideia de me afastar do mundo real por mais uma semana era tentadora demais para resistir.

Assim, fomos para um resort em Santa Lúcia, no Caribe, estimulados por imagens de palmeiras cintilantes, areia branca e fina como talco, um sol abrasador e coquetéis do tamanho de aquários. Infelizmente, três dias antes de desembarcarmos, um furacão assolou a ilha (embora não fosse época de furacões) e a praia afundou no mar, junto com a maioria das palmeiras. Não apenas isso, mas a minha mala, cheia de roupas de praia coloridas, lindas e recém-compradas, não apareceu na esteira de bagagem, no aeroporto. Para colocar sal na ferida, o governo de Santa Lúcia começou a reconstruir a praia de imediato e as barulhentas atividades começavam todo dia, às sete da manhã, bem debaixo da nossa janela. O glacê do bolo foi a chuva, que não parou de cair nem um dia, e, antes que perguntem, não, também não era a estação das chuvas.

Mas a cereja especial, reservada para colocar sobre o glacê do bolo, foi a atitude dos funcionários do hotel com relação à minha mala extraviada. Por mais que eu tentasse convencê-los de que queria minhas coisas de volta o mais depressa possível, eles não pareciam se abalar com a história. Todas as manhãs e todas as tardes Garv e eu perturbávamos os atendentes, querendo saber da mala, mas ninguém nos dava informações palpáveis.

— Eles são muito descansados por aqui — reclamei eu.

— Descansados? — retorquiu Garv, com ar sombrio. — Perto deles, os irlandeses parecem tão dedicados e eficientes quanto os japoneses.

No quinto dia, ao nos dirigirmos mais uma vez à recepção, uma gota d'água fez transbordar o copo. Embora já tivéssemos contado "n" vezes a história da mala extraviada para Floyd, o recepcionista, nos quatro dias anteriores, Garv foi obrigado a lhe explicar tudo de novo.

De forma pouco convincente, Floyd teclou alguma coisa em seu computador e olhou para a tela. Eu estiquei o pescoço, tentando dar uma olhada, porque tinha uma leve suspeita de que o computador não estava nem mesmo ligado.

— Vai chegar amanhã — disse ele, com a voz arrastada.

— Mas você disse isso ontem — disse eu, entre dentes, de tanta raiva. — E anteontem também. — Pensei em Garv tendo novamente que lavar a minha camiseta e o meu short na pia do banheiro, e eu tendo que vesti-los úmidos de manhã e virar motivo de chacota para as outras garotas do hotel, sempre bem-arrumadas. Então me lembrei da minha mala, cheia de biquínis com cores lindas, vestidos com estampas floridas, bem leves, e, o pior de tudo, das minhas sandálias ainda por estrear, e fiquei ligeiramente histérica. Até hoje, ao me lembrar daquelas sandálias, sinto um nó bem na boca do estômago. Não que eu seja viciada em calçados (meu primeiro amor sempre foram as bolsas), mas porque Garv havia tido um trabalho indescritível para consegui-las para mim. Eu as vira em uma loja do centro uma semana antes de sairmos de viagem. Cheguei a experimentá-las, e a compra já estava praticamente decidida quando entrou na loja uma mulher com um bebê. Ele era pequenininho, dava para ver que era recém-nascido, com suas pequenas pálpebras trêmulas em pleno sono e as mãozinhas macias como marshmallows, semiabertas.

Tive de ir embora. Não estou exagerando, eu *tive* de sair da loja, senão ia pirar novamente e começar a chorar feito uma maluca, e quando eu começava não conseguia mais parar.

Ao chegar em casa, me lancei nos braços de Garv.

— Não foi só o bebê — expliquei. — Sei que é idiotice, mas foram as sandálias também. Elas eram perfeitas, iam combinar com qualquer coisa. E eu as deixei para trás... — Estava à beira de uma daquelas torrentes de choro convulsivo.

— Vou lá comprá-las para você — ofereceu Garv, e um músculo se retesou ritmicamente em seu maxilar. — De que loja elas são?

— Não, pode deixar... — Eu nem conseguia me lembrar em que loja as vira, só sabia que era na Grafton Street. Só sei que, de repente, Garv já estava colocando um bloco de anotações na minha frente.

— Faça um desenho delas — disse. — Escreva a cor, o tamanho, tudo que você lembrar sobre elas.

Tentei dissuadi-lo, mas ele insistiu. O que só serviu para me deixar pior. Era um claro sinal de o quanto as coisas estavam ruins, um sinal de o quanto estávamos perto de pirar de vez, já que ele tinha de recorrer a medidas tão drásticas para tentar me fazer feliz.

Como se fosse um detetive particular, ele vasculhou cada centímetro quadrado do centro de Dublin, munido apenas com o meu desenho. Foi de sapataria em sapataria com o pedaço de papel dobrado na mão, perguntando às pessoas que encontrava:

— Você, por acaso, viu estas sandálias?

Tentou na Zerep, que não tinha aquele modelo, mas indicou a Fitzpatrick. Na Fitzpatrick eles disseram que não as tinham visto, mas indicaram a Clarks. Garv, porém, disse-lhes que sabia que eu jamais iria à Clarks, porque os calçados de lá eram confortáveis demais para o meu gosto, então eles sugeriram que ele fosse à Jezzie. Na Jezzie, tentaram empurrar um par que era baixo demais e não tinha sola áspera. Abandonado à própria sorte, Garv tentou na Korkys, e embora os atendentes não tivessem conseguido ajudá-lo, uma cliente — obviamente viciada em sapatos — entreouviu o drama e insistiu que sandálias como aquelas só podiam ser da Carl Scarpa. Não deu outra, ele as encontrou na Carl Scarpa.

— Espero que o número sirva — disse Garv, abrindo a sacola de compras assim que entrou em casa.

— Vão servir. — Eu estava disposta a cortar um pedaço dos dedos dos pés, se fosse preciso. Estava *tão* atônita por ele ter se dado todo aquele trabalho, ainda mais por alguém absolutamente inútil como eu, que não conseguiria admitir que algo estivesse errado.

— São essas...? — Ele as segurou bem alto para eu poder vê-las. Concordei com a cabeça.

— Seus sapatinhos de rubi — disse ele, entregando-os a mim. E embora não tivessem a cor de rubi (eram em um tom de turquesa) e não fossem sapatos, eu as calcei, bati os calcanhares três vezes um no outro, como a Dorothy de *O Mágico de Oz*, e disse:

— Não há lugar melhor que o lar.

Nos abraçamos com força e, por um instante, achei que poderíamos superar tudo. Não é estranho que às vezes a lembrança de um ato de carinho possa causar mais dor do que a de um gesto cruel?

Enquanto isso, Floyd continuava sem dar a mínima para o desaparecimento da minha mala, com as sandálias dentro e tudo o mais.

— Onde está a minha mala? — implorei. — Ela foi extraviada há quase uma semana.

Floyd me lançou um sorriso cintilante, largo como um melão, e disse:

— Relaxe, dona.

Talvez em outras circunstâncias eu tivesse mesmo relaxado. Quem sabe se eu tivesse dormido pelo menos *uma* boa noite de sono no mês anterior, se meus nervos não estivessem em frangalhos, se eu não tivesse empenhado tanta esperança naquelas férias... Em vez disso, porém, eu me ouvi gritando:

— Não, não vou relaxar merda nenhuma...!

Garv colocou os braços em volta dos meus ombros, com força, e me levou até um lindo banco branco.

— Fique sentadinha aqui — ordenou ele. Com ar amuado, eu me sentei, enquanto Garv voltou até o balcão, se inclinou na direção de Floyd e falou:

— Agora me escute bem e preste muita atenção...! — ameaçou ele. — Aquela ali que você está vendo é a *minha* mulher. Ela não tem passado muito bem. Veio aqui para se sentir melhor. Não tem praia, o tempo está uma bosta e o mínimo que você pode fazer por ela é localizar a sua mala!

Apesar de sua intervenção máscula e decidida, a mala só deu o ar de sua graça no último dia de viagem, e o nosso alto-astral não deu o ar da graça em dia nenhum.

No aeroporto, voltando para casa, a mortalha de depressão que pendia sobre nós dois quase podia ser fotografada de tão sólida. Pensávamos que as férias serviriam para nos curar, mas só haviam servido para aumentar o nosso distanciamento. Agora, eu não só não estava grávida como nós dois nos vimos mais afastados um do outro do que nunca.

Ao pensar nas coisas terríveis que tinham acontecido, como o tempo, a mala e a intoxicação alimentar (ah, sim, essa eu esqueci de contar... duas caganeiras, um banheiro que mal deu conta do movimento, e é melhor não entrar em detalhes), fiquei me perguntando se Garv e eu estávamos macumbados. Então senti um terror inesperado ao perceber que os desastres tinham sido, na verdade, o melhor das férias, porque forneciam assuntos para conversas entre mim e Garv. Os únicos momentos em que estivemos mais animados ou em concordância total um com o outro aconteceram quando comentávamos sobre a espelunca que aquele resort era, ou quando planejávamos os diversos tipos de tortura que gostaríamos de infligir aos operários barulhentos, a Floyd ou ao chef que nos aconselhara o peixe estragado.

Pela primeira vez na vida, Garv e eu não tínhamos nada a dizer um ao outro.

CAPÍTULO 36

O terminal de desembarque do aeroporto de Los Angeles, para onde se dirigiam as pessoas que haviam acabado de descer dos aviões, estava entulhado. Além do voo de Dublin, acabara de aterrissar um avião vindo de Manila e outro de Bogotá, e milhares de parentes haviam resolvido ir ao aeroporto ao mesmo tempo, para receber seus entes queridos. Eu já estava ali havia mais de quarenta minutos, esticando o pescoço que nem uma girafa, enquanto levava cotoveladas e era empurrada pela massa compacta de gente. Toda vez que as portas de vidro se abriam para revelar mais uma família, um grito se elevava no ar, vindo de algum lugar, e um renovado empurra-empurra me esmagava de encontro ao povo, enquanto as pessoas tentavam forçar a passagem para alcançar os visitantes.

Quanto mais tempo passava sem o meu pessoal aparecer, mas animada eu ficava — eles deviam ter perdido o avião. Ótimo, assim eu ia poder voltar logo para a Irlanda. Era uma pena eu não ter levado minhas tralhas comigo, porque podia aproveitar e ir embora naquela hora mesmo. Porém, no exato instante em que eu decidi que eles, definitivamente, não tinham vindo, meus sentidos se aguçaram e minhas esperanças se desmancharam no ar. Ainda não conseguia vê-los, mas sabia que estavam para sair a qualquer momento pela porta — não que eu tivesse algum sexto sentido, mas porque dava para *ouvi-los* de longe, com as vozes alteradas em uma discussão de algum tipo.

E então eles apareceram. Mamãe com um misterioso tom alaranjado no rosto — o mistério foi esclarecido mais tarde, quando eu vi que as palmas das suas mãos também exibiam um tom de laranja-amarronzado. Ela passara creme autobronzeador novamente. Não adiantava avisar repetidas vezes que ela não devia aplicá-lo sem luvas, porque não nos ouvia.

Mal consegui enxergar o rosto de papai, quase invisível atrás de um carrinho lotado de bagagem. Ele usava um short cáqui. Devidamente acompanhado de pernas brancas varicosas, meias esticadas até quase os joelhos, estampadas com losangos multicoloridos e sapatos pretos de amarrar. Atrás dele vinha Anna, e eu tive uma surpresa ao vê-la — na verdade, foi mais um choque. Ela picotara o cabelo, de um jeito *estiloso*. O novo corte ficara ótimo. E atrás vinha Helen, com os cabelos pretos muito compridos, brilhantes, os olhos verdes cintilantes e a boca curvada em um sorriso de deboche, observando o povaréu em volta. Mesmo de longe dava para ver o que ela resmungava: "Onde está aquela maluca...?" Dando um suspiro, abri os braços com vontade, como se ensaiasse a dança do passarinho, e me preparei para sair empurrando todo mundo.

O motivo para a demora no desembarque? Uma das malas de Anna não havia aparecido, e só depois de eles preencherem o formulário notificando o extravio é que ela foi vista passeando sozinha na esteira de bagagem do voo de Bogotá. O carrinho com as malas também não ajudou muito. Caprichoso e imprevisível, deixara um rastro de tornozelos arranhados e canelas roxas por metade do aeroporto. Vamos colocar da seguinte forma: se o carrinho fosse um cão, seria obrigado a usar focinheira.

Mas eu estava feliz por vê-los, mais feliz até do que imaginava que ficaria, e, por um momento, me senti protegida — mamãe e papai estavam ali, eles iam cuidar de mim. Mas senti, ao ver as canelas magras e brancas de papai, que não era justo esperar que eles me paparicassem, porque eu já estava em Los Angeles havia três semanas e devia ser responsável pelo bem-estar deles (embora eu não me sentisse em condições de cuidar nem mesmo de mim, quanto mais deles quatro).

Depois de muitos gritos e nós dos dedos arranhados, consegui encaixar as toneladas de bagagem que vieram com eles no *prédiomóvel* de Emily, e pegamos a autoestrada em direção a Santa Mônica, sob um céu mais azul do que nunca, enquanto eles discutiam o meu novo visual.

— Você nunca esteve com o cabelo tão curto antes.

— Pois saiba que quando ela nasceu ele era bem mais curto — informou Helen.

— Não era não!

— Como é que você sabe? Você nem era nascida. Pois escute, Maggie — analisou Helen —, você está ótima. Seu cabelo ficou muito bem, assim curtinho, e o seu bronzeado está fantástico.

Esperei pela zoação ou pelo sarcasmo, que eu sabia que vinha. Entretanto, o alvo da ironia não era eu, mas mamãe.

— Um bronzeado fantástico — repetiu Helen. — Quase tão fantástico quanto o de mamãe. Ela não está com uma cor linda? — perguntou, de forma debochada.

— Sim, ficou linda.

— Andei pegando sol no jardim lá de casa — disse mamãe.

— É, entre um temporal e outro — completou Helen, enfiando a faca do sarcasmo ainda mais fundo.

— O sol irlandês é muito forte, de vez em quando — persistiu mamãe.

— Deve ser mesmo, se dá para pegar essa cor mesmo debaixo de chuva...

As alfinetadas continuaram até que — a seis quarteirões de Emily — chegamos ao Hotel Ocean View. Para minha surpresa, o nome estava correto: dava realmente para ver o oceano dos quartos. Tudo o que separava a vasta e cintilante expansão do Pacífico era uma rua, uma fileira de palmeiras e uma ciclovia.

— Olhem lá! — disse Anna, toda empolgada ao ver duas louraças de um metro e oitenta, com pele cor de caramelo e rabos de cavalo passarem de patins. — Bem-vindos à Califórnia.

Por dentro, o hotel também era agradável, ensolarado e tinha uma piscina com lindos guarda-sóis, conforme anunciado, mas mamãe parecia nervosa e distraída, andando de um lado para outro pelo quarto, abrindo e fechando gavetas e tocando os objetos. Só relaxou de verdade quando descobriu que não haviam passado aspirador de pó debaixo da cama. Como mamãe é uma péssima dona de casa, não gosta quando percebe que alguém faz faxina melhor que ela.

— É muito agradável aqui — cedeu ela, por fim.

Helen se mostrou menos impressionada.

— Chegamos perto assim — levantou o polegar e o indicador, quase unidos — de conseguirmos vaga no Chateau Marmont.

— Ela me disse que era um convento — reclamou mamãe, indignada. — Se não fosse por Nuala Freeman, que me contou a verdade sobre que tipo de lugar era aquele...

— Um lugar glamoroso — interrompeu Helen —, cheio de estrelas da tela e do palco. Teria sido fantástico.

Um dos motivos pelo qual eles — pelo menos mamãe e papai — haviam ido até LA era a preocupação que sentiam comigo, e antes mesmo de desfazerem as malas fui chamada para fazer um relatório completo da minha saúde emocional. De algum modo, mamãe conseguiu me encurralar em um canto, fitou-me com uma cara preocupada (e laranja) e perguntou, com muito carinho:

— Como você tem passado essas semanas, desde que... você sabe...

Bem de perto, seu pescoço estava meio listrado, mas seus olhos eram bondosos e eu me perguntei por onde começar. "Obtive a certeza de que o meu marido está saindo com outra mulher, depois tive uma sessão de sadomasoquismo com um homem narigudo que nunca mais me procurou, então dei de cara com Shay o-primeiro-amor-a-gente-nunca-esquece Delaney novamente, que fez o possível para me ignorar, embora estivéssemos ligados para sempre, pelo menos na minha cabeça; depois transei com uma mulher com peitos de silicone, que também me rejeitou; passei por lugares tão estranhos e me comportei de forma tão inusitada que eu mesma estava espantada, e continuo sem fazer a mínima ideia do que vai ser de mim, da minha vida, do meu futuro e do meu passado." Muito bem, por onde começar?, refleti. Pelo sexo lésbico? Pela parte em que fui amarrada por uma corda aos pilares da cama de Troy?

— Estou bem, mamãe — disse, com a voz fraca.

Seu olhar amoroso permaneceu em mim e eu notei que ela deixara um pedaço da pele sem bronzear, bem debaixo da orelha. Por algum motivo, aquilo me provocou uma onda de ternura irresistível.

— Você tem certeza?
— Tenho.
— Graças a Deus — suspirou ela. — Tive medo de que você começasse a... começasse a fazer algumas loucuras, sozinha aqui.
Eu estava torcendo para mudarmos de assunto.
— Alguma novidade da Irlanda? — perguntei.
— Bem, você soube que a nossa casa foi assaltada, não soube?
— Não! O que aconteceu?
Trazendo o rosto alaranjado ainda mais para perto do meu, mamãe me contou toda a história. Uma bela manhã, quando papai descia do quarto para ir à cozinha pegar uma xícara de chá para mamãe, cruzou com um rapaz desconhecido que subia as escadas. "Bom-dia", cumprimentou papai, muito educado, porque um rapaz desconhecido subindo as escadas não era, em si, nada de especial. Com cinco filhas em casa, as chances de um encontro matinal daquele tipo eram elevadas. Foi então que papai reparou que o jovem estava com dois dos seus troféus de golfe debaixo do braço. E que o forno de micro-ondas estava no chão, junto à porta de entrada, ao lado da tevê. "O que vai fazer com os meus troféus de golfe?", perguntou papai, pego de surpresa.
"Merda!", exclamou o rapaz, irritado, largando os troféus no chão, descendo os degraus de dois em dois e fugindo pela porta afora para nunca mais ser visto. Só então papai percebeu que uma chave estava presa do lado de fora da fechadura — esquecida ali quando Helen entrara em casa, na véspera. O rapaz não era um admirador de uma de suas filhas, mas um oportunista, um ladrãozinho barato.
— Foi uma graça divina o seu pai ter acordado naquela hora — garantiu mamãe. — Era capaz de levarem até a cama conosco em cima, antes que percebêssemos. E teve outra noite em que Anna chegou em casa no meio da noite, meio desorientada, colocou um pouco de feijão para esquentar na frigideira e pegou no sono.
— Eu ainda estava lá quando isso aconteceu.
— Ah, estava? Podíamos ter sido carbonizados em nossas camas. Se bem — pensou ela, demoradamente — que acho que podemos nos considerar com sorte por ainda termos camas para pegar fogo, do jeito que as coisas vão... Agora diga pra mim, filha — perguntou

mamãe, mudando de assunto subitamente e baixando a voz. — O meu tom de bronzeado ficou exagerado?

— Não, mamãe, a senhora está linda.

— Mas é falso, entende? Eu estava passando um pouco todos os dias, e nada acontecia, então resolvi passar um pouco mais e enchi a mão de creme ontem à noite. Quando acordei e fui olhar no espelho, foi isso o que vi.

— Mas a senhora sabe que a cor não aparece na mesma hora, mamãe; já cansamos de explicar que é preciso esperar um pouco.

— Eu sei, mas eu sempre ficava com medo de não ter colocado o bastante. De qualquer modo, acho maravilhoso pegar um pouco de cor, mas Helen fica fazendo pouco de mim, está se divertindo. — Parou de falar por um segundo, engoliu em seco e se forçou a ir em frente. — Agora ela só me chama de Dona Sukita. Ficou dizendo o tempo todo para a comissária: Os fones de ouvido de Dona Sukita não estão funcionando; Dona Sukita quer mais um cobertor. Chegou até mesmo a dizer ao homem da imigração que Sukita era o meu nome verdadeiro, e não o que estava escrito no passaporte. Não foi nada engraçado, porque aqueles sujeitos emburrados não sabem apreciar uma piada.

— Quem sabe ela está com ciúme?

— Ciúme? — Subitamente, tudo fez sentido para mamãe. — Claro que é isso! Pronto, você descobriu o que há de errado com ela! Mas e quanto a você, está bem mesmo? Pretende voltar logo para casa?

Depois foi a vez de papai fazer o mesmo interrogatório sobre o meu bem-estar e o meu astral, embora, é claro, por ser homem, e pior ainda, por ser irlandês, perguntou as coisas mais sérias meio de lado, sem fixar os olhos em mim.

— Você está com uma aparência... saudável.

— Estou bem, papai.

— Você anda... comendo direitinho e tudo o mais?

— Sim, papai, estou ótima e o senhor não precisa se preocupar com o que me contou a respeito de Garv.

— Aquela *era* uma prima dele, afinal?

— Ahn... não, não era. Mas não se preocupe, está tudo ótimo. Agora, eu vou para casa, porque vocês devem estar muito cansados da viagem. Podemos nos ver amanhã.

Pela onda generalizada de protestos, percebi que tinha dito a coisa errada.

— Mas já passa da meia-noite, pelo horário da Irlanda — protestei. — E o jet lag de vocês?

— A melhor maneira de lidar com o jet lag é tentar permanecer acordado e só dormir na hora normal do lugar para onde a pessoa foi — disse mamãe, com ar de quem sabia das coisas. Olhei para ela com muito espanto. Onde foi que ela adquirira toda aquela experiência sobre viagens? — Foi o que Nuala Freeman disse.

— Ah, bom, se foi Nuala Freeman que disse, deve ser verdade — comentou Helen, novamente com ar amargo, e eu tive de concordar com ela; aquela tal de Nuala Freeman devia mesmo ser uma chata de galochas.

— Além do mais, ainda temos que jantar — continuou mamãe. — Não podemos ir para a cama sem jantar primeiro. — Meus pais eram criaturas muito presas a rotinas.

— Já está muito tarde para irmos à Disneylândia hoje? — perguntou papai.

— São quatro e meia da tarde, papai, não seja tolo — ralhou Helen.

— Mas o parque fica aberto até a meia-noite — informou mamãe. — Nuala Freeman disse...

Antes que Helen começasse a recrutar um grupo para linchar Nuala Freeman, eu mais que depressa informei a papai que a Disneylândia ficava a quase duas horas de carro, de onde estávamos, e que seria melhor visitarmos o parque outro dia. Sugeri que eles desfizessem as malas e curtissem um pouquinho o tempo à beira da piscina, para depois irmos jantar fora.

— E vocês duas, o que planejam fazer? — perguntei a Helen e Anna. Certamente elas queriam badalar, beber até cair e procurar surfistas com corpo de deuses gregos. Mas elas resolveram ir jantar conosco; afinal, precisavam comer mesmo, e papai é quem ia pagar a conta.

— E quanto a Emily? — quis saber mamãe. — Eu prometi à mãe dela que ia observar a sua filha, para verificar se ela estava se alimentando direito e cuidando bem de si mesma.

— Emily anda muito ocupada — disse eu, mas mamãe me lançou um olhar daqueles... — Tudo bem — concordei. — Mas é melhor devolver-lhe o carro, para o caso dela precisar. Vou avisar que nós todos vamos passar lá mais tarde.

— Depois você volta para cá?

— Volto.

Corri até em casa e avisei Emily que eles iam aparecer para lhe fazer uma visitinha antes do jantar, e ela me lançou um olhar de profunda fadiga. Depois, voltei para o Ocean View, onde passamos mais uma hora e pouco desfazendo as malas, tagarelando e implicando umas com as outras.

Às seis horas, fomos caminhando a pé pelos seis quarteirões do hotel até a casa de Emily. Embora estivéssemos em Santa Mônica, onde as pessoas ocasionalmente eram avistadas indo do ponto A ao ponto B sem auxílio de um veículo, a visão de cinco pessoas andando eretas, apoiadas nos membros inferiores, provocou um *frisson* talvez equivalente apenas ao causado pelos pré-históricos habitantes das árvores quando desceram ao solo firme e decidiram se aventurar sobre as patas traseiras. Os carros diminuíam a velocidade e os motoristas nos acompanhavam com espanto, como se cada um de nós tivesse duas cabeças.

— O que há com essas pessoas, que não param de nos olhar? — quis saber mamãe, irritada, quando mais um carro passou buzinando. — Helen, o que você está fazendo?

— Nada! — Como ela não fez cara de inocente, eu me tranquilizei. Quando Helen fazia cara de inocente é que havia realmente motivo para preocupação.

Ao chegarmos à rua de Emily, Helen se interessou pela loja de equipamentos eletrônicos de vigilância e segurança doméstica e nos fez entrar nela, onde atormentou o homem, querendo saber para o que servia cada um daqueles aparelhos.

— A maior parte é para uso doméstico — explicou ele. — Instalamos câmeras ocultas e microfones minúsculos, caso a senhora suspeite de que o seu marido está tendo um caso com alguém e queira gravar as suas... a senhora sabe... atividades.

O jeito maroto com que o sujeito explicou isso deixou claro que, na sua opinião, seria um absurdo o marido de Helen querer pular a cerca e precisar ser gravado fazendo isso, mas uma mortalha pareceu cobrir todo o grupo, de repente, e todos evitaram olhar para mim.

— E também fornecemos detetives particulares.

— Detetives particulares! — O rosto já iluminado de Helen se acendeu ainda mais. — Eu bem que gostaria de trabalhar como detetive particular.

— Certo, filha, mas temos que ir embora, agora! — exclamou papai, com receio na voz. Acho que ele ainda não estava preparado para suportar outra mudança de carreira de Helen tão cedo.

Quase chegando, passamos pela casa de Mike e Charmaine. Mike se levantou e ficou olhando apalermado para nós, pela janela, aparentemente com grande interesse e de um jeito nada espiritualizado. Então, quando Helen e Anna entraram pelo pequeno caminho pavimentado que ia dar na porta de Emily, o pedaço de pano sebento, imundo e rasgado que servia de cortina para a janela dos Cavanhaque Boys se mexeu. Convulsivamente.

Emily, pobrezinha, continuava trabalhando em *Matt, o Cão*, e estava exausta.

— Como vai, sra. Walsh? Nossa, a senhora está com uma cor linda!

Mamãe hesitou um pouco, mas logo afirmou, com orgulho:

— Eu fico bronzeada com qualquer solzinho.

Fomos direto para a sala de estar, onde Justin e Desiree estavam sentados; eles tinham ido ajudar Emily a lidar com algumas das cachorradas do enredo.

— Como está a anorexia de Desiree? — perguntei, chupando as bochechas para indicar muita magreza.

— Muito melhor! — respondeu Justin, alegremente, e acrescentou: — Desde que ela começou a tomar Prozac.

Que bom. Por um instante, achei que a normalidade viera nos fazer uma visita. Evidentemente, estava errada.

Uma garrafa de vinho foi aberta e apresentações foram feitas.

— Em que você trabalha? — perguntou papai a Justin. Papai só conseguia ficar à vontade depois que era informado sobre a profissão das pessoas. E se sentia mais em casa ainda quando o interlocutor era funcionário público.

— Sou ator, mas...

— Isso mesmo! — confirmou mamãe, satisfeita. — Já vi você em um filme.

— Viu?! — Obviamente aquilo nunca tinha acontecido com Justin.

— Vi sim. No filme *Porcos do Espaço*, certo? Eles o mandaram para a superfície do planeta, e aquela planta escamosa devorou você com uma dentada só.

— Ahn... foi isso mesmo! — O rosto redondo de Justin se iluminou. — Aquele era eu.

— Sua atuação foi excelente, mas, para ser franca, eu achei a maior idiotice teletransportar você e aquele outro soldado espacial daquele jeito. Qualquer idiota com o mínimo de bom-senso saberia que vocês não iam durar nem cinco minutos com aquela planta escamosa à solta.

— Sim! A senhora tem toda razão! Mas o esquema é o seguinte...

Enquanto Justin explicava à minha mãe toda a ladainha do personagem gorducho e dispensável, reparei, surpresa, que Mike e Charmaine haviam chegado. A *desculpa* da visita deles foi ver o que Emily estava achando da casa, depois do bastão purificador, mas no fundo eu sabia que eles tinham ido xeretar.

Papai ficou muito satisfeito em saber que Mike trabalhava com seguros de saúde — fato que eu não conhecia. Sempre achei que ele trabalhava em algum tipo de atividade etérea e abstrata. Então Emily levou Mike para apresentá-lo a mamãe.

— Esta... — disse Emily, com ar teatral — é Mamãe Walsh. E este... — ela se virou para Mike, mas mamãe interrompeu-a com o seu sorriso mais radiante e disse:

— Ora, mas eu sei quem o senhor é!

— Sabe?

— Nossa, você tem tantos amigos famosos — elogiou ela, olhando para Emily, e então se virou novamente para Mike. — O senhor escreve livros de viagem, não é? E parece que teve uma série de tevê só sua, por algum tempo. Qual é mesmo o seu nome...?

— Mike Harte — respondeu Mike, educadamente.

— Não, não, é outro nome. Começa com "W". Puxa, está na ponta da língua... qual é mesmo?

— Mike Harte — repetiu Mike, com o mesmo tom educado.

— Não... Ah, lembrei! Bryson. Bill Bryson, não é?

— Não, Mamãe Walsh, não sou Bill Bryson — garantiu ele.

— Ah, não?... Tem certeza?

— Absoluta.

Um silêncio estranho se seguiu e mamãe adquiriu um esquisito tom arroxeado. Eu só podia imaginar que ela estava vermelha por baixo do bronzeado.

— Desculpe — pediu ela. — É que o senhor se parece muito com ele.

— Ora, não foi nada — disse Mike, de um jeito muito gentil.

— Tenho novidades! — Emily interrompeu, em uma tentativa desajeitada de mudar de assunto. — Lara telefonou! — Na mesma hora, franzi o rosto, certa de que a simples menção do nome seria o suficiente para a minha mãe adivinhar que eu dormira com ela. — *Pombos*, o filme em que Lara está trabalhando, vai ter a sua préestreia amanhã à noite e todos estão convidados!

Naturalmente essa notícia provocou uma onda de agitação e colocou em segundo plano a história de Bill Bryson.

— Vai alguém famoso nessa pré-estreia? — Helen quis logo saber.

— Pode ser que sim, mas querem saber quem vai estar lá *com certeza*? — guinchou Emily, ainda em seu papel de anfitriã animada. — Shay Delaney! A senhora se lembra de Shay Delaney, não lembra, Mamãe Walsh?

— Sim, me lembro muito bem dele. — Mamãe recuperou a pose rapidamente. — Que belo rapaz ele era, e muito educado também. Vou adorar revê-lo.

Eu engoli em seco e respirei fundo. Não ia me permitir sentir o que estava querendo subir à superfície. Já tinha coisas demais com as quais lidar.

Em pouco tempo, mamãe já assumira o controle da situação, e, apesar de ser a casa de Emily, era ela quem estava servindo vinho para as pessoas, verificando se alguém precisava de mais alguma coisa, agindo o tempo todo como uma verdadeira matriarca irlandesa. Quando tentou completar o cálice de Charmaine, porém, ela recusou, dizendo:

— Não, obrigada, eu já tomei.

— Pois tome mais um — pressionou mamãe, como fazem as mães irlandesas. — Um pássaro não consegue voar com uma asa só.

Charmaine virou a cabeça meio de lado e repetiu a frase lentamente, saboreando as palavras:

— Um pássaro não consegue voar com uma asa só. Que lindo ditado. Quanta sabedoria...

Será que ela estava sendo sarcástica?, perguntei a mim mesma. Mas não havia um pingo de maldade em seu olhar.

— Desculpem — disse ela. — Preciso repetir esta frase para Mike.

— Essa moça é muito cheia de doçura e leveza — comentou mamãe, meio desconfiada, observando Charmaine sair, com as suas costas esbeltas e as tranças penduradas.

— Ela é uma pessoa muito espiritualizada — disse a mamãe.

— Oh, ela é católica? — Mamãe pareceu interessada.

— Não, Maggie disse que ela é *espiritualizada* — corrigiu Helen, que acompanhara todo o papo.

Depois disso, mamãe ficou prestando muita atenção em Mike e Charmaine, porque eles não tiravam os olhos dela. Quando Anna começou a cochilar por efeito do jet lag, mamãe deu-lhe uma sacudidela, dizendo:

— Acorda, menina, você parece um salgueiro reverenciando um poço milagroso!

Mike deu uma cotovelada em Charmaine e os dois repetiram, um para o outro:

— Um salgueiro reverenciando um poço milagroso!

Um bate-papo rápido se seguiu entre os dois, até que Charmaine deu um pequeno empurrão em Mike, dizendo:

— Convide-a você!

— Não, convide-a você — disse Mike, de volta.

As duas cabeças se uniram novamente, os dois trocaram mais alguns cochichos e, de repente, Mike já estava tocando o ombro de mamãe.

— Precisamos ir embora, porque hoje é a nossa noite de meditação. — Ele pareceu desapontado. — Mas foi um imenso prazer conhecê-la, Mamãe Walsh. Aproveitando a sua estada em Los Angeles, será que a senhora aceitaria juntar-se a nós em uma das nossas noites dos contadores de histórias?

Claro que mamãe se empolgou toda. *Adorou* o convite, mas tinha de fingir que não, porque era assim que as coisas funcionavam em seu mundo.

— Bem, eu tenho alguns compromissos, vou a uma pré-estreia amanhã à noite e o meu marido quer que eu o acompanhe, na quinta-feira... — Ela até que estava fazendo tudo parecer importante e refinado até acrescentar: — à Disneylândia.

— Pois podemos marcar um dia em que sua agenda esteja livre.

— Que tal na quinta-feira mesmo, depois que a senhora voltar da Disneylândia? — sugeriu Charmaine.

— Não posso prometer nada — disse mamãe, solenemente. — Mas vou fazer todo o possível.

— Ficaremos ansiosamente aguardando.

CAPÍTULO 37

— E então, qual é a boa para hoje? — Emily estava de pijama, tomando uma bebida energética e fumando o primeiro dos seus sessenta cigarros daquele dia.

— Vou ficar de motorista deles por toda Beverly Hills, seguindo o mapa das casas das estrelas, e depois vamos até o Chinese Theatre, para ver as marcas das mãos das estrelas na calçada da fama.

Emily torceu a cara diante da cafonice do programa.

— Perto disso, ter que enfrentar *Matt, o Cão*, até que não é tão mau. Isso prova que tem sempre alguém em pior situação que a gente. — Lançou um sorriso frágil, mas estava exausta e parecia ter sido surrada, de tão fundas que estavam as suas olheiras.

— Gostaria de poder ajudar você — disse eu, com sinceridade.

Ela abanou a cabeça.

— Isso me faz lembrar o tempo em que queimava as pestanas, em época de provas. Ninguém mais pode fazer o trabalho, a não ser eu mesma. Mas não posso reclamar, estou sendo bem paga para isso. — Mas ela parecia tão abatida que eu morri de pena. — É a vergonha que não dá para aturar. Chego a me encolher toda ao escrever certas cenas desta bosta. É isso que está me deprimindo de verdade. E as reuniões por telefone também não ajudam em nada. — Olhou para o aparelho com cara feia. Larry Savage ligava o tempo todo, querendo saber dos progressos que Emily fazia, e a colocava na linha para falar com Chandler, que sugeria cortes e acréscimos. — Se eles me deixassem trabalhar em paz, até que não seria tão mau, mas toda vez que consigo alinhavar uma cena, eles me obrigam a modificá-la, então eu me sinto como se estivesse sem sair do lugar.

— Será que você vai conseguir ir à pré-estreia, logo mais à noite?

— Ah, mas vou sim, com certeza! Preciso dar uma parada, senão enlouqueço. — Subitamente, ela se lembrou de uma coisa. — Escute, Maggie, desculpe por ter contado a você daquela forma que Shay Delaney ia à estreia. Acho que entrei em pânico com a história do Bill Bryson e falei a primeira coisa que me veio à cabeça.

— Tudo bem, não foi nada — disse eu, depressa, louca para mudar de assunto. — Quem mais vai estar lá?

— Você quer saber se Troy vai?

— Acho que sim. — Fiz uma careta.

— Ele vai estar lá sim. Como se sente em relação a ele, agora?

— Ah, você sabe... — disse, com ar distraído. — Arrasada, embaraçada.

— Você ainda quer dormir com ele?

— Eu, hein, tá maluca? Nem que fosse o último homem do planeta e tudo o mais.

— Que ótimo! Então você não ficou tão magoada a ponto de começar a curtir o vício de ser rejeitada.

— Que papo de psicologia barata é esse?

— A velha história... Quanto mais ele afasta você dele, mais você o quer.

— Nossa, isso ia ser muito pior, sem dúvida. Do jeito que está, eu já me sinto uma completa idiota.

— Pois você não foi a primeira mulher a ser esnobada por um homem, nem será a última; portanto, não se culpe. O problema é que você está sem prática — acrescentou, com um sorriso. — Em breve vai ser esnobada por tantos homens que a lembrança de Troy vai desaparecer no passado.

— Por falar em esnobar, e quanto a Lou?

— Um cara muito esperto, tenho que reconhecer. Bancando o Senhor. Perfeito... Só que eu sei das coisas e estou vários passos adiante. — Com toda a calma, exalou uma suave nuvem de fumaça.

No Ocean View, o pessoal havia acordado às quatro da manhã e estava ansioso para começar a agitar. Pareciam bem-dispostos quando saímos debaixo de um céu sem nuvens rumo a Beverly Hills, onde compramos o mapa das casas das estrelas. Todos em Los Angeles sabiam que o tal mapa era, no mínimo, impreciso e completamente desatualizado, mas quem era eu para estragar o prazer dos outros?

A primeira parada foi a casa de Julia Roberts, e passamos uns vinte minutos parados em uma rua completamente deserta, tentando ver através dos portões fechados.

— Ela vai ter que sair em algum momento — argumentou o meu pai —, nem que seja para comprar o jornal, um litro de leite ou algo assim.

— O senhor está por fora mesmo, né? — debochou Helen. — Ela tem gente que faz isso por ela. Deve ter empregados para ler o jornal para ela e até para beber o leite *por* ela.

Retomamos a nossa vigília silenciosa.

— Isso já está enchendo o saco — reclamou Helen. — Embora, pensando bem, talvez seja um bom treinamento para quando eu montar a minha agência de detetives. Muito do trabalho vai ser ficar de tocaia desse jeito.

— Você não pode começar a trabalhar como detetive particular — disse mamãe, meio nervosa. — Tem o casamento de Marie Fitzsimon para ir, na segunda-feira da outra semana, e é bom fazer com que a noiva entre na igreja lindamente maquiada, como uma princesa, senão você vai se ver comigo.

— Não é preciso ter alguma qualificação específica para ser detetive particular? — perguntou Anna.

— Sim. — Helen pensou a respeito. — Primeiro, você tem que ser viciar em bebida. Isso não deve ser problema para mim, considerando a minha herança genética. Depois, precisa ter uma família maluca. — Helen lançou um olhar que englobou todo o grupo ali reunido, fazendo questão de prestar atenção às manchas do rosto de mamãe, às meias cheias de losangos de papai e o estilo "me vesti no escuro" de Anna. — No quesito maluquice familiar, senhoras e senhores, parece que também estamos com sorte!

— Olhem, tem alguém saindo pelo portão. Tem alguém saindo pelo portão!

— Calma, papai.

LOS ANGELES

Era apenas um jardineiro mexicano com uma máquina para aspirar e soprar folhas.

Papai baixou o vidro e gritou para o homem:

— Julia está em casa?

— Rúlia?! — exclamou o mexicano, com forte sotaque.

— Julia Roberts.

— No, señor, esta no es la casa de la señorita Roberts.

— Ah... — reagiu papai, arrasado. — Mas o senhor sabe onde ela mora?

— Sí, mas se lo contar, vou tener que matá-lo.

— Que grande ajuda, hein? — resmungou papai, tornando a levantar o vidro. — Vamos embora. Qual é a próxima?

Depois de fazermos visitas às "casas" de Tom Cruise, Sandra Bullock, Tim Allen e Madonna, sem conseguir ver nada além de portões eletrônicos e cartazes de segurança armada na região, desistimos daquilo e fomos para o Chinese Theatre, que estava lotado de turistas em busca das marcas das mãos de seus artistas preferidos, para em seguida colocar as próprias mãos sobre elas e tirar uma foto. Meu pai prestou o seu tributo às mãos de John Wayne, e mamãe se espantou com o tamanho minúsculo dos sapatos de Doris Day, enquanto Anna pareceu muito comovida com a marca da pata de Lassie. Helen, no entanto, não se impressionou com nada daquilo.

— Isso é um saco — disse, em voz alta. Foi até um funcionário que dava informações e perguntou: — Por favor, senhor, onde está o traseiro de Brad Pitt?

— Traseiro de Brad Pitt?

— Sim, ouvi dizer que estava aqui.

— Ouviu? — Ele se dirigiu a um colega: — Ei, Ricky, onde esta senhorita pode encontrar o traseiro de Brad Pitt?

— Traseiro? Como assim?

— Uma bunda — explicou Helen para ajudá-lo a entender. — Um rabo, se preferir.

— Será que temos a bunda de Brad Pitt? Ei, LaWanda, onde está a bunda de Brad Pitt?

Mas a funcionária LaWanda não era tão idiota quanto os outros.

— Aqui não tem isso não — respondeu ela, com ar de irritação.

— Então alguém roubou? — perguntou Helen, com uma cara simpática.

— Você é muito esquisita — comentou LaWanda, olhando para Helen com ar zangado.

— Esquisita por quê? Por querer ver uma réplica palpável da bunda de Brad Pitt? Eu seria esquisita se *não* quisesse vê-la.

— Você acha que Brad Pitt viria até aqui para baixar as calças e moldar a própria bunda no cimento molhado? Ele é um *astro*! — A essa altura, LaWanda já estava balançando a mão e mexendo com a cabeça de um lado para outro, como os convidados fazem no *Jerry Springer Show* na hora de sair no tapa. Sabia o que viria em seguida. Antes que Helen tomasse uns tabefes, empurrei-a em frente e fomos embora.

Mais tarde, deixei-os na porta do Ocean View, com instruções para que se aprontassem para a pré-estreia, e em seguida voltei para a casa de Emily.

— Precisamos colocar roupa de gala? — perguntou papai, com esperança de que a resposta fosse "não".

— É a pré-estreia de um filme — ralhou mamãe. — Temos que ir bem-vestidos.

— Temos mesmo? — ele tornou a perguntar, olhando para mim.

— Seria bom...

Embora *Pombos* fosse um filme independente, o que significava que não haveria grandes astros e ninguém na Irlanda ficaria impressionado, pois não teriam ouvido falar do filme, mesmo assim valia a pena estarmos apresentáveis.

Depois, não sei o que me deu na telha, mas resolvi dar uma passadinha da esquina de Arizona com a Terceira, a fim de fazer as unhas.

Achei o Paraíso das Unhas com facilidade. Não só ele ficava *exatamente* na esquina de Arizona com a Terceira, como Lara indicara, como também tinha um letreiro em néon por dentro da vitrine que piscava sem parar e onde se lia "unhas... unhas... unhas" (na verdade o "u" não acendia, então o que se lia na verdade era "nhas... nhas... nhas, mas não fazia diferença). Desci dois degraus e entrei.

O lugar era dirigido por garotas vindas de Taiwan, pelo que Lara dissera. As melhores. Atrás do balcão havia uma recepcionista linda, com carinha de boneca oriental, cuja plaquinha no peito informava se chamar Lianne. Enquanto explicava o meu problema para ela e pedia desculpas por não ter marcado hora, fiquei impressionada com as suas unhas. Elas tinham uns cinco centímetros de comprimento e cada uma delas fora pintada com as listras e as estrelas da bandeira americana. De repente, um mundo de possibilidades se abriu para as minhas pobres unhas — talvez eu pedisse o mesmo para elas!

— Não precisa marcar hora — disse Lianne, confirmando a informação de Lara, e então pegou na minha mão e se inclinou para examiná-la. — Ooohhh — sussurrou ela, parecendo muito chocada, e de repente notei o que ela reparava: as pontas irregulares, meio tortas, as cutículas grossas e secas, o ar de negligência. Eu nunca imaginei que aquilo tivesse tanta importância. Como estava enganada!

Para o caso de eu não me sentir envergonhada, Lianne começou a rir; eram uns risinhos infantis, uns suaves "rê-rê-rês", até que levantou a cabecinha reluzente e chamou as colegas para verem aquilo. Em poucos segundos, me vi rodeada de garotas magrinhas, todas de guarda-pó branco, com vozinhas agudas que tagarelavam entre si e riam sem parar enquanto examinavam a minha mão, como se ela não estivesse presa ao meu corpo e fosse um objeto recolhido da sarjeta.

— Está de férias? — quis saber uma delas.

— Sim. Sou da Irlanda.

— Ah — concordou ela com a cabeça, como se aquilo explicasse tudo. — Iowa.

Perguntas lançadas em um chinês muito rápido começaram a ser disparadas entre as garotas e a palavra "Mona" era pronunciada a toda hora. Quando, finalmente, chegaram a um veredicto, Lianne informou:

— Mona vai atendê-la.

— Qual de vocês é Mona? — perguntei, olhando de rosto miúdo em rosto miúdo, e por alguma razão essa pergunta provocou um novo ataque de risinhos. Só entendi a graça quando Mona irrompeu no salão, vindo lá de dentro, uma mulher grandalhona e mais velha que as outras esteticistas.

— Ela muito boa — avisou uma das jovens para mim, de forma respeitosa.

— Ela gosta desafio — sussurrou outra.

Mona examinou minhas unhas da mão.

— Pés também? — Ela se inclinou para dar uma olhada nos meus dedos dos pés e só faltou se encolher com o choque.

— Acho que não tenho tempo.

— Fazemos mãos e pés mesmo tempo. Uma galota mãos, outa galota, pés — explicou ela, com desprezo.

— Então está bem.

Ela convocou uma das meninas mais jovens e em poucos segundos eu já estava com as mãos e os pés em água morna com sabão.

— Vai plecisar cela quente. Bom pa pele — sentenciou Mona.

— Cera quente? Tudo bem. — Já que eu estava ali mesmo, era melhor fazer o serviço completo.

Nesse momento, entrou no salão uma mulher alta e muito bem arrumada, usando um terninho com corte maravilhoso e um ar de pânico. Trocou algumas palavras com Lianne, que berrou algumas palavras ríspidas, que mais pareciam imprecações, para todos no salão, e centésimos de segundo depois todas as funcionárias já se levantavam dos seus postos de trabalho e convergiam para a frente da loja. Senti uma atmosfera de importância, como se profissionais de alto gabarito apresentassem um balé muito bem ensaiado e, por algum motivo, aquela agitação toda me fez lembrar de quando, anos antes, eu fora parar no pronto-socorro com um tornozelo torcido. Morria de dor, meu pé inchara tanto que mais parecia uma bola de futebol e eu choramingava baixinho quando, no meio do atendimento, macas passaram por mim sendo empurradas em alta velocidade, levando pessoas que perdiam sangue aos litros. Os paramédicos corriam junto dos feridos, segurando embalagens de soro e gritando coisas como "Ele ainda está respirando". Acabara de acontecer um grave acidente de carro na autoestrada de Stillorgan e o meu tornozelo torcido, apesar de continuar doendo, teve, subitamente (e de forma justa), o seu nível de prioridade alterado.

No instante em que a mulher bem-vestida entrou no Paraíso das Unhas, pintou o mesmo clima de "emergência *total*". A cliente contava a terrível história de como uma das suas unhas com pedigree havia lascado enquanto ela trocava o cartucho de tinta de uma impressora. Mona se levantou, seguida pela assistente, e o mar de atendentes foi recuando para os lados, à sua passagem.

— Oh, Mona, graças a Deus você está aqui! — animou-se a cliente, estendendo a unha lascada para a frente. — Você acha que dá para salvá-la?

Mona examinou a situação com muita atenção e afirmou:

— O caso é grave. Vou fazer o que for possível. — Fiquei esperando que todas começassem a vestir seus gorros e máscaras cirúrgicas.

Enquanto a mulher, muito mais importante do que eu, era atendia no setor de emergência de unhas lascadas, fiquei esquecida e abandonada, com as mãos e os pés começando a enrugar nas bacias de água e sabão. Uma alma caridosa colocou uma revista aberta sobre as minhas coxas, mas com as mãos nas bacias era impossível virar as páginas. Então eu mexi o pé uma fração de centímetro e a revista escorregou pelo meu joelho e mergulhou de cabeça na bacia onde estavam os pés.

— Desculpe — murmurei, quando a mesma alma de coração caridoso recolheu a revista e balançou suas folhas grudadas e encharcadas. Será que ela ia me trazer outra?

Não trouxe. Olhei para as outras duas mulheres que estavam fazendo pés e mãos. Nenhuma delas tinha deixado a revista escorregar para a bacia cheia d'água. O que havia de errado comigo que sempre me levava a pensar que eu nascera sem o manual de instruções para a vida?

Finalmente, depois de salvar a unha premiada da cliente elegante, Mona voltou até onde eu estava, trazendo a sua assistente, e as duas puseram-se a trabalhar com afinco, lixando, polindo, empurrando cutículas para trás, esfregando calos, e então foi o momento do tratamento com cera quente. Uma bacia de cera derretida foi colocada no chão à minha frente e me mandaram colocar os pés lá dentro. Mas no segundo que minha pele entrou em contato com a cera, puxei os pés de volta e gritei:

— Está pelando!

— Mas é bom pa pele — gritou Mona de volta, apertando as mãos que pareciam tornos em volta dos meus joelhos, tentando forçar meus pés de volta à bacia.

— Mas, dona Mona... está muito quente! — Lutamos por alguns segundos, eu recolhendo os pés para cima e ela puxando-os para baixo, até que Mona me enganou, fingiu que ia se levantar e aproveitou o movimento para usar todo o peso do corpo. Na mesma hora os meus pés foram mergulhados na cera escaldante.

— Isso dói! — implorei.

— É muito bom pa sua pele — repetiu Mona, com as mãos firmes nos meus joelhos, que se debatiam.

Todas as atendentes estavam tendo convulsões de risos e gritinhos ocultados por lindas mãozinhas.

Depois de uma curta e agonizante espera, ela me deixou tirar um dos pés da bacia. Mas assim que a camada de cera esfriou e se esbranquiçou em volta do pé, ela tornou a mergulhá-lo. As risadinhas começaram novamente. E lá ia meu pé, para dentro e para fora. O gesto foi repetido umas quatro ou cinco vezes, e em cada vez a dor era tão forte quanto na anterior.

Há alguns anos, passou na tevê uma minissérie chamada *Shogun*. Havia uma cena em que um homem era mergulhado várias vezes em água fervendo, até morrer. Por algum motivo, essa cena me veio à cabeça. E o mais interessante é que voltei a pensar nisso quando o procedimento foi repetido no outro pé.

Depois, elas me amarraram os pés duros de cera em sacos plásticos presos em volta dos tornozelos por laços cor-de-rosa, e se eu não tivesse visto aquilo antes teria começado a procurar pela câmera escondida de algum programa de pegadinhas.

Dez minutos depois, quando elas arrancaram a camada de cera branca que os recobria, eu senti, com certa surpresa, que os meus pés não estavam precisando urgentemente de um enxerto de pele, e pareciam macios e suaves como pétalas de rosa. Então, elas pintaram as minhas vinte unhas com um lindo esmalte rosa-gelo, riram muito, balançaram a cabeça para os lados quando eu perguntei pelas listras e estrelas, e em seguida me mandaram embora. Senti que havia me convertido à religião que reverencia as pedicures de Los Angeles e prometi a mim mesma que ia repetir a experiência uma vez por semana, como sempre fazemos na hora da empolgação.

Ao entrar em casa, de volta, vi que Emily tentava esconder a palidez e as olheiras atrás de uma máscara de maquiagem. Não sei como conseguiu, mas a verdade é que, quando acabou, estava com o rosto fantástico, radiante, brilhante e nem um pouco parecida com a mulher abatida, estressada, que não dormia há dias e se mantinha à base de cigarros e sucrilhos.

Minha família combinara de chegar às sete horas, e quando deu sete e vinte e cinco e eles ainda não tinham aparecido, eu era um poço de ansiedade.

— Eles devem ter se perdido!

— Como poderiam se perder? São seis quarteirões até aqui, em linha reta.

— Mas você sabe como eles são. Provavelmente acabaram na South Central e estão metidos com uma gangue de rua, quem sabe usando correntes de ouro, metralhadoras e bandanas.

— Você consegue imaginar o seu pai usando uma bandana? — perguntou Emily, desviando-se do foco do problema.

— E você consegue imaginar mamãe com uma? — Por alguma razão, começamos a rir muito e de modo descontrolado. — Uma bandana laranja.

— Melhor seria uma bandana branca. Ela ia ficar parecendo um cone de tráfego. — Caímos na gargalhada novamente, sem conseguir parar. Foi muito legal.

— Ai, ai... — suspirou Emily, feliz, passando a ponta do dedo com cuidado debaixo do olho para retirar um pouco do rímel que borrara. — Isso está ótimo! Ei, espere um instante... — Ela esticou a orelha. — Acho que eles estão chegando...

Os quatro irromperam pela porta adentro, exibindo um mau humor coletivo.

— Nos atrasamos por culpa dela. — Mamãe lançou um olhar reprovador para Helen.
— Mas conseguimos chegar, isso é o que importa — tentou papai, para apaziguá-las.
— E todos vocês estão lindos — elogiou Emily.
E estavam mesmo. Formavam um grupo cintilante e perfumado (com exceção de papai), e não foi surpresa alguma quando, quase na mesma hora, os Cavanhaque Boys apareceram na porta.
— Estamos de saída! — avisou Emily, curta e grossa, tentando lhes barrar a entrada.
— Oi, meu nome é Ethan. — Ele ficou esticando e abaixando o corpo, olhando além de Emily e tentando fazer contato visual com Helen e Anna.
— Puxa, Emily, deixe os rapazes entrarem, vai ser um minutinho só — sugeri.
— Vá lá, então... — Emily saiu do caminho enquanto os três entraram e ficaram com jeito tímido diante das minhas irmãs. Fiz as apresentações todas e os deixei rodeando uns aos outros, farejando-se como cães, mas logo já estava na hora de sairmos.
— O que aqueles rapazes fazem? — perguntou papai, enquanto escalávamos o jipe de Emily.
— Pegam doenças venéreas — resmungou Emily, baixinho.
— São estudantes — informei eu.
— Sim — confirmou Anna —, mas Ethan, aquele com a cabeça raspada, vai ser o novo Messias.
Minha mãe fechou a cara e disse entre dentes:
— Ah, vai, é?

CAPÍTULO 38

A pré-estreia de *Pombos* ia acontecer em Doheny, em um cinema tradicional, decorado à moda antiga, com poltronas estofadas em veludo vermelho e espelhos em estilo art déco nas paredes, servindo como lembrança de uma época mais glamorosa. Fiquei feliz por termos caprichado nas roupas e na maquiagem, porque todos ali tinham se produzido com cuidado e pareciam muito elegantes. Havia até mesmo alguns fotógrafos gravitando em torno de nós.

— É mais provável que sejam do jornal *Variety* do que da revista *People* — comentou Emily, mas para mim não fazia diferença.

Emily foi trabalhar em seus contatos ("Só um pouquinho, antes do filme") e eu conduzi o meu rebanho para os lugares que nos foram indicados. Acabara de me instalar com todo o conforto quando, duas fileiras à frente, notei a presença de Troy e Kirsty, e me encolhi toda. Ver Troy — e o que era pior, em companhia de Kirsty — me fez lembrar na mesma hora do quanto eu tinha sido ingênua e idiota. Mas então lembrei o que Emily me dissera: que eu não era a primeira mulher a ser feita de tola por um homem e não seria a última. Então, de repente, me senti um pouco mais leve e livre. Talvez sentisse para sempre aquela vontade incontrolável de enfiar um garfo na perna dele, mas até que esse não era o pior sentimento que uma mulher poderia ter por um homem.

Troy virou o rosto para trás, a fim de verificar o lugar, e eu baixei os olhos, mas foi tarde demais. Ele acenou com a cabeça na minha direção, com frieza, e eu retribuí com um aceno ainda mais frio — fiz de tudo para a minha cabeça não se mover nem um milímetro, só algumas pontas dos cabelos —, mas então o seu olhar passou direto e pousou em Helen, que ele avaliou com a maior atenção.

Assanhada, Helen piscou para ele, que lhe sorriu de volta. Kirsty, como se tivesse algum sexto sentido, também virou a cabeça e, ao ver para onde Troy olhava, começou a comentar alguma coisa com a sua vozinha irritante, para distraí-lo. Pelo menos eu não sou como ela, pensei, aliviada, pois não quero mais nada com ele.

Então Emily veio para o seu lugar, as luzes se apagaram e o filme começou.

— Qual é o gênero desse filme? — perguntou papai, cheio de esperanças. — É um faroeste?

— Harrison Ford é o ator principal? — perguntou mamãe, em minha outra orelha.

Harrison Ford era um ídolo incontestável em nossa família; mamãe gostava tanto dele quanto as filhas. Na verdade, até mesmo a minha sobrinha Kate parava de chorar quando Claire passava para ela a cena de *Uma Secretária de Futuro* em que ele tirava a camisa de um jeito sensual, sem dúvida a melhor cena de sua carreira.

Pois bem, eu posso lhes garantir que *Pombos* não era estrelado por Harrison Ford, nem era um faroeste. Aliás, não sei dizer direito o que era. Poderia ser uma história de amor, mas o herói passava o filme assassinando as namoradas. Podia ser uma comédia, mas não era engraçado. Poderia ser um filme pornô, mas tinha muitas cenas em preto e branco, então nós sabíamos que o sexo não era gratuito, mas essencial ao desenvolvimento da trama. (O pior é que é extremamente desconfortável assistir a cenas de sexo quase explícito sentada entre os pais, um de cada lado.)

Aquele era o tipo de filme que me fazia sentir incrivelmente burra, me fazia lembrar que eu não havia ido à universidade, não lera nada de Simone de Beauvoir e achara *A Fraternidade É Vermelha*, de Kieslowski, um pé no saco (aliás, só tinha entrado para ver o filme porque *Quando um Homem Ama uma Mulher* estava esgotado). Assim, passei a maior parte do tempo: a) torcendo para as cenas de sexo acabarem logo, e b) tentando pensar em alguma coisa sobre o filme para dizer a Lara e que não fosse "que merda, hein...?". Levei os cento e vinte minutos da exibição para decidir que "interessante" era uma palavra boa e neutra. Depois de duas horas arrastadas (e bem no meio de uma cena), os créditos começaram a aparecer, as luzes se acenderam e as palmas e assobios de entusiasmo começaram. Mamãe se virou para mim, sorriu com vontade e declarou: "Maravilhoso!", para depois sussurrar, bem baixinho: "Eu achei O *Paciente Inglês* ruim, mas este aqui é bem pior."

Todos se levantaram para aplaudir o diretor, mas papai continuou sentado, olhando para a frente.

— O filme ainda não acabou, não é? Será que as pessoas vão pagar para assistir a isso no cinema? — Estava quase suplicando. — Devem ter passado apenas as cenas cortadas, aquelas que só aparecem no DVD, não é?

— Onde está a birita? — quis saber Helen.

— Preciso ir ao banheiro. Pode deixar que vou procurar saber. — Enquanto fui pedindo licença e dando cotoveladas nas pessoas até chegar ao saguão, ouvi alguém descrevendo o filme como "muito europeu".

"Corajoso", comentou mais alguém. "Polêmico", disse outra pessoa. Eu só ia arquivando as expressões na cabeça, porque talvez elas fossem úteis na hora em que eu precisasse de um eufemismo para "achei uma bosta".

— Maggie! Maggie! — Lara, luminosa em um vestido cor de cobre feito de pequenas contas e um cabelão em estilo Barbarella, me chamava. — Obrigada por vir. O que achou?

— Bem, achei muito legal! Interessante, muito interessante. Muito europeu.

— Achou mesmo? Ah, fala sério, você detestou! — Riu, deliciada.

— Não, eu... ah, você tem razão, não é muito o meu gênero. Gosto mais de comédias românticas.

— Tudo bem. — Então ela reparou. — Olha, que unhas *lindas*! Você foi ao Paraíso das Unhas! Quem atendeu você?

— Mona.

— Mona? Uau!

— Por que "uau"?

— Ela é a melhor delas, mas está se aposentando. Só pega os casos especiais. Agora me deixe ir conversar um pouco com os jornalistas. Depois a gente se fala.

Ela se afastou remexendo muito o corpo e eu me senti feliz — pelo menos as coisas estavam bem com Lara. Continuava querendo mantê-la longe dos meus pais, mas não havia nenhum resquício de constrangimento por causa do nosso pequeno flerte.

Depois que saí do toalete, descobri a sala cintilante onde a recepção ia rolar e onde havia um monte de bandejas com taças de champanhe e mesas com canapés. Peguei uma taça de champanhe e voltei através da multidão bronzeada e glamorosa até chegar junto de Emily, que fazia parte de um pequeno grupo, acompanhada de Anna, Kirsty, Troy e — quem poderia imaginar, hein...? — Helen.

— Nossa, vocês não acharam aquelas poltronas de veludo velho uma nojeira? — perguntou Kirsty.

— Eu adorei as poltronas. Este cinema é lindo! — exclamou Emily, e todos balançaram a cabeça, concordando.

— Eeeeca! — exclamou Kirsty, com cara de repulsa. — Vocês são nojentos. Pensem só na quantidade de bundas que sentaram ali antes de vocês...

Eu não entrei na conversa, e não só por detestá-la; é que algo estranho estava acontecendo com a comida. As pilhas de canapés desapareciam rapidamente; cada vez que eu me virava para o outro lado e depois tornava a olhar, elas diminuíam em número, porém, por mais que eu tentasse, não conseguia ver ninguém colocando-os de verdade dentro da boca. *Ninguém* mastigava nada, nem parecia interessado nisso, a não ser papai, que se mantinha o tempo todo encostado em uma das mesas, mostrando-se pronto para a largada. Mas mesmo que estivesse beliscando alguma coisa, ele não estava comendo tudo. Ficar olhando para todo mundo não me deu nenhuma pista, só serviu para eu conseguir alguns olhares engraçados. As pessoas pareciam estar usando a fusão mental com a comida, como os vulcanos de *Star Trek*.

— E então, o que achou do filme, Mindinha? — Troy perguntou a Helen, olhando para ela por trás de pálpebras charmosamente semicerradas.

Nossa, ele já arrumara um apelido para ela! Quase senti pena de Kirsty.

Será que aquilo era ciúme?, questionei-me, ansiosa. Não queria sentir ciúme, estava me saindo bem no quesito "emoções" e não desejava um retrocesso. Assim, dei uma boa vasculhada nos meus sentimentos e tudo o que consegui descobrir é que sentia uma leve curiosidade pelo que poderia acontecer. Talvez devesse tentar proteger Helen, mas tinha certeza de que ela sabia cuidar de si mesma. Provavelmente, Troy é quem ia precisar tomar cuidado.

O orgulho que eu sentia por estar lidando tão bem com os meus sentimentos sofreu um abalo logo em seguida, quando vi minha mãe batendo o maior papo com ninguém menos que Shay Delaney. Ela não perdera tempo. Ele inclinava os olhos dourados na direção dela e lhe oferecia uma atenção tão completa que eu senti uma vontade quase irresistível de rir.

Como se percebesse que eu o observava, ele subitamente levantou a cabeça e me lançou um olhar profundo que me atingiu direto no estômago. Mamãe esticou o pescoço, a fim de ver quem ele estava olhando, e, quando me viu, fez sinal com a mão para que eu me juntasse a eles. É claro que eu fui. Por obediência? Educação? Curiosidade? Quem sabe? Só sei que me vi ali, ao seu lado, enquanto ele, corpulento, com os cabelos meio revoltos, sorridente e charmoso, estava sendo o Shay Delaney *de sempre*.

— Veja só quem eu encontrei! — Mamãe se mostrou agitada e empolgada. — Estávamos recordando os velhos tempos. Parece que foi ontem que Shay Delaney estava sentado na minha cozinha, comendo... o que é que você estava comendo mesmo...?

— Torta de frutas! — disseram os dois em uníssono.

— Você foi o único que comeu. O pessoal lá de casa não chegou nem perto daquela torta.

— Não consigo imaginar o motivo — afirmou ele, com os olhos brilhando. — Ela estava deliciosa.

Ele diria exatamente aquilo mesmo que tivesse ido para casa e morrido na mesma hora de envenenamento alimentar. Sempre fora daquele jeito: cheio de elogios, galanteios, o tipo do cara capaz de desviar do caminho só para fazer uma mulher se sentir bem a respeito de si mesma. Todas, menos eu. Meu olhar se fixou nas pontinhas de barba dourada por fazer, em seu maxilar, e engoli um suspiro.

— Soube que você se casou — sondou a minha mãe.
— Casei sim, há seis anos, com uma jovem chamada Donna Higgins.
— A família Higgins de Rockwell Park?
— Não, os Higgins de York Road.
— Malachy Higgins ou Bernard Higgins?
— Nenhum dos dois, embora, agora que a senhora falou, ela tenha um tio chamado Bernard...

Depois desse pequeno desvio na conversa para estabelecer com precisão de qual ramo da família Higgins a esposa de Shay descendia, mamãe voltou à carga:

— Margaret acabou de terminar o seu casamento, mas eu acho que essas coisas acontecem nas melhores famílias. Parece que as pessoas não são ninguém hoje em dia se não tiverem se casado mais de uma vez. Enfim, temos que acompanhar os tempos modernos, não é verdade? De que adianta terem inventado o divórcio, se ninguém o utilizar? Se ninguém mais se divorciar, a lei perde a razão de existir.

A cada frase que ela dizia, a minha surpresa ia aumentando e aumentando, até eu me sentir absolutamente chocada. Logo a minha mãe, a mulher que literalmente teve uma crise de choro quando o divórcio foi aprovado na Irlanda, garantindo que aquilo era o fim da civilização... E que falta de tato ela tocar nesse assunto com Shay, considerando a história do pai dele.

— E a sua esposa? — mamãe continuava a interrogá-lo. — Ela está aqui em Los Angeles com você nesta viagem ou ficou... Ahhh, ficou para trás, lá na Irlanda?... Entendo. E você vem muito aqui a trabalho? Deve ser duro para um casal ficar tanto tempo assim sem se ver. Tome cuidado, senão você vai se tornar um desses homens que acabam se casando mais de uma vez!

E eu que achava que já estava velha demais para ficar sem graça por causa da minha mãe... Bem, era mais uma coisa que eu aprendia na vida.

— Parece que foi ontem que vocês ainda eram adolescentes — comentou mamãe, com ar melancólico. — Como o tempo passa depressa...!

Em silêncio, Shay e eu olhamos um para o outro e, de repente, eu estava de volta ao passado, me lembrando de uma tarde em especial. Ele me colocando de costas em um lugar banhado pelo sol, sobre o tapete do seu quarto. O calor, a luz. O toque inesquecível de sua pele nua contra a minha. Eu quase explodira de tanto prazer.

Ele se lembrou daquilo também, ou de algum momento semelhante, porque pintou um clima quase palpável entre nós.

Eu sempre tentei esconder meus romances de adolescência dos meus pais. Claro que eles desconfiaram de alguma coisa, quando eu comecei a sair com Garv aos dezessete anos. Na época, porém, eu nunca confirmei o namoro, muito menos que havíamos terminado. E eles também não souberam com certeza que eu havia saído com Shay. Não que eu tenha *namorado* Shay — tudo o que fazíamos era transar. Lembro uma época em que vivíamos esperando e torcendo para a sua mãe sair, para eu poder entrar em sua casa e tirar a roupa. Eu vivia o tempo todo com tesão, e mesmo quando sua mãe e suas irmãs mais novas estavam em casa, nós transávamos, embora mais discretamente. Fingíamos estar assistindo à tevê, eu com uma das mãos enfiadas dentro do jeans dele, com um olho na maçaneta da porta e a calcinha debaixo da almofada. Às vezes a sua mãe, nervosa e cansada, baixava a guarda e nos deixava ir para o quarto dele, a fim de "ouvir música", ocasião em que transávamos quase completamente vestidos, eu com a saia levantada, ele com a calça arriada, morrendo de medo dos passos na escada que nos faziam dar pulos de susto e esconder o rosto vermelho de agitação. Mesmo quando íamos a uma festa, aquilo era só uma desculpa para ele nos trancar em um quarto e transar comigo sobre uma pilha de casacos.

— Vou deixar vocês dois conversando, para colocarem o papo em dia — disse mamãe, com um sorriso caloroso, dando meia-volta e se misturando com a multidão. E eu que achava que nunca veria a minha mãe tentando me arranjar um namorado.

— Quando foi que ela se tornou tão liberal a respeito do divórcio? — perguntou Shay.

— Há dez minutos.

Detestei o silêncio que se seguiu. Não conseguia achar nada para dizer. De repente, me vi sem meus poderes de engatar um bom papo, o que era uma pena, pois havia muitas coisas sobre as quais eu queria falar com ele.

— Certo — disse ele, e eu sabia o que vinha em seguida.

— O seu tempo acabou, não é?

— Como assim?

— Você já conversou a sós comigo por mais de cinco segundos, então está na hora de enfiar a mão no bolso e dizer "bem, foi um prazer revê-la". Não é isso?

Ele não gostou de ouvir aquilo. Pareceu perplexo (talvez por ter sido pego em um momento de imperfeição...?). Eu mesma me senti atônita por ter me expressado daquele jeito; normalmente não sou assim tão direta. Só que havíamos sido tão íntimos, durante uma época de nossas vidas, que eu me senti no direito de lhe falar o que bem quisesse.

— Não se trata disso... — Ele tropeçou nas palavras. — É que... isto é... — Parecia ansioso, como se implorasse para ser compreendido.

Mas, antes de termos tempo de ir em frente, papai avistou Shay e veio correndo, todo alegre.

— Estou vendo Shay Delaney, com estes olhos que a terra há de comer! É tão bom encontrar alguém da nossa terrinha!

Engoli outro suspiro. Papai saíra da Irlanda há menos de dois dias. Qual seria o problema dos irlandeses? Rachel, minha irmã, costuma dizer que não conseguimos nem mesmo fazer uma viagem de um dia a Holyhead, a cidade da Grã-Bretanha mais próxima de nosso país, sem começarmos a entoar cantigas de saudade, sobre como é triste sair da nossa querida Irlanda, a Ilha Esmeralda, e também como é grande a nossa vontade de voltar para lá. Será que temos algum tipo de memória coletiva herdada, que nos leva a lembrar os tempos em que as pessoas eram deportadas para a Austrália só por roubar uma ovelha?

— Vamos todos voltar para o hotel daqui a pouco, por causa do jet lag, mas na sexta-feira estamos planejando jantar fora — papai avisou Shay —, e vou considerar uma ofensa pessoal se você não se juntar a nós.

CAPÍTULO 39

Na quinta-feira à noite, mamãe, papai, Helen e Anna chegaram inesperadamente à casa de Emily. Elas haviam ido passar o dia na Disneylândia e eu achei que não voltariam antes da meia-noite. Logo de cara, notei que aquela não se tratava de uma rápida visita de cortesia, porque mamãe vestia o seu melhor casaco e o batom de "sair", isto é, um círculo vermelho que ultrapassava os limites da boca e a deixava com a aparência de uma respeitável palhaça.

— Entrem, entrem — convidei. — Como foi o passeio à Disneylândia?

Mamãe silenciosamente deu um passo para o lado, a fim de revelar a figura de papai, usando um dispositivo ortopédico de espuma em torno do pescoço.

— Puxa...

— Foi assim o nosso passeio — disse mamãe. — Ele se levantou novamente naquele carrinho de montanha-russa em forma de tronco. Não ouviu as recomendações. Nunca ouve. Ele sempre sabe tudo!

— Ah, mas valeu a pena! — exclamou papai, virando o corpo todo ao olhar para ela.

— Papai, da outra vez em que o senhor veio aqui, com seus colegas contadores, todos usaram terno? — perguntei, imaginando a cena.

— Ternos? — Ele pareceu chocado. — Viemos como embaixadores do nosso país; é claro que usamos ternos.

— E vocês...? Divertiram-se na Disneylândia? — perguntei a Helen.

— Muito, porque não fomos. Em vez disso, seguimos para Malibu, em busca dos deuses surfistas.

— Mas vocês não têm carro — espantou-se Emily, olhando para Anna. — Como é que você e Helen conseguiram chegar a Malibu? Não me digam que... não me digam que pegaram um *ônibus*!

— Nada disso... — Anna balançou a cabeça. — Ethan e os outros rapazes da casa aqui ao lado nos levaram no seu gatãomóvel.

— Mas vocês mal os conheceram, ontem à noite.

— *Tempus fugit* — disse Anna, com cara de quem sabe das coisas. — Nada melhor do que viver o momento presente.

Todas as pessoas da sala ficaram subitamente mudas e olharam para ela fixamente, pois Anna era a garota cujo lema sempre fora "Não faça hoje o que pode ser feito amanhã, ou, de preferência, no ano que vem".

— Anna ficou interessada no Ethan.

— Não, não fiquei não.

— Ficou sim.

— Não fiquei não.

— Ficou sim.

— Você ficou, Anna? — perguntou Emily, pasma.

— Não!

— Claro que ficou — insistiu Helen. — Vamos ter que torturá-la até ela admitir a verdade. Emily, você tem alguma coisa aqui na sua casa que dê choque, para usarmos nela?

— Vá procurar na cozinha. Aproveite que você vai lá e traga um vinho e algumas taças, sim?

— Você não pode simplesmente nos contar tudo, querida? — pediu mamãe. — Choques elétricos são muito desagradáveis.

— Eu *não estou* a fim dele!

Da cozinha, ouvimos o som de gavetas sendo abertas e fechadas.

— Emily, só encontrei uma faca elétrica. Podemos esquartejá-la aos poucos.

— Se vocês me torturarem, eu vou embora para casa — ameaçou Anna.

— Esqueça a faca elétrica, Helen, traga apenas o vinho — pedi.

— E você, o que fez hoje? — quis saber mamãe, olhando para mim.

Até que eu tinha curtido um dia bem interessante, assaltada por uma série de lembranças nostálgicas, de volta ao tempo em que tinha dezessete anos e me envolvera com Shay. Conseguira me lembrar de muitas coisas boas, misturadas com um pouco de tristeza...

A voz de mamãe interrompeu meus pensamentos, trazendo-me de volta a Los Angeles.

— Será que estou falando para as paredes? — disse ela, zangada. — O que você fez hoje?

— Ah, desculpe. Eu lavei as minhas roupas, fiz compras no supermercado... — Fora novamente assediada pelo maluco esfarrapado que me relatou, aos gritos, uma perseguição de carros em plena Los Angeles, e como alguém foi baleado na coxa. Pelo menos daquela vez eu não encarara a história como nada pessoal. Comprara um monte de comidas deliciosas e no fim das compras fiquei me perguntando por que razão seria que, não importa se eu estivesse em um supermercado da Irlanda ou a quase dez mil quilômetros de casa, sempre acabava atrás da "pessoa que tem a maior surpresa da sua vida quando percebe que tem de pagar pelas compras que acabou de fazer". As compras já estão todas guardadas em sacos plásticos, todos arrumadinhos no carrinho, prontos para serem colocados no porta-malas, e só então ela começa a apalpar os bolsos ou abrir a bolsa, em busca da carteira. E acaba pagando com um cartão de crédito cuja tarja magnética não funciona, ou então fica contando lentamente um monte de moedinhas para não precisar receber troco.

Depois, fui até a drogaria mais próxima comprar um raspador de língua e fiquei esperando a minha vida mudar.

— ... e depois que cheguei em casa, ajudei Emily. — Bem, preparei para ela um shake de amoras, encontrei um sinônimo para "rosnar", atendi uma ligação de Larry Savage e lhe informei que Emily tinha ido fazer uma desintoxicação por lavagem do cólon, apesar de ela estar sentada bem na minha frente, fumando e chorando.

— A noite passada foi maravilhosa — disse mamãe. — Exceto pelo filme. Shay Delaney não mudou nada, adorei revê-lo. Seu pai me disse que ele vai jantar conosco amanhã à noite.

— Ele não vai não. Estava apenas sendo educado.

— Vai sim — insistiu mamãe. — Ele disse que ia.

Papai praticamente o ameaçara com uma faca na garganta, e é claro que ele disse que ia.

— Acho que ele é um cara meio esquisito — disse Helen. — Ficou olhando para você, Maggie.

— Ora, ele ficou olhando para todas nós — assegurou mamãe, mais que depressa.

— Não, eu quis dizer que ele ficou *olhando* para ela. *Fixamente*. Com os próprios olhos.

— É claro que ele olhou com os olhos, com o que você queria que ele olhasse? — implicou mamãe. — Com os pés?

Antes de eu conseguir separar e catalogar cada sentimento que esse diálogo despertou, Anna disse algo surpreendente:

— Ele quer que todos gostem dele.

— Que mal há nisso? — perguntou mamãe. — De qualquer modo, todo mundo gosta dele mesmo.

— Eu não gosto — afirmou Helen.

— Você é do contra.

— Ah, vá embora, coroa, estou cansada e a senhora está me irritando.

— Pois eu vou mesmo, mas só porque quero ir. Vamos, você! — Minha mãe chamou meu pai como se ele fosse um cão obediente. — Vamos logo fazer o que temos de fazer.

— Para onde vocês vão?

— Para a casa ao lado. É a noite dos contadores de histórias.

Quando todos acabaram de rir, eu perguntei:

— Mas por que a senhora vai, se não tem vontade de ir?

— Ora, mas que desculpa eu poderia dar? — respondeu mamãe, com ar indignado. — O tal de Mike me pegou de jeito naquela noite, não tive como recusar.

— Simplesmente não apareça — sugeriu Helen. — Ele que se dane!

— Não. — Subitamente, mamãe mostrou muita dignidade. — Quando eu confirmo que vou a algum lugar, vou mesmo. Não sou o tipo de mulher que não cumpre o que promete. Vamos ficar lá uma hora, por educação, depois avisamos a todos que temos outro compromisso.

LOS ANGELES

— Diga que vocês vão ao Viper Room, a boate que pertence ao Johnny Depp — sugeriu Helen. — É a noite da terceira idade.
— Viper Room — repetiu a minha mãe. — Muito bem. Se não voltarmos dentro de uma hora, passem lá para nos pegar.

Assim que eles saíram, Helen anunciou, com seu jeito decidido:
— Sabem aquele cara com a nareba gigantesca? Troy? Eu o achei estranhamente atraente, apesar do narigão.
— Pegue um número e entre na fila — avisou Emily, exatamente no mesmo tom com que falara comigo, e imitou Elvis: — Não se apaixone por mim, garota, porque eu vou magoar você.
— Apaixonar? — debochou Helen, obviamente achando muita graça daquela ideia. — Essa é boa! E então, quem é que já dormiu com ele? — E olhou para Emily com olhos ávidos. — Você, provavelmente, já...
— Pergunte a Maggie.
— Tá legal. Quem já dormiu com ele? — Eu encolhi os ombros e Helen me lançou um olhar perspicaz. — *Você?!...*
— Sim, eu.
— Mas... você é o anjo da família, uma boa menina.
— Será...?
Ela me lançou um olhar de desconfiança e pressionou:
— Mas vocês não estão juntos, estão?
— Não.
— Bem, e você se importa se eu der em cima dele?
— Eu não. Esse assunto não me diz respeito.
— Mas a namorada dele se importa. — Emily falou isso com uma contundência inesperada.
— Quem? Aquela lambisgoia de cabelo cacheado? — Helen riu de leve. — Não vejo nenhum problema que ela possa me causar. Agora, quero que vocês me falem de Lara. Os rapazes estavam dizendo que ela é sapata. Eu às vezes fico imaginando como seria transar com uma garota — acrescentou, com ar sonhador, só para tentar nos deixar chocadas. — O que será que elas fazem na cama?
— Pergunte a Maggie.

— Rá-rá-rá-rá! — desmanchou-se Helen. E então parou de repente, como se tivesse batido em uma parede de granito. Ficou branca como papel. — Eu não acredito!
— Então fique sem acreditar. — Encolhi os ombros. Estava gostando daquilo.
— Quando isso aconteceu?
— Semana passada.
— Não acredito. Vou perguntar a Lara.
— Pode perguntar — disse eu, com indiferença.

Helen levou toda a hora seguinte me olhando fixamente, como se estivesse me vendo pela primeira vez, e então passou a balançar a cabeça e murmurar baixinho "Minha nossa... *Minha Nossa Senhora...*" — só parou quando Emily olhou para o relógio e perguntou:
— E quanto aos seus pais? Já tem mais de uma hora e meia que eles saíram. Não acham que devíamos ir lá salvá-los?
— Certo. Vamos lá.
Saímos e ficamos da rua olhando através da janela para a sala da frente de Mike e Charmaine. Mamãe estava sentada de forma majestosa em uma poltrona, com todos aninhados a seus pés. Falava alguma coisa ao mesmo tempo que sorria. Papai estava instalado no sofá, com a cabeça presa pelo colar ortopédico, imóvel, como se paralisado. Sorria também.
Bati no vidro da porta e um sujeito magro, de barba, veio nos atender, pé ante pé, colocando o dedo indicador sobre os lábios.
— Estamos ouvindo a história do famoso Seamus e de como ele conquistou o amor da filha do médico.
Emily, Helen, Anna e eu trocamos olhares atônitos, acompanhamos o rapaz e nos sentamos quietinhas no chão. Fiquei preocupada na mesma hora. O sotaque de mamãe estava mais irlandês do que nunca, e as exclamações típicas do interior, como "minino!" e "cumé que pode?" tomavam conta das frases.
— ... Minino, cês num vão acreditá! O jovem Seamus sabia fazer de tudo na fazenda. Consertava trator, espalhava adubo e dançava maravilhosamente, sem ninguém ensinar, *cumé que pode*? Minino,

ele era o maior dançarino que já aparecera naquelas bandas, conseguia dançar em cima de um pires!...

Eu morri de vergonha. Mamãe estava fazendo um papel ridículo. Porém, ao olhar para as pessoas em volta e seus rostos atentos, percebi: eles estavam absolutamente *cativados* pela sua narrativa. Todas as pessoas tinham a cabeça voltada na direção dela, como se mamãe fosse um ímã gigantesco e a plateia composta de bússolas, todas com a agulha convergindo para ela, em completo silêncio. Daria para ouvir um alfinete cair no chão.

— Ele sabia dançar swing, músicas de rodeio e conseguia formar um círculo completo no salão em apenas oito volteios. Mas ele também tinha cérebro, aquele minino. Ôôô, se tinha! Era muito bom em leituras também... Paginava os livros de cabo a rabo, cumé que pode...?

— *Paginava os livros?* — sussurrou Emily. — De onde veio *isso*?

— Shhh... — uma garota-propaganda de tintura berrante para cabelo mandou Emily calar a boca.

— ... Ele conseguiria conquistar o coração de todas as mulheres da Irlanda, se quisesse. Todas as mães do povoado estavam de olho nele... — Uma pausa para causar suspense. — ... Mas nem sempre era pensando nas filhas!

Uma gargalhada geral se fez ouvir e eu aproveitei a chance para fazer gestos aflitos para minha mãe. Ela viu e fez que sim com a cabeça, mas devo confessar que me pareceu desapontada.

— Senhoras e senhores — chamou ela, interrompendo as gargalhadas. — Como podem ver, minhas filhas chegaram e querem me levar para o Viper Room.

Na mesma hora, vários olhares furiosos se concentraram em nós.

— Portanto eu tenho, infelizmente, que vos abandonar, e ficareis sós.

— *Vos abandonar...?* — espantou-se Helen. — *Ficareis* sós?

— Não dá pra vocês esperarem mais cinco minutinhos? — perguntou-nos, com certa agressividade, um homem com um comprido rabo de cavalo. — Queremos saber o fim da história.

— Isso mesmo — mais alguém reclamou. — Deixe o Johnny Depp esperar por ela mais um pouco.

Quer dizer que a culpa ainda era nossa...?

— Por nós, tudo bem... — disse, para nos defender. — Não se apressem por nossa causa.

— Minino!... — Minha mãe fez cara de modesta. — Eu não imaginei que vocês estivessem apreciando tanto a minha história. Muito bem, se vocês insistem...

— NÓS INSISTIMOS! — A sala entrou em erupção e uma das jovens da primeira fila de admiradores tocou-lhe o joelho de leve e pediu:

— Por favor, acabe de contar a história, Mamãe Walsh.

Assim, Mamãe Walsh levou ainda algum tempo terminando de contar a saga de Seamus e, quando seus fãs finalmente a deixaram ir embora, parecia flutuar. Papai também. Infelizmente a coisa ficou meio esquisita na rua, quando ela descobriu que não ia ao Viper Room coisa nenhuma e que aquilo fora apenas uma desculpa (aliás, inventada a pedido dela mesma) para tirá-la da casa.

— Eu quero ir ao Viper Room. — Ela parecia uma criança mimada.

— A senhora não pode, é velha demais para entrar.

— Mas você falou que era a noite da terceira idade.

— Eu disse aquilo de brincadeira — rebateu Helen. — Ainda estamos arrasados por causa do jet lag e queremos ir direto para a cama.

Mamãe lançou um olhar do tipo *Até tu, Brutus...?* para Emily e para mim.

— Eu tenho um roteiro para reescrever — explicou Emily, nervosa. — Não posso ficar sem dormir.

— E eu estou ajudando Emily. Boa-noite a todos, nos vemos amanhã.

Emily e eu entramos correndo e fechamos a porta, mas dava para ouvir da rua a minha mãe se queixando e insistindo:

— Mas eu estou de férias. Vocês todos são um bando de chatos!

CAPÍTULO 40

As férias que, segundo todos esperavam, nos fariam um bem imenso tiveram o efeito contrário. Voltamos para casa desgastados e envoltos pela suspeita terrível de que tudo o que fazíamos juntos estava fadado a dar errado, de que estávamos fazendo uma viagem só de ida para Desastrópolis e por mais que quiséssemos escapar daquilo, mais afundávamos.

O clima continuou tenso depois de voltarmos e uma ou duas vezes peguei Garv me lançando acusadores olhares de culpa. Uns dez dias depois da nossa chegada, eu tinha uma consulta marcada com o dr. Collins, meu ginecologista, e tentamos mais uma vez descobrir a razão de eu ter perdido o bebê duas vezes seguidas. Foi naquela sala que a última escora em volta de Garv e de mim foi removida. Dá para determinar com precisão quase de um segundo o momento exato em que o meu casamento desmoronou.

Muitas vezes, entretanto, embora coisas fatais estejam acontecendo, as pessoas não percebem, na hora, que elas são fatais. Conseguem sacar que "a coisa não está boa" ou então que "acontecer mais essa não ajudou em nada"; porém, só com o passar do tempo dá para compreender o quanto o momento era *realmente* grave.

Para mim, a rotina foi a culpada daquilo. Ela mascara o desastre. A pessoa acha que, por estar acordando de manhã, vestindo roupas limpas, indo para o trabalho, comendo de vez em quando e vendo novelas, tudo está bem. Estávamos fazendo tudo isso e arrastávamos, sem sentir, o peso de um relacionamento moribundo.

Depois do primeiro aborto, ficamos ávidos para tentar novamente, o mais rápido possível. Tínhamos muitas esperanças de que uma nova gravidez fosse apagar a nossa tristeza. Daquela vez, no entanto, era diferente. Acho que eu tinha medo de engravidar novamente e perder o bebê mais uma vez. Mesmo assim, acompanhava a minha temperatura diariamente e Garv e eu fazíamos amor nos dias certos. Até o dia em que uma coisa que nunca acontecera antes aconteceu. Estávamos na cama e Garv estava pronto para penetrar em mim quando notei que ele estava tendo algum problema. Sua ereção estava meio mole e caída.

— O que houve? — perguntei.

— Está só um pouco... — disse ele, tentando novamente acertar o alvo.

Mas não conseguiu, e diante dos meus olhos eu vi tudo encolher e encolher, ficando cada vez mais murcho, até que o seu bastão duro se transformou em uma maria-mole inútil.

— Desculpe — disse ele, saindo de cima de mim e deitando de costas, olhando para o nada. — Deve ser efeito da bebida.

— Mas você só tomou dois copos de cerveja. O problema sou eu, você não tem mais tesão por mim.

— Nada disso, é claro que eu sinto tesão por você.

Ele se virou de frente para mim e ficamos ali abraçados, curtindo nossas dores distintas.

Na outra vez que tentamos, aconteceu a mesma coisa e Garv ficou arrasado. Eu sabia, através dos artigos da revista *Cosmopolitan* e pelas conversas com minhas amigas, que aquilo era a pior coisa que podia acontecer a um homem, pois ele achava que a sua masculinidade o desertara. Mesmo assim, eu não soube lhe fornecer conforto algum. Estava muito fechada em mim mesma, magoada por ele ter me rejeitado e zangada por sua inutilidade — como poderíamos ter um bebê se ele continuasse daquele jeito?

Fizemos uma terceira tentativa desastrosa, antes de tomarmos a decisão mútua e silenciosa de não arriscarmos mais. Dali em diante, mal nos tocávamos.

Um domingo à noite, estávamos assistindo a um filme — acho que era *Homens de Preto* — em que o planeta estava prestes a acabar, a não ser que alguém fizesse algo heroico bem depressa. A cena se passava quase no final do filme, o tempo estava se esgotando, a música de suspense tocava mais alto, a situação estava muito tensa, e então, de repente, Garv disse:

— Ah, quem se importa...?
— Como disse?
— Quem se importa? Deixe que o mundo se acabe! Todos ficaríamos bem melhor.

Uma frase dessas era tão estranha, vinda de Garv, que eu olhei para ele com muita atenção, para ver se estava brincando. É claro que não estava. Fiquei olhando para aquele homem largado no sofá, com os cabelos caídos sobre o rosto sombrio, um ar de revolta no olhar e me perguntei quem era ele.

Na manhã seguinte eu me levantei, tomei banho, tomei café, me vesti e Garv continuava na cama.

— Garv, você vai se atrasar — avisei.
— Não vou me levantar. Vou ficar na cama.

Ele nunca havia feito aquilo.

— Por quê?

Ele não respondeu nada e eu tornei a perguntar:

— Por quê?
— Para pagar menos imposto — resmungou ele, virando-se para o outro lado.

Por algum tempo eu fiquei ali, olhando para o monte inerte debaixo do edredom. Por fim, virei as costas, saí do quarto e fui para o trabalho. Ele não ia conversar comigo mesmo e eu já não me sentia nem ao menos frustrada. Os problemas não me faziam mais mergulhar no desespero; eles simplesmente iam se depositando calmamente uns por cima dos outros, provavelmente porque eu não tinha espaço para cair mais, por já estar no fundo do poço.

A não ser pelas nossas ocasionais faltas ao trabalho — nunca no mesmo dia —, nossa rotina continuou, como um hamster correndo em sua rodinha. Achávamos que estávamos indo em frente, mas tudo o que fazíamos era marcar passo, sem chegar a lugar algum. Foi por essa época que comecei a beber as minhas lentes de contato.

Tique-taque, tique-taque, os dias passavam. Pagávamos a prestação da casa, nos espantávamos com o valor da conta do telefone, conversávamos sobre a vida amorosa de Donna — sempre assuntos familiares, como se tudo estivesse normal. Íamos para o trabalho, saíamos de vez em quando com amigos e mantínhamos as aparências de um casamento comum, e então chegávamos em casa, íamos para a cama sem encostar um no outro e cochilávamos algumas horas, para acordar de vez às quatro da manhã e passar o resto da noite preocupados. E saibam que sim, eu realmente me perguntava quando é que as coisas iam melhorar. Continuava convencida de que aquela horrível situação era temporária. Até aquela noite, pouco antes de a vaca ir para o brejo, em que eu me senti subitamente acometida por aquela visão de raios X. Consegui ver através da tranquilidade da vida diária, da linguagem particular e do passado compartilhado, e fui até o centro da minha relação com Garv, que era onde as coisas haviam se contaminado. Tudo ficou exposto sem disfarces e eu tive aquele pensamento súbito e claro: *estamos com um problemão nas mãos.*

Não sei como, mas, de repente, três meses já haviam passado desde as férias em Santa Lúcia.

O dia em que havíamos combinado de sair com Liam e Elaine não amanhecera diferente dos outros. Ninguém poderia prever que aquele era o dia no qual toda a estrutura abalada iria desabar de uma vez só. Então, inexoravelmente, a série de eventos funestos teve início — a tevê de plasma caiu sobre o dedão de Liam, o telefonema em que eu disse que ia comprar comida, a caixa de trufas na geladeira do supermercado —, terminando com a terrível cena de Garv tirando os chocolates da sacola de compras e exclamando: "Olhe só, novamente estes chocolates. Será que eles estão nos perseguindo?"

Então eu estava olhando para ele, para a caixa e de volta para ele. Atônita.

"Você *sabe*", insistira ele, com ar empolgado. "São os mesmos que nós comemos quando..."

Tudo se tornou transparente e eu *soube*. Ele estava falando de outra pessoa, de outra mulher.

Senti como se eu estivesse caindo, e pareceu que eu ia continuar caindo para sempre. Então, de repente, eu freei. A música havia parado, o fim chegara e eu já não conseguia mais ir em frente. Não aguentava observar a espiral descendente do meu casamento começar a sugar outras pessoas e fazê-las girar em seu vórtice também.

CAPÍTULO 41

Na sexta-feira, papai foi ao quiroprático para tratar do pescoço. Mamãe, Helen e Anna foram até a Rodeo Drive. Mamãe insistia em ir lá, embora todas nós tivéssemos avisado que as coisas eram muito caras. De qualquer modo, mesmo que ela não gostasse dos produtos, ia adorar tagarelar sobre o quanto os preços eram absurdamente exorbitantes, depois que voltasse para casa.

Eu não pude ir com elas porque, como Emily dizia, precisava ajudar a pregar os últimos pregos no caixão do seu roteiro reescrito. Larry Savage o queria pronto até a hora do almoço, e foi uma correria louca. Trabalhamos a manhã inteira lendo tudo em voz alta, em busca de inconsistências e erros de continuidade na narrativa. Depois, ao meio-dia — a hora em que sua carruagem ia virar abóbora, conforme Emily não se cansava de dizer —, imprimimos tudo, o motoboy chegou e Emily deu um beijo de despedida na pilha de páginas, exclamando:

— Adeus, meu pobre filho bastardo.

Na mesma hora Emily foi, completamente exausta, para a cama. Com Lou. Eu me senti absolutamente dispensável, sem nada para fazer. Estava quente demais para eu ir pegar sol, não havia nada de interessante na tevê e eu tinha medo de ir ao shopping e acabar comprando um monte de porcarias.

Meus pensamentos se voltaram para o jantar daquela noite. Tinha quase certeza de que Shay não iria aparecer; vocês precisavam ver a cara dele quando papai o encostou na parede, sem lhe dar chance de recusar o convite. Sem demonstrar a mínima empolgação, simplesmente disse que sim, por educação, e certamente iríamos receber o recado de que ele ficara preso em alguma reunião ou algo desse tipo.

Mas e se ele aparecesse? E aí?...

De um momento para outro, decidi que precisava dar um jeito no cabelo. Minha única opção era Reza; ela era esquisita e meio grossa, mas ficava a dois minutos de casa e, a não ser pelo jeito com que curvara a minha franja para fora, até que havia feito um bom trabalho. Eu só precisaria usar uma meia-calça na cabeça o resto da tarde, depois que voltasse para casa, mas meu cabelo ia ficar ótimo.

Telefonei para avisar que ia, e quando apareci no salão não foi surpresa alguma notar que Reza estava pouco amigável — embora não fosse tão grossa quanto da outra vez. Na verdade, me pareceu até meio abatida. Em alguns momentos, enquanto me enxaguava o cabelo, expirou com força na minha nuca; depois, quando tentava arrancar a minha cabeça do ombro, com o secador e a escova, soltou mais um suspiro profundo e sentido.

Alguns segundos depois, deixou escapar outro daqueles suspiros, que pareciam vir dos pés, ganhando força como um furacão enquanto subiam pelo corpo, até explodir. Depois, mais um. Por fim, eu me vi obrigada a perguntar:

— Você está bem?

— Não — disse ela.

— Ahn... o que houve?

Outro suspiro estava se formando. Dava para senti-lo chegando, subindo aos poucos, recolhendo tristezas enquanto lhe subia pelo corpo, expadindo-lhe o peito para por fim ser expelido. Levou tanto tempo que eu pensei que ela não fosse mais me responder, mas ela encontrou as palavras certas.

— Meu marrido eztá me enganando.

Puxa, me arrependi de ter perguntado.

— Ele está enganando você? Em questões de dinheiro? — perguntei, cheia de esperança.

— Não!

Ai, Cristo, eu sabia que não, mas não ia aguentar conversar sobre maridos infiéis.

— Ele engontrou outro amor.

Para meu horror, uma lágrima veio descendo devagarinho por sua bochecha, depois outra e mais outra.

— Sinto muito saber disso.

— O bior é gue ele gontinua dorrmindo na minha gasa, gomendo da minha gomida e ligando para a *pirranha* do meu televone!

— Isso é mesmo terrível!

— Zim! Minha dor é grrande, mas eu zou forte!

— Que bom!

Então, ela pareceu reparar em meu cabelo pela primeira vez.

— Zuas franjas eztão muito combridas — disse ela, com tristeza.

— Ah, tudo bem, elas estão com um comprimento bom.

Mas era tarde demais. Ela já pegara a tesoura e cortava tudo, enquanto as lágrimas lhe enchiam os olhos, deixando-a cega. *Deixando-a cega.*

Levou menos de dois tempos para fazer o estrago. Em um segundo eu estava com o cabelo normal, e no outro a minha franja estava em diagonal, como se eu fosse uma personagem neorromântica. Na parte mais curta ela ficara com pouco mais de dois centímetros. Absolutamente estarrecida, olhei para o espelho. Era melhor Reza ter logo cortado até a raiz e feito um penteado em estilo moicano. Mas como eu podia reclamar? Como poderia brigar com ela, pobrezinha, uma mulher naquelas condições? (Não que eu fizesse isso, em outra situação. Todas nós sabemos que é mais difícil ser honesta com os cabeleireiros do que um camelo passar pelo buraco de uma agulha, ou algo assim.)

Sentindo-me enjoada, paguei pelo serviço. Então, com a mão cobrindo a testa, saí correndo para casa. Ao passar pela casa dos Cavanhaque Boys, Ethan abriu a janela e gritou:

— Oi, Maggie! Sua franja está esquisitona!

Em poucos segundos, como se fosse uma reprise da minha última visita a Reza, os três rapazes estavam à minha volta, me examinando.

— Acho que ficou legal — disse Luis.

— Pois eu não acho — reagi. — Sou muito velha para penteados malucos. Vocês têm alguma sugestão para consertá-lo, dessa vez?

— Eu tenho — declarou Luis, depois de me analisar demoradamente.
— Ótimo. Qual é?
— Espere o cabelo tornar a crescer.

Pelo menos os gemidos vindos do quarto de Emily haviam parado. Eles deviam ter ido dormir. O céu estava meio nublado e o calor era insuportável, então eu liguei o ar-condicionado no máximo, fiquei vendo um pouco de televisão e torcendo para o cabelo crescer depressa. Aquilo era um sinal: eu jamais conseguiria impressionar Shay Delaney. Aquilo era algo que não ia acontecer.

Por volta de cinco da tarde, Emily saiu do quarto envolta em um roupão e perambulou pela casa, bocejando e fumando, até que me viu e quase tropeçou de susto.

— O que houve com o seu CABELO?!
— Reza.
— Por que você voltou lá, depois daquela experiência?
— Porque sou uma completa idiota — disse, desconsolada. — Será que há algo que eu possa fazer para consertar isso?

Emily tentou pegar a parte mais curta da franja.

— Hummm — disse ela, pensativa. — Vamos ver o que eu tenho lá dentro.

Minutos depois, emergiu do banheiro com uma tonelada de produtos para cabelos rebeldes — potes de gel, ceras e embalagens de laquê — e vasculhou entre eles.

— Acho que vamos precisar desse aqui, de fator 10. Classe A. O mais duro. — Ela me mostrou uma latinha de cera. — Você sabia que eles usam isso aqui em cavalos?

Enquanto passava a cera sebosa para cavalos na minha franja picotada, o telefone tocou e ela disse, com preocupação:

— Não atenda! Deixe a secretária atender. Deve ser Larry Savage pedindo para eu reescrever mais algum pedaço do roteiro e eu vou perder a cabeça.

Ficamos atentas para ouvir o recado, mas quem ligara desistiu.

— Desligaram de novo — cismou Emily. — Tenho recebido vários telefonemas desse tipo de uns dias para cá. Será que é algum tarado? Não me faltava mais nada! Ficou pronto. O que achou?

Olhei para o espelho. Emily conseguira puxar a franja toda para um lado só e fazê-la parecer quase normal.

— Ótimo! Obrigada.

— Você ainda vai precisar de um pouco mais de cera e laquê para mantê-la no lugar, mas vai funcionar. E *nunca mais* volte naquela maluca.

— Não, não volto. Desculpe. Obrigada.

O jantar daquela noite ia acontecer em um lugar ao ar livre em Topanga Canyon e o elenco de atores era composto por mim, Emily, Helen, Anna, mamãe a papai — orgulhosamente exibindo o seu pescoço, recém-colocado no lugar. ("O estalo foi tão grande que eu pensei que fosse um tiro, mas era o meu pescoço!")

Nos esprememos todos no jipe de Emily e, ao chegarmos, vimos que o restaurante era lindo. Lanternas haviam sido penduradas nas árvores, um barulhinho de água indicava algum regato ali perto e a temperatura estava muito mais fresca do que perto da cidade.

Nenhum sinal de Shay. Fomos encaminhados ao bar, para esperar por ele, e eu, muito nervosa, fui ao banheiro para ver se a minha franja continuava no lugar. Não devia ter ido, pois quando eu voltei Emily e papai se encaravam com ar de briga e o clima estava tenso.

— Sr. Walsh — dizia Emily. — Eu não quero me aborrecer com o senhor por causa de um absurdo como esse.

Fiquei aflita. O que será que havia acontecido?

— Pois eu tenho a minha dignidade! — exclamou papai.

— Então, vamos deixar uma coisa bem clara — esbravejou Emily. — Eu pago a primeira rodada! Eu moro aqui, vocês são meus convidados e o mais apropriado é que eu pague a primeira rodada.

— E quanto à segunda? — perguntou meu pai, com mau humor.

— Qualquer um de vocês pode pagar — propôs Emily.

— Qual de nós?

— Não sei. Briguem entre vocês para decidir.

LOS ANGELES

No fim das contas, a primeira rodada foi bancada por Shay, que apareceu, lindo e musculoso, entregou um cartão dourado ao barman, e então, sorrindo muito, cumprimentou a todos em volta.

— Oi, Maggie, você está linda. Você também, Emily. Ora, e ali está Claire... Oh, desculpe, sra. Walsh, por um instante confundi a senhora com a sua outra filha. — Em seguida foi em direção a Helen, que era mais bonita do que todas nós juntas, mas ela arreganhou os dentes e matou todos os seus galanteios. Ele nem conseguiu chegar em Anna. Antes disso, papai o prendeu em um papo-furado, exibindo o seu pescoço e contando o barulho que ouviu quando ele voltou para o lugar. ("Pensei que fosse um tiro, de tão alto o estalo.")

Depois dos drinques, fomos levados para uma mesa sob as estrelas e rodeada de árvores perfumadas e farfalhantes. O garçom, como sempre, estava com a corda toda.

— De onde vocês SÃO? — perguntou ele, com uma voz aguda.
— Irlanda.
— Iowa? QUE LEGAL!
— Não, é... ah, deixa pra lá.

Depois ele fez a elaborada apresentação dos pratos do dia. Isso-vegetariano, aquilo-sem-lactose, aquilo-outro-com-zero-de-gordura. O garçom se dirigia basicamente a Shay, que fazia murmúrios de aprovação até que o sujeito foi embora e ele disse:

— Puxa, vocês devem estar cansados só de ouvi-lo falar. Por que será que tudo tem que ser tão complicado, não é? Bem, Los Angeles é assim mesmo...

— Você gosta daqui? — perguntou mamãe.

— Sim — disse ele, depois de pensar um pouco. — O importante é saber que nesta cidade tudo existe em função do cinema, e nada mais importa. Por exemplo, lembra quando os reféns americanos foram libertados do Iraque?

Todos concordaram com a cabeça, mas eu tinha certeza de que ninguém se lembrava de nada.

— Eu estava almoçando no Grill Room naquele dia, com dois agentes, e um deles perguntou: "Você soube que os reféns foram libertados?" E o outro replicou: "Libertados? Eu nem sabia que eles haviam sido sequestrados." Pois bem, esse lugar é assim mesmo.

E agora, sr. Walsh — incentivou Shay —, gostaria que o senhor contasse a história do torneio de sinuca.

— Será que eu devo? — Papai riu, bancando o tímido e agindo como se estivesse a fim de Shay.

— Ah, por favor, conte! — pedimos todos, e então papai relatou em detalhes a história do único dia em toda a minha vida em que ele me persuadiu a fazer uma coisa errada: faltar à escola com a desculpa de que estava doente, porque ele comprara ingressos para a final do campeonato de sinuca e não conseguira ninguém para acompanhá-lo, e eu acabei aparecendo no noticiário da noite. Sim, isso realmente aconteceu; no momento em que o campeão encaçapou a última bola, aquela garota bem atrás dele, no canto da tela, batendo palmas como uma foca feliz, era eu. Apareci mais do que o próprio campeão e a cena foi mostrada no jornal das seis, depois no programa esportivo, depois, com a história completa, no jornal das nove e, embora eu não tenha assistido, soube que tornou a passar no noticiário da noite. Passou mais uma vez no jornal do dia seguinte, na hora do almoço, e depois na resenha da semana. Até mesmo na retrospectiva de fim de ano, quando mostram os grandes lances esportivos da temporada, mais uma vez eu pude ser vista. Na verdade, há menos de um ano, quando o jogador anunciou que ia se aposentar, eles passaram novamente a cena da tacada decisiva e lá estava eu, com quinze aninhos, meu cabelo horrível de adolescente, rindo e batendo palmas alegremente. Todas as pessoas do país me viram pelo menos duas vezes, incluindo vários dos meus professores. Alguns foram sarcásticos: "Está se sentindo melhor, Maggie?", mas a maioria deles se mostrou confusa. "Estou surpreso", vários deles disseram. "Normalmente você é um anjo de menina, muito boazinha..."

Papai contou a história de forma tão cativante que todos nós estávamos quase morrendo de rir, no final.

— Eu não sirvo para ser má — concordei, enxugando o rosto. — Toda vez que eu faço alguma coisa perigosa, sou apanhada.

Não consegui evitar. Olhei para Shay, ele olhou para mim e nossos sorrisos se desmancharam. Desviei os olhos e só me lembro que logo depois uma agitação teve início e um monte de gente começou a se mover como se fosse um único organismo, vindo por dentro do restaurante, por entre as mesas.

— Alerta geral para chegada de celebridade! — avisou Emily.

O restaurante todo tentava olhar de forma disfarçada, para não pagar mico de tietagem, mas de repente uma palavra começou a passar de boca em boca, como se carregada pelo vento. Era quase um sussurro, a princípio... "hurll... hurll... hurley... lishurley... lishurley... Liz Hurley."

— É Liz Hurley — sussurrou Emily, e então foi a nossa vez de quase deslocar o pescoço, tentando ver melhor. Era difícil enxergar alguma coisa através da massa de fãs, mas então alguns deles se afastaram um pouco, a luz de um flash iluminou o seu rosto e lá estava a atriz! Era Liz Hurley mesmo.

— Quem é que duvida que eu vá até onde ela está e lhe peça um autógrafo? — desafiou Helen.

— Quem é que duvida que eu vá até onde ela está e lhe peça para colocar uma roupa mais decente? — perguntou minha mãe, querendo fazer graça.

Shay balançou a cabeça, com ar de admiração, dizendo:

— Eu não duvido disso, sra. Walsh, porque sei que a senhora é capaz de fazê-lo. É uma mulher destemida e indomável.

— Ora, mas que coragem a sua! Sou uma mulher respeitável, católica e casada!

— A senhora é uma mulher indomável.

Enquanto Shay e mamãe piscavam um para o outro, eu observava a cena com um certo prazer agridoce. Mamãe e papai sempre adoraram Shay. Como teria sido a minha vida se eu tivesse me casado com ele, em vez de com Garv? Tudo teria sido muito mais fácil com a minha família, isso com certeza. Se bem que Helen parecia gostar tanto dele quanto gostava de Garv.

— PRONTO, PESSOAL. — O garçom voltara, para fazer uma apresentação performática das sobremesas. — Sorvete-zero-de-gordura. Alguém quer?

— Você quer sorvete? — perguntou-me Shay, com a voz suave.

Em silêncio, balancei a cabeça para os lados.

— Quem sabe outra hora, então... — disse ele. Pareceu uma promessa.

Foi uma noite muito agradável, apesar da terrível briga para ver quem pagava a conta. Shay tentou pagá-la e papai quase teve um chilique, até que Emily se meteu na briga, insistindo que a noite toda era por conta dela. Por fim, chegaram a alguma espécie de acordo e fomos caminhando em direção aos rapazes que estacionavam os carros.

Eles trouxeram o carro de Shay antes, e então mamãe deu palpite:

— Viemos todos tão apertados no jipe de Emily. Será que você não poderia levar uma de nós para casa, Shay?

— Claro. — Ele ofereceu-lhe o braço. — Vamos...?

Mas não havia perigo de ele ser visto pela rua com ela.

— Pode deixar que eu vou com meu marido. — Mamãe ergueu o queixo em direção a papai. — Por que não leva Margaret?

— Não, pode deixar, eu...

— Ah, vá com ele sim.

Fiquei morrendo de vergonha. Ainda mais na hora em que Helen disse, em voz alta:

— Outro dia eu li no jornal uma notícia sobre um país em que as mães vendiam as filhas. Onde é mesmo...? Acho que começa com "I".

— Índia? — perguntou Anna.

— Isso mesmo!... Ou será que era Irlanda?

Eu transpirava por todos os poros. Torci para que o chão se abrisse para me devorar, mas Shay sorriu para mim, um sorriso turbinado com solidariedade, compreensão e até mesmo divertimento. Sabia exatamente o que estava acontecendo e não parecia se importar.

— Então, tá bom... — concordei. — Vou com Shay.

Assim que ele saiu com o carro, eu disse:

— Sinto muito pela minha mãe.

— Tudo bem.

Como ele não disse mais nada, eu perguntei, pouco depois:

— Até quando você vai ficar em LA?

— Até terça-feira.

— É muito tempo. Não sente saudades de sua mulher?

— Ah. — Ele encolheu os ombros, com descontração. — A gente se acostuma.

Como não sabia o que dizer em seguida, fiquei calada, e ele também — um silêncio não exatamente confortável —, até que, em um período espantosamente curto, ele já estava estacionando na porta de Emily, mas deixou o motor ligado.

— Obrigada pela carona. — Coloquei a mão na maçaneta.

— De nada.

Eu já estava com a porta aberta quando, sem mais nem menos, Shay me perguntou:

— Você me odeia?

Fiquei tão chocada que soltei uma risada abafada.

— Ahn... não. — Tentei me recobrar do choque. — Não odeio você. — Não saberia dizer ao certo o que sentia, mas não era ódio. Porém, já que estávamos em um clima de fazer perguntas importantes, fiz uma para a qual eu queria saber a resposta há muitos anos.

— Você alguma vez pensa nele?

Shay ficou calado por tanto tempo que eu pensei que ele nem fosse responder.

— Às vezes — confessou, por fim.

— Ele estaria com quatorze anos agora.

— É.

— Mais ou menos a mesma idade de quando nós nos conhecemos.

— Sim. Escute, Maggie. — Ele me lançou um sorriso curto. — Agora eu preciso ir. Tenho que trabalhar logo cedo.

— Mesmo em um sábado? Agenda pesada.

Ele me entregou um cartão profissional.

— Estou hospedado no Mondrian. Fora do horário de trabalho — ele escreveu rapidamente algo no cartão —, você pode me encontrar neste número. Boa-noite.

— Boa-noite.

Então eu me vi parada do lado de fora do carro, em meio à noite úmida e com cheiro de flores, ouvindo o cantar dos pneus enquanto ele se afastava.

CAPÍTULO 42

Liguei para ele logo de manhã, assim que me pareceu um horário civilizado. Estava acordada desde as seis horas, com o braço coçando como nunca, mas me obriguei a esperar até as nove para ligar. Shay atendeu, com voz de sono.

— Oi, é a Maggie.

Silêncio.

— Maggie Garv... Walsh — expliquei.

— Ah, olá. — Ele riu. — Desculpe, ainda não tomei café, e sem café o meu cérebro continua desligado. E então, ahn, ontem à noite foi divertido, não foi?

— Sim, foi divertido. Escute, Shay... — disse eu, na mesma hora em que ele disse "Ouça, Maggie...".

Rimos ao mesmo tempo e ele disse:

— Fale você primeiro.

— Certo. — O sangue parecia latejar em meus ouvidos e eu mergulhei de cabeça no que precisava dizer: — Andei pensando... posso ver você? Só por uma hora, no máximo?

— Hoje não vai dar. Nem mesmo à noite.

— E amanhã? Amanhã à noite?

— Combinado. Amanhã à noite. Apareça aqui lá pelas sete horas.

— Até amanhã, então. Obrigada. O que é mesmo que você ia me dizer...?

— Ah, nada não, nada de importante.

Minha agitação foi diminuindo. Eu o veria no dia seguinte à noite.

* * *

LOS ANGELES

Quando Emily acordou, fomos ao supermercado para comprar mais mantimentos (basicamente vinho). Como sempre, o homem esfarrapado estava no estacionamento, e assim que fizemos o rapel de sempre para sair do carro, ele gritou:

— Tomada interna. À noite. Jill pega uma caixa embaixo da cama e a abre. A câmera se aproxima e faz um close na arma que está lá dentro...

— Minha nossa, Maggie. — Emily apertou meu ombro. — Escute só...

— O quê?

— Não consegue perceber?

— O quê?

— Ele está fazendo uma apresentação. A apresentação de um roteiro. — Ela se lançou na direção do sujeito e eu corri atrás dela.

— Muito prazer, sou Emily O'Keeffe — disse ela, estendendo a mão para ele.

— Raymond Jansson. — Ele estendeu a sua mão imunda com unhas compridas e pretas e apertou a mão de Emily com firmeza. A um metro de distância dava para sentir o seu fedor.

— É o roteiro de um filme isso que o senhor está recitando?

— Sim. *Noite Estrelada*. — Seus olhos brilharam em seu rosto manchado de sujeira.

— Alguém comprou os direitos da história?

— Sim, a Paramount comprou, mas o produtor foi despedido, então a Universal comprou, mas eles fecharam a divisão de filmes desse gênero. Foi quando a Working Title entrou em cena, mas não conseguiram financiamento. — Subitamente ele não parecia mais tão louco, até dizer: — Já estou marcando alguns encontros e acho que vou assinar o contrato em breve.

— Boa sorte, então — disse Emily, enganchando o braço no meu e me levando dali.

— Nossa — murmurou ela, com os olhos cheios de lágrimas que começaram a escorrer pelo seu rosto. — Esta é uma cidade cruel! Será que é assim que eu vou ficar? Completamente desaparafusada da cabeça depois de tantas decepções e fazendo apresentações para o vento? Pobre homem, pobre homem, coitadinho!... — Emily chorou durante todo o percurso das frutas até os legumes, atravessando a sessão dos cereais matinais, padaria e massas, e só conseguiu parar ao chegar à sessão de biscoitinhos e chocolates.

Ao voltarmos para casa, estávamos desempacotando as compras (basicamente vinho) quando o telefone tocou.

De forma automática, corri para atender, e o que aconteceu em seguida me fez lembrar aquelas cenas em que uma criança está prestes a ser atropelada por um carro e o herói se lança no ar em torturante câmera lenta e um eco de "Nãããããooo!" é ouvido. Emily se jogou no meio da sala e gritou:

— Nããoo, não atenda! Estou aqui esperando a guilhotina cair. Pode ser Larry Savage e eu preciso tirar o fim de semana de folga.

Mas quem era desligou.

— Deve ser mesmo um tarado de plantão. Agora eu me sinto uma verdadeira moradora de Los Angeles — comemorou Emily, parecendo alegre.

— Estamos quase derretendo com esse calor — disse mamãe, afobada, atirando-se no sofá de Emily e se abanando com a mão.

Anna, Helen e papai entraram fazendo muito barulho logo atrás dela, com os rostos muito vermelhos da curta caminhada do hotel até ali.

— Está muito abafado mesmo — concordou Emily. — É bem capaz de vir uma trovoada.

— Chuva? — Mamãe pareceu alarmada. — Ai, meu Deus, não.

— Às vezes, em Los Angeles, troveja muito mas não chove — garantiu Helen.

— Isso é verdade? — perguntou mamãe.

— Não.

Fazer compras no Beverly Centre era o programa da tarde.

— Vamos nessa! — gritou Emily, balançando as chaves do carro.

— Passei a manhã toda treinando a minha assinatura — informou Helen, flexionando os dedos. — É para o monte de notinhas do cartão de crédito que eu vou ter que assinar.

— Não vá com tanta sede ao pote! — ladrou papai. — Você já está enterrada até o pescoço em dívidas.

— Não sei para que você vai conosco ao shopping — disse-lhe mamãe. — Você vai detestar esse programa.

— Não vou não.

— Ah, pois eu aposto que vai — prometeu Helen. — Sabe o que eu vou querer comprar? — perguntou ela, com ar sonhador. — Roupa íntima. Muita lingerie sexy, reveladora, cheia de rendas. Sutiãs meia-taça, tangas e...

— Ele não sabe o que é uma tanga — disse mamãe. — Para ser franca — admitiu em seguida —, eu também não.

— Então deixe que eu *explico* — ofereceu Helen, e se lançou em uma descrição detalhada: — ... Nada de marquinhas de elástico por baixo da roupa, e embora todo mundo fale que parece um fio dental para bunda...

— Ah, aquela *coisa* — disse mamãe, com ar reprovador. — Já lavei um monte delas. Desde quando aquilo deixou de ser "fio dental"?

Por acaso, o elevador do Beverly Centre nos despejou não em uma loja de lingeries, mas no melhor lugar depois desse: uma loja de roupas de praia. Todas entramos ao mesmo tempo, muito empolgadas, Helen um pouco à frente e papai atrás de todas nós, meio relutante.

Era um paraíso: havia não apenas biquínis, mas também saídas de praia coordenadas, sarongues, camisões, chapéus, sandálias, óculos de sol... nada barato, diga-se de passagem. Os biquínis eram mais caros que o fim de semana em um resort à beira-mar onde eles seriam estreados; as cabines para troca de roupas eram maiores do que o meu quarto e as atendentes eram do tipo determinado, mais solícitas que um cão terrier, daquelas que não se abatem ao ouvir um "estou só dando uma olhada", e na mesma hora completam... "dando uma olhada em quê? Em um conjunto completo? Temos alguns modelos da grife Lisa Bruce que são perfeitos para o seu tipo de corpo". E antes que consigamos perceber o que está havendo, elas já estão nos empurrando para a cabine mais próxima, com dezesseis cabides de madeira pendurados nos braços, cada um com um conjunto diferente. São mulheres que metem a cabeça dentro do provador enquanto a cliente troca de roupa e enrolam a criatura, dizendo que aquele modelo não ficou bem nela — só para parecer muito honesta —, e em seguida lhe garante que a peça seguinte (muito mais cara, obviamente) ficou incrivelmente charmosa. E, ao notar que a pobre cliente não ficou de todo convencida, convocam cinco ou seis colegas atendentes, todas perfumadas e magras como um palito, para ajudarem a enfiar a ideia na cabeça da vítima.

Eu já sabia de tudo isso por experiência própria. Havia uma butique em Dublin com a mesma atmosfera de sofisticação, onde eu acabara comprando uma saia caríssima de *chiffon* — que eu não usara nem uma vez — só para escapar do lugar. Normalmente, eu não me importaria muito com isso, só que havia entrado na loja porque começara a chover e não tinha um guarda-chuva/capuz/ boné nem cabelo bonito, daquele que fica ainda melhor depois de encharcado de chuva. Era mais vantagem ter entrado na farmácia ao lado para comprar pomada para afta (ou qualquer coisa que envolvesse uma longa sessão de perguntas e respostas).

Entretanto, apesar disso, senti um fluxo de adrenalina assim que coloquei os pés dentro da loja de roupas de praia; tudo era tão lindo... Helen, Anna, Emily, mamãe e eu na mesma hora nos separamos, segundo caminhos divergentes, atraídas pelas nossas cores favoritas como abelhas em busca de flores. Papai ficou parado na porta, olhando para os pés.

Em poucos segundos eu já estava me convencendo a comprar um biquíni com saída de praia curta transpassada e viseira combinando, mas minha atenção foi atraída pelo movimento no provador, que tinha o formato de uma cabana rústica. Pelo número de biquínis recusados e atendentes agitadas, uma cliente muito exigente estava lá dentro.

— Marla — disse uma vendedora carregada de roupas, olhando lá para dentro por cima da porta revestida de palha. — O Donna Karan não ficou totalmente absoluto em você?

— Totalmente absoluto! — concordou a voz sem corpo de Marla. — Mas meu busto ficou muito alto.

Muito alto? Todas nós, forasteiras, paramos de xeretar nas araras e nos viramos ao mesmo tempo, trocando olhares do tipo "como assim...?". O que será que ela queria dizer com "muito alto"? Muito grande?

Nos reagrupamos no meio da loja (até papai veio) e Helen foi até o provador-cabana só para dar uma olhada.

— Muito alto mesmo — confirmou ela, ao voltar. — Os peitos dela são tão levantados que os mamilos estão quase nos ombros. Um biquíni com alças de prender no pescoço é a sua única saída.

— Ahn, escutem... — murmurou papai, erguendo os olhos dos pés. — Acho melhor eu ir lá fora procurar um pub, para tomar uma cerveja e ler o jornal.

— Não existem pubs por aqui — disse Emily. — Só umas espeluncas de striptease.

— Não deixe nenhuma das garotas sentar no seu colo — aconselhou Anna. — Elas cobram para isso.

— Nada disso! — disse mamãe, com firmeza. — Vá procurar uma cafeteria, que é o melhor para você.

— Hoje é noite de sábado. Adoraria um pouco de glamour, meninas — suspirou mamãe. — Vocês não conhecem um lugar bom para nós irmos?

— Temos o Bilderberg Room — disse Emily, meio em dúvida, mas eu balancei a cabeça. Sabia onde levar mamãe. Senti que aquele era o tipo de lugar que ela adoraria conhecer desde a primeira (e única) vez em que estivera lá: o Four Seasons, de Beverly Hills.

Papai não quis ir.

— Não contem comigo, estou cansado de lugares esnobes. Quero ver esportes na tevê e comer amendoins.

— Ótimo, pode ficar em casa então; estamos pouco ligando.

Precisei da cera para crina de cavalo, senão não ia conseguir ajeitar o cabelo para ir ao Four Seasons, e tomei coragem para entrar no quarto de Emily, que parecia ter sido bombardeado, de tão bagunçado.

— Está na penteadeira — disse ela.

Mas a penteadeira estava entulhada de tralhas e, quando eu peguei o potinho da cera, desalojei um monte de fotos, que se espalharam pelo chão.

— Desculpe.

Enquanto as recolhia, vi que eram as fotos de uma festa à qual tínhamos ido um ano e meio antes, quando Emily fora à Irlanda. Na mesma hora fiquei interessada (adoro ver fotografias) e comecei a xeretar fotos de Emily e suas amigas em várias poses engraçadas. Uma dela piscando o olho, outra minha com ela dando beijinhos para a câmera. — Olhe o estado em que estávamos. — Mostrei-lhe a foto. — E pensamos que estávamos arrasando. Havia uma foto de Emily com Donna, Emily com Sinead. Uma outra minha, balançando uma garrafa de Smirnoff Ice, com as bochechas brilhantes e vermelhas, olhos satânicos muito vermelhos e absolutamente descontraída, outra minha, ligeiramente mais recatada, e então uma foto de Emily com um sujeito muito lindo. Tinha maçãs do rosto salientes, cabelos pretos muito brilhantes, meio caídos na testa, e sorria com jeito travesso para a câmera.

— Nossa, quem é esse cara? — perguntei, admirada. — Que gato!

— Rá-rá... — riu Emily, com o rosto impassível.

Antes de ela acabar de me zoar, eu reconheci o homem — é claro que eu o reconhecia — e comecei a tremer. Emily olhou para mim, preocupada.

— Você realmente não reconheceu quem ele era ou estava só brincando?

— Estava brincando — garanti. — É claro que eu sabia quem era. Era Garv.

Tive um certo receio de passar para a foto seguinte, porque desconfiei que sabia quem ia aparecer — e tinha razão: Garv e eu, com as cabeças encostadas, juntos e felizes. Por um momento, consegui me lembrar bem de como era aquela sensação.

— Vamos lá, então — disse eu, depois que o coração voltou ao normal. — Conserte meu cabelo.

* * *

Mamãe adorou o Four Seasons e passou os dedos pelas cortinas pregueadas, dizendo, com respeito:

— Aposto que esse tecido não é barato. — Em seguida, admirou o sofá. — Ele não tem uma tonalidade ma-ra-vi-lho-sa? — Então perguntou, admirada: — Será que estas estátuas são antiguidades verdadeiras?

— São bem velhas sim — garantiu Helen. — Não tanto quanto a senhora, obviamente, mas são bem velhas sim.

Quando o garçom chegou, Emily, Helen, Anna e eu pedimos Martínis Complicados e incentivamos mamãe a experimentar um.

— Será que eu devo? — perguntou ela, com os olhos brilhantes, cheios de ousadia. — Vamos lá, então. Deus é Pai! — Sua atenção foi subitamente desviada por dois seios enormes que acabavam de passar, grudados em um corpo de criança. — Ela tem o busto muito desenvolvido.

Talvez por ser sábado à noite, as garotas siliconadas estavam todas soltas pela rua, com força total.

— Isso mais parece um cabaré — comentou mamãe, depois que outro par de seios particularmente avantajados passou diante de nós. — Ainda bem que o seu pai não veio, porque provavelmente ia entortar o pescoço novamente.

— Olhem só aquela ali — disse Emily baixinho, apontando discretamente para uma mulher que usava óculos escuros IMENSOS.

Quem seria? Alguém famosa?

— Não, o estilo Jackie Onassis está fora de moda. Podem ter certeza de que ela fez plástica nos olhos. Sempre que virem alguém usando óculos escuros grandes em um lugar fechado, saibam que ele ou ela deu uma esticada nos olhos. Podemos pedir outro drinque?

Havíamos acabado de embarcar em nossa segunda rodada de Martínis Complicados quando, quase em frente a nós, vi alguém que reconheci na hora.

— Ai, meu Deus!

— O quê? Quem? — perguntou Emily.

— Olhe ali. — Cutuquei Emily. Em um sofá próximo, a não mais de quatro metros de nós, ela viu Mort Russell. Estava desacompanhado, lendo um roteiro de forma ostensiva, só para mostrar a todos que trabalhava "na indústria". Bundão. Ele nem reparara em nós.

— Quem é ele? — perguntaram ao mesmo tempo mamãe, Anna e Helen.

Talvez não devêssemos ter contado nada, porém, como eu disse, estávamos muito falantes depois de quase dois Martínis Complicados, então Emily e eu entregamos o jogo: relatamos a história da apresentação, o entusiamo exacerbado de Mort e seus acólitos, o papo de Cameron Diaz e Julia Roberts, a possibilidade de estrear em três mil salas em todo o país... e de como tudo aquilo não dera em nada.

— Mas por quê?

— Sei lá. Talvez ele estivesse falando sério, no dia.

— Ou talvez estivesse apenas sendo cruel, enchendo você de esperanças — ponderou Helen, pensativa, estreitando os olhos.

— Isso não são modos de um homem se comportar — reclamou mamãe. — E a sua pobre mãe comprou aquele vestido longo azul-marinho com lantejoulas, enganada por falsas expectativas. E o preço foi chocante. Embora ela tenha conseguido...

— ... Um desconto de quarenta por cento — terminamos a frase para ela, em coro

Emily tentou explicar à minha mãe que Mort Russell não tinha nada a ver com o vestido azul-marinho com lantejoulas da sra. O'Keeffe e que a culpa daquilo fora de outro executivo completamente diferente, mas não adiantou nada. Tudo o que interessava a mamãe era que a sra. O'Keeffe tinha sido induzida a comprar um vestido caríssimo para usar na estreia de um filme que, até agora, não virara realidade.

— Ela foi obrigada a usar o vestido na festa de Natal *e* depois teve que repeti-lo em um churrasco beneficente no Lions Club, só para ele não ficar guardado. E foi ela que cuidou das salsichas na churrasqueira! — lembrou mamãe, horrorizada. Com os lábios apertados, balançou a cabeça ao pensar na injustiça e na *indignidade* de tudo aquilo. — A pobrezinha ficou toda respingada de molho. Isso me dá vontade de ir até lá só para dizer poucas e boas àquele sujeito.

— Todas nós temos vontade de fazer isso.

Nós cinco ficamos olhando tão fixamente para Mort Russell que foi uma surpresa ele não ter sentido o ódio concentrado nele. Talvez já estivesse habituado. Ou talvez achasse que os nossos olhares eram de admiração.

— Querem saber de uma coisa? Vou até lá falar com ele!

Tentamos dissuadi-la.

— Não, mamãe, não faça isso. Só vai piorar as coisas para Emily.

— Como é que as coisas vão poder ficar pior para ela? — quis saber mamãe, com irrefutável lógica. — Ela já não perdeu o seu tempo? Não foi levada pelo jardim das falsas promessas para depois ser descartada? E não conseguiu que o roteiro fosse comprado por outro produtor?

Ela tinha razão.

— Escute, sra. Walsh — disse Emily, baixinho. — Só não o humilhe na frente de mais ninguém.

Virei minha cabeça de repente para Emily. Ela estava dando sinal verde para a minha mãe!

— Eles conseguem aguentar qualquer humilhação, contanto que nenhuma das pessoas a quem desejam impressionar saiba disso — explicou Emily a mamãe. — Tente descobrir o porquê de ele ter rejeitado o meu roteiro. E mais uma coisinha, sra. Walsh: se a senhora conseguir fazer com que ele chore, prometo recompensá-la.

— Combinado!

Sem mais delongas, ela se levantou e foi em direção a ele. Perplexas e empolgadas, a acompanhamos com os olhos.

— Foram os martínis — murmurou Anna. — Foi demais para ela, que está acostumada a dois copos de vinho aguado por mês.

Minha mãe não é uma mulher miúda e eu quase tive pena de Mort Russell no instante em que o velho machado de batalha irlandês desceu sobre ele, sedento de justiça.

— Sr. Russell? — Nós a vimos formar as palavras com os lábios.

Mort confirmou, embora sem se mostrar amigável. Em seguida, mamãe deve ter explicado quem era, porque Mort virou a cabeça para dar uma olhada em nós e, ao reconhecer Emily, a sua pele bronzeada ficou vários tons mais desbotada. Emily dedilhou o ar, dando um adeusinho que fingia sociabilidade, e então a reprimenda começou: a voz de mamãe foi se alterando e seu dedo em riste demonstrava a sua indignação.

— Ai, meu Deus — cochichei.

Acompanhamos toda a ação de perto, nossa ansiedade mesclada com alegria. O rosto de Mort se tornou sombrio e hostil. Tive a certeza de que aqueles produtores de Hollywood nunca precisavam lidar com as consequências de suas promessas vãs.

Dava para ouvir quase tudo que mamãe dizia.

— Há um termo exato para qualificar pessoas como o senhor — agitou-se ela —, é uma pena que ele só costume ser usado para mulheres... mas não importa! — Sem deixá-lo respirar, a esculhambação continuou: — Um bufão é o que o senhor é. Devia ter vergonha de si mesmo, por oferecer falsas esperanças à pobre moça daquele jeito. — Em seguida, contou-lhe tudo a respeito do vestido azul-marinho com lantejoulas da sra. O'Keeffe, sem mencionar que ele fora comprado com quarenta por cento de desconto.

Mort Russell murmurou alguma coisa e mamãe disse:

— Pois deveria estar mesmo! — E voltou.

— O que foi que ele disse? — quisemos todas saber, quando ela voltou. — Por que ele fez todas aquelas promessas e não as cumpriu?

— Ele é assim mesmo, foi o que explicou. Mas garantiu que estava muito arrependido e não vai tornar a fazer aquilo.

— Ele chorou?

— Seus olhos ficaram molhados.

Eu não acreditei nela, mas tudo bem.

— Acho que isso merece outra rodada de Martínis Complicados — anunciou Emily, alegremente.

CAPÍTULO 43

Eu já estava acordada quando a campainha tocou no domingo, às oito e meia da manhã. Quis atender, mas Emily foi andando na minha frente, enfiando as calças do pijama, reclamando de visitas tão cedo e perguntando:
— Por que é que nós duas já estamos acordadas?
— Preocupação? — sugeri.
— Consciência pesada?
Não respondi.
Mamãe e papai estavam à porta.
— Vamos à missa — anunciaram os dois, em um coro alegre. — Resolvemos passar aqui para ver se vocês não querem ir conosco.
Esperei que Emily inventasse uma desculpa elaborada, mas em vez disso ela levantou ainda mais as calças do pijama, até ficar parecendo um psicótico de quarenta e cinco anos que ainda mora com a mãe e usa calças com a cintura na altura do peito, para em seguida dizer:
— Missa? Por que não? Que tal essa ideia, Maggie?
Eu não ia à missa havia tanto tempo que nem lembrava quando tinha sido a última vez — acho que foi quando Claire se casou. Era uma cristã só em tempo ruim, e só rezava quando tinha medo ou queria algo desesperadamente. Emily era igualzinha. Pelo visto, nós duas estávamos com medo de alguma coisa (ou desejávamos algo desesperadamente). Nos vestimos, saímos pela manhã em tom de amarelo brilhante e caminhamos os quatro quarteirões até a igreja.
A missa em estilo LA não era como eu me lembrava, dos tempos da Irlanda. O padre, jovem e bonito, estava do lado de fora, cumprimentando as pessoas que chegavam, e a igreja, em uma temperatura

muito agradável, estava lotada de paroquianos atraentes e — ainda mais estranho — *jovens*. Enquanto nos espremíamos para sentar no banco comprido e muito polido, alguém falava "Testando... testando..." ao microfone do altar, e então uma mulher com uma voz esganiçada de louca fugida guinchou: "Muuuito bom-diiia! Bem-vindos à nossa celebração!"

Um sino soou em algum lugar e uma menina com cabelos brilhantes e sapatos de boneca entrou bem devagar pela nave da igreja, segurando uma Bíblia imensa acima da cabeça, como alguém prestes a executar um exorcismo. Acompanhando a sua entrada dramática, vinha o padre e um cortejo dos mais lindos coroinhas que eu jamais vira em toda a minha vida. Eles subiram os degraus de mármore e de repente pintou um clima de "o show vai começar!".

Havia alguém que não morava em Santa Mônica?, quis saber o padre. Ou alguém que estivera *longe*? O *longe* foi pronunciado de forma significativa e deu para perceber que o significado daquele *longe* não era geográfico. Alguém se levantou, todos começaram a aplaudir, e então várias outras pessoas também se levantaram, uma de cada vez.

— Atores desempregados — murmurou Emily. — Esta é a sua única oportunidade de receber aplausos.

Mamãe, que esticara o pescoço, mais parecendo uma naja, a fim de enxergar melhor as pessoas que se levantavam, virou-se para mim — pronta para reclamar por eu estar conversando na igreja, eu achei — e então sussurrou:

— Aquele último sujeito apareceu em um dos episódios de *21 Jump Street*, mas foi eliminado pela Máfia.

Mais algumas pessoas se levantaram e foram muito aplaudidas. Ao meu lado, mamãe começou a ficar agitada.

— Não — implorei. — Não!

— Somos visitantes, somos de fora, por que não? — perguntou ela, baixinho.

— Não! — repeti.

Porém, arrastando papai e a mim junto com ela, mamãe se levantou muito empertigada e sorriu para todos à sua volta.

— Somos da Irlanda — anunciou à congregação, querendo insinuar: *somos católicos DE VERDADE*.

Todos aplaudiram com vontade os supercatólicos da Irlanda e então eu tornei a me sentar, roxa de vergonha.

Em seguida, tivemos que nos virar para a pessoa à nossa direita e cumprimentá-la. Papai se virou para mamãe, mamãe se virou para mim, eu me virei para Emily e esta, que estava na ponta do banco, se recusou a olhar para o banco do outro lado.

Então a cerimônia começou. Minha mais clara lembrança das missas da Irlanda era a de um padre com cara sofrida dirigindo-se a uma igreja quase vazia: "Blá-blá-blá, pecadores; bla-blá-blá, almas negras de pecado; blá-blá-blá, vão arder no inferno...", mas aquilo ali parecia muito mais uma superprodução: *Missa, o Musical*. Tinha um monte de canções acompanhadas de leituras melodramáticas das Escrituras. Nunca se sabe quando vai aparecer algum produtor bambambã na plateia (desculpem, quis dizer congregação).

Eu me senti meio constrangida diante daquele fervor tão exacerbado. Emily e eu trocamos algumas cotoveladas e rimos muito, embora tentássemos prender o riso, como quando tínhamos nove anos de idade. O estado de espírito jubiloso e celebratório alcançou o ápice na hora do Pai-Nosso, quando as pessoas em cada banco deram as mãos umas às outras e cantaram. Emily sorria com ar convencido, deixando sua mão de última do banco dançando soltinha no ar. Mas seu risinho afetado lhe foi arrancado da cara no momento em que um sujeito vindo do banco no outro lado esticou a mão e agarrou a dela, puxando-a para fora do lugar, e a mim junto. Na fileira à minha frente um rapaz magro com um traseiro desproporcionalmente grande cantarolou a oração inteira com muita empolgação e os olhos grudados na namorada. Cheguei a sentir medo.

Em um determinado momento ("e não nos deixeis cair em tentação", se estou bem lembrada), tivemos que elevar nossas mãos unidas acima da cabeça. Não pude deixar de imaginar que se alguém colocasse uma câmera em um trilho suspenso acima da multidão e fizesse uma tomada panorâmica, obteria uma cena e tanto, digna de um musical de Busby Berkeley. Quem sabe...?

Assim que a mortificação do Pai-Nosso acabou, o padre pronunciou as palavras que me provocaram uma nova onda de pânico: "Vamos oferecer uns aos outros o sinal da paz." De repente eu me lembrei de que esse era o motivo principal de eu ter deixado de ir à missa. Era uma coisa horrível de se fazer com as pessoas, obrigá-las a demonstrar afeto a desconhecidos, especialmente em um domingo de manhã. Na Irlanda, fazíamos o mínimo necessário — trocávamos tapinhas, murmurando "a paz esteja com você", recusando-nos valentemente a olhar a pessoa nos olhos. Mas eu suspeitava que ali nós não íamos conseguir escapar assim tão fácil e, como temia, estávamos todos de repente praticamente fazendo sexo com as pessoas à nossa volta. Tinha gente que saía do seu banco e atravessava a nave da igreja com toda a confiança só para dar abraços apertados em quem estivesse distraído ali por perto. Foi horrível. Quase fiquei sufocada, esmagada de encontro ao ombro do rapaz com bunda grande que pouco antes cantara para a namorada.

Então, o padre nos convidou a baixar a cabeça, a fim de fazermos os nossos *pedidos pessoais*. Nesse instante, o ar de "estamos aqui só pela curtição" desapareceu na mesma hora da minha cara e da cara de Emily. Ela enterrou o rosto entre as mãos, e não é grande vantagem tentar adivinhar o que ela pedia. Quanto a mim? Eu sabia o que queria, mas tinha até medo de pedir.

O conforto que esperava conseguir indo à missa logo me abandonou e pelo resto do dia uma empolgação nervosa me fez vibrar por dentro. Quando os Cavanhaque Boys convidaram todo mundo para um churrasco à noite, na casa deles, tive que puxar Emily para um canto.

— Esse convite para o churrasco de logo mais... — disse eu, torcendo para os meus planos não darem errado — eu não vou poder ir. Sinto muito.

— Por quê? Você vai aonde? — Emily pareceu muito ligada, e assustada.

— Vou visitar Shay.

— Sozinha?

Assenti com a cabeça.

— Mas, Maggie, ele é casado! O que você está aprontando?

— Nada... quero apenas conversar com ele. Eu quero... — usei uma expressão que aprendera no programa da Oprah — ... virar essa página da minha vida.

Desesperada, Emily disse:

— Todas as mulheres têm ex-namorados, isso se chama *passado*. Não podemos sair por aí catando cada um deles, a fim de "virar essa página da nossa vida". Simplesmente temos que conviver com isso. Se você tivesse tido mais namorados quando era mais jovem, saberia disso tudo.

— Ele não é apenas um ex-namorado — disse eu. — Você sabe disso.

Ela concordou. Não havia como negar.

— Mesmo assim, acho que você não devia ir vê-lo — disse ela. — Não vai ajudar em nada.

— Isso a gente vê depois — rebati, e então fui para o meu quarto e experimentei várias vezes todas as roupas que tinha.

O Mondrian é um daqueles hotéis em que a pessoa fica tão ofuscada quanto se estivesse em um campo nevado em um dia de sol. Qualquer cor pode ser usada na decoração, desde que seja branco. O saguão estava cheio de homens lindos e bronzeados, todos de terno Armani, e olhem que aqueles eram só os funcionários. Ajudantes da cozinha, provavelmente. Abri caminho por entre eles até o balcão da recepção e pedi para ligarem para o quarto de Shay.

— Seu nome, por favor?

— Maggie... Maggie Walsh.

— Tenho uma mensagem para a senhora. — Ele me entregou um envelope.

Eu o abri. Era um pedaço de papel, com uma mensagem impressa por computador:

"Precisei sair. Desculpe. Shay."

Ele não estava lá. O safado. Minha expectativa nervosa se tornou rejeição vazia e eu fiquei tão decepcionada que senti vontade de chutar alguma coisa. Eu me produzira com capricho, me vestira com todo o cuidado, passara um monte de tempo tentando domar o meu cabelo, estava toda animada e esperançosa. Tudo aquilo por nada.

Também, o que você esperava dele?, perguntei a mim mesma, de forma amarga. O que esperava, depois do que aconteceu da outra vez?

Eu não levo jeito para ser má. Sou péssima nisso, na verdade. A única vez em que eu tentei roubar uma coisa em uma loja, fui pega. Na única vez em que eu armei tudo para Shay entrar escondido quando trabalhei como baby-sitter de Damien, fui pega. No dia em que fiz gazeta na escola para ir ao torneio de sinuca com papai, fui pega. Na vez em que atirei o caracol no Nissan Micra cheio de freiras, o carro parou, todas saltaram e me deram o maior esporro. Era de imaginar que tudo aquilo me ensinaria a não sair da linha. Mas eu não aprendi, e na única vez em que fiz sexo sem camisinha com Shay Delaney, fiquei grávida.

Bem, talvez aquela não tenha sido a única vez em que não usamos proteção; do jeito como vivíamos transando às pressas e de forma estabanada, deslizes e respingos deviam ter acontecido com certa regularidade mesmo. Mas houve uma ocasião específica em que nós não tínhamos uma camisinha à mão e não conseguimos nos segurar. Shay prometeu que ia tirar a tempo, mas não fez isso, e de algum modo fui eu que acabei consolando-o, garantindo que ficaríamos bem e não ia acontecer nada, como se o meu amor por ele fosse tão poderoso que conseguiria obrigar meu corpo a me obedecer.

Quando chegou o dia da minha menstruação e nada aconteceu, convenci a mim mesma de que o motivo era o estresse por causa dos estudos, pois estávamos a três meses das provas finais para eu completar o ensino médio. Em seguida, tentei convencer a mim mesma de que a minha menstruação não viria até eu parar de me preocupar com ela. Mas eu não conseguia afastar a encucação — a cada vinte minutos corria para o banheiro, a fim de verificar se ela tinha vindo, e analisava tudo o que me dava vontade de comer, para ver se podia ser classificado como "desejo". Mas que eu estivesse grávida era algo quase impensável.

Não consegui aguentar o sufoco de não ter certeza, precisava me certificar de que não estava grávida. Então, quando o atraso completou três semanas, fui até uma farmácia do centro da cidade e comprei — de forma anônima, eu esperava — um teste para gravidez, e quando a mãe de Shay saiu, fomos correndo fazer o teste no banheiro da família Delaney.

Ficamos de mãos dadas, os dois suando frio, observando o bastão com toda a atenção e torcendo para ele continuar branco, mas quando a pontinha foi ficando cor-de-rosa entrei em estado de choque. Aquele tipo de choque no qual as pessoas acabam tendo de ser internadas no hospital, tomando sedativos. Não conseguia falar nada, mal conseguia respirar, e, quando olhei para Shay, ele estava quase tão mal quanto eu. Parecíamos duas crianças assustadas. Minha testa ficou banhada de suor e eu comecei a enxergar uns pontos pretos meio borrados que atrapalhavam a minha visão.

— Eu aceito tudo o que você quiser fazer — disse Shay, meio sem expressão, e eu sabia que ele estava apenas representando um papel. Parecia petrificado, vendo a estrela brilhante que havia em seu futuro implodir. Ser pai aos dezoito anos? — Eu ficarei ao seu lado — disse ele, como se estivesse lendo um diálogo mal escrito.

— Acho que não posso ter esse bebê — ouvi a mim mesma dizer.

— Como assim? — Ele tentava esconder o alívio, mas seu rosto já se transformara.

— É que... eu não tenho condições de tê-lo.

A única coisa em que eu conseguia pensar era que isso não acontecia a garotas como eu. Sabia que gravidez não planejada acontecia com montes de mulheres, é claro que sabia. Tinha certeza de que a maioria delas ficava arrasada e preferia que não tivesse acontecido. Mas senti — como talvez todo mundo sinta — que, de algum modo, *comigo a sensação era pior*.

Desconfiava de que se alguém louca e irresponsável, como Claire, engravidasse aos dezessete anos, isso seria quase um fato já esperado e renderia apenas um suspiro e um balançar de cabeças no estilo "Puxa, Claire...".

Mas eu era a bem-comportada, o anjo da casa, o consolo dos meus pais, a única filha para a qual eles podiam olhar sem precisar perguntar: "Onde foi que nós erramos?" A ideia de ter de dar essa notícia à minha mãe era inimaginável. Quando pensei em contar isso ao meu pai, porém, estremeci por inteiro. Senti que isso poderia matá-lo.

Fui tomada de intenso pânico. Engravidar me pareceu uma das coisas mais assustadoras que poderiam acontecer a qualquer pessoa. Dentro dos limites do meu mundinho de classe média, então, não podia ser pior. Andei de um lado para outro com vontade de me lançar contra as paredes, como um animal enjaulado, sentindo-me despedaçada e cada vez mais presa da horrível percepção de que, não importa a decisão que eu tomasse, ela traria terríveis implicações que eu teria de suportar pelo resto da vida. Não havia saída, todas as opções eram pavorosas. Como eu poderia ter um filho e dar a criança para alguém? Ficaria arrasada só de imaginar o tempo todo como ele estava indo, se era feliz, se os pais adotivos tomavam conta dele direitinho e se a minha rejeição não o teria traumatizado. Mas morria de medo, também, de ter um bebê e mantê-lo. Como poderia cuidar dele? Era apenas uma estudante, sentia-me jovem demais e incapaz, imatura até para cuidar de mim mesma, quanto mais de um pedacinho de vida completamente indefeso. Como Shay, eu também achava que a minha vida ia acabar. Todos iam me julgar: os vizinhos, os colegas da escola, até meus parentes mais distantes. Falariam de mim com deboche, iriam rir da minha burrice e acabariam chegando à conclusão de que eu tivera o que merecia.

Quinze anos mais tarde, eu conseguia ver que nada daquilo teria sido um desastre tão absoluto. Tudo era superável. Eu poderia ter tido o bebê, cuidado dele, podia até mesmo ter construído uma carreira para mim mesma. É claro que meus pais não iam soltar fogos de alegria, mas acabariam por superar também. E o mais importante: iriam amá-lo, aquele que seria o seu primeiro neto. Na verdade, com o passar dos anos, vi pessoas passarem por coisas muito piores do que serem presenteadas com o bebê ilegítimo da filha bem-comportada. Keiron Boylan, um rapaz da nossa rua, pouco mais jovem do que eu, morreu em um acidente de moto quando tinha dezoito anos. Fui ao seu enterro e seus pais estavam irreconhecíveis. Seu pai estava, literalmente, transfigurado de dor.

LOS ANGELES

Mas naquela época, aos dezessete anos, eu não sabia de nada disso. Não tinha experiência de vida, não conseguia enfrentar as pessoas nem ir contra as suas expectativas. Não tinha capacidade de ser racional e estava tomada de um medo extremo que me fazia acordar de hora em hora à noite e transformava os meus dias em pesadelos reais.

Sonhava com bebês. Em um dos sonhos, tentava segurar um bebê no colo, mas ele parecia feito de chumbo, muito pesado para carregar, embora eu tentasse mesmo assim. Em outro, eu tinha o bebê, mas sua cabeça era de adulto e ele ficava o tempo todo falando comigo, desafiando-me e deixando-me exausta com a força de sua personalidade. Vivia com náuseas, mas nunca tinha certeza se eram provocadas pela gravidez ou pelo terror constante que a acompanhava.

Shay repetia o tempo todo, feito papagaio, que me daria apoio, não importava o que eu decidisse fazer, mas eu sabia muito bem o que ele queria que eu fizesse. O problema é que ele nunca dizia de forma objetiva, e embora eu não conseguisse explicar o sentimento através de palavras, odiava sentir que eu, e *apenas eu*, seria a responsável pela decisão terrível. Preferia que ele me falasse aos gritos que era melhor eu ir até a Inglaterra para resolver o assunto de vez a tê-lo em volta de mim, agindo de forma carinhosa e "madura". Embora ele parecesse um homem feito e fosse a figura masculina no lar dos Delaney, comecei a perceber que talvez ele *não fosse* tão maduro quanto aparentava e que tudo aquilo era encenação. E apesar de sermos inseparáveis, sentia-me estranhamente abandonada por ele.

Três dias depois do teste, contei tudo a Emily e Sinead, que ficaram absolutamente atônitas.

— Bem que eu desconfiei que havia algo errado com você — disse Emily, completamente pálida —, mas pensei que fosse preocupação por causa das provas.

As duas balançavam a cabeça o tempo todo, sussurrando "Puxa vida!" e "Eu não consigo acreditar nisso!", até eu ser obrigada a mandá-las fechar a matraca e me aconselhar algo de útil. Nenhuma das duas tentou me convencer a ter o bebê; ambas achavam que não tê-lo era a melhor opção, ou pelo menos a menos ruim. Seus olhos demonstravam pena e também alívio por aquilo não ter acontecido com elas, e mais uma vez torci para que tudo fosse um pesadelo do qual eu iria acordar a qualquer momento, tremendo, mas feliz por ter sido apenas imaginação.

Por fim, elas decidiram que o melhor a fazer era contar tudo a Claire, que já estava no último ano da faculdade, era uma grande defensora dos direitos das mulheres e reclamava sobre o quanto os padres eram descarados. Na verdade, ela costumava encher tanto os ouvidos das pessoas com aquela história de direito ao aborto que mamãe muitas vezes suspirava e dizia:

— Aquela ali é capaz de engravidar só para fazer um aborto e ter a chance de provar suas ideias.

Então, eu contei a Claire o que acontecera e ela ficou perplexa. Sob outras circunstâncias, sua reação teria sido até hilária, mas naquele momento ninguém achou nada engraçado. Claire começou a chorar, de verdade, e, como era de esperar, fui eu que acabei confortando-a.

— Isso é muito triste. — E continuava a chorar, inconsolável. — Você é tão novinha!

Por meio de uma assistente social, Claire conseguiu algumas informações para mim e para Shay e, com uma facilidade inesperada, tudo foi acertado. Um peso imenso foi tirado dos meus ombros — afinal, não teria mais que ter o bebê e sofrer as consequências —, mas um monte de novas e terríveis preocupações afloraram à superfície. Eu fora criada como católica, mas de algum modo conseguira evitar muitas das cargas de medo e culpa que acompanhavam a doutrina. Sempre achei que Deus devia ser um cara muito tolerante, decente, e a culpa de ter feito sexo com Shay até que não me martirizava tanto, porque eu raciocinava que Deus não nos teria dado apetite sexual se não quisesse que nós o usássemos. Já fazia muito tempo que eu não acreditava no inferno, mas de repente comecei a ter algumas dúvidas e reações que não reconheci como minhas.

— Será que eu vou fazer algo terrível? — perguntei a Claire, morrendo de medo da resposta. — Será que eu sou... uma assassina?

— Não — garantiu-me ela. — Isso ainda não é um bebê. É apenas um amontoado de células.

Agarrei-me àquela ideia com um certo desconforto, enquanto Shay e eu juntávamos o dinheiro para o procedimento. Para mim, até que essa parte não foi difícil, porque sempre fiz poupança, e para ele também não foi difícil, por conta do seu charme irresistível. Então, em uma sexta-feira de abril, à tarde (meus pais com a ideia de que eu ia passar o fim de semana com Emily para estudar), Shay e eu fomos para Londres.

Passagens de avião estavam completamente fora do nosso orçamento, então fomos de barca. Foi uma longa jornada — quatro horas de viagem marítima, mais seis de ônibus — e eu me sentei com as costas retas quase a viagem toda, convencida de que nunca mais conseguiria dormir. Em algum lugar perto de Birmingham, dei uma cochilada no ombro de Shay e só me lembro de acordar quando o ônibus já passava por um bairro cheio de prédios com revestimento de tijolinhos. Era primavera, as árvores estavam incrivelmente verdes e as tulipas já haviam florescido. Desde aquele dia, evito ir a Londres. Sempre que tenho que ir lá, revivo os sentimentos da primeira vez em que fui à cidade. Aqueles prédios com revestimento de tijolinhos existem em toda parte pela cidade: e eu sempre me pergunto: *Será que foram esses os prédios que eu vi?*

Voltei à consciência como se estivesse nadando de volta à superfície e me ouvi chorar. Um som que eu nunca emitira antes vinha do fundo das minhas entranhas. Zonza e ainda meio anestesiada, fiquei deitada quietinha e ouvi meu som interior. Logo aquilo ia acabar parando.

E quanto à dor? Havia dor? Prestei atenção e percebi que sim, sentia uma leve cólica, uma sensação de estar sendo esticada por dentro. Depois que acabasse de gemer, ia resolver o que fazer a respeito da dor. Ou talvez alguém resolvesse. Naquele hospital que não era um hospital, provavelmente uma enfermeira que não era enfermeira iria me ouvir e viria me acudir.

Mas ninguém apareceu. Quase sonhando, como se outra pessoa estivesse emitindo aqueles sons, fiquei deitada quietinha, ouvindo. Devo ter voltado a dormir e, quando tornei a acordar, estava em silêncio. Por incrível que pareça, me senti quase bem.

No sábado de tardinha, quando Shay me pegou e levou para o motel onde íamos passar a noite, ele estava imensamente carinhoso. Eu me sentia aliviada, embora ainda chorasse — o interessante é que só depois de tudo estar terminado e seguro é que eu me permiti chorar por causa do bebê. Por alguma razão, eu decidira que o bebê era um menino, e quando me perguntava em voz alta se ele teria sido parecido comigo ou com ele, Shay se mostrava muito desconfortável.

Partimos para a Irlanda no domingo de manhã e chegamos lá ao entardecer. Era inacreditável que menos de dois dias tivessem se passado desde que eu saíra dali e estava de volta ao meu quarto onde tudo parecia, de forma decepcionante e quase vergonhosa, normal. Minha escrivaninha estava entulhada de livros escolares que exigiam a minha imediata atenção. Aquele era o meu futuro, ele jamais saíra dali, tudo o que eu tinha a fazer era reembarcar nele. De imediato, na verdade naquela mesma noite, eu caí dentro e me lancei aos estudos, pois faltavam apenas seis semanas até as provas finais. Só que, nos dias que se seguiram, coisas estranhas começaram a acontecer. Eu ouvia bebês chorando em toda parte — até quando estava debaixo do chuveiro ou dentro do ônibus —, e quando a torneira era fechada ou o ônibus parava, o choramingo longínquo parava também.

Tentei contar isso a Shay, mas ele não queria saber dos detalhes.

— Esqueça isso — ele aconselhou. — Você se sente culpada, mas não deixe isso derrubá-la. Pense apenas nas provas, faltam só algumas semanas.

Então eu engoli a necessidade que tinha de falar do assunto, de tentar me convencer de que fizera a coisa certa, e em vez disso me forcei a encarar tantas horas de estudo quantas conseguisse; sempre que a urgência de falar sobre o nosso bebê se tornava insuportável, eu perguntava a Shay alguma coisa sobre *Hamlet* ou os primeiros

LOS ANGELES

poemas de Yeats, e ele me explicava tudo com a maior boa vontade, quase repetindo de cor a matéria dos livros.

Superei o período de animação suspensa típico da época dos exames e, de repente, estava livre. Acabara o ensino médio, era adulta e a minha vida estava pronta para começar. Enquanto aguardávamos as notas finais, Shay e eu ficávamos quase sempre juntos. Assistíamos a um monte de programas na tevê, e até mesmo nos dias mais quentes e convidativos, quando o sol forte fazia o sofá estofado em veludo cotelê e o tapete marrom parecerem ridículos, não saíamos de casa e ficávamos vendo tevê.

Nunca mais transamos.

No meio do verão, saíram os resultados das provas finais. Shay teve notas altíssimas e eu quase levei bomba. Na verdade, o meu desastre não foi assim tão dramático, mas é que eu queimara tanto as pestanas no fim do semestre que as expectativas de todo mundo com as minhas notas tinham sido muito elevadas. Meus pais ficaram confusos, mas na mesma hora decidiram que o motivo de meu fracasso era algo sem importância. Como poderiam imaginar que eu passara as seis últimas semanas antes dos exames sentada no meu quarto ouvindo choros de bebês imaginários por trás de alarmes e buzinas de carros?

As consequências do trauma se alongaram por muito tempo. Quase a partir do exato momento em que eu já não estava mais grávida, culpa e remorso chegaram e comecei a achar que ter tido o bebê não seria tão ruim. (Embora eu tivesse uma leve noção de que, se ainda estivesse grávida, estaria desejando não estar.)

As contradições me puxavam para os dois lados, como em um cabo de guerra emocional. Eu sentia que tinha todo o direito de fazer um aborto, mas continuava incomodada por uma terrível sensação de desconforto. Não importava o quanto a minha vida fosse sensata e limpa a partir dali, sabia que até morrer eu arrastaria aquele peso. Não conseguiria encontrar a descrição exata para aquilo: "pecado". Era uma palavra errada, porque pecar era violar as leis de outra pessoa. Uma parte de mim, porém, estaria sempre despedaçada e eu ficaria marcada para sempre como uma mulher que fez um aborto.

Sentia-me tão encurralada nessa irreversibilidade que pensei em me matar. Ainda bem que foi só por alguns segundos, mas por aquele curto período de tempo eu sinceramente quis morrer. Era como estar algemada a algo vergonhoso e doloroso para sempre. Diferente de perder pontos na carteira de motorista ou ser fichado na polícia por uma contravenção que caducava em cinco ou dez anos. Aquilo nunca teria conserto, porque era impossível de ser consertado.

E no entanto... eu também me sentia aliviada por não ter uma criança para criar. O que eu queria mesmo era não ter sido obrigada a tomar a decisão, para começo de conversa. E é claro que tudo aquilo era culpa minha, pois eu devia ter mantido as pernas fechadas, mas a vida não era assim — até eu sabia disso — e era fácil ser sábia depois do fato consumado.

De vez em quando, as organizações antiaborto desfilavam pelas ruas de Dublin, fazendo campanhas para tornar o aborto na Irlanda mais ilegal do que ele já era, carregando rosários e empunhando cartazes com fotos de fetos arrancados do útero. Eu tinha de desviar os olhos daquilo. Quando os ouvia condenando o aborto com tamanha veemência, tinha vontade de perguntar se algum deles já havia estado na minha situação. Aposto que não. Se tivessem estado, o seu compromisso com os elevados princípios morais ficaria abalado.

O que me incomodava mais eram os homens — homens protestando contra o aborto! Homens! O que eles sabiam, o que *poderiam* saber do terror que eu sentira? Eles não podiam engravidar. Mas nunca comentei nada disso em casa, porque não queria chamar a atenção para o problema. E — pelo menos quando eu estava por perto — Claire também nunca comentou nada.

No fim de setembro, Shay foi para Londres, a fim de começar o seu curso de comunicação social. Aquele sempre fora o seu sonho, embora as universidades irlandesas, na época, não oferecessem cursos tão interessantes.

— Isso não vai mudar nada — prometeu ele, ao se despedir de mim no porto, já entrando na barca. — Vou lhe escrever sempre, e vamos nos ver no Natal.

Mas ele nunca escreveu. Eu tinha uma leve premonição de que isso poderia acontecer — já começara a ter sonhos em que tentava apanhá-lo com as mãos mesmo antes de ele partir —, mas quando aconteceu de verdade, eu me recusei a acreditar. Olhava na caixa de correio todo santo dia, e então, depois de sete semanas de angustiante espera, recolhi meu orgulho e fiz uma visita à sua mãe, pedindo-lhe que mandasse uma carta para ele.

— Talvez eu esteja enviando para o endereço errado — disse eu. Mas ela verificou e o endereço era aquele mesmo. — A senhora tem notícias dele? — perguntei, e estremeci quando ela disse que tinha sim, é claro, e que ele estava ótimo.

Tornei a reunir minhas esperanças e as depositei na vinda dele, que aconteceria no Natal. A partir do dia 20 de dezembro, eu já me transformara em um poço de adrenalina, à espera do telefone ou da campainha, que podiam tocar a qualquer momento. Quando isso não aconteceu, comecei a passar diante da casa dele, rua abaixo, rua acima, tremendo de frio e nervoso, desesperada para dar uma olhada nele. Quando vi Fee, uma de suas irmãs, saindo de casa, eu a abordei e, com uma voz meio aguda e tentando parecer despreocupada, perguntei:

— Em que dia Shay vai chegar?

Parecendo confusa, ela me deu a notícia. Ele não ia passar o Natal em casa, pois conseguira um emprego nas férias.

— Pensei que você soubesse — disse ela.

— É que achei que mesmo assim ele fosse conseguir uns dois dias para passar em casa. — Minha humilhação me fez gaguejar.

Páscoa, pensei. Shay virá para casa na Páscoa. Mas ele não veio. Nem no verão seguinte. Esperei por ele muito tempo além, bem mais do que qualquer outra pessoa esperaria sem perder a fé.

Nesse meio-tempo, arranjei um emprego, onde fiz uma nova amizade, Donna. Assim como as minhas outras amigas, Sinead e Emily, ela badalava muito, sempre em busca de rapazes e diversão. Eu costumava sair com elas e, de tanto insistirem, se algum cara decente me convidava para sair eu aceitava, mas nunca passava daquilo. Um deles, um sujeito chamado Colm, me deu de presente um isqueiro com meu nome gravado, no meu aniversário, embora eu não fumasse. Depois disso, durante umas seis semanas, saí com um funcionário da Previdência Social. Ele vivia encontrando, nos pubs aonde me levava, os requerentes de seguro-desemprego que atendia; acabou me dispensando, porque eu não fui para a cama com ele. Depois, houve um outro rapaz muito bonito chamado Anton, que, apesar do nome, não era estrangeiro. Eu era mais alta do que ele uns sete centímetros e ele sempre me convidava a dar longas caminhadas. Com esse, para falar a verdade, eu fui para a cama, provavelmente, conforme suspeitei mais tarde, porque ficar na vertical ao seu lado me deixava muito embaraçada.

Por mais que tentasse, eu não conseguia gostar realmente de nenhum deles.

A correnteza da minha vida tentava me arrastar para a frente, mas eu resistia. Preferia o passado, ainda sem me convencer de que era aquilo que ele era: passado. Nunca poderia acreditar, ao me despedir de Shay na barca, que se passariam mais de quinze anos antes de reencontrá-lo.

CAPÍTULO 44

Vim dirigindo do Mondrian de volta até a casa de Emily. Grandes gargalhadas e um cheiro de queimado vinham do quintal dos Cavanhaque Boys. Ignorando aquilo tudo, deixei-me embalar pela casa misericordiosamente vazia e me larguei direto no sofá. Nem mesmo acendi as luzes, fiquei só ali, deitada no escuro, sentindo-me esmagada, sem alma, completamente perdida.

Enquanto o tempo passava, depois da partida de Shay para Londres, ocasionalmente sabia notícias dele: Shay passara o verão trabalhando em Cape Cod, já se formara, conseguira um emprego em Seattle. Em um determinado momento, compreendi que tudo estava acabado e que ele não ia mais voltar para mim. Tentei ao máximo me relacionar com outros homens que eu conhecia, mas não conseguia ir adiante. Então, uma noite, quando já estava com vinte e um anos, encontrei Garv por acaso, em um pub no centro da cidade. Fazia mais de três anos desde a última vez em que o vira. Como Shay, ele fora fazer faculdade em outra cidade — no caso dele, Edimburgo. Agora estava de volta, trabalhando em Dublin, e, enquanto trocávamos abobrinhas e detalhes autobiográficos, eu me senti tão culpada pela forma com que o havia tratado que mal conseguia olhar em sua direção. No meio do bate-papo, coloquei para fora um envergonhado pedido de desculpas e, para meu alívio, ele começou a rir.

— Está tudo bem, Maggie, não esquente. Tudo aconteceu há tanto tempo que parece que foi em outra vida.

Ele me pareceu tão bonito que pela primeira vez em muito, muito tempo eu senti um *interesse romântico*.

Foi uma grande surpresa me ver saindo novamente com ele, o mesmo namorado que eu tivera aos dezessete anos, o meu primeiro namorado. Estava achando divertida aquela novidade, bem como todo mundo à minha volta. De repente, porém, a história deixou de ter graça, no dia em que eu retirei o caracol do para-brisa e o atirei em um carro cheio de freiras que passava — porque naquele instante percebi que me apaixonara por ele.

Eu o amava tanto. Ele era um homem tão bom... Embora não tivesse o charme irresistível de Shay, ele me encantava do mesmo jeito. E eu o achava lindo. Ele não possuía o corpo musculoso de Shay, mas tinha uma beleza mais sutil, que me cativou por completo, a tal ponto que sempre que eu colocava os olhos nele sentia o sangue correr mais depressa. Seus olhos, seus cabelos sedosos, sua altura, as mãos grandes e o cheirinho que ele tinha, de roupa passada a ferro. Estava louca por ele. Acima de tudo, éramos companheiros — eu conseguia lhe contar tudo. Ele ouviu em prosa e verso tudo o que acontecera entre mim e Shay, e demonstrou o tempo todo ser incrivelmente solidário. Nunca ouvi uma insinuação de crítica ou julgamento saindo de sua boca.

— Eu não sou uma assassina que vai arder no inferno, sou? — perguntei, ansiosa.

— Claro que não! Além do mais, ninguém pode dizer que essa é uma decisão fácil.

Eu me sentia incrivelmente aliviada por ter encontrado um homem tão benevolente quanto Garv.

Mas teve gente que se mostrou meio estranha, quando ficamos noivos. Emily foi uma.

— Meu medo é que você esteja se casando com ele por ser mais seguro — disse ela.

— Eu pensei que você gostasse dele! — reclamei, magoada.

— Eu adoro Garv. O problema é que você ficou tão machucada por causa de Shay, e Garv é tão obviamente louco por você que... Escute, eu quero apenas que você tenha certeza. Simplesmente pense bem no assunto.

Prometi que ia pensar, mas nem fiz isso, pois sabia o que queria.

LOS ANGELES

Assim, nos casamos, mudamos para Chicago, voltamos a morar em Dublin, tivemos os coelhos, eu comecei a tentar engravidar, perdi o primeiro bebê, perdi o segundo bebê e vi o meu passado voltar para nos assombrar.

Durante muito tempo, eu era a única pessoa, dentre as mulheres que conhecia, que fizera um aborto. Então, quando eu estava com vinte e cinco anos, Donna fez um, e a irmã de Sinead também resolveu abortar, aos trinta e um anos. Em ambas as ocasiões, fui convocada para relatar como havia sido para mim, e lhes disse honestamente o que achava: era o corpo delas e elas tinham o direito de escolher. Aconselhei-as a não dar ouvidos aos "defensores da vida". Porém, alertei-as de que — se elas fossem um pouquinho parecidas comigo — não esperassem sair ilesas da experiência e deviam se preparar para a rebordosa. Descrevi todas as emoções, da culpa à curiosidade, do choque ao arrependimento, do ódio por si mesmas ao alívio profundo.

Embora eu me sentisse satisfeita por não ser mais a única a passar pela experiência, aqueles dois abortos trouxeram à tona lembranças enterradas, e foi quase como se eu estivesse passando por tudo de novo. Mas as coisas foram se acomodando e, na maior parte do tempo, eu convivia bem com a ideia de ser uma pessoa que fizera um aborto. À medida que os anos transcorriam, pensava cada vez menos no assunto. Exceto a cada aniversário do dia fatídico, quando então eu me sentia horrível, às vezes sem nem mesmo perceber por que, pelo menos de imediato. Então eu me lembrava da data e compreendia tudo, imaginando como seria o bebê agora, aos três anos, aos seis, aos oito, aos onze...

De qualquer modo, achei que o trauma do passado havia sido bem absorvido pelos anos — até a última visita ao dr. Collins, o dia do acerto de contas, quando eu tive de expressar diante dele a preocupação que andava me atormentando.

— Será que eu fico abortando porque... porque... eu prejudiquei meu organismo, há alguns anos?

— Prejudicou seu organismo como...?

— Fazendo uma operação?

— Que tipo de operação? Um aborto?

Sim — murmurei, chocada com a sua objetividade.

— É pouco provável. Muito pouco provável. Podemos pesquisar isso, se você quiser, mas não creio que seja o caso.

Mas eu não acreditei nele, sabia que Garv não acreditava também, e embora nunca tenhamos conversado a respeito, aquele foi o momento exato em que o nosso casamento desmoronou.

Algum tempo depois — não saberia dizer quanto — o telefone tocou, em meio à escuridão da sala da frente de Emily; eu não tinha a mínima intenção de atender. Deixei tocar, esperando a secretária eletrônica atender, mas alguém desligara o aparelho, e então, xingando muito, eu me arrastei até o telefone.

No segundo em que atendi, lembrei da proibição de Emily e rezei baixinho para não ser Larry, o Selvagem. Mas era Shay.

— Ahn... oi. — Ele pareceu surpreso. — Eu pensei que fosse falar com a secretária eletrônica.

— Em vez dela, vai falar comigo.

— Escute, sinto muito a respeito de hoje à noite. — Ele parecia tão arrependido que o gosto amargo em minha boca começou a se dissolver. — Foi um problema de trabalho, algo que pintou de repente.

— Você podia ter me telefonado para avisar.

— Era tarde demais — explicou ele, sem se alterar. — Você já devia ter saído.

— Você vai embora na terça-feira?

— Sim. Não vai dar mais para nos vermos.

— Mas temos amanhã. Ou amanhã à noite.

— Mas...

— Só por uma hora, no máximo.

Ele não disse nada e eu me vi prendendo a respiração.

— Tá legal — disse, por fim. — Amanhã à noite, então, à mesma hora.

Coloquei o fone de volta no gancho, me sentindo levemente melhor, e resolvi dar um pulinho na casa ao lado, para ver como ia o churrasco. Para minha grande satisfação, fui recebida como uma espécie de heroína nacional, como se eles não me vissem há anos, em vez de poucas horas. Então, percebi que eles deviam estar todos mamados; com os rostos vermelhos e falando muito alto, exibiam o tipo de bebedeira agressiva que se consegue ao tomar muita tequila de estômago vazio. A churrasqueira fumegante fora abandonada e alguns objetos carbonizados que deviam ter sido hambúrgueres jaziam sobre ela. Quando papai me puxou a um canto e perguntou se eu tinha uma barra de chocolate na bolsa, percebi que ninguém comera nada.

Troy e Helen estavam encolhidos sobre o sofá florido, parecendo muito íntimos; não havia sinal de Kirsty. Ou Troy não a levara ou ela se recusara a entrar na casa, alegando que o lugar era uma ameaça à sua saúde. Anna, Lara, Luis, Curtis e Emily estavam envolvidos em uma acalorada discussão, muito difícil de acompanhar, sobre as vantagens de um bom café da manhã, quando comparado a uma televisão. Eu até gostaria de ter entrado na conversa, mas estava funcionando em uma frequência tão diferente do resto deles (isto é, não estava à beira do coma alcoólico) que não ia adiantar nada participar do debate.

— Você consegue obter um bom suco de laranja no café da manhã — argumentou Lara, muito alterada. — Quando foi que a sua tevê lhe forneceu suco de laranja?

— Em compensação, você pode assistir aos *Simpsons* na tevê. Eu prefiro isso a qualquer torrada — retorquiu Curtis.

Dei uma volta pelo quintal e fui até mamãe e Ethan, mas eles estavam empenhados em uma discussão.

— Quem morreu pelos nossos pecados? — perguntou mamãe, com a voz esganiçada.

— Mas...

— Quem morreu pelos nossos pecados?

— Espere um pouco...

— Diga para mim, vamos, diga logo! Quem morreu pelos nossos pecados? Simplesmente pronuncie o nome Dele. — Era como estar em uma sala de interrogatório. — Diga o nome Dele, por favor!

Ethan baixou a cabeça e murmurou:

— Jesus.

— Quem? Fale mais alto, não consigo ouvi-lo.

— Jesus! — respondeu Ethan mais alto, com voz zangada.

— Isso mesmo, Jesus. — Mamãe só faltou estalar os lábios de satisfação. — E quanto a você, morreu pelos pecados de alguém? E então, morreu...?

— Não, mas...

— Então você acha que pode se apresentar por aí como o novo Messias, acha?

Depois de uma pausa, Ethan admitiu:

— Não, imagino que não.

— E imaginou certo. Continue a sua faculdade de informática, como um bom rapaz, e deixe de blasfêmias, se não se importa. — Então virou-se para mim com toda a força da sua personalidade e disparou: — Onde está Shay?

— Trabalhando.

— Ah, que droga! — reagiu ela, irritada, afastando-se dali.

Fui até onde os outros estavam, me sentei perto deles e então todos notaram que Troy e Helen haviam desaparecido.

— Para onde é que eles foram? — Emily me apertou o braço com força.

— Sei lá. Sumiram, ao que parece.

— Sumiram — gemeu Emily, colocando a mão na boca. — Sumiram! Ele vai se apaixonar por ela. — Seu rosto se contorceu com lágrimas provocadas pelo porre, e de repente ela estava fungando e tossindo de tanto chorar. Como não parou de chorar nos cinco minutos que se seguiram, eu disse:

— Venha comigo. Vou levar você embora. — Foi o que eu fiz, amparando o seu corpo quase dobrado de tanto soluçar até em casa.

— Eu só estou muito cansada — disse ela, o tempo todo. — Tenho trabalhado demais e estou muito cansada.

Coloquei-a na cama, mas antes de conseguir apagar a luz, ela me disse:

— Espere, Maggie, eu quero falar com você.

— Que foi? — perguntei, na defensiva. Ela ia me encher os ouvidos novamente por causa de Shay Delaney e eu não estava a fim de ouvir.

— Vou pedir a Lou que se case comigo e seja o pai dos meus filhos.

— Ahn?... Ah... Por quê?

— Porque nunca mais quero vê-lo novamente.

CAPÍTULO 45

Conchita ia aparecer na manhã da segunda-feira para fazer a faxina quinzenal e, por isso, assim que acordei, eu comecei a limpar tudo correndo. Então ela telefonou avisando que estava doente e não podia ir trabalhar, e eu na mesma hora abandonei a limpeza. Só que recomecei a limpar tudo uma hora depois, levada pelo tédio. Emily continuava dormindo pesadamente e não houve visitas nem telefonemas de ninguém da minha família. Assim, quando alguém bateu, ao meio-dia e dez, abri a porta com tanta força que quase a arranquei das dobradiças, para vocês verem a alegria que eu senti por ter companhia. Era Anna.

— Entre, entre — convidei. — Fale logo, Helen já voltou para casa?

— Já, faz uma meia hora.

— Minha nossa, ela deve ter dormido com Troy.

— Dormiu mesmo. Você se importa?

— Eu não, nem um pouco. — Embora, obviamente, Emily se importasse, o que será que estava acontecendo? — Sente um pouco — ofereci o sofá a Anna. — O que foi que Helen contou sobre a noite?

— Ele a amarrou na cama. Foi sensacional. Ahn, escute, eu gostaria de falar com você a respeito de uma coisa.

— Ah. — Tive um mau pressentimento.

— Você vai ter que me prometer que não vai me matar.

— Eu prometo. — Claro que não queria prometer, só disse aquilo para ela colocar pra fora o que tinha para contar.

— Consegui um emprego.

— E...?

— Em Dublin
— Bom para você.
— Na firma de Garv.

Ah, então era isso.

— Tudo bem, Dublin é uma cidade pequena, coincidências acontecem.

— Não foi coincidência — disse ela, baixinho. — Foi ele que me arranjou o emprego.

— *O quê?* Quando?

— Depois que eu bati com o seu carro. Desculpe, desculpe, desculpe!... É que eu não consegui achar nenhum documento da seguradora no seu quarto, então telefonei para Garv e ele me disse para ir pegar a papelada com ele. — Olhou para mim com ar questionador. — Ele me perguntou como eu estava, depois da separação de Shane, e eu lhe contei como me sentia péssima, como me achava abandonada por todos e ele foi muito legal comigo, muito mesmo.

— Ah, foi?... — reagi eu, entre dentes. Quer dizer que Garv conseguira parar de trepar com a mulher-trufa durante alguns minutos para ser simpático com Anna?

— Foi muito legal, mesmo. Ele me disse que se eu estivesse a fim de um emprego decente, tentaria me ajudar. Não foi manipulador, nem nada desse tipo, eu juro. Aliás, você o conhece e sabe que ele não é assim. Estava apenas sendo gente fina. Então eu cortei o cabelo e ele me conseguiu uma entrevista.

— Que sujeito legal, não? — resmunguei. De repente eu me senti muito amarga.

— É mesmo — concordou ela, baixinho. — Ele foi muito legal. Então, eles me ofereceram um emprego no setor de correspondência da firma.

O fato de Garv estar sendo tão gentil com alguém da minha família e me chifrando ao mesmo tempo me deixou subitamente furiosa. Esperei os maus sentimentos se dissiparem, antes de falar.

— Parabéns!

— Obrigada — disse ela, com dignidade. — E desculpe.

— Que nada, está tudo bem — afirmei eu, enquanto o restinho da raiva venenosa acabava de se dissipar. — Agora, se você realmen-

LOS ANGELES

te está tão sentida assim, tem uma coisa que você poderia fazer por mim.

— O que é?

— Confessar se sente atração por Ethan.

Ela pensou um pouco.

— Mais ou menos. Mas não vou correr atrás disso não. Ele é muito jovem e meio excêntrico. Não haveria futuro em uma relação assim.

— Mas isso nunca impediu você de embarcar nessa canoa.

— Eu sei. Bem... Estou diferente agora.

— Minha nossa!

— As pessoas podem mudar, sabia? — afirmou Anna, com um tom de desafio pouco comum nela.

— Será que eu escutei direito? — Emily surgiu do quarto, com o rímel meio esfarelado nas pestanas e os cabelos parecendo uma juba. — Ela gosta de Ethan? Puxa vida, essa é demais pra mim. — Depois de circular a esmo pela sala, seguiu para a cozinha e ficou fazendo uma barulhada com as coisas, enquanto resmungava frases do tipo: "Elas invadem a nossa praia!" Bang! "Ficam com os nossos EMPREGOS!" Bang! "Roubam os nossos HOMENS!" Bang! Então, teve um violento acesso de tosse e deu uma tragada violenta no cigarro. — Ainda bem que eu não vou ficar viva por muito tempo, graças a Deus.

Antes de tentar entender o seu mau humor — que eu tinha quase certeza de que tinha a ver com Troy —, mamãe e Helen chegaram. Eu estava louca para perguntar a Helen todos os detalhes da noite com Troy, mas não podia fazê-lo com mamãe ali. Em vez disso, fiquei fazendo ruídos de solidariedade, enquanto todas comparavam os respectivos sintomas de ressaca.

O clima estava tenso. Emily fumava um cigarro atrás do outro e falava muito pouco, lançando olhares fulminantes para Helen de vez em quando.

— Muito bem — disse ela por mim, dando um suspiro longo e se levantando do sofá. — Vou ligar para Lou.

— Vai realmente dizer a ele que quer que vocês se casem para você ser a mãe dos filhos dele?

— Vou — garantiu ela. — Se isso não o afugentar, não há mais nada que o faça.

Foi para o quarto e fechou a porta com muita força.

— Qual é o problema dela? — reclamou Helen. — Que mulher mal-humorada! Caramba!... — Subitamente, ela pareceu se lembrar de alguma coisa. — Você nunca vai adivinhar quem é que telefonou para você ontem à noite, Maggie.

— Quem?

— Aquele merda. O perturbado mental. O bundão do ano. — Diante do meu olhar questionador, ela guinchou: — *Garv!* Vai querer que eu soletre, para você saber quem é?

— Garv ligou?... Para cá? — Sabia que a pergunta era idiota, mas não pude evitar.

— Sim. Disse a ele que você havia saído com o gostosão do Shay Delaney. Embora eu não o considere um gostosão, é claro, mas Garv não precisa saber disso. Ele me pareceu ficar muito pau da vida — contou ela, visivelmente satisfeita. — Eram três da manhã na Irlanda. Ele devia estar com insônia. Achei ótimo!

— Por que você atendeu o telefone? Emily não avisou que nós não estávamos atendendo?

— Por isso mesmo é que eu resolvi atender — disse ela, parecendo arrependida.

Emily saiu do quarto.

— E então...? — perguntei a Emily, querendo saber de Lou.

— Ele disse que sim — respondeu ela, com a voz fraca. — E agora, o que vou fazer?!

— No meu tempo — informou mamãe —, se uma pessoa desmanchasse um compromisso de noivado poderia ser processada por quebra de palavra empenhada.

— Puxa, muito obrigada!

A sala estava tensa com tanta hostilidade reprimida, e quando mamãe decidiu ir ao banheiro, tudo explodiu em uma discussão de verdade. De repente, Helen e Emily estavam quase se pegando no tapa, trocando farpas magoadas por causa de Troy.

— Se você gosta tanto assim do cara, por que não vai à luta? — debochou Helen. — Quem não avisa que é dona não tem direito de reclamar quando alguém se apossa da mercadoria.

LOS ANGELES

— Agora é tarde demais — murmurou Emily. — Agora ele já conheceu você.

— Não seja idiota, eu vou voltar para a Irlanda daqui a uma semana.

— Aposto que você vai decidir ficar aqui por causa dele.

Helen caiu na gargalhada.

— Você só pode estar brincando! Vou voltar para a minha terra e abrir uma agência de detetives. Por que me daria ao trabalho de ficar aqui?

— Por causa de Troy.

— Ele não é tão especial assim.

— Emily — eu fui obrigada a interromper —, por que você está assim tão preocupada com Troy? Você é apenas amiga dele. Não é?

Ela encolheu os ombros, permaneceu calada e eu tive a minha resposta: Emily estava apaixonada por ele. Eu já suspeitara disso na véspera, e agora tinha certeza.

Morri de vergonha; andava tão voltada para o próprio umbigo que não vi o que estava bem debaixo do meu nariz. Como tinha sido burra! Pior, como tinha sido egoísta!

— Puxa, Emily, por que você não disse isso antes? — reclamei. — Se nós soubéssemos, não teríamos dormido com ele.

- Eu não dormi — disse Anna.

— Então, aproveite a chance — disse Helen.

Mamãe saíra do banheiro, mas a conversa estava agitada demais para morrer de repente. Ela percebeu na mesma hora.

— Perdi alguma coisa interessante? — quis saber ela.

Todas ficaram em um silêncio sepulcral.

— Margaret! — exigiu ela. — O que está acontecendo?

— Ahn... Humm...

— Estamos falando de Troy — explicou Helen. — Emily é louca por ele.

— E ele é louco por ela — disse mamãe. — Qual é o problema?

— Não, sua velha cegueta — disse Helen. — Ele é louco *por mim*.

— Troy? — confirmou mamãe. — O rapaz narigudo? É desse que vocês estão falando? Pois então é isso mesmo, ele é louco por Emily.

— Nada disso! — reagiu Helen. — Só porque aquele bando de malucos da casa ao lado acha que a senhora é uma espécie de guru sábia, isso não quer dizer que a senhora realmente seja.

— Helen, você é apenas uma diversão para o rapaz. Ainda por cima, ele deve achar que não faz mal colocar um pouco de ciúme em Emily.

— Mas...

— Estou certa, Emily? — perguntou mamãe. — Ele não está de olho em você?

— Bem, uma vez ele me disse que sim — confirmou ela, e então, com um jeito tímido, foi em frente. — Ele disse que estava apaixonado por mim.

— Quando?

— Faz mais ou menos um ano.

— E você já era louca por ele nessa época?

— Sim, provavelmente.

— Então me diga — exigiu mamãe, exasperada —, em nome de DEUS: o que a impediu de ficar com ele?

— Ele é muito ligado no trabalho — murmurou Emily. — Eu sempre ficaria em segundo plano. Achei que poderia não dar certo, e depois não conseguiríamos mais nem mesmo ser amigos.

— E agora?

— Mudei de ideia — murmurou, meio relutante e baixando a cabeça.

— E nesse meio-tempo ele começou a "ficar"... é essa a expressão certa?... com todas as suas amigas?

— Sim, com exceção de Lara.

— E por que não com Lara?

— Qualquer hora eu lhe conto.

— E você tinha ciúme dessas outras garotas? — perguntei.

— É claro.

Fechei os olhos com a lembrança do rosto de Emily quando ela soube que eu dormira com Troy e de suas convulsões de riso quando perguntei se algum dia havia acontecido algo entre eles. Nossa, tudo aquilo devia ter sido horrível para ela.

LOS ANGELES

— Eu não me importava muito — continuou ela —, porque sabia que ele gostava mais de mim do que de qualquer uma delas e que o seu trabalho continuava a ser o seu grande amor. Mas... mas... fiquei preocupada quando ele conheceu Helen.

— Pois não se sinta mais assim — disse Helen, de um jeito não exatamente agradável. — Pode ficar com ele.

— Talvez ele já não me queira mais.

— Só há um jeito de descobrir — disse mamãe.

— A senhora está me aconselhando a ligar para ele e perguntar?

— É claro que não, que absurdo! — Mamãe pareceu indignada. — Eu nunca liguei para homem nenhum para dizer que estava a fim dele, e olhe que eu tive um bocado de admiradores. Não, nada disso... flerte com ele, coloque um perfume, prepare o prato predileto dele...

— Ligue para ele e pergunte! — aconselhamos a uma só voz, Helen, Anna e eu.

— Certo — concordou Emily, pensativa, acendendo outro cigarro. — Vou ligar. — Pegando o telefone e o cinzeiro, foi para o quarto, fechou a porta e dez minutos depois tornou a sair. Estava toda arrumada, maquiada e parecia bem mais feliz. — Vou sair para me encontrar com ele — informou.

— Faça-se de difícil — aconselhou mamãe.

— E seja bem feminina — atalhei.

— Você é que devia ser feminina, Maggie — disse Helen, com ar malicioso.

Mamãe me lançou um olhar desconfiado.

— E agora, o que vamos fazer, sozinhas aqui nesta casa? — perguntou mamãe, quando o prédio de apartamentos de Emily já virara a curva, cantando pneus. — Alguém aí conte uma piada.

Estávamos todas muito fragilizadas para aguentar fazer qualquer coisa. Helen contou uma piada; Anna contou outra, mas se atrapalhou no final; eu consegui algumas gargalhadas fazendo a minha franja ficar em ângulo reto, e então alguém bateu à porta.

— Devem ser os Cavanhaque Boys — disse eu. — Vieram pedir desculpas por não terem oferecido comida nenhuma ontem à noite, no churrasco.

Abri a porta e ali, parado do lado de fora, estava alguém que eu reconheci, mas que não pertencia àquele lugar. Garv.

Fiquei totalmente sem palavras.

— Olá — disse ele.

— Mas que diabos você está fazendo aqui? — perguntei.

— Você me disse que se não estivesse de volta à Irlanda em um mês eu poderia vir buscá-la. Já faz um mês.

Fazia na verdade quatro semanas, não um mês completo, e eu sabia que a verdadeira razão de ele ter ido lá foi descobrir, por intermédio de Helen, que eu saíra com Shay Delaney. Que cara de pau a dele, depois do que aprontara com a mulher-trufa.

Ele estava com a aparência de um daqueles caras que naufragam e ficam presos em uma ilha deserta por algum tempo. Seu cabelo estava mais comprido do que eu jamais vira, com pontas soltas para fora, em tufos, barba de três dias por fazer cobrindo o queixo e os maxilares e, apesar do sol intenso, os olhos muito azuis — pelo menos as partes que não estavam injetadas de vermelho. Seu jeans e a camiseta estavam muito amarrotados, como se ele tivesse dormido vestido, e se acabara de descer de um avião, vindo da Irlanda, imagino que era exatamente o que havia acontecido.

— Quem é? — perguntou Helen.

— O adúltero — ouvi mamãe dizer.

— Antes que elas comecem a me apedrejar — pediu Garv —, nós podemos conversar?

— Tudo bem — disse eu, com ar cansado. — Vamos dar uma volta na praia.

CAPÍTULO 46

Sentia tanta vontade de sair para conversar com Garv quanto de repetir a experiência de quando eu tinha dezesseis anos e fui obrigada a retirar centenas de caquinhos de vidro do joelho em carne viva. Mesmo assim, conseguimos manter um ar de cordialidade, conversando amenidades enquanto caminhávamos os seis quarteirões até a praia.

— Você cortou o cabelo — disse ele. — Ficou muito bom.

— Ah, você detestou, pode confessar.

— Não, eu gostei. Está muito... estiloso. Especialmente a franja.

— Ai, por favor, nem mencione a franja. Você tem onde ficar?

— Sim, é pertinho daqui. Liguei para a mãe de Emily e ela recomendou um lugar onde costuma ficar...

— O Ocean View — interrompi. — Minha família está hospedada lá também.

— Puxa... Então é melhor eu tomar o café da manhã no quarto, para eles não me atirarem ovos podres no restaurante do hotel.

— É, talvez seja melhor. Agora, me conte por que você simplesmente não telefonou, em vez de vir até aqui.

— Mas eu telefonei sim, um monte de vezes, mas sempre quem atendia era a secretária eletrônica e eu achei estranho deixar um recado...

— Ah, então você é o tarado que anda atrás de Emily.

— Sou? Nossa, tenho dupla personalidade e nem desconfiava disso. Bem, a verdade é que certas coisas precisam ser ditas cara a cara.

Até aquele momento eu imaginava que Garv aparecera ali como resposta à notícia que Helen lhe dera, de que eu saíra com Shay

Delaney. De repente, comecei a me perguntar o que Garv queria me dizer de tão importante que merecesse uma visita pessoal. Será que ainda havia algum problema pendente entre nós? Sim, na verdade talvez houvesse: sua namorada podia estar grávida. Só de pensar naquilo fiquei tão chocada que, ao descer da calçada para a areia, quase tropecei.

— Você continua saindo com aquela garota? — perguntei.

Justiça seja feita, ele não arregalou os olhos e perguntou "Que garota?!...". Simplesmente ficou calado por um momento, obviamente pensando no que dizer, e então suspirou.

— Não, não estou mais saindo com ela.

Alívio foi a primeira coisa que eu senti, mas logo em seguida uma onda de ciúme me assaltou. Então era verdade. Verdade verdadeira. Esqueci na mesma hora os dois deslizes que cometera nas últimas semanas e me senti vazia e traída. Uma sensação de irrealidade me envolveu.

— Quem era ela?
— Uma garota do trabalho.
— Qual o nome dela?
— Karen.
— Karen de quê?
— Parsons.

Levada por uma obsessão autodestrutiva, subitamente eu queria saber tudo a respeito dela. Como era a sua aparência? Ela era mais nova do que eu? Onde haviam transado? Quantas vezes? Que tipo de roupa íntima ela usava?

— Foi um namoro sério? — perguntei, simplesmente.

— Não, nem um pouco. Durou pouquíssimo tempo. — Cada palavra dele me atingia como um dardo.

— Você dormiu com ela? — Desesperadamente, torci para ele dizer que não, que eles haviam ficado o tempo todo de mãos dadas, só flertando. Porém, depois de um silêncio tenso, durante o qual eu fiquei prendendo a respiração, ele disse:

— Dormi, duas vezes. Desculpe, eu sinto muito. Preferia que não tivesse acontecido, mas eu estava fora do meu normal.

— E por que você estava assim? — perguntei, muito séria, com a bile do ciúme me corroendo o estômago.

— Eu estava muito deprimido. Eles eram meus bebês também, mas ninguém estava interessado no que eu sentia. Sei que foi mais difícil para você, mas foi terrível para mim também. Depois, você e eu deixamos de nos falar, a solidão ficou insuportável, e então — sua voz baixou tanto que eu quase não conseguia ouvi-lo —, quando não consegui mais manter uma simples ereção para transar com você, me senti um fracasso total.

— Mas com ela deve ter conseguido, aposto... Com a sirigaita! E agora, olhe só no que você me transformou — gritei. — Em uma mulher que usa palavras como "sirigaita".

— Desculpe — sussurrou ele.

— Quando é que o caso começou?

— Só depois que você foi embora... isto é, veio para LA.

Eu ri da resposta, com cara de deboche.

— Eu sei que já rolava alguma coisa antes disso.

— Não, nós éramos apenas... amigos. Juro por Deus.

— "Apenas amigos." Consigo até imaginar vocês dois flertando e dividindo trufas. Você não precisa dormir com alguém para ser infiel, sabia? Dá para ser infiel só com as emoções.

Ele baixou a cabeça.

— Essa foi a primeira vez que você me traiu?

— É claro! — Ele pareceu chocado.

— Foi a sua única sirigaita?

— Sim, ela foi minha única sirigaita.

— E já foi demais!

— Eu sei, eu sei. Preferia que nada disso tivesse acontecido. Daria o meu braço esquerdo para voltar atrás no tempo e mudar as coisas — murmurou ele, parecendo abalado.

— Você acha que a culpa foi minha, não acha? Por eu ter perdido os dois bebês?

— Como?! Ora, você não teve culpa nenhuma.

— Tive sim. Talvez eu... talvez eu tenha... prejudicado o meu organismo... quando fiz aquele aborto aos dezessete anos. Naquele dia, no consultório do dr. Collins, eu percebi que você achou que a culpa era minha. Pode confessar, porque eu também me culpei.

— Eu não achei que a culpa fosse sua. Você é que ficou revoltada comigo.

— Não fiquei não.

— Mas achou que eu forcei a barra para que você tentasse engravidar. E se nós não tivéssemos tentado, não teríamos sofrido tanto quando perdemos os bebês.

Apertei os lábios com força, sem querer admitir nada, mas a verdade foi mais forte do que eu.

— Tudo bem, fiquei revoltada com você sim. — Ainda estava. Furiosa, na verdade, conforme acabara de descobrir. Nosso casamento tinha sido ótimo até mexermos naquela casa de marimbondos. — Além do mais, não fui eu que tive um caso — reclamei, cheia de amargura.

— Não, simplesmente veio para Los Angeles, atrás de Shay Delaney.

— O que...? Não fiz nada disso! — protestei, quase gaguejando.

— Pois fez sim! Você poderia ir para Londres, ficar com Claire, ou para Nova York, para a casa de Rachel, ou podia ter ficado em Dublin mesmo, mas veio para Los Angeles.

— Por causa de Emily.

— *Não foi* por causa de Emily. Ou pelo menos não foi *apenas* por causa de Emily. Apareceram algumas notícias nos jornais sobre a Dark Star Produções e o trabalho que eles estavam fazendo em Hollywood. Você certamente imaginou que ele devia estar aqui. Eu fui honesto com você, por que você não pode ser honesta comigo?

Começamos a caminhar, envoltos por um silêncio zangado. Que cara de pau a dele, tentar jogar a culpa do caso que *ele* arrumara em *mim*. Em algum lugar no fundo do meu cérebro, um pensamento começou a tomar forma e nadar por conta própria, tentando subir à tona. Antes que isso acontecesse, me virei para Garv.

— Por que você ainda odeia Shay Delaney tanto assim?

Ele parou, sentou em uma pedra, apoiou a cabeça sobre as mãos em concha, respirou fundo umas duas vezes e então olhou para cima.

— Será que isso não é óbvio para você?

— Não. Conte-me o motivo.

— Pois bem, vou contar. Você é a pessoa mais importante do mundo para mim, e Shay Delaney tratou você como um monte de estrume. Quando você me contou a história do aborto que fez e tudo o mais, fiquei com vontade de matá-lo. Então, nós nos casamos e ficou tudo bem enquanto moramos em Chicago, mas depois que voltamos para Dublin... toda vez que o nome de Shay Delaney era mencionado em alguma conversa, você ficava branca.

É mesmo?, pensei comigo mesma. Nunca imaginei que o efeito dele sobre mim fosse tão evidente.

— Sim, é mesmo! — Garv confirmou a minha dúvida não verbalizada. — E sempre que passávamos pela casa da mãe dele, você se virava e olhava.

É mesmo? Também não percebera isso. Bem, agora que ele havia tocado no assunto, talvez eu fizesse isso, às vezes. Não sempre, só às vezes.

— Eu costumava dar a maior volta com o carro, só para não passar na porta da casa dele. Sentia que nunca iríamos conseguir nos livrar do filho da mãe. Por favor, pare por um minuto e tente imaginar como é que você se sentiria se a situação fosse oposta, se toda vez que uma antiga namorada minha fosse mencionada, uma garota por quem eu largara você antes, eu ficasse esquisito. Você não ia gostar disso, ia?

— Pare de tentar colocar a culpa em mim.

— Pois bem... Saíram aquelas notícias nos jornais sobre a Dark Star Produções, quatro dias depois você me abandonou e, quando me procurou de novo, foi para avisar que estava de malas prontas e ia para Los Angeles.

— Eu não saí de casa por ter lido notícia nenhuma a respeito da Dark Star Produções — rebati, furiosa. — Saí de casa porque você estava tendo a porra de um CASO Além do mais, você nem tentou me impedir de ir embora...

— Pois estou fazendo isso agora — disse ele, com ar sombrio.

— A única coisa que você me disse naquela hora foi que pagaria a prestação da casa, e depois ainda me ajudou a FAZER AS MALAS, pelo amor de Deus.

— Mas eu tentei impedir você sim. Fiquei tentando falar com você durante vários dias, mas você me ignorava ou chegava em casa bêbada demais para ouvir alguma coisa. No dia em que você foi embora, eu já estava sem forças para lutar, e sabia que você ia me largar, de qualquer jeito.

— E por que chegou a essa conclusão?

— Percebi que as coisas estavam em situação desesperadora há algum tempo. Você nem falava mais comigo.

— *Você* é que não falava *comigo*! A culpa foi sua.

— Eu tinha esperança de que pudéssemos superar tudo. Será que não podemos simplesmente reconhecer que nenhum dos dois agiu corretamente e...

— Fale por si mesmo. Eu não fiz nada de errado. — Estava tremendo de raiva. — Deixe-me ver se eu consigo resumir tudo o que você me disse... Você teve um caso, mas não faz mal, porque a culpa foi minha.

Então Garv fez uma coisa que não costuma fazer normalmente: perdeu a paciência. Pareceu até aumentar de tamanho. Seus músculos ficaram retesados, seus olhos pareceram ficar em um tom de azul quase branco e ele ficou com o rosto colado no meu, bufando.

— Não foi isso o que eu disse. — Ele quase mastigou as palavras. — Você SABE o que eu disse. Mas não quer me ouvir, não é verdade?

Olhei para o meu relógio e disse, com frieza:

— Preciso ir.

— Por quê?

Fiz uma pausa.

— Vou me encontrar com uma pessoa.

— Que pessoa? Shay Delaney?

— É!...

Garv ficou branco como giz e a minha raiva desapareceu por completo para ser substituída pelo vazio que eu me lembrava das primeiras semanas de separação.

— Garv, por que você veio até aqui?

— Para tentar convencer você a voltar, para tentarmos reconstruir a nossa vida. — Ele lançou um sorriso quase imperceptível. — Pelo jeito, fiz a viagem à toa.

— Você me traiu! Como é que eu poderia perdoar isso? Ou tornar a confiar em você?

— Puxa vida!... — Ele passou a mão com força diante dos olhos, e por um instante achei que ele fosse chorar.

— Conte-me só uma coisa — disse eu. — Ela era bonita, essa tal de Karen?

— Maggie, não foi assim que aconteceu, isso não vem ao caso... — Ele estava agoniado.

— Responda simplesmente sim ou não — interrompi. — Ela era bonita?

— Era atraente sim, eu acho — admitiu ele, com uma cara sofrida.

— Ah, era?... — Eu sorri e ele me olhou, meio desconfiado. — Pois aposto que ela não era tão atraente quanto a garota com quem *eu* transei.

Houve uma longa pausa. Dava quase para sentir as palavras sendo digeridas por ele até começarem a fazer sentido e, quando isso aconteceu, ele soltou uma gargalhada.

— Foi mesmo?

Garv era a única pessoa no mundo (além de Emily) que sabia o quanto as garotas dos filmes pornôs me deixavam perturbada.

— Que bom para você! — disse ele. Depois repetiu, com um pouco de tristeza: — Que bom para você...

Em um gesto que pareceu pertencer a uma outra vida, tocou a minha testa e prendeu o cabelo atrás das minhas orelhas, primeiro em uma e depois na outra. Nesse instante, reparou no meu braço vermelho e meio escamoso.

— Minha nossa, coitado do seu braço — disse ele, com um profundo ar de tristeza. De forma quase surpreendente, me pareceu natural abraçá-lo, e, quando encostei o rosto em seu ombro, senti um perfume que não consegui identificar. Uma tristeza imensa estava crescendo dentro de mim, tomando conta de tudo tão depressa que eu mal conseguia respirar.

— Acho que nós conseguimos estragar tudo mesmo — falei, com voz abafada, junto de sua camiseta.

— Não — disse ele —, nada disso. Simplesmente não tivemos sorte.

CAPÍTULO 47

Desta vez Shay estava me esperando, exibindo um sorriso lento e preguiçoso, enquanto acompanhava a minha chegada pelo saguão. Quando o vi, um pensamento se agitou bem por baixo da superfície, mas eu o empurrei de novo para o fundo e sorri de volta para ele.

— Vamos tomar um drinque no bar — propôs ele.

Mas o bar do Hotel Mondrian não era um bar qualquer, desses sem personalidade nem atmosfera. Era o Sky Bar, ponto de encontro de celebridades e gente bonita. Ficava ao ar livre, sob o céu noturno, em torno de uma piscina azul-turquesa luminosa, e o ar meio decadente e muito sexy era completado por um monte de almofadões gigantescos de seda, espalhados pelo deque, e por alguns estofados quase ao nível do chão. A única iluminação era a fornecida por tochas, que lançavam uma luz misteriosa e tornavam todas as pessoas meio enevoadas e maravilhosas.

A recepção do bar era vigiada por sujeitos altos com óculos escuros, walkie-talkies e com cara de agentes do FBI. Forte Knox provavelmente tinha um sistema de segurança menos elaborado. Só quando Shay exibiu a chave personalizada do seu quarto foi que os portões perolados se abriram.

Circulamos por entre os imensos vasos prateados que exibiam plantas ornamentais de dois metros de altura e procuramos por um lugar, mas o único espaço desocupado era um colchão enorme revestido de seda branca. Com muito cuidado, nos sentamos sobre ele e uma das mulheres mais deslumbrantes que eu já vira em toda a minha vida anotou o nosso pedido.

Então, Shay e eu nos vimos a sós, sentados no colchão e olhando um para o outro.

— Eu estava com medo de você cancelar novamente o encontro de hoje à noite — comecei eu, de repente, só pela necessidade de dizer alguma coisa.

— Escute, foi como eu lhe expliquei, o problema de ontem à noite foi trabalho, não pude escapar — explicou ele, de forma tão defensiva que pela primeira vez eu me perguntei se ele não estaria mentindo. Além do mais, ele também tentara escapar do nosso encontro para aquela noite. E, quando ligara na véspera, esperava ser atendido pela secretária eletrônica...

— Estou deixando você constrangido — disse eu, com tristeza.

— Nem um pouco. — Acompanhou essa afirmação com um sorriso deslumbrante.

— Ah, estou sim — brinquei. — Quando é comigo, a estratégia é se despedir com um aperto de mãos e fugir o mais rápido possível.

— É que talvez eu me sinta culpado. — Tornou a sorrir, meio sem graça.

— De quê?

— Bem, do tempo... você sabe, de quando éramos adolescentes. Só que tudo aquilo ficou para trás e você não me odeia, certo?

— Não, não odeio você.

Ele sorriu, aliviado.

— Mas quando você foi embora e nem ao menos me escreveu — surpreendi a mim mesma dizendo — eu quase enlouqueci.

Ele me olhou como se eu o tivesse esbofeteado.

— Sinto muito, mas eu achei que seria melhor daquele jeito. Sabe como é, seria menos doloroso para você deixar que as coisas desaparecessem aos poucos.

— Pois não foi menos doloroso, pelo menos para mim. Passei anos esperando por você.

— Desculpe, Maggie, eu tinha só dezoito anos, era jovem e burro. Não tinha noção das coisas. Se houver algo que eu possa fazer por você, para compensar... — Ele se recostou no colchão, apoiado em um dos cotovelos, e colocou a mão sobre a minha. Ficamos ali, em silêncio.

— Shay, me diga uma coisa... O seu casamento é feliz? Você ama a sua mulher?

— Sim e sim.
— E é fiel a ela?
— Sim. — Depois de um segundo: — Quase sempre.
— Quase sempre? Como assim?
— Sou fiel quando estou na Irlanda — disse ele, meio sem jeito. — Mas quando estou aqui a trabalho...
— Ahhhh, entendi... — disse eu, com ar especulativo, deixando a frase solta no ar.
— Maggie, tem uma coisa que eu quero lhe dizer.
Algo no tom de sua voz me deixou em estado de alerta.
Seus olhos dourados se fixaram nos meus.
— Maggie, eu queria que você soubesse...
Que ele sempre me amara? Que todos os dias desde que me dissera adeus ao entrar na barca sempre esteve louco por me ver?
— Maggie, eu jamais vou largar a minha mulher.
— Ah.
— Quanto a nós... Bem, eu venho muito a LA. Se você ainda estiver por aqui, quem sabe poderíamos...

Saquei o que estava acontecendo: eu estava recebendo a proposta para um *time-sharing* de Shay Delaney. Um prêmio de consolação: *Desculpe-nos pelo fato de sua vida ter sido prejudicada pela retirada abrupta de Shay Delaney, mas, por favor, aceite este voucher, que lhe dará a oportunidade de ser resgatada pelo legítimo Shay Delaney, conforme a sua conveniência.*

Inesperadamente, comecei a rir.
— Você faz sempre o papel de mocinho na vida real, não é, Shay?
— Tento fazer. É importante.
— Puxa, a sua mulher tem muita sorte por possuir um marido que sempre estará com ela.
Ele concordou.
— Embora viva trepando por aí, nas viagens de negócios.
Seu rosto ficou mais sombrio e ele se sentou reto.
— Ei, também não precisa reagir desse jeito, estou só tentando...
— O quê? Agradar a todo mundo? — Isso me provocou um novo acesso de riso.
— ... tentando ser justo — completou ele.

— Justo. Como se você fosse um prêmio!

Ele olhou para mim. Parecia surpreso, e então eu percebi o quanto estava satisfeita por não ser a mulher dele, esperando em casa, a quase dez mil quilômetros de distância, cuidando de três filhos e perguntando a mim mesma, ansiosa, o que o meu marido lindo e charmoso andaria aprontando. E percebi também que eu não arrancaria o caracol do para-brisa dele.

— Puxa, Shay, você tenta ser o máximo para todo mundo, não consegue dizer não. Nunca fica cansado disso?

Ele não estava satisfeito. Nem um pouco.

— Eu achei que era isso que você queria — pareceu confuso. — Sabe como é, todos aqueles telefonemas, a sua insistência em me ver. Você sabia que eu era casado...

Minha nossa, tudo aquilo, dito assim... Ele tinha razão: eu quase o atacara como uma tarada, nos últimos dois dias.

— Por que você veio até aqui? — quis saber ele. — O que queria de mim?

Boa pergunta. Aquela era realmente uma boa pergunta. Junto dele, eu me sentia como se tivesse olhado para o sol por muito tempo: por alguns minutos depois, eu ficava meio cega. Eu andara gravitando em volta dele, atraída como uma mariposa pela luz, mas sem ter uma ideia precisa do que esperar.

— Eu queria saber o motivo de você nunca ter escrito para mim. — Mas eu já sabia essa resposta, não era exatamente um problema de ciência avançada: ele se cansara de mim e não tivera peito de me comunicar o fato. Nada de especial, é uma coisa que acontece o tempo todo, especialmente naquela idade.

— Só isso?

— Sim.

— Me engana que eu gosto... — disse ele, de um jeito desdenhoso. — Você queria muito mais do que isso de mim.

Não queria não. Eu não sabia o que queria exatamente, mas agora eu tinha absoluta certeza do que *não queria*. Eu não queria um relacionamento com ele, nem em sistema de *time-sharing* nem de qualquer outro jeito.

— Vou ser franca com você: eu só queria virar essa página da minha vida.

— Pois então já conseguiu — disse ele, na mesma hora.

— Consegui mesmo, não foi? — Sorri, muito satisfeita.

— De repente você parece ter ficado bem animada.

— E fiquei mesmo. — Sentia-me leve e livre. Shay Delaney era só um cara que pertencia a outra vida, um repositório de esperanças que já tinham passado da validade havia muito tempo.

Subitamente, me lembrei daquelas pessoas que se dão ao trabalho de invadir uma pirâmide em busca de um tesouro, mas quando chegam ao núcleo, onde ficava a tumba, descobrem que ela está vazia porque outras pessoas já passaram por ali muito tempo antes.

— Você assistiu a *Os Caçadores da Arca Perdida*? — perguntei a ele, baixinho.

Ele olhou para mim como se eu tivesse pirado de vez.

— Claro que assisti.

O pensamento que lutava para nadar do fundo da minha consciência conseguiu chegar à tona e clamou pela minha atenção: Garv tinha razão ao dizer que Shay era um dos meus motivos para ir a LA. Não foi uma decisão consciente, estava bem escondida nos recessos do meu cérebro. Porém, durante a minha primeira noite na cidade, quando Emily me dissera que Shay passava muito tempo ali, eu já sabia disso, em parte, e me perguntei se aquele não seria o motivo de eu ter aceito tão depressa o convite para passar umas semanas com Emily.

Você não precisa dormir com alguém, dá para ser infiel só com as emoções — e eu mesma é que dissera essa frase.

Pobre Garv. E quanto aos sonhos que eu tinha de vez em quando com Shay? Garv não sabia de nada a respeito deles — ou será que sabia? Ele parecia estar vários passos à minha frente.

Pobre Garv, tornei a pensar. Como será que tinha sido para ele passar todo aquele tempo sabendo que a própria esposa ainda arrastava uma asa gigantesca por outro homem? Como devia ter se sentido sozinho durante a época em que eu perdi os bebês, carregando em silêncio a sua dor, ao mesmo tempo que tomava parte de toda aquela agitação para me consolar! Como devia ter se sentido absolutamente humilhado quando ficou impotente! Como devia ter ficado frustrado quando eu não quis mais conversar com ele — porque Garv tinha razão, *eu* é que deixara de falar com ele.

Então, me lembrei dele com a mulher-trufa e uma pontinha de raiva começou a aparecer; eu estava inflexível em nunca perdoá-lo por aquilo. Mas o que era mais importante — o meu senso de justiça ou a verdade? Além do mais, tinha de admitir que eu também não fora exatamente perfeita.

É isso o que acontece com as relações, compreendi então. O importante não é nunca magoarmos um ao outro, porque às vezes não conseguimos evitar isso, pois somos apenas humanos. No entanto, quando a gente ama alguém, fica magoado, mas consegue perdoar. E ser perdoado. Garv tinha vindo até aqui para me perdoar, e eu lhe dera um *passa-fora*.

Recostei no colchão revestido de seda branca e olhei para o céu noturno meio arroxeado. Então, percebi que cheirinho foi aquele que eu sentira em Garv na hora em que o abraçara, antes de ir me encontrar com Shay. Era cheirinho de lar.

— Não há estrelas hoje à noite — disse eu, em voz alta.

Mas as estrelas estão sempre lá, mesmo durante o dia. Nós é que simplesmente não conseguimos vê-las.

Levantei-me de um salto.

— Tenho que ir embora.

CAPÍTULO 48

Fui dirigindo na maior velocidade, mas todos os sinais de trânsito pelo caminho estavam vermelhos e eu levei quase uma hora para chegar ao Ocean View. Nunca estacionei o carro tão torto em toda a minha vida, mas deixei por isso mesmo, saí pela calçada e corri até o saguão com pisos em lajotas. Adivinhem quem foi que eu encontrei? Mamãe, papai, Helen e Anna. Mais tarde descobri que eles haviam ido ao cinema.

— Ué, eu pensei que você tinha saído com Shay Delaney — disse mamãe, surpresa.

— E saí mesmo.

— Então, o que está fazendo aqui?

— Procurando Garv.

— Pra quê? — Seu rosto subitamente se mostrou contrariado.

Eu não respondi e ela disse, irritada:

— Se ele traiu você uma vez, vai tornar a fazê-lo.

O recepcionista acompanhava essa troca de ideias com muito interesse.

— Olá — cumprimentei-o. — Você poderia ligar para o quarto de Paul Garvan, por favor?

— Ele foi embora.

— Quando? — perguntei, com o coração martelando.

— Há mais ou menos uma hora.

— E para onde ele foi?

— De volta para Iowa.

— Certo. Obrigada, vou conseguir pegá-lo no aeroporto.

Mas quando eu me virei mamãe bloqueou a minha passagem. Se esticou toda e pareceu aumentar muito de altura.

LOS ANGELES

— Você não pode sair correndo atrás dele!
— Não faça isso, filhinha, por mim — suplicou meu pai.
— Margaret, você não deve ir!

Olhei fixamente para os dois, parecendo confusa, e então disse:

— Meu nome é Maggie, e observem bem para ver se eu vou ou não!

Quando saí correndo de volta ao carro, ouvi um barulho de passos apressados atrás de mim. Era Anna.

— Quero ir com você — disse ela, sem fôlego. Entrou no carro, sentou no banco do carona, bateu a porta com força e colocou o cinto de segurança. — Vamos nessa!

A viagem pareceu durar uma eternidade, o tráfego estava muito pesado àquela hora da noite e, apesar dos encantamentos que Anna ia murmurando pelo caminho, os sinais estavam sempre vermelhos.

— Qual será a companhia aérea que ele usou para vir para cá? — perguntei a Anna, contando com o sexto sentido que ela às vezes parecia ter.

— American Airlines?

— Talvez, a não ser que ele tenha vindo por Londres, como eu vim.

— Maggie, e quanto àquela outra mulher?

— Já era.

— Mas você vai conseguir perdoá-lo por isso?

— Sim, acho que sim. Espero. A verdade é que eu também não fui nenhuma santa.

— E isso torna as coisas mais fáceis?

— Sim, eu o amo e nós vamos conseguir ajeitar as coisas. — Então acrescentei: — Mas veja bem... se ele alguma vez tornar a me trair, é um homem morto.

— Muito bem. Eu sempre achei que vocês dois formavam um casal perfeito.

— Sério?

— Sim, você não?

— Bem, tenho que confessar que houve alguns momentos em que tive as minhas dúvidas. Às vezes me perguntava se eu era uma garota porra-louca que acabara se acomodando contra a vontade em um casamento seguro.

Anna deu uma risadinha e eu lhe lancei um olhar questionador.

— Desculpe — disse ela. — Eu ri por você se descrever como... porra-louca. Desculpe.

Depois de alguns segundos, eu disse:

— Tudo bem. Enquanto estive aqui, eu bem que tentei ser um pouco porra-louca, mas realmente não consegui me dar bem no papel.

— Você realmente dormiu com Lara ou disse aquilo só de zoação com Helen?

— Dormi mesmo.

— Minha nossa!

— O que eu quero que você entenda é que não buscava segurança quando casei com Garv. Aquela era realmente eu!

— Iogurte natural à temperatura ambiente?

— Ahn...

— Iogurte natural à temperatura ambiente *com muito orgulho...*?

Pensei por um instante.

— Que tal iogurte natural à temperatura ambiente com calda de framboesa no fundo? — retruquei. — Isso me agrada mais.

— Você quer dizer... mais interessante do que parece à primeira vista?

— Exato.

— Com segredos bem escondidos.

— Sim! Talvez eu até mande pintar uma camiseta com essa descrição.

— Duas. Faça uma para Garv também.

— Se nós o encontrarmos — disse, com uma fisgada no estômago. — E se ele não me mandar à merda.

Finalmente, chegamos ao aeroporto, e depois de mais uma terrível demonstração de "como estacionar torto", corremos até o setor de embarque. Mas quando eu perguntei à atendente da American Airlines se ela poderia me dizer se Garv estava no próximo voo, ela respondeu que não poderia me dar aquela informação.

LOS ANGELES

— Mas eu sou a mulher dele! — implorei.
— Nem que você fosse o Dalai-Lama.
— É urgente.
— A vontade que eu estou de ir ao banheiro também é urgente, mas não há nada que eu possa fazer para resolver isso.
— Vamos — puxou-me Anna. — Vamos ver se conseguimos pegá-lo no portão de embarque.

O aeroporto de Los Angeles é gigantesco e vive cheio de gente, a qualquer hora do dia ou da noite. Com a língua de fora, Anna e eu corremos pelo meio da multidão, derrubando pessoas como pinos de boliche. Por alguns frustrantes minutos, nos misturamos com um grupo de hare krishnas, e fomos obrigadas a diminuir o passo, enquanto eles davam pulinhos e entoavam mantras alegres. Um deles até tentou me dar um pandeirinho, até que finalmente conseguimos nos livrar e corremos desabaladas novamente.

— Que roupa ele estava usando? — perguntou Anna, ofegante.
— Jeans e camiseta. Pelo menos essa era a roupa que ele estava usando mais cedo, mas talvez tenha trocado.
— Aquele não é ele? — perguntou Anna e meu coração deu um pulo tão grande que quase me foi parar na garganta. Mas o homem que ela apontara era afro-americano.
— Desculpe — pediu ela. — Eu vi um sujeito de jeans e camiseta e me precipitei.

Entramos e saímos de lojas e bares no setor de embarque, mas não achamos Garv em canto nenhum. O único lugar onde faltava verificar era o próprio portão de entrada para o voo, mas sem cartões de embarque nós não podíamos passar e a funcionária responsável pouco ligou para a nossa história.

— É uma questão de segurança — explicou. — Vocês podem ser terroristas.
— Por acaso nós duas parecemos terroristas? — argumentei, esperando convencê-la.

Ela jogou o chiclete de um lado da boca para outro e disse, com a voz arrastada:

— Parecem... parecem sim.

Olhei fixamente para ela como se tentasse hipnotizá-la, a fim de fazê-la desistir. Ela me encarou de volta, sem expressão e imperturbável, e cada segundo que passava minhas esperanças encolhiam. Mas eu não pretendia desistir.

— Vamos dar uma olhada nas lojas e nos bares, mais uma vez!

Mas não havia sinal de Garv. Suando, com o coração aos pulos e o sangue ainda fervendo de esperança, corri de um lado para outro como uma barata tonta, Anna fazendo tudo para me acompanhar, e só parei quando me vi exausta. Mesmo assim, não queria ir embora.

— Vamos ficar mais um pouco por aqui, para ver se ele aparece.

— Tudo bem — disse Anna, esticando o pescoço e olhando em volta, como um ferret de vigia.

Mas à medida que o tempo foi passando, eu fui me desesperando.

— Vamos embora — disse, por fim. — Não vamos mais achá-lo. É melhor voltarmos para casa.

Fui dirigindo de volta me sentindo um molde em cera de mim mesma. As ruas e casas de Los Angeles desapareceram e eu parecia estar guiando o carro através de uma terra arrasada.

— Você pode telefonar para ele — encorajou Anna. — Assim que ele colocar os pés na Irlanda.

— É... — murmurei, mas um bolo de terror se alojara em meu estômago. Sabia que era tarde demais. Ele viera me buscar, eu escolhera Shay, ele se fora. Tive a minha chance e a deixei escapar pelo ralo. A percepção disso foi semelhante àquele instante dentro do avião em que os ouvidos estalam ao engolirmos em seco e conseguimos ouvir tudo novamente com clareza.

— Foi besteira minha pensar que poderia achá-lo no aeroporto — disse, arrasada. — Esse tipo de coisa só acontece em filmes.

— Filmes estrelados por Meg Ryan — concordou Anna, com ar triste.

— Ele teria pulado o cordão de isolamento ao me ver...

— E todos em volta iriam aplaudir e comemorar.

LOS ANGELES

Nós duas soltamos um longo suspiro, em silêncio, e continuamos a seguir para lugar nenhum.

Durante muito tempo, achei que o meu casamento era um lugar tenebroso e horrível, onde eu não queria mais estar. Antes, não conseguia pensar em nada de bom a respeito dele, mas de repente comecei a me lembrar de um monte de coisas agradáveis. Como, por exemplo, quando estávamos nos preparando para sair à noite e Garv aparecia na minha frente apenas de cueca e com um par de botas altas de caubói, dizendo: "Estou pronto!" Eu fazia cara de estranheza e avisava: "Você não pode sair assim. Vai esfriar, coloque um casaco." Ou quando eu salpicava a minha cara toda com pontinhos de ruge, mas não espalhava, e ele dizia "Você está magnífica, querida, parece uma flor, mas eu sugiro um pouco de batom" e fazia uma listra vermelha no meu queixo ou na minha testa, para então declarar *"Perfecto!"*, e então me entregava uma bolinha de algodão para limpar tudo.

As noites de sexta também eram muito boas. Pegávamos um filme na locadora, pedíamos comida (nesse ponto, tudo continuava igual) e deitávamos no sofá para descansar de uma semana pesada no trabalho. Antes do segundo aborto, sexta à noite era também o dia de transarmos — embora também fizéssemos isso eventualmente em outros dias, como nos domingos de manhã, mas na sexta à noite era sempre certo. E apesar de, como eu já disse, fazer muito tempo desde que havíamos transado sobre a mesa da cozinha, eu não tinha do que reclamar. Tinha sido maravilhoso estar com alguém que conhecia o meu corpo quase tão bem quanto eu mesma.

Então, eu me lembrei de como preparávamos a escova de dentes um do outro, antes de dormir. E como, sempre que íamos ao restaurante mexicano que ficava perto de casa, dividíamos uma caixinha de asas de frango como entrada, outra caixinha de asas de frango como prato principal e uma terceira como sobremesa. E lembrei também da vez em que...

Inúmeras lembranças, cada uma mais feliz do que a outra, começaram a aparecer em sucessão pela minha cabeça, cada uma se apresentando para inspeção, e eu tive que colocar a mão fechada na boca para não gritar de dor. Veio-me à cabeça uma frase que eu sempre ouvi as pessoas usarem, mas nunca imaginei que um dia poderia se aplicar a mim: a pessoa só dá valor ao que tem depois que perde.

Quando chegamos de volta a Santa Mônica, eu não fazia ideia de como conseguira dirigir até ali.
— Quer que eu deixe você no Ocean View? — perguntei a Anna.
— Não, vou até a casa da Emily com você.
Enfiei a chave na fechadura, quase tropecei ao entrar na sala de Emily, onde tinha tanta gente sentada quieta que o meu primeiro pensamento foi: "Quem morreu?" No segundo seguinte, registrei a presença de Emily, Troy, Mike, Charmaine, Luis, Curtis, Ethan...
— Você tem uma visita, garota — disse Ethan com frieza, indicando a pessoa ao seu lado. A qual, por acaso, era Garv.
— Pensei que você tivesse voltado para Iowa. — Foi a surpresa que me fez dizer essa frase idiota.
— Não consegui lugar no avião e eu ia ter que ficar esperando alguma desistência. Como foi o seu encontro?
— Curto. Ridículo. Fui até o aeroporto para ver se alcançava você.
Meu rosto estava vermelho de emoção e todos me encaravam com determinação, como se tentassem me fulminar com os olhos. Será que era minha imaginação ou estavam todos aglomerados em torno de Garv de forma protetora, enviando vibrações de hostilidade na minha direção?
Emily se levantou.
— Que tal darmos um pouco de espaço aos dois, galera? — Depois de um curto momento de relutância, todos começaram a sair de cabeça baixa, passando por trás dela, em direção à porta da frente. Quando Curtis passou, apontou para Garv e disse, com raiva:
— Esse cara é muito melhor do que aquele playboy com o carro incrementado que trouxe você de carona na sexta-feira à noite!
— Como é que você soube da carona? — perguntou Emily.
— Ele tem um telescópio — disse Luis
— Argh! — gemeu Emily.

— Esse negócio de amor não é como um corte de cabelo não, sabia? — disse Luis, inclinando-se para falar comigo, ao sair. — Quando você faz uma merda, ele não torna a crescer de novo, entende?

— Ahn.. entendo.

— Se o cara não voltar, é porque nunca foi seu de verdade — foi a contribuição de Ethan. — E se voltar, você pode ficar com ele para sempre.

— Tenha muito cuidado com o que você deseja. — Mike balançou a cabeça de forma significativa. Ele estava certo. Eu desejara ter Shay.

— Lembre-se sempre do caracol — disse Charmaine.

— Hein?!... — todos exclamaram, a uma só voz.

— O *caracol*? — ouvi Emily perguntar aos outros, ao sair. — Que história foi aquela de caracol?

Então, todos se foram e eu fiquei sozinha com Garv.

— O que está acontecendo? — perguntou Garv, meio desconfiado.

— Você estava certo. Sinto muito.

— Sente muito sobre o quê?

— Shay Delaney. Eu continuava meio ligada a ele, mas não percebia isso, eu juro. Não percebia mesmo.

Garv esfregou os olhos. Parecia exausto.

— Esse é o tipo de momento em que eu me sentiria feliz por estar errado.

— Sinto muito. Sinto de verdade.

— Eu sinto muito também.

O jeito com que ele disse isso fez com que uns sininhos de alarme começassem a tocar dentro da minha cabeça. Foi a entonação que ele deu ao "sinto muito". Parecia algo definitivo e resolvido.

— Você sente muito pelo quê? — perguntei, mais que depressa.

— Por tudo. Por Karen. Pelos meses terríveis em que nós ficamos sem nos falar. Por ficar com a boca fechada a respeito de Shay Delaney, esperando que ele desaparecesse sozinho da nossa vida.

— Ele desapareceu. — Quase não conseguia respirar. — Eu juro.

— Por que você foi até o aeroporto?

— Porque... — Como é que eu poderia explicar? Como descrever o instante em que tudo entrou em foco de repente e eu percebi que Garv era o centro da minha vida? — Eu achei que estava tudo acabado para nós, realmente pensei que tudo terminara para sempre. Então, ao ver você hoje, senti que tudo ainda estava aceso dentro de mim, que todos os sentimentos continuavam no mesmo lugar. E descobri que eu sempre iria tirar o caracol do seu para-brisa. E só do seu, de mais ninguém.

Terminei de falar tudo em um fôlego só e, como Garv ficou ali sem dizer nada, meus nervos se esticaram a ponto de se romper. De repente, me senti como uma prisioneira ouvindo o veredicto do júri.

— Vamos colocar isso de outra maneira — tentei. — Eu amo você.

— Ama mesmo?

— Sim, de verdade. Isto é, obviamente eu o amo, porque qual seria a outra explicação para eu ir correndo até o aeroporto para bancar a Meg Ryan?

Ele me surpreendeu confessando:

— O voo não estava realmente lotado. Eu só disse aquilo para me agarrar a um último fiapo de amor-próprio. Ao chegar ao aeroporto, vi que era burrice ter tido o trabalho de vir até aqui para, no fim, desistir tão depressa. — Encolheu os ombros. — Resolvi voltar e fazer uma última tentativa.

— Oh... que bom. Que legal! Por quê?

Ele olhou para o lado, como se pensasse no que responder, e então sorriu de leve e me olhou de frente.

— Porque você é a *minha* garota predileta.

— Bem, você é o meu garoto predileto.

— Ei, invente suas próprias frases de efeito.

— Desculpe. OK. Eu amo você.

— Eu amo você.

— Agora foi você que repetiu a minha frase.

— Isso prova que eu tenho pouca imaginação.

— Então somos dois. Temos muita coisa em comum.

— É...

— O que você faria — perguntei, cautelosa — se eu não tivesse voltado para casa? Se eu tivesse... você sabe... ficado com Shay?

— Não sei. Ia pirar. Ia começar a mastigar lâmpadas.
— Bem, pois eu não fiquei com ele. As lâmpadas estão a salvo.
— É?...
— É. — Engoli em seco. De repente, o jeito com que ele continuava me olhando me fez ficar nervosa e tímida. — Então... ahn... o que acontece agora?

— Bem, nós estamos em Hollywood — disse ele, dando um passo e chegando mais perto. — Poderíamos... ahn... jogar um carro do alto de um precipício?

— Ou rolar morro abaixo em câmera lenta? — Cheguei mais perto dele também, até conseguir sentir o seu delicioso "cheirinho de Garv".

— Ou eu poderia tomar você em meus braços para nos beijarmos até a sala começar a girar.

— A ideia que eu gostei mais foi a do beijo — disse eu, quase num sussurro.

— Eu também.
E nos beijamos.

EPÍLOGO

Uma semana depois disso, Larry Savage foi mandado embora da Empire Produções. Simplesmente chegou para trabalhar em uma bela manhã e recebeu um comunicado, sem maiores explicações, de que ele devia limpar a mesa, e depois foi acompanhado até o lado de fora do prédio. Aquilo já era de esperar, quando você é um executivo da indústria do cinema, pelo menos é o que dizem. O roteiro de Emily está pegando poeira, largado em alguma prateleira da Empire, e a história de Matt, o cão, provavelmente nunca será contada. O que ia ser uma bênção, segundo a própria Emily, a não ser pelo fato de que ela só recebeu metade da grana acertada. Ficou com tanto medo de acabar como o sujeito que berra com todo mundo na porta do supermercado que resolveu deixar de ser roteirista. Troy, porém, não permitiu que ela fizesse isso e conseguiu um financiamento para a produção independente do seu mais novo roteiro. Parece que a história é brilhante, embora muito sombria. Emily diz que isso foi graças ao fato de ela estar tão deprimida e apavorada enquanto o escrevia. Um produtor de outro estúdio está interessado em reavaliar o *Reféns!*. De uma forma ou de outra, ela está conseguindo se manter, embora até agora a sua mãe ainda não tenha tido oportunidade de usar o vestido longo azul-marinho com lantejoulas em uma première. Entretanto, talvez ela tenha a chance de usá-lo em um futuro próximo. Não na première de um filme, mas em um casamento — o casamento de Emily e Troy. Devo admitir que, apesar das dúvidas iniciais a respeito da fidelidade de Troy, ele tem sido um modelo de bom comportamento desde que Emily o aceitou.

Lou ainda perseguiu Emily por umas duas semanas, mas depois desistiu. Em compensação, quando Kirsty soube de Troy e Emily, começou a se empanturrar de comida. Dizem que engordou oito quilos em duas semanas. Eu até acharia graça, se não fosse tão cruel.

Lara continua a ser uma mulher lindíssima e muito alegre. Ainda não encontrou a garota certa, mas está se divertindo como nunca, enquanto procura. Justin ainda leva a mesma vidinha reservada em companhia de Desiree, mas parece que as coisas melhoraram recentemente para ele, porque o outro gordinho dispensável com quem disputava papéis teve um problema glandular e emagreceu uma tonelada.

Reza deu um chute na bunda do marido e mandou que ele fosse morar com a "pirranha" dele. Ele voltou em menos de uma semana, quase rastejando de arrependimento.

O pobre roteirista louco ainda circula pelo estacionamento do supermercado, berrando indicações cênicas para as pessoas que compram mantimentos.

O probleminha de Luis passou na segunda rodada de antibióticos. Ele, Ethan e Curtis acabaram a faculdade, rasparam os cavanhaques, deixaram o cabelo crescer (os dois que costumavam raspar a cabeça) e se tornaram respeitáveis. O gatãomóvel foi levado para o ferro-velho.

Charmaine e Mike são os mesmos de sempre. Antes de eu voltar para a Irlanda, Charmaine me disse que a minha aura já não estava tão tóxica quanto antes. De vez em quando, alguém do grupo de contadores de histórias telefona para mamãe e pede para ela voltar. Ela lhes enviou uma edição de *Os Contos de Finn McCool* e espera que eles agora a deixem em paz.

Connie se casou, mas não foi transformada em refém durante a lua de mel.

Helen, para espanto geral, realmente montou uma agência de detetives particulares assim que voltou para a Irlanda. Especializou-se em "casos domésticos" — ou seja, flagra cônjuges infiéis — e trabalho não lhe falta. Anna se saiu tão bem em seu novo emprego que eles a promoveram do buraco que era a sala de correspondência para as brilhantes luzes do balcão de recepção. Ela nem fala mais em Shane e parece que recebe um e-mail de Ethan, de vez em quando. Às vezes, só para deixar mamãe preocupada, Anna comenta que ele vai aparecer para visitá-la assim que conseguir uma folga.

O pescoço de papai está melhor. E também as minhas relações com ele. Levou um pouco de tempo para isso acontecer, e mais tempo ainda com a minha mãe.

A Dark Star Produções foi literalmente para o espaço, mas Shay já está com um cargo importante em outra produtora famosa. Quando soube disso, Claire afirmou, com um pouco de admiração: "Lá vai ele novamente. Caiu numa poça de merda e saiu lá de dentro cheirando a Paloma Picasso."

Outro dia, eu estava assistindo à tevê quando apareceu a chamada de uma nova série dramática americana e vi um rosto que me pareceu familiar. Levei um instante para descobrir; ele estava um pouco mais bem-cuidado e produzido que na última vez em que nos vimos.

— É Rudy! — gritei. — O cara que vendia sorvete na praia, em Santa Mônica. Comprei muitos picolés Klondike dele.

Ninguém acreditou em mim, é claro.

Será que acabou? Ah, esqueci de mim mesma. Estou na cama, sem conseguir me mover, por conta de uma gravidez de oito meses que me deixou imensa. Não consigo mais enxergar meus dedos dos pés há semanas, e se eu me deitar de costas não consigo mais me levantar, nem me virar de lado, a não ser que Garv use uma tábua para servir de alavanca e coloque o seu peso em cima. Prometi a Helen que vou lhe contar com detalhes o quanto as dores do parto foram insuportáveis, sem tentar enganá-la com aquele papo de "milagre da vida".

Garv e eu estamos mais juntos do que nunca. É claro que não foi fácil. No início gritávamos um com o outro, de vez em quando, tentando nos livrar das arestas que ainda havia; porém, a essa altura do campeonato, sabemos que os laços que nos unem são fortes o bastante para aguentarmos alguns trancos. Mesmo quando estivemos separados e magoados um com o outro, continuávamos unidos.

É como ele sempre diz: as estrelas estão sempre lá, mesmo durante o dia. Nós é que nem sempre conseguimos vê-las.

The End

Impresso no Brasil pelo
Sistema Cameron da Divisão Gráfica da
DISTRIBUIDORA RECORD DE SERVIÇOS DE IMPRENSA S.A.
Rua Argentina 171 – Rio de Janeiro, RJ – 20921-380 – Tel.: 2585-2000